D1409468

»Beryl Markhams Bücher sind phantastisch, weit wichtiger als meine eigenen.« Dieses Urteil Hemingways bewirkte die Markham-Renaissance der letzten Jahre. Aber nicht die heute so viel beschworene Nostalgie ist Anlaß zur Neuherausgabe der Bücher Beryl Markhams und der Erarbeitung ihrer Biographie – es ist das abenteuerliche, abwechslungsreiche und ungewöhnliche Leben dieser Frau, die Schilderung ihrer Heimat Kenia, der Pionierzeit in einem heute völlig anders gewordenen Land. Darüber hinaus ist es das Wirken einer Frau, deren Handeln, deren Furchtlosigkeit und Abenteuerlust sie weit über ihre Zeitgenossinnen hinaushebt und somit zeitlos macht.

Aufgewachsen mit den einheimischen Kindern, lernte sie sechs Eingeborenensprachen, lernte mit den Schwarzen jagen, lernte diese Menschen mit einer Intensität kennen wie keine zweite Europäerin. Aufgewachsen aber auch mit den Rennpferden ihres Vaters, konnte sie reiten und die Pferde verstehen wie nur wenige. Als erste Fliegerin Ostafrikas mit Pilotenlizenz für Passagierflüge gehörte sie zu den Pionieren der Luft. Ihr Abenteuergeist ging so weit, daß sie einen Direktflug London – New York, damals ein gefahrenträchtiges Experiment von über zwanzig Stunden Dauer, wagte, der ihren weltweiten Ruhm begründet.

Es ist eine besondere Welt, in der Beryl Markham lebte, in der sie sich Freiheiten herausnahm, die nicht alltäglich waren. Bei ihren vielen Abenteuern, ihren seelischen Höhen und Tiefen, ihrem Freundeskreis – ihre Biographie kann nur lebendig und spannend sein! Sie ist es um so mehr, als die Autorin lange Monate bei Beryl Markham in Kenia lebte und von dieser selbst im hohen Alter noch faszinierenden Frau das bunte Leben erzählt bekam.

Markhams afrikanische Erzählungen fordern zum Vergleich mit Tania Blixen auf, bei ihren Fliegererzählungen assoziiert man Antoine de Saint-Exupéry – beide hat Beryl Markham gekannt und beide haben sie beeinflußt, beide Namen sind als Vergleich nicht zu hoch gegriffen – Beryl Markham aber ist eine eigenständige Persönlichkeit, den Genannten ebenbürtig, wie Mary S. Lovell mit Sachkenntnis, Akribie und Temperament in dieser Biographie beweist.

Von Beryl Markham sind im
Goldmann Taschenbuch Verlag bereits lieferbar:
Westwärts mit der Nacht (9283)
Rivalen der Wüste. Erzählungen (9792)

Beryl Markham

Aufgezeichnet von Mary S. Lovell

Leben für Afrika

Aus dem Englischen von
Christa Seibicke

GOLDMANN VERLAG

Die englische Originalausgabe erschien unter dem Titel
»Straight on Till Morning. The Biography of Beryl Markham«
bei Hutchinson Ltd., London.

Umwelthinweis:
Alle bedruckten Materialien dieses Taschenbuches
sind chlorfrei und umweltschonend.

Der Goldmann Verlag
ist ein Unternehmen der Verlagsgruppe Bertelsmann

Made in Germany · 1. Auflage · 5/93
Genehmigte Taschenbuchausgabe
Copyright © 1987 by Mary S. Lovell
Copyright © für die deutsche Ausgabe 1989 by nymphenburger
in der F. A. Herbig Verlagsbuchhandlung GmbH., München
Umschlaggestaltung: Design Team München
Umschlagfoto: The Image Bank/Turner, München
Verlagsnummer: 42227
Druck: Presse-Druck Augsburg
UK · Herstellung: Heidrun Nawrot
ISBN 3-442-42227-2

Für Clifford,
der mich mit Beryl bekannt machte.
Die Füße fest auf der Erde,
doch mit dem Herzen im Himmel!

»Wie kommt man ins Land Nirgendwo?« fragte Wendy.
»Zweiter Stern rechts, und dann immer geradeaus – dem Morgen
entgegen.«

J. M. Barrie, Peter Pan

Inhalt

Vorwort

Während ihres mehrwöchigen Aufenthalts in Nairobi hat Mary Lovell alle Tage bis auf einen in meinem Haus an der Ngong-Rennbahn verbracht. Wir sind Freunde geworden.

Sie hat mir erzählt, die Leute interessierten sich für das, was ich erlebt, in meinem Buch *Westwärts mit der Nacht* aber nicht beschrieben habe. Ich kann mir zwar nicht vorstellen, warum irgend jemand darauf neugierig sein sollte, aber ich glaube und vertraue ihr und habe ihr daher meine Papiere zur Verfügung gestellt.

Tag für Tag hat sie mir daraus vorgelesen, und beim Zuhören habe ich mich an vergangene Zeiten erinnert und an Menschen, die schon lange tot sind. Und wenn sie mich nach jemandem fragte, habe ich versucht, ihr Auskunft zu geben. Aber ein paar Erinnerungen habe ich für mich behalten, wie das wohl jeder tut. Und weil sie das versteht, habe ich mich bemüht, ihr zu helfen, so wie sie – auf ihre Art – mir geholfen hat.

Beryl Markham

Nairobi, 3. April 1986

Prolog

Als 1985 auf einer Dinnerparty der Name Beryl Markham fiel, verspürte ich ein plötzliches Kribbeln im Rücken, ganz ähnlich jenem ahnungsvollen Schauder der Liebe auf den ersten Blick. Das wunderte mich, denn soweit ich mich erinnern konnte, hatte ich den Namen nie zuvor gehört. Ich erkundigte mich und erfuhr, daß sie ein ziemlich aufsehenerregendes Leben geführt habe, mittlerweile jedoch über achtzig sei und zurückgezogen in Kenia lebe. In ihrer Jugend hatte sie zu den Pionieren der Luftfahrt gehört und als erste Frau den Atlantik von Ost nach West überflogen. In dem Jahr, als ich geboren wurde, hatte sie ein Buch mit dem Titel *Westwärts mit der Nacht* geschrieben, und sie war eine bekannte Pferdetrainerin gewesen. Zu ihren Feunden hatten auch Karen Blixen und Denys Finch Hatton gehört, deren Romanze in jüngster Zeit durch den Film *Jenseits von Afrika* weltberühmt geworden ist.

Für die Dreharbeiten hatte mein geschiedener Mann sein Flugzeug, eine Gipsy Moth, zur Verfügung gestellt, und in einigen Szenen des Films, frei nach Tania Blixens Roman *Afrika, dunkel lokkende Welt*, hatte er sie auch selbst geflogen. Nach seiner Rückkehr aus Kenia trafen wir uns auf besagter Dinnerparty, und er erzählte mir, wen er in den drei Monaten in Afrika alles kennengelernt habe. Bei der Gelegenheit erwähnte er auch Beryl Markham. Ich konnte mir nicht erklären, warum gerade dieser Name ein so seltsames Gefühl in mir auslöste – beinahe ein Déjà-vu-Erlebnis –, bis er sagte: »Irgend jemand sollte sich hinsetzen und ein Buch über ihr Leben schreiben. Das wäre mal eine erstklassige Story...«

Drei Tage später las ich Beryls faszinierenden Erinnerungsband *Westwärts mit der Nacht*. Eher hatte ich mir das Buch nicht beschaffen können, doch ich hatte in der Zwischenzeit bereits die Handbibliothek meiner Stadtbücherei durchgestöbert, wo ich freilich nur nüchtern und knapp formulierte Angaben über Beryls heldenhafte Atlantiküberquerung fand. Als nächstes sichtete ich die Rubrik Luftfahrt unter den Magazinbeständen und verschaffte mir anhand der Register ein paar weiterführende Informationen.

Seit Jahren sammle ich antiquarische Bücher über Pferde und Fuchsjagden. So kam ich auch in den Besitz des persönlichen Jagdtagebuches einer Dame aus Leicestershire. Als ich eines Abends eher zufällig darin blätterte, stieß ich zu meiner Verwunderung auf den Namen Clutterbuck. Erst zwei Tage zuvor hatte ich ihn in Beryls Autobiographie gelesen. Sicher nur ein Zufall? Nein, vermutlich nicht, immerhin hatte Beryl geschrieben, er sei ein erfolgreicher Steeplechaser gewesen.

Zu dieser Zeit arbeitete ich eigentlich an einem anderen Buch, das auch schon halb fertig war, und so wunderte sich mein Agent begreiflicherweise, als ich ihn anrief und ihm mitteilte, ich wolle dieses Projekt fallenlassen, um ein Buch über Beryl Markham zu schreiben. »Wer ist Beryl Markham?« fragte er. Aber damals war ich noch nicht bereit, Beryl mit irgend jemandem zu teilen, und daher antwortete ich ausweichend: »Das weiß ich selber noch nicht genau. Ich weiß bloß, daß ich über sie schreiben muß.«

Nach ein paar Wochen hatte ich genügend Material für eine vorläufige Gliederung beisammen. Über ihren englischen Verlag schrieb ich an Beryl Markham und erhielt auch bald Antwort von Jack Couldrey, ihrem Anwalt. Sein Schreiben war freilich alles andere als ermutigend. Er habe Beryl meinen Brief vorgelesen, sei aber nicht sicher, ob sie ihn auch verstanden habe. »... sie ist jetzt richtiggehend senil«, schrieb er. Wenn ich nach Nairobi käme, würde ich sie zwar besuchen und mich auch mit ihr unterhalten können, aber ich müsse damit rechnen, daß sie oft geistesabwesend und nicht ansprechbar sei.

Das war ein schwerer Schlag für mich. Trotzdem, ich mußte sie ganz einfach sehen. Noch am selben Tag ging ich in mein Reisebüro und buchte einen Flug nach Nairobi und zurück. Dann schrieb ich eine Reihe von Leuten an, auf deren Namen ich während meiner bisherigen Recherchen gestoßen war. Interviews folgten. Ich staunte über die vielfältigen und breitgefächerten Interessen, die Beryl im Laufe ihres Lebens verfolgt hatte. So enttäuscht ich über Jack Couldreys Brief auch war, ich hatte das Gefühl, daß es nicht unbedingt notwendig sei, Beryl selbst zu befragen, um ihre Geschichte schreiben zu können. Trotzdem wollte ich sie persönlich kennenlernen. Außerdem gab es in Kenia viele, die mir helfen konnten, mein Material zu vervollständigen, falls sie dazu bereit waren.

Im März 1986 traf ich in Nairobi ein. Ich hatte mit drückender Hitze gerechnet, mir eine ausgedörrte, gelblich-fahle Landschaft vorgestellt und war daher angenehm überrascht von der warmen, aber prickelnden Luft und der farbenprächtigen Schönheit der Vegetation.

Ich kam an einem Sonntag an und hängte mich gleich ans Telefon, um erste Verabredungen zu treffen und einen Wagen zu mieten. Den holte ich am Montagmorgen ab und reihte mich zaghaft in das undisziplinierte Verkehrsgewühl auf Nairobis Straßen ein.

Mein erster Besuch galt Jack Couldrey. Er zeigte sich besorgt darüber, daß ich womöglich Zeit und Geld verschwenden könnte. Von Beryl sprach er sehr liebevoll. »Sie kann mitunter schwierig sein«, warnte er mich. »Und sie hält nicht besonders viel von Frauen. Heutzutage hat sie nur noch sehr wenige Freunde. Sie ist schwermütig geworden und recht einsam, hat sich abgesondert. Ihre beiden Diener schikaniert sie so, daß ich mir nicht vorstellen kann, warum sie bei ihr bleiben. Sie hat allerdings gute Tage und schlechte ... als ich gestern abend bei ihr vorbeischaute, war sie so lebhaft wie schon seit langem nicht mehr ... Wenn Sie etwas fotokopiert haben möchten, bringen Sie es nur zu uns in die Kanzlei, und wir erledigen das für Sie. Ich glaube, im Laufe der Jahre sind Beryl eine Menge Sachen entwendet worden, aber Sie würden sowas nicht tun, nicht wahr? Nein, natürlich nicht.«

Ich dankte ihm, verabschiedete mich und fuhr zu Beryl hinaus. Unterwegs kaufte ich einen großen Strauß Blumen, obwohl mir schon mehrere Leute gesagt hatten, ich täte besser daran, ihr eine Flasche Wodka mitzubringen.

Das Cottage auf dem Gelände der Rennbahn fand ich ohne Schwierigkeiten. Die Tür stand weit offen, und ich hörte, wie drinnen eine Unterhaltung auf Suaheli geführt wurde. Ich klopfte an die Tür zum Wohnzimmer. »Oh, hallo, bitte treten Sie ein«, bat eine kultivierte Stimme. »Wie reizend, daß Sie gekommen sind.« Ich trat ein, und sie sah die Blumen. »Wie entzückend, haben Sie *vielen* Dank!« sagte sie liebenswürdig. Ich erkannte sie sofort nach den Fotos, die ich während meiner Recherchen gesammelt hatte. Es war einfach eine ältere Version der einst atemberaubend schönen Frau, deren Züge mir schon so vertraut waren. Von dem vielgerühmten Glamour konnte ich an jenem ersten Tag wenig entdecken, aber das klassische Profil verriet unverkennbar, wen ich vor mir hatte. Ihr Haar war schlohweiß, straff zurückgekämmt und offensichtlich schon seit längerem nicht mehr von kundiger Hand frisiert worden. Sie trug Bluejeans und eine weite Bluse.

Sie bedeckte ihren rechten Oberarm mit der linken Hand, und offenbar war ein Streit im Gange, denn die Diener standen ängstlich um sie herum. Als sie die Hand von ihrem Arm nahm, erblickte ich eine gräßliche Wunde. Ein großer, dreieckiger Hautfetzen war abgerissen und zurückgeklappt, so daß Nerven und Muskeln bloßlagen, fast wie bei einer Operation. Es tue »sehr weh«, gab sie zu, behandelte die Verletzung jedoch ansonsten recht gleichmütig und ließ nur ihrem Ärger freien Lauf. Ich fragte nach Verbandszeug, denn es war sehr warm im Zimmer, und eine Menge Fliegen surrten durch den Raum. Adiambo, die Dienerin, verschwand im hinteren Teil des Hauses und kam mit einer Flasche Shampoo zurück. Das, sagte sie, sei alles, was sie finden könne. Beryl schaute mich fragend an.

Ich wußte, daß der Jockey Club ganz in der Nähe sein mußte, und nachdem ich Beryl eingeschärft hatte, die Wunde bedeckt zu halten, machte ich mich auf den Weg. Im Club war man sehr entgegenkommend und stellte mir den Erste-Hilfe-Kasten zur Verfügung. Damit kehrte ich zum Cottage zurück und verband Beryls Wunde. »Oh, so ist's viel besser. Wie nett von Ihnen«, sagte sie, als ich fertig war. »Wie spät ist es – möchten Sie einen Drink?« Es war erst um die Mittagszeit, aber ich tat ihr den Gefallen und sagte ja.

Es gab nur Wodka und Orangensaft. Beunruhigt sah ich zu, wie Adiambo mir gut ein halbes Wasserglas voll Alkohol eingoß und mit Orangensaft auffüllte. Doch als ich daran nippte, merkte ich, daß der Wodka reichlich mit Wasser verdünnt war. Später kam ich dahinter, daß in Beryls Haushalt wie durch Zauberei aus jeder Flasche zwei wurden. Sie merkte anscheinend nichts von diesem Schwindel. Den Nachmittag über beobachtete ich, wie sie von Zeit zu Zeit einen kleinen Schluck aus ihrem Glas nahm, und als ich mich um sechs verabschiedete, hatte sie es noch immer nicht ausgetrunken.

Ich erzählte ihr, daß ich gekommen sei, weil ich ein Buch über sie schreiben wolle, doch das wußte sie ja bereits von Jack Couldrey. Auf meine besorgte Frage hin beteuerte sie, daß sie nichts dagegen einzuwenden habe, im Gegenteil. Sie hieß mich eine schwarze Zinntruhe öffnen, die unter dem Fenster stand. »Da ist alles drin … bringen Sie mir das eine oder andere her, und ich werd's Ihnen erklären«, sagte sie. Ich hatte bereits in Erfahrung gebracht, daß sie seit einer Thrombose im letzten Oktober nicht mehr laufen konnte. »Wahrscheinlich könnte ich es schon, wenn ich nur die richtigen Leute um mich hätte«, versicherte sie mir lebhaft.

Ich entdeckte keine Anzeichen der Senilität, auf die man mich vorbereitet hatte, und Beryl schien mir auch nicht geistesabwesend. Offenbar hatte ich Glück gehabt und einen guten Tag erwischt. »Darf ich morgen wiederkommen?« – »Aber bitte, ich würde mich sehr freuen …«

In den nächsten Wochen fuhr ich jeden Morgen gegen zehn zu Beryls Cottage hinaus. Dort saßen wir dann in ihrem bescheiden eingerichteten Wohnzimmer, dessen Wände vollgehängt waren mit gerahmten Fotos. Die meisten waren Aufnahmen von ihrem Flugzeug und ihrer Ankunft in New York, aber auch von ihren Pferden waren einige Bilder dabei, und über ihrem Sessel hing ein Porträt des Fliegers Tom Campbell Black. Beryl zeigte lebhaftes Interesse, als ich ihr erzählte, daß ich vor meiner Abreise nach Kenia

Florence Desmond (Toms Frau bis zu seinem tragischen Tod
1936) interviewt hatte.
Die ersten Tage verbrachte ich damit, Beryls Truhe durchzugehen.
Einen nach dem anderen reichte ich ihr die Briefe und las sie ihr
vor, und wenn ich auf eine Landkarte stieß, betrachteten wir sie
gemeinsam. Ihr schien das nie langweilig zu werden, und wir brü-
teten tagelang über jeden in ihrem Logbuch verzeichneten Flug.
Sie wollte alles wissen, was ich über sie herausgefunden hatte.
»Wie sind Sie denn darauf gekommen?« Anfangs gab sie selbst nur
wenig preis. Wenn ich ihr eine direkte Frage stellte, antwortete sie
oft ausweichend. »Von dem und dem habe ich gehört, Sie hätten
sich so und so verhalten«, sagte ich beispielsweise zu ihr. »Ist das
wahr?« – »Was glauben denn Sie?« fragte Beryl zurück und richtete ihre porzellanblauen Augen forschend auf mich. Und wenn ich
antwortete: »Ich könnte mir vorstellen, daß es stimmt«, meinte sie
nur: »Na also …«
Unser Gespräch drehte sich freilich nicht ausschließlich um ihre
Biographie. Nach zwei Tagen merkte ich, daß Beryl über ihre
äußere Erscheinung unglücklich war. Da sie nun einmal an ihren
Stuhl gefesselt war, machte ich zaghaft den Vorschlag, daß ich ihr
die Haare waschen und legen könne. Bei dem Friseur in meinem
Hotel lieh ich eine Trockenhaube aus, und am Wochenende machten wir uns ans Werk. Dabei sprachen wir über Pferde und Old-
timer-Flugzeuge – Themen, für die wir uns beide interessierten.
Ich erzählte ihr von Flashman, meinem Pferd, und von den Jagden
im New Forest. Da erinnerte sie sich daran, daß auch sie als junge
Frau an Jagdpartien in England teilgenommen hatte. Dies war das
erste Mal, daß sie mir unaufgefordert und aus eigenem Antrieb
eine Information gab.
Unterdessen interviewte ich auch Leute aus Beryls Umgebung.
Manchmal mußte ich sie kurze Zeit allein lassen, um mich mit
jemandem zum Lunch zu treffen, oder ich kam ein bißchen später
als gewöhnlich, weil ich mit einem Informanten in meinem Hotel
gefrühstückt hatte. Sie ärgerte sich jedesmal über mein Ausbleiben.
In der Regel traf ich meine Interviewpartner daher am Abend.
Sie waren alle beispiellos entgegenkommend, und ich notierte

mir sämtliche Angaben, ließ mich jedoch anfangs von den vielen Gerüchten, Anspielungen und Klatschgeschichten ziemlich verwirren.

»Sie säuft wie ein Loch, wissen Sie.« – »Sie hatte eine Affäre mit dem Prinzen von Wales.« – »Der wirkliche Vater ihres Sohnes ist Prinz Henry.« – »Die königliche Familie hat ihr damals Geld gegeben, damit sie nie mehr nach England zurückkehrte.« – »Der Buckingham Palast zahlte ihr eine astronomische Summe, aber sie hat das ganze Geld zum Fenster rausgeworfen.« – »Ihre Familie will nichts mit ihr zu tun haben.« – »Dieses Buch kann sie nie und nimmer geschrieben haben, sie ist doch die reinste Analphabetin!« Mit erstaunlicher Offenheit präsentierte man mir die Namen von Beryls angeblichen Liebhabern. Es dauerte ein paar Tage, ehe ich erkannte, daß die Gesellschaft Kenias ihr Hauptvergnügen aus Klatsch und Tratsch bezieht. Auch wenn manche Leute mich mit Informationen versorgten, die aufgrund meiner bisherigen Recherchen gar nicht wahr sein konnten, waren sie keineswegs boshaft oder hinterhältig. Vielmehr wiederholten sie einfach Versatzstücke der Legende, die sich seit Anfang des Jahrhunderts um Beryls Leben rankt.

Schon wenige Tage nach meinem ersten Besuch im Cottage fiel mir auf, daß Beryl angefangen hatte, sich zu schminken, und wenn ich pünktlich um zehn eintraf, saß sie bereits fertig angezogen in ihrem Sessel, den Blick unverwandt auf die Tür gerichtet. Ich sagte ihr, daß ich gern Suaheli lernen würde, weil es mir verhaßt sei, wenn sich die Leute um mich herum unterhielten, ohne daß ich ein Wort verstand. Von da an brachte sie mir jeden Tag fünf neue Wörter bei und amüsierte sich über meine stockenden Versuche, mich mit Odero und Adiambo zu verständigen. Den beiden machte es nicht weniger Spaß. Adiambo feixte ganz unverhohlen über meine Schnitzer, Odero dagegen tat freundlicherweise so, als spräche ich fehlerfrei und brachte auf mein Geheiß Wasser, ließ die Hunde hinaus oder holte einen Schal für Beryl. *Jambo, Kwaheri, Maji, Hapana* … Wann immer Beryl sich mit jemandem auf Suaheli unterhielt, pickte ich mir ein Wort heraus und fragte sie, was es bedeute. »Was heißt *kidogo*, Beryl?« »Klein.«

Meine Bemühungen als Friseuse waren kein voller Erfolg. Ich fand
Beryls Haar sehr hübsch; es war schneeweiß, und als ich es gewaschen und gelegt hatte, wirkte es auch erstaunlich dicht und voll.
Beryl konnte es gar nicht erwarten, das Resultat zu sehen, doch als
ich ihr einen Handspiegel reichte und sie sich darin betrachtete,
merkte ich, daß ich etwas falsch gemacht hatte. »Aber es ist ja
immer noch *weiß*«, sagte sie enttäuscht. Erst als ein Friseur aus
meinem Hotel kam, ihr die Haare schnitt und silberblond färbte,
war sie mit dem Ergebnis zufrieden. Von nun an diente ich ihr
jeden Morgen als Zofe; während wir uns unterhielten, legte ich ihr
Make-up auf und frisierte sie.

Eines Tages verabschiedete ich mich um die Mittagszeit von Beryl
und fuhr hinauf in die Ngong-Berge, um Denys Finch Hattons
Grab zu besuchen und mir Karen Blixens Haus anzuschauen, das
heute als Museum dient. Bei meiner Rückkehr überreichte ich Beryl einen Bildband mit Aufnahmen, die während der Dreharbeiten
zu *Jenseits von Afrika* entstanden waren. Über den Fotos der Dar-
steller von Karen, »Blix« und Denys stutzte sie. »Wer sind diese
Leute?« Ich erklärte es ihr. »Nicht die geringste Ähnlichkeit!« kritisierte sie. »Nun ja, das sind ja auch bloß Schauspieler!« – »Was
macht denn der da?« – »Das soll Denys sein, wie er Karen die Haare wäscht.« – »Was? Aber nein, das ist ganz unmöglich. Er hätte
ihr niemals die Haare gewaschen. Andersrum vielleicht – bloß, daß
es bei ihm nicht viel zu waschen gab ...«

Mitunter geschah es wohl, daß ihre Gedanken abschweiften. Ich
lernte bald, die Symptome hierfür zu erkennen, denn sie fing dann
jedesmal an, sich zu wiederholen, oder brach plötzlich mitten im
Satz ab. Manchmal dauerte das nur Minuten, manchmal aber auch
eine Stunde oder länger. Es war zwecklos, nach dem Sinn dessen,
was sie in solchen Phasen äußerte, zu forschen. Da half nur Geduld, und so saß ich denn still neben ihr, las ihr vor oder, wenn sie
sprach, still für mich. Plötzlich aber blickte sie auf und fragte:
»Warum sagen Sie denn gar nichts?« Gott sei Dank war sie sich
dieser Ausfallerscheinungen nicht bewußt, doch sie sprach bisweilen von ihrer Angst, »alt zu werden und den Verstand zu verlieren«. »Der Gedanke, daß die Leute dann über mich lachen werden,

ist mir schrecklich«, gestand sie bekümmert. Oft war sie um ein
bestimmtes Wort verlegen, worüber sie sich jedesmal sehr aufreg-
te, allerdings bemerkte ich nie, daß sie derart ins Stocken geriet,
wenn sie Suaheli sprach. Es hatte fast den Anschein, als sei sie in
dieser Sprache eher zu Hause als im Englischen.

Eines Tages erzählte sie mir, daß sie kurz vor meinem Eintreffen
bis zur Tür und zurück zu ihrem Sessel gegangen sei. Ich war ganz
verblüfft. »Wirklich? Das ist ja wunderbar!« Nicht lange danach
kam Beryls Freundin Paddy Migdoll vorbei, und ich berichtete ihr
von Beryls Gehversuchen. Paddy war genauso überrascht wie ich
und erkundigte sich, ohne daß Beryl sie hören konnte, bei Adiambo. Die aber bestritt, daß Beryl gelaufen sei. »Ich fürchte, sie bildet
sich das nur ein«, sagte Paddy zu mir, als ich sie zu ihrem Wagen
brachte. Doch das stimmte nicht, denn nach dem Lunch verkündete Beryl plötzlich: »Ich möchte einen Spaziergang machen.«
Odero hielt sie an den Händen, ich faßte sie um die Taille, und so
richtete sie sich auf. Ihr Gesicht war ein Bild der Konzentration,
als sie nun langsam auf die Tür zuging. »Und jetzt nach draußen«,
sagte sie. Ich stützte Beryl, während sie auf die Veranda hinaustrat,
und trat dann einen Schritt zurück, bereit, ihr wenn nötig sofort
beizuspringen. Aber sie brauchte sich nur auf Odero zu stützen,
während sie zweimal die Veranda auf und ab schritt. Ich war überrascht, wie groß sie war (ich hatte sie bisher ja nur in ihrem Sessel
gesehen) und wie aufrecht sie sich hielt.

Als sie wieder in ihrem Stuhl saß, neben sich einen Wodka, da
triumphierte sie vor Stolz. »Ich hab Ihnen ja gesagt, daß ich laufen
kann. Rufen Sie nach dem Mädchen, damit sie Ihnen nachschenkt.
Kommen Sie, wir wollen uns mal so richtig amüsieren, ja?« Ich
freute mich mit ihr. Vor ein paar Jahren hatte ich selbst nach einer
Rückenmarksoperation wieder laufen lernen müssen, und so wußte ich nur zu gut, was für ein Gefühl das ist, wenn man zum erstenmal wieder auf eigenen Füßen steht. Beryl wirkte auf einmal jung
und kokett, und den Rest des Nachmittags sprach sie glücklich davon, was sie alles machen wolle, wenn sie erst wieder richtig laufen
und auch wieder Auto fahren könne. »Als erstes werde ich auf die
Bank gehen und Geld abheben. Ich habe recht schöne Ersparnisse,

von meinem Buch, wissen Sie, nur kann ich ohne Wagen nicht zur
Bank.« »Ihr Buch ist im Moment ein ganz großer Renner, nicht
wahr?« »Ja, ich *weiß*«, sagte sie. »Es ist erstaunlich. Stellen Sie sich
vor, ich hatte es schon ganz vergessen.«

»Warum haben Sie eigentlich später nichts mehr geschrieben?«
fragte ich. »Oh, aber das habe ich doch – eine Menge kleiner Sachen für alle möglichen Leute.« Behutsam hakte ich nach und erfuhr die Namen verschiedener Zeitschriften, die ich mir für weitere
Recherchen notierte. »Sie wissen vermutlich, daß es Leute gibt, die
behaupten, Sie hätten Ihr Buch nicht allein geschrieben?« erkundigte ich mich. Wie schon anderen gegenüber, die ihr die gleiche
Frage gestellt hatten, ging Beryl verächtlich über dieses Gerücht
hinweg und meinte nur, das Buch sei selbstverständlich ihr Werk.
Doch ich wollte noch wissen, womit denn Raoul Schumacher
eigentlich ihren Dank und die Widmung verdient habe. »Am
Schluß hat er mir geholfen, auf sowas verstand er sich sehr gut,
und er war ja auch sehr gescheit, aber geschrieben habe ich das
Buch, während er fort war ... er war zu der Zeit ja nicht mal da.«
Wenn mich nicht so viele meiner Informanten mit ihren Zweifeln
verunsichert hätten, wäre es mir nie in den Sinn gekommen, Beryls
Verfasserschaft in Frage zu stellen. Und nun, im Zusammensein
und im Gespräch mit ihr, erfüllte sie unbewußt meine schönsten
Hoffnungen.

Ich fand sie hochintelligent und gebildet. Nach meinem Dafürhalten war sie eine ungemein starke und vielseitige Persönlichkeit.
Meine weiteren Recherchen räumten sämtliche Zweifel aus. Beryl
hat ihr Buch und auch die späteren autobiographischen Kurzgeschichten selbst verfaßt.

Ganz gleich wonach ich sie auch fragte, sie antwortete mir stets
höflich und entgegenkommend. Wollte sie eine Frage nicht beant-
worten, so wich sie ihr unter einem Vorwand aus: »Leider kann
ich mich daran nicht mehr erinnern, es ist ja auch schon so lange
her.« Ich fand jedoch bald heraus, daß sie, wenn sie tatsächlich etwas vergessen hatte, darüber sehr bekümmert war. »Ich kann mich
wirklich nicht erinnern – heute nacht ist es mir eingefallen, und ich
wollte es Ihnen sagen, aber jetzt erinnere ich mich nicht mehr ...

Dabei möchte ich es Ihnen wirklich so gern erzählen ... ach, es tut mir so leid.« Sie nahm lebhaften Anteil an meiner Arbeit, wenngleich ich zugeben muß, daß ich in den Berichten über meine anderen Interviews das eine oder andere fortließ, aus Angst, sie könne daran Anstoß nehmen. Sie interessierte sich auch für die Artikel über sie aus alten Nummern des *East African Standard,* den ich in der McMillan-Bibliothek von Nairobi einsehen konnte, sowie für die Ergebnisse meiner früh am Morgen im kenianischen Nationalarchiv betriebenen Nachforschungen. Jeden Abend erlaubte sie mir, einige ihrer Dokumente mitzunehmen, um sie am nächsten Morgen in Nairobi zu fotokopieren.

Während meines gesamten Aufenthaltes in Kenia verging nur ein Tag ohne einen Besuch bei Beryl. An dem Tag fuhr ich zur ehemaligen Clutterbuck-Farm bei Njoro, wo Beryl ihre Kindheit verbracht hatte. Heute befindet sich dort eine genossenschaftliche Wollspinnerei. Unter deren Arbeitern traf ich einen Afrikaner, der als Kind ein Bein in Clutterbucks Sägemühle verloren hatte. Er erinnerte sich noch gut an Beryl, ihr inniges Verhältnis zu ihrem Vater und ihre Liebe zu Pferden.

Ich kam mir vor, als sei ich in einer Zauberlandschaft unterwegs, als ich an jenem Tag ins Hochland von Njoro fuhr. Auf der Höhe des Escarpments lichtete sich plötzlich der Wald und gab den Blick aufs Rift Valley frei, das sich Hunderte von Metern unterhalb der Straße in schier endloser Weite erstreckt. Überwältigt hielt ich an und blieb lange dort sitzen, um mir einzuprägen, wie die Hitze über dieser Landschaft flimmerte, deren Schönheit mich ganz in ihren Bann schlug. In weiter Ferne schimmerten der Naivasha- und der Elmenteita-See, die beide auf meiner Strecke lagen. Allerdings fiel es mir nicht leicht, den Weg zu finden. »Straßenschilder gibt es keine«, hatte man mir schon in Nairobi gesagt. »Wenn Sie aus Nakuru rauskommen, fahren Sie 28 Kilometer weiter, dann überqueren Sie zwei Flüsse, und als nächstes kommen Sie ...« An die wasserreichen Flüsse Englands gewöhnt, ließ ich mich von dieser schlichten Wegbeschreibung irreleiten und hielt vergeblich nach den beiden Flüssen Ausschau. Später stellte sich heraus, daß der eine nicht mehr war als ein kümmerliches Rinnsal, während ich den anderen überhaupt nicht zu sehen bekam, weil er inzwischen ausgetrocknet war.

Als ich mit einiger Verspätung doch noch ans Ziel gelangte, zeigte mir Beryls Jugendfreundin Pamela Scott nicht nur Beryls Zuhause, sondern auch die Galoppbahnen, auf denen sie als Mädchen geritten waren. »Beryl hielt sie immer makellos instand«, sagte Miß Scott, »da fand sich auch nicht das kleinste Steinchen.« Gierig nahm ich alles in mich auf – den Blick hinüber zu den fernen Gebirgsketten nach der einen Seite und hinab aufs langgestreckte Rift Valley zur anderen. »Als Beryl noch klein war«, erklärte Pamela mir, »war hier natürlich noch alles bewaldet.« Jetzt entdeckte ich nur mehr vereinzelte Baumgruppen; im übrigen war das Land in kleine *Shambas* aufgeteilt. Trotzdem erschien es mir unwiderstehlich schön. Verloren hat es nur in den Augen derer, die es in seiner ursprünglichen Gestalt gekannt haben.

Beryl hörte mir interessiert zu, als ich ihr am nächsten Morgen von meinem Ausflug nach Njoro erzählte. »Mein kleines Haus? O ja, daran erinnere ich mich sehr gut. Es hatte ein schönes, festes Dach, und ich liebte es, obwohl es ganz winzig war ... es war herrlich dort oben ... wir sind oft in die Berge hinaufgeritten. Und als ich dann anfing zu trainieren, hatte ich meine eigenen Galoppbahnen. Nein, nein, die gehörten nicht meinem Vater, sondern mir ... manchmal bin ich dort mit meinem Flugzeug gelandet.«

Eines Tages fragte ich sie: »Beryl, wären Sie wohl bereit, für mein Buch über Sie eine Einleitung zu schreiben?« Sie war sofort einverstanden. »Jetzt gleich?« fragte sie, und wir kamen überein, daß sie mir diktieren und ich den Text auf ihrer kleinen Kofferschreibmaschine tippen würde, die zwischen verstaubten Stößen der Jagdzeitschrift *Horse and Hound* auf ihrem Eßtisch stand. »Was meinen Sie, taugt das was?« fragte sie nach dem ersten Entwurf.

»Mmm, ich weiß nicht recht ...«

»Mir gefällt es auch nicht besonders.«

Zwei Tage verbrachte sie damit, an unzähligen Entwürfen herumzufeilen. »Nein, das gefällt mir nicht«, sagte sie immer wieder, wenn ich ihr einen fertigen Text vorlas, und allmählich zweifelte ich daran, daß die gewünschte Einleitung überhaupt je zustande

kommen würde, aber schließlich wurden die drei Absätze gutge-
heißen und unterzeichnet.

Tags darauf traf unerwarteter Besuch ein – ein dänisches Ehepaar
brachte einen Herrn zu ihr, der sie vor Jahren gekannt hatte und
nun einen Ferienaufenthalt in Kenia nutzte, um sie wiederzusehen.
Beryl empfing die drei freundlich und gutgelaunt und signierte ihr
Exemplar von *Westwärts mit der Nacht* mit sicherer Hand. Bei
der Gelegenheit bat ich sie, mir noch eine Kopie ihrer Einleitung
zu unterzeichnen. »Was denn, noch einmal?« fragte sie lachend.
Ich sagte, ich hätte im letzten Entwurf ein paar Tippfehler entdeckt
und wolle nun eine tadellose Vorlage für das Buch. Sie willigte ein
und unterschrieb, nachdem ich ihr den Text noch einmal vorgelesen hatte. »So klingt es sehr gut, nicht wahr?« fragte sie. Ich versicherte ihr, ich fände es ausgezeichnet und sei ihr sehr dankbar. In
Wirklichkeit hatte ich nur Zeugen dafür haben wollen, daß der
Text tatsächlich von ihr stammte.

Beryl war nicht jeden Tag in so guter Verfassung. Manchmal war
sie müde, und dann nörgelte sie an den Dienstboten herum. Ihre
Gebrechlichkeit war ihr ein stetes Ärgernis, und das ließ sie besonders an Adiambo aus. Doch ihr größtes Problem waren Einsamkeit
und Langeweile. Sie hatte keinen Fernseher, kein Radio, ja nicht
einmal einen Plattenspieler – das war ihr alles bei einem Einbruch
gestohlen worden. Dabei besaß sie eine umfangreiche Platten-
sammlung – vor allem Aufnahmen von Burl Ives, aber daneben
auch einige klassische Werke und Popmusik. Und sie hatte eine
Tonaufnahme von jenem Derby, das ihr berühmtes Rennpferd
Niagara gewonnen hatte. Dies alles hatte sie sich freilich seit Jahren
nicht mehr vorspielen können. Sie bekam ziemlich regelmäßig
Besuch – während ich dort war, schaute etwa jeden zweiten Tag irgendein Bekannter vorbei, um mit ihr zu plaudern. Aber ich merkte wohl, daß diese kurzen Besuche nicht ausreichten, um die langen, beschäftigungslosen Tage auszufüllen. Am meisten litt sie unter mangelnder geistiger Anregung, und ich glaube, deshalb freute
sie sich so sehr über meine täglichen Besuche. Ich brachte ihr jedesmal ein kleines Geschenk mit. Nichts besonderes. Eine Pak-
kung englischer Zigaretten. Ein Plastikfeuerzeug, eine Flasche

Eau de Cologne, einen Spiegel, eine neue Haarbürste. Und jeden Tag hatte ich Zeitungen dabei, den *Standard* und die *Nation*, aus denen ich ihr vorlas.

Mittlerweile war ich ihr so zugetan, daß ich eine Zeitlang sogar mit dem Gedanken spielte, für immer in Nairobi zu bleiben, obgleich ich wußte, daß dies eine völlig unpraktische Idee war. Immerhin verlängerte ich meinen Aufenthalt und nutzte Jack Couldreys und Beryls Erlaubnis, Reproduktionen von all ihren Fotos anfertigen zu lassen. Meine Sammlung von Papieren, Notizen, Fotos und Fotokopien wog schließlich fast zwanzig Kilo, und da ich mich im Flugzeug nicht davon trennen wollte, mußte ich Übergepäck bezahlen und meinen engen Sitz mit meinen Schätzen teilen.

An meinem letzten Tag in Kenia traf ich bei Beryl mit George Gutekunst zusammen, ihrem enthusiastischen Verehrer, der die Wiederveröffentlichung von *Westwärts mit der Nacht* in die Wege geleitet hatte. Er war nach Nairobi gekommen, um die Filmrechte für Beryls Buch zu erwerben. Auf Beryls Wunsch hatte ich auch ihren Nachbarn, den Tierarzt »VJ«, zu uns gebeten. Ich hatte schon früher bemerkt, daß sie nie gut mit mehreren Leuten gleichzeitig zurecht kam – ihre Konzentration schien nicht ausreichend, um einem Gespräch im größeren Kreis folgen zu können. Doch diesmal wurde es ein angenehmer Vormittag, und als die Rede zwangsläufig auf das Derby kam, das am selben Tag stattfinden sollte, sagte Beryl: »Da möchte ich gern hingehen.« Einen Augenblick lang herrschte Schweigen, und wir, ihre Gäste, sahen uns verwundert an, doch bald war alles arrangiert. Ich würde Beryl in meinem Wagen zum Derby fahren, und George Gutekunst sollte uns begleiten. Ein Anruf im Jockey Club genügte, um Beryl einen Platz als Ehrengast zu reservieren.

Als sie ausgehfertig war, stand sie wartend auf der Veranda. Ihr vor kurzem erst aschblond gefärbtes Haar war sorgfältig frisiert. Ihre porzellanblauen Augen leuchteten vor Freude, und huldvoll nahm sie meine Komplimente entgegen. Sie war immer noch eine schöne Frau und verfügte nach wie vor über jenes undefinierbare Etwas, das manchen Frauen angeboren ist. Glamour.

Ich werde sie stets so in Erinnerung behalten, wie sie an diesem

Tag aussah. Als wir die Rennbahn verließen, stürzte sie unglücklich, und bei der Rückkehr in ihr Cottage stand sie unter Schock. Ich fuhr sofort zur Rennbahn zurück, um einen Arzt zu holen, da wir ihren Hausarzt nicht erreichen konnten. Zum Glück fand ich Sir Charles Markham auf der Tribüne, und er schickte unverzüglich den diensthabenden Arzt des Clubs mit mir hinaus zu Beryls Cottage. Ich sah Beryl an diesem Tag zum letzten Mal, denn mein Rückflug ließ sich nicht länger verschieben, aber von England aus telefonierte ich mit ihrer Freundin Paddy Migdoll, die sich um Beryl kümmerte und mir versicherte, daß es ihr den Umständen entsprechend recht gut gehe.

Kurz nach meiner Rückkehr nach England kündigte ich meine Stellung, um mich ganz auf das Buch konzentrieren zu können. Ich konnte an nichts anderes mehr denken und war förmlich besessen von Beryl und ihrer Geschichte.

Ende Juli 1986 war ich in Kalifornien, um Beryls ehemaliges Haus in Santa Barbara zu besuchen. Hier erfuhr ich, daß sie über Tookie, ihren kleinen Mops, gestolpert sei und sich bei dem Sturz das Hüftgelenk gebrochen habe. Ich war sehr besorgt, doch nach ein paar Tagen erhielt ich gute Nachrichten. »Sie hält sich tapfer«, hieß es. »Im Krankenhaus sind sie mit ihren Fortschritten zufrieden.« Von Santa Barbara fuhr ich nach San Francisco, um George Gutekunst zu besuchen. Dort rief am 3. August Paddy Migdoll an und teilte uns mit, daß Beryl gestorben sei. George und ich waren beide zutiefst betroffen.

Ich glaube, es war die Gewißheit, daß ich sie nie mehr wiedersehen würde, die mich am meisten schmerzte. In den nächsten Wochen half ich bei den Vorbereitungen für den Gedenkgottesdienst, den man ihr zu Ehren in London halten wollte, und lernte ihre Enkelinnen Fleur und Valery kennen. Keins der beiden Mädchen ist ihr Ebenbild, aber in beiden zusammen erkennt man Beryl deutlich wieder. Ich schwankte zwischen Trauer und Stolz, als Fleur am fünfzigsten Jahrestag von Beryls spektakulärem Transatlantikflug das Bronzemodell ihrer Vega Gull aus den Händen des Royal-Air-Force-Commodore von Abingdon in Empfang nahm. Wie hätte Beryl sich darüber gefreut!

Und wie stolz sie erst darauf gewesen wäre, daß ihr neuaufgelegtes Buch *Westwärts mit der Nacht* in den Vereinigten Staaten wochenlang die Bestsellerlisten angeführt hat. Gegenwärtig spricht man davon, eine aufwendige Fernsehserie und vielleicht sogar einen Spielfilm über ihr Leben zu drehen.

Beryl ist so sehr zu einem Teil meines Lebens geworden, daß ich nie aufhören werde, mich mit ihr zu beschäftigen, und noch lange nach der Veröffentlichung dieser Biographie werde ich, wenn ich ein Buch zur Hand nehme, statt der Einleitung zuerst das Register aufschlagen. Zwar habe ich sie persönlich nur wenige Wochen gekannt, und doch hat sie mein Leben verändert. Ihr Rat: »... blicken Sie niemals zurück. Man muß immer nach vorn schauen. Irgend etwas wird sich schon ergeben, wenn Sie sich nur wirklich darum bemühen ...«, veranlaßte mich, meinen gutbezahlten Job, der mir im übrigen sogar gefiel, aufzugeben. Aber ich hatte mir schon immer gewünscht, ausschließlich als Schriftstellerin zu arbeiten, nur hatte es mir an dem nötigen Mut gefehlt, auf ein regelmäßiges Einkommen zu verzichten. »Wenn es das ist, was Sie wollen, dann müssen Sie es auch tun ... es wird schon alles ins reine kommen. Zwar wird's nicht immer leicht sein, aber fast nichts, was sich zu tun lohnt, ist leicht.«

Beryl ist der außergewöhnlichste Mensch, dem ich je begegnet bin, und vielleicht war ihre Fähigkeit, andere zu inspirieren, noch größer als die großen Abenteuer, die sie selbst erlebt hat. Was mich betrifft, so liebe ich sie noch immer, und das mit einer Leidenschaft, die mich oft selbst in Erstaunen versetzt.

Kapitel 1
(1890–1906)

Man schrieb das Frühjahr 1898, und das Viktorianische Zeitalter neigte sich langsam seinem Ende entgegen. Noch freilich waren die flotten neunziger Jahre in vollem Gange; im Hochland im Osten von Leicestershire konnte man nach wie vor in großem Stil Parforcejagden reiten – und das fünfmal die Woche, vorausgesetzt, man hatte genügend Geld, besaß Pferde und fand Gefallen an diesem Sport. An letzterem mangelte es Charles Baldwin Clutterbuck gewiß nicht. Auch Pferde waren leicht zu beschaffen, denn irgend jemand war immer bereit, ihm einen minderwertigen Gaul zu überlassen, und Charles konnte alles reiten, sofern es nur vier Beine hatte. Aber leider haperte es am Geld.

Ein paar Monate zuvor hatte man ihn aufgefordert, den Offiziersdienst zu quittieren, und der Grund dafür waren höchstwahrscheinlich Ehrenschulden. Damit waren sein guter Ruf und seine Karriere zerstört, zumindest in den Augen seiner Kameraden. Ein Jammer, denn Charles, der intelligent war, aus guter, wenn auch nicht sehr wohlhabender Familie stammte und eine humanistische Bildung vorzuweisen hatte, war gern bei der Armee gewesen und galt als tüchtiger Offizier.

Charles, der jüngere der beiden Söhne aus erster Ehe seines Vaters, besuchte zunächst die Schule in Repton, wo man besonders seine Leistungen in Griechisch und Latein lobte, und wurde dann ins Kadettencorps der Royal Military Academy von Sandhurst aufgenommen. Der Unterricht in dieser traditionsreichen Ausbildungsstätte konzentrierte sich naturgemäß ganz auf militärische Fächer: Militärrecht und Verwaltung, Taktik, Befestigungswesen, Topographie und Feindaufklärung, Exerzieren und Leibesübungen. Charles' Zeugnisse von der Militärakademie bescheinigen ihm ausgezeichnete Führung.

1890, kurz vor seinem neunzehnten Geburtstag, trat Charles dem I. Bataillon der King's Own Scottish Borderers bei und fügte sich ohne Mühe dem strengen Reglement des Militärdienstes. Ein halbes Jahr diente er in Birma, und als sein Regiment Anfang 1891 abgezogen und nach England zurückbeordert wurde, verlieh man ihm die Indian Service Medal mit dem Ordenszeichen Chin Lushai.

Den Rest seiner Dienstzeit verbrachte er in England, vornehmlich in Aldershot. 1893 wurde er zum Oberleutnant befördert. Da er sich als Reiter mehrfach auszeichnen konnte und eine besondere Begabung für die Dressur selbst schwieriger Pferde an den Tag legte, durfte er sein Regiment oft auf dem Rennplatz vertreten, wo er auch meist zu den Siegern gehörte.

Damals führten die Offiziere, zumindest in Friedenszeiten, ein recht angenehmes Leben. Der Dienst war nicht beschwerlich, und man pflegte ein reges, abwechslungsreiches Gesellschaftsleben. Abgesehen von den zahlreichen Veranstaltungen im Kasino waren die ledigen Offiziere bei Dinnerparties in der Stadt als Tischherren begehrt, und tagsüber sorgten Steeplechase und Polo für Zerstreuung. London mit seinen Hotels, Herrenclubs, Weatherby's und Tattersall's war nur eine kurze Strecke von Aldershot entfernt, und Charles, ein schlanker, gutaussehender Mann, obendrein charmant und liebenswürdig, genoß die Annehmlichkeiten der Metropole in vollen Zügen.

Als vornehmstes Vergnügen freilich galt die Jagd. Die Armee hatte diesen Sport seit jeher gefördert, da er angeblich die Reitkünste verbessere, und die wiederum waren zu Zeiten der Kavallerie-Kriegsführung von großer strategischer Wichtigkeit. Wellington behauptete, seine siegreichen Offiziere hätten sich ihre Meisterschaft im Querfeldeinritt »bei den Parforcejagden in England erworben«. Charles war überall mit Begeisterung dabei, doch allmählich mußte er einsehen, daß er es sich auf die Dauer nicht leisten konnte, mit dem Lebensstil seiner Kameraden Schritt zu halten.

Seine Mutter starb, als Charles noch ein Kind war. Der Vater, ein
Anwalt aus Carlisle, heiratete wieder, und dieser zweiten Ehe ent-
sprangen fünf Kinder. Folglich machten, als Richard Henry Clutterbuck 1891 unerwartet an den Folgen einer Grippe verstarb,
zahlreiche Erben ihre Ansprüche geltend. Charles erhielt nur zwei
silberne Kerzenleuchter, drei silberne Salzstreuer, ein paar Aktien
der County Hotel Company und das wenige Bargeld, das nach Be-
gleichung aller Schulden seines Vaters vom Verkauf eines bescheidenen Londoner Anwesens übrigblieb. Es dürften kaum mehr als
einige hundert Pfund gewesen sein, jedenfalls bedeutend weniger,
als der junge Offizier sich erhofft hatte. Zwar fiel ihm laut Testa-
ment auch die Hälfte des stattlichen Familiensitzes zu, doch nutzte
ihm das wenig, da seiner Stiefmutter und ihren Kindern der Nieß-
brauch auf Lebenszeit zustand. Mit seinem Sold allein konnte ein
Offizier auf die Dauer nicht auskommen, und 1897 sah Charles
sich gezwungen, den Dienst zu quittieren.

Der siebenundzwanzigjährige Zivilist ließ sich auf einer kleinen
Farm in Knapthoff, Leicestershire, nieder. Sein Abschied von der
Armee war zwar nicht direkt unehrenhaft, aber seine Papiere
tragen den lakonischen Vermerk »aus der Armee entlassen«, ein
damals gebräuchlicher Euphemismus für Reiterpech, Frauenge-
schichten oder Schulden. Da an Charles' Reitkünsten zeitlebens
nichts auszusetzen war, kann es sich nur um eines der beiden letzteren Vergehen gehandelt haben.

Zu jener Zeit huldigte man in England dem Pferd wie einem König. Ein gutes Jagdpferd wurde förmlich angebetet und über die
Maßen verwöhnt. Charles fand bald heraus, daß es sich lohnte,
schlechttrainierte oder schwache Tiere billig zu erwerben und später, als gute Jagdpferde ausgebildet, mit Gewinn weiterzuverkau-
fen. Schon bei der Armee hatte er dieses Geschäft mit einigem
Glück betrieben, wenn auch offenbar nicht erfolgreich genug, um
ihn seiner finanziellen Sorgen zu entheben.

Charles war mit den Cottesmore Hounds auf Fuchsjagd, als er
Clara Alexander zum erstenmal begegnete. Er hatte einen Blick für
schöne Frauen, und Clara war damals mit ihren neunzehn Jahren
unleugbar ein reizendes Geschöpf. Das hochgewachsene, gerten-

schlanke und auffallend hübsche Mädchen machte im Sattel eine so
tadellose Figur, daß die Männer sie förmlich mit den Augen ver-
schlangen. Ihre einschmeichelnde, glockenklare Stimme sowie eine
aufreizende Art, die Lippen zu schürzen, taten ein übriges; mit
ihrem klassischen Profil und dem seidig-braunen Haar verdrehte
sie Charles vollends den Kopf, und an einem heißen Augusttag des
Jahres 1898 wurden Clara und er in der Pfarrkirche von Wintring-
ham, York, getraut. Dort hatte Clara mit ihrer Mutter gelebt, seit
die Familie nach dem Tode des Vaters aus Indien zurückgekehrt
war.

Im Juli 1900 brachte Clara in Scarborough, Yorkshire, einen Sohn
zur Welt, der auf den Namen Richard Alexander Clutterbuck getauft wurde. Zwei Jahre später übersiedelten die Clutterbucks nach
Ashwell im Herzen von Cottesmore. Hier konnten die passionier-
ten Fuchsjäger unter den drei besten Meuten des Königreichs wählen: den Quorn, Belvoir und Cottesmore.

Am 26. Oktober 1902 wurde den Clutterbucks in Westfield House, Ashwell, im County Rutland ein zweites Kind geboren, eine
Tochter. Die Eltern konnten sich offenbar auf keinen passenden
Namen besinnen, denn als das Mädchen am 3. Dezember ins Ge-
burtsregister eingetragen wurde, geschah dies ohne Namensanga-
be. Die Geburtsurkunde vermerkt lediglich, das Kind sei »weibli-
chen Geschlechts«; Charles gab als Beruf »Farmer« an. Schließlich
wurde das Baby am 7. Dezember in der schönen normannischen
Kirche St. Mary in Ashwell auf den Namen Beryl getauft.

Charles und Clara blieben ihrer Jagdleidenschaft treu, und das
stattliche Paar fand auch gesellschaftlich mühelos Anschluß im
County. Noch viele Jahre, nachdem die Clutterbucks fortgezogen
waren, rühmte man in Melton ihren Charme und ihre Reitkünste.
Charles besaß zwei ausgezeichnete Pferde, Hot Chocolate und
Snape, mit denen er oft an Parforcerennen teilnahm, und als seine
glänzenden Erfolge sich herumsprachen, nutzte er die Gelegenheit,
Jagdpferde im Auftrag anderer zu trainieren. So schuf er sich neben dem, was die Farm und der Pferdehandel abwarfen, eine zusätzliche Einnahmequelle. Trotzdem hatten die Clutterbucks ständig mit finanziellen Problemen zu kämpfen, und die Ausgaben, die

in einem Haushalt mit zwei Babies anfielen, waren nicht gerade dazu angetan, ihre Lage zu verbessern. Ernsthafte Unstimmigkeiten zwischen den Ehegatten führten schließlich im Sommer 1903 zur Trennung. Charles blieb mit den Kindern in Westfield House, Clara zog nach Melton Mowbray und führte dort eine Teehandlung.

Beryl lernte eben erst laufen, als ihr Vater den Entschluß faßte, nach Südafrika auszuwandern. In England glaubte man damals, dort ließe sich in der Landwirtschaft leicht ein Vermögen verdienen: Südafrika galt als zweites Indien, das gerade erst erschlossen wurde. Jeder wußte, wieviel Reichtum die Engländer in Indien gewonnen hatten, doch in Afrika waren die Chancen angeblich noch günstiger, denn dort gab es keine Feudalherrscher, Land war billig zu haben, und mit einer gutgeführten Farm konnte einer bald Millionär werden. In der unermeßlichen Weite Afrikas würde ein Mann frei atmen können. Im Frühjahr 1904 bemühten Charles und Clara sich um eine Versöhnung, und bald darauf segelte Charles zum Kap der Guten Hoffnung, wo er als Landwirt und Pferdetrainer Fuß fassen wollte. Sollte er Erfolg haben, würde er Clara und die beiden Kinder nachkommen lassen.

Charles hielt sich nicht lange in Südafrika auf, denn sobald er dort eintraf, weckte man sein Interesse am Ostafrikanischen Protektorat, dem damaligen Britisch-Ostafrika. Sehr wahrscheinlich ließ seine Phantasie sich von den Vorzügen anregen, die dem Gebiet zugeschrieben wurden, um die weiße Besiedlung des neuerschlossenen Landes zu fördern.

Die britische Regierung hatte allein in den Bau der berühmten Eisenbahnlinie von Mombasa die Küste entlang bis nach Kisumu am Victoriasee Riesensummen investiert. Diese Uganda-Bahn, die unter ihrem Spitznamen Lunatic Express[1] in die Literatur einging, erschloß ein Gebiet von beachtlichem potentiellen Wert – das Keniahochland. Doch der Erhalt des dünnbesiedelten Protektorats blieb ein sehr kostspieliges Unterfangen. Sir Charles Eliot, Bevollmächtigter der Krone in Ostafrika, war der Ansicht, weiße Siedler wären am ehesten imstande, das Projekt wirtschaftlich tragbar zu machen, und auf seinen Rat hin bemühte sich die Regierung, die

„richtige Sorte" von Siedlern anzulocken. Der Leiter des Zollamtes wurde nach Südafrika entsandt, um für das Land und sein Potential Reklame zu machen.

Vermutlich angelockt durch diese Werbeaktion, schiffte sich Charles nach Ostafrika ein, wo er am 29. Juli 1904 im alten Hafen von Mombasa eintraf. Als der Dampfer sich langsam seinen Weg durch die Öffnung im Korallenriff bahnte, erhaschte er einen ersten Blick auf die Stadt mit ihren weißen, von Palmen und Mangobäumen gesäumten Stränden. Die reiche tropische Vegetation mit ihrem ansteigenden Teppich blühender Bougainvilleas, den Palmen und einzigartigen Affenbrotbäumen oberhalb der Küstenlinie machte ganz den Eindruck, als wolle sie die weißgetünchten Häuser samt ihren roten Dächern überschwemmen. Auf die feuchtschwüle Hitze war Charles vermutlich gefaßt, aber die lebhaften Farben der vielfältigen Flora und die fremden Klänge der von Arabern, Afrikanern und Europäern bevölkerten kosmopolitischen Stadt überfluteten seine Sinne nach der monotonen Seereise gewiß ganz unvorbereitet. Er stieg für eine Nacht im Grand Hotel ab und fuhr am nächsten Morgen mit dem Zug weiter nach Nairobi. »Mombasa ...«, schrieb Winston Churchill nach seinem Besuch 1907, *ist der Ausgangspunkt einer der romantischsten und schönsten Eisenbahnstrecken der Welt ... den ganzen Tag fährt der Zug westwärts und bergauf, durch unebenes, holpriges Gelände mit üppig wuchernder Vegetation. Herrliche Vögel und Schmetterlinge flattern von Baum zu Baum und von Blume zu Blume. Steile, zerklüftete Schluchten, in deren Tiefe reißende Flüsse tosen, schimmern unter uns durch ein Dickicht von Palmen und mit Kletterpflanzen überwucherten Bäumen, alle paar Meilen säumt ein schmucker kleiner Bahnhof die Strecke, präsentiert sich stolz mit Wassertanks, Stellwerk, Fahrkartenschaltern und Blumenbeeten vor dem Hintergrund des undurchdringlichen Dschungels. Gegen Abend frischt der Wind auf, und es wird merklich kühler ... Ab viertausend Fuß Höhe fangen wir an, über den Äquator zu lachen ... Hinter der Station Makindu endet der Wald, und der Reisende lernt die Steppe kennen ... wogendes Grasland, reich an jagdbarem Wild.*[2]

Durchs Abteilfenster blickten die Reisenden verzückt auf riesige Herden von Antilopen, Gazellen und Zebras. Auch Giraffen, Löwen und Strauße gab es in diesem Garten Eden zu bestaunen. Die Züge hielten in Voi, wo die Fahrgäste in einem Dak-Bungalow zu Abend essen konnten. Wenn der Zugführer das Signal gab, kehrten die Passagiere in ihre Abteile zurück und versuchten zu schlafen, so gut es ging, während der Zug durch die Nacht tuckerte; doch am nächsten Morgen waren alle frühzeitig wach, weil keiner sich die versprochene Pracht des Kilimandscharo entgehen lassen wollte, dessen eisgekrönten Gipfel die Strahlen der aufgehenden Sonne korallenrot färbten.

Die heiße und staubige Zugfahrt endete für Charles in Nairobi, damals nichts weiter als eine Ansammlung ärmlicher, wellblechgedeckter Hütten rings um den Bahnhof. Mehr oder weniger zufällig war die Siedlung auf der baumlosen Ebene zum Haltepunkt für Züge erkoren worden, die hier noch einmal Wasser faßten, ehe die Strecke in schwindelerregenden Windungen und Schleifen über das Kikuju-Escarpment ins Rift Valley, den tiefen ostafrikanischen Graben, hinabführte. Nairobi hatte ein ungesundes Klima und war erst zwei Jahre zuvor von der Beulenpest heimgesucht worden. Ein riesiges Sumpfgebiet säumte den Fluß, an dem heute das Zentrum des modernen Nairobi liegt, und dieser Sumpf war eine ständige Brutstätte für Malaria.

... der Bahnhof bestand aus einer hölzernen Plattform, überdacht mit ein paar rostigen Eisenverstrebungen, und einem Lagerschuppen mit einer Küchenuhr über dem Eingang. Die Ankunft des Zuges, der zweimal wöchentlich verkehrte, war jedesmal ein großes Ereignis. Nackte Eingeborene strömten in Scharen auf dem Bahnsteig zusammen, um das Wunder zu bestaunen ... in der Trockenzeit waren die Passagiere bei der Ankunft in einen dicken roten Staubmantel gehüllt. Die Sandkörnchen drangen überall ein – in Kleidung, Gepäck, Fingernägel, Haare, Essen. Viele Gesichter waren grotesk verschmiert, so als trügen sie eine schokoladene Kriegsbemalung. In die Stadt mußten die Reisenden zu Fuß gehen, denn am Bahnhof standen weder Rikschas noch Pferdewagen bereit. Das einzige kleine Hotel am Ort war rasch belegt. Wer kein

Zimmer bekam, mußte im Freien kampieren ... Das Zentrum be-
stand aus einem Feldweg, der seit kurzem auf den imposanten Na-
men Government Road hörte und von indischen Dukas [Läden]
gesäumt war ... einem europäischen Geschäft und einem Amtsge-
bäude. Hinter der Ortschaft erstreckte sich der von Fröschen be-
völkerte Sumpf. Abend für Abend stimmten sie, sobald die Däm-
merung hereinbrach, ihr lautes Quak-Konzert an und breiteten
pausenlos einen tiefklingenden Lärmvorhang über die kleine Stadt-
*gemeinde.*³

Charles' überraschend günstiger Eindruck von Nairobi erklärt sich
zweifellos dadurch, daß er in der Race Week, also während des
Großen Rennens, dort eintraf. Diese Veranstaltung war zwar nicht
zu vergleichen mit den Turnieren von Ascot, konnte sich aber
durchaus mit dem Tumult einer Geländejagd messen, und in solcher Gesellschaft fühlte Charles sich gewiß auf Anhieb heimisch.
Kurz nach seiner Ankunft in Nairobi machte er die Bekanntschaft
von Lord Delamere. Der berühmte Pionier Kenias erkannte die
Fähigkeiten dieses jungen und gebildeten Farmers auf den ersten
Blick und ermunterte ihn, sich in Nairobi niederzulassen. Er bot
ihm auch gleich eine Stelle als Verwalter seiner Farm in Njoro an
und machte ihn auf mehrere Parzellen fruchtbaren Ackerlandes
aufmerksam, um die Clutterbuck sich bewerben könne.

Hugh Cholmondeley, III. Baron von Delamere, hatte seinen Fa-
milienbesitz, Vale Royal in Cheshire, mit ein paar Grashütten in
Britisch-Ostafrika vertauscht. Zwar hatte er außerdem riesige Ländereien erworben, doch das war ungerodetes Land und zum damaligen Zeitpunkt praktisch wertlos. In den folgenden Jahren opferte
er die Güter von Vale Royal um seiner Unternehmungen in Afrika
willen dem Ruin und widmete den Rest seines Lebens der Aufgabe, Kenia zu einer der leistungsfähigsten und wohlhabendsten
Kolonien ganz Afrikas zu machen.

Charles reiste landeinwärts, um sich verschiedene Grundstücke
anzuschauen, von denen er zwei in die engere Wahl zog. Eins davon war Thika, das er jedoch ausschlug. Das andere war ein ausge-
dehntes Gebiet unweit von Njoro im Keniahochland. Es grenzte
an Delameres Äquator Ranch, die ihren Namen dem Umstand ver-

dankte, daß der Äquator an einer Stelle durch Delameres Besitz verlief. Charles kaufte schließlich 1000 Acres dieses Landes zu drei Rupien pro Acre, doch seine erste Bekanntschaft mit dem Gebiet machte er als Delameres Verwalter.

Das Gelände in Njoro bestand aus unkultiviertem Buschland an den Hängen des Mau-Escarpment, jenes mächtigen Grabenwandhügels, der das Rift Valley nach Westen hin begrenzt. Ein Großteil des Gebietes war bewaldet (Wacholder, Akazien und Mahagoni), doch daneben gab es auch offene Weideflächen. Das Klima war angenehm: In einer Höhe von über zweitausend Metern wurde es ungeachtet der starken Sonneneinstrahlung am Äquator nie drückend heiß, und leichte Nachtfröste waren keine Seltenheit. Bei Tage war die Luft trocken, klar und erfrischend wie etwa im europäischen Hochgebirge.

Die Aussicht war atemberaubend. Kein Betrachter konnte unberührt bleiben von einem solch überwältigenden Panorama: Auf einer Seite blickte man über den Graben hinunter auf die fernen Aberdare-Berge, auf der anderen sah man jenseits der mannigfachen Blau- und Grünschattierungen des Mau-Waldes, der sich im Rongai Valley erstreckte, bis hinauf zu den Hängen des erloschenen Menengai-Vulkans. Die Wälder waren reich an Wild, Löwen und Leoparden jagten in der Steppe.

In einem Brief nach Hause schilderte Lord Delamere das Gebiet rings um Njoro:

Je mehr ich von dieser Gegend kennenlerne, desto besser gefällt sie mir. Wir haben jetzt die heißeste Jahreszeit, trotzdem ist das Thermometer nie über 22° gestiegen, seit ich hier oben bin, und frühmorgens messe ich in meiner Hütte nicht mehr als 10°. In der Regenzeit wird es vermutlich noch sehr viel kühler werden. In Elburgon, der nächstgelegenen Station, friert es selbst um diese Jahreszeit, aber das liegt auch oben in den Wäldern.[4]

Charles Miller berichtet von den Schwierigkeiten, mit denen der Neuansiedler zu kämpfen hatte, der

die erste Etappe seiner afrikanischen Reise von Mombasa nach Nairobi per Bahn zurücklegte und sich von dort zu seinem Besitz am Kikuju-Escarpment, im Rift Valley oder in den Mau-Bergen

durchschlagen mußte. *Für das letzte Stück benutzte man einen von
Ochsen oder Maultieren gezogenen Wagen, dessen Räder ächzten
unter der Last, die sie tragen mußten: Pflugscharen, Eggen,
Schleifstein, Säcke mit Saatgut, Stacheldrahtrollen, Schiffstruhen,
Kassetten, Bettstellen, Zinnbadewannen, Toilettensitze und regel-
rechte Flohmärkte von Haushaltsgeräten. Ein paar hundert Meter
vom Bahnhof entfernt gab es praktisch keine Straßen mehr. Das
Gras wuchs mannshoch. Der Boden war mit Geröll übersät, an
dem die Wagenräder zerschellten, Ameisenbären hatten den Pfad
mit Löchern ausgehöhlt, in denen ein Zugtier sich die Vorder-
läufe brechen konnte wie dürre Reiser. In der Regenzeit konnte es
leicht geschehen, daß ein Wagen versank, während man mühsam
versuchte, ihn durch das Gerinne eines aufgestauten Flußbettes
zu schaffen. Da vergingen leicht vierzehn Tage, bis man von der
Bahnstation aus seine Farm erreichte, selbst wenn sie nur fünfzehn
Meilen weit entfernt lag.*[5]

Mit seinen wenigen persönlichen Habseligkeiten ließ Charles sich
auf dem neuerworbenen Grundstück nieder und begann mit Hilfe
einheimischer Arbeiter seine Farm aufzubauen, die er voller Opti-
mismus »Green Hills«, Grüne Hügel, taufte.

In *Westwärts mit der Nacht* liefert Beryl Markham einen poetisch
verklärten Abriß jener Jahre, die für ihren Vater in Wirklichkeit
wohl einen kräftezehrenden und oft verzweifelten Kampf bedeuteten. Über die Schwierigkeiten, die sich den Pionier-Siedlern in den
Weg stellten, ist viel geschrieben worden.[6] Oft brannte die Sonne
allzu ausdauernd, und alles Grün verdorrte. Wenn es endlich regnete, dann häufig zu stark. Die Feldwege verwandelten sich im Nu
in unpassierbare Schlammbetten, in denen man bis zu den Hüften
versank; wochenlang konnte man sich nur zu Pferde oder zu Fuß
fortbewegen, und die mächtigen Ochsengespanne, die Lastkarren
zur Vorratsbeschaffung und die Wasserfuhrwerke blieben unge-
nutzt.

Das Roden der Felder nahm mitunter Monate in Anspruch. Der
grobe Außensaum hohen Grases und dichten Gestrüpps mußte
mit Buschmessern, den sogenannten *Pangas*, freigehackt werden.
Anschließend galt es, Wälder von Gummi- und Dornbäumen

sowie riesige Zedern zu fällen und ihre mächtigen Stümpfe auszu-
reißen wie faule Zähne. Charles Miller schreibt:

*Findlinge und mannshohe Ameisenhügel, härter als Beton, mußten
beseitigt werden. Um diese Plackerei zu bewältigen, galt es, erst
einmal die afrikanischen Landarbeiter anzulernen. Es kostete viel
Geduld, ihnen beizubringen, wie man Äxte, Hacke und Pickel
handhabt, ohne sich ein Bein zu amputieren oder die Schulter zu
brechen. Außerdem mußten die Arbeiter lernen, mit den Ochsen-
gespannen umzugehen, die mit am Joch befestigten Ketten die
Baumstümpfe aus dem Erdreich ziehen sollten. Sogar die Ochsen
mußten in die Lehre gehen, denn die einheimischen Tiere waren
an kein Halfter gewöhnt und taub für die Befehle menschlicher
Stimmen. So mancher Farmer spannte seine Ochsen an, indem
er ihnen von einem Baum aus das Joch überwarf, vorausgesetzt,
einer der afrikanischen Arbeiter konnte das Tier unter den Wipfel
treiben.*

*Wenn endlich das Pflügen begann, machte der Siedler nicht selten
zu seinem Ärger die Erfahrung, daß kaum ein Afrikaner imstande
war zu begreifen, was er unter einer geraden Linie verstand. In den
Anfangsjahren der Pionierzeit glichen die Ackerfurchen im Hochland häufig den Spuren gigantischer Pythonschlangen.*[7]

Zuerst war die Heimstatt der Clutterbucks, genau wie die aller
Neuankömmlinge unter den Siedlern, eine strohgedeckte Lehm-
hütte, ein *Rondavel*, auf einer hochgelegenen, sonnigen Lichtung.
Gleichgültig, welcher Gesellschaftsschicht man angehörte, diese
Eingeborenenhütten bildeten für einen jeden den Auftakt seines
Lebens in Kenia. Der dunkle Innenraum blieb trotz der sengenden
Sonne kühl, und des Nachts schützten die dicken Lehmwände vor
der Kälte des Hochlands. Lord Delamere blieb jahrelang in seiner
Hüttensiedlung auf dem Mau-Grabenwandhügel wohnen – wenn-
gleich das in seinem Fall eine freie Willensentscheidung war. Lord
Francis Scott erinnerte sich einige Jahre später: »Die ersten Monate
lebte ich auf meinem Besitz im Zelt – dann kam meine Frau mit
unseren beiden kleinen Töchtern nach, und wir errichteten Hütten
aus Flechtwerk, das mit Lehm beworfen war, in denen wir neun
Monate lang wohnten, bis das Haus fertig war.«[8] Elspeth Huxley

schrieb in »Die Grashütte« über ihr erstes Heim in Afrika, es
»war luftig, bequem, kühl und gesellig, denn bald schon suchte in
Mauer und Dach eine große Zahl von Geschöpfen bei uns Her-
berge. Am nettesten waren die Eidechsen. Sie konnten stundenlang
völlig regungslos an einer Wand verharren, mit kleinen, runzeligen
Greisenhänden und Krallen wie langen Fingernägeln angeklamm-
mert . . . Das Dach war stets von Geräuschen erfüllt, dem leisen Rascheln und verstohlenen Wispern ungesehener, harmloser Mitbe-
wohner.«⁹
Diese Hütten hatten keine richtigen Türen, nur ein Vorhang aus
Sackleinwand sorgte für eine gewisse Privatsphäre. Die Fenster
waren nichts weiter als in die Wände geschnittene Öffnungen, aber
sie gaben den Blick frei auf ein paar der schönsten Aussichten der
Welt. Mein Interviewpartner Langley Morris, der in frühester
Kindheit nach Njoro kam, erinnert sich: »Ich weiß noch, wie ich
auf meinem Bett kniete und aus dem Fenster hinausschaute auf die
Molo-Hügel im Norden unsrer Farm, das ist meine erste bewußte
Erinnerung. Die Hügel waren tiefblau, kobaltblau. Ich fragte einen
der afrikanischen Boys, ob sie auch in Wirklichkeit so blau seien,
und er erklärte mir, das käme von dem Dunstschleier, der über den
Hügeln hing.« In kalten Nächten mußte ein Feuer unterhalten
werden, und in der Haupthütte auf dem Clutterbuck-Besitz
brannte nach Einbruch der Dunkelheit fast immer ein großes Zedernholzfeuer.
Die Einrichtung war kunterbunt zusammengewürfelt. In Ehren
gehaltene antike Stücke, die man von »zu Hause« hatte nachschik-
ken lassen, standen einträchtig neben umgestürzten Verpackungs-
kisten, die als provisorische Stühle und Tische herhalten mußten.
Als Betten dienten oft mit Fellen bedeckte, hölzerne Bahren. Die
Beine von Tischen, Stühlen und Betten standen in Büchsen, gefüllt
mit Wasser – oder, falls verfügbar, Paraffin –, um die allgegenwär-
tigen Ameisen abzuhalten.
Man ernährte sich hauptsächlich von »Tommies«, den reichlich
vorhandenen Thomson's Gazellen, aber wenn der Vorrat doch
einmal knapp wurde, zeigten sich die Siedler bei der Wahl ihrer
Jagdbeute nicht eben wählerisch. Langley Morris berichtet über die

Kost in Afrika: »Einmal tötete mein Vater eine Python, aber meine Mutter wollte nicht, daß ich davon esse, aus Angst, sie könne giftig sein. Mein Vater beschrieb das Fleisch als sehr zäh. Ich hatte einmal Straußenfleisch gegessen, und *das* war schon zäh genug. Außerdem sah es gar nicht appetitlich aus – übersät von lauter kleinen Löchern wie Mondkrater, wo man die Federn ausgerupft hatte.« Das Kochen besorgten Afrikaner, die bewundernswerte Kunststücke vollbrachten, wenn es galt, europäische Gerichte auf primitiven Herden zuzubereiten. In der Regel bestanden diese Kochstellen aus drei über dem Feuer angeordneten flachen Steinen, doch die Familie Morris hatte einen Somali-Koch engagiert, der seine eigenen Vorstellungen durchsetzte: »Als Herd diente bei uns eine verzinkte Wellblechplatte, auf der ständig mehrere Holzkohlenfeuerchen unterhalten wurden.«

Zerstreuung und Geselligkeit bot sich den ersten Siedlern nur wenig, und dieses Wenige drehte sich um Pferde. Nach ein paar Monaten hatte Charles sich eingerichtet, und im Januar 1905 begann er im *East African Standard* zu annoncieren: »Erstklassige Rennpferde zu verkaufen. Annehmbare Preise. Interessenten wenden sich bitte an C. B. Clutterbuck, Njoro.« Sein erstaunliches Talent im Umgang mit Pferden fand schon bald Anerkennung, als nämlich der neugegründete Turf Club von Nairobi im Februar ein Rennen veranstaltete und Charles in mehreren Durchgängen für seine Auftraggeber siegte. Von diesem Tag an nahm er regelmäßig an allen Rennen teil und gehörte bald zu den ersten, die Pferde importierten, um die Blutlinien der im Lande aufgewachsenen Tiere zu verbessern.

Laut Charles – oder »Clutt«, wie man ihn im Protektorat nannte – begeisterte Lord Delamere sich nie wirklich für den Rennsport an sich, sondern sah darin in erster Linie ein Mittel zur Verbesserung der Zuchtqualität. Clutt dagegen war dem Rennsport mit Leib und Seele zugetan. Bereits 1906 hatte er sich seinen Platz in den einschlägigen Kreisen erobert. Wie populär er war, beweist die Tatsache, daß sein Name in einem Gedicht über Nairobis Pferderennen gleich mehrmals vorkommt.

In jener Anfangszeit fanden nur zweimal jährlich Rennveranstaltungen statt. Der Handikapper hatte eine unpopuläre Aufgabe zu erfüllen, denn die Qualität bewegte sich von englischen Vollblütern bis hin zu Somali-»Kleppern«. Wegen der unterschiedlichen Ausgangschancen kam es natürlich oft zu Meinungsverschiedenheiten und Streit. Clutt ritt die Pferde, die er trainierte, so oft es ging selbst, und trotz der Launen der Handikapper siegte er mit einer Beharrlichkeit, die die konkurrierenden Ställe sicher oftmals zur Verzweiflung brachte.

Clara und die beiden Kinder folgten Clutt Ende 1905. Nachdem sie ein paar Monate in der ungewohnten Höhe von Njoro verbracht hatte, reiste Clara, wie es damals Brauch war, im April 1906 zu einem kurzen Erholungsurlaub an die Küste. Sie wohnte bei Freunden in Mombasa, wo sie Richard Meinertzhagen kennenlernte, der die Begegnung in seinem Tagebuch festhielt:

Bowring gab heute abend eine Dinnerparty, zu der Mr. und Mrs. Coombe, Mrs. Clutterbuck, Stanley von der Eisenbahn, mein alter Fort-Hall-Freund Ronald Humphrey und ich geladen waren. Mrs. Clutterbuck erzählte mir eine köstliche Geschichte, für deren Wahrheitsgehalt sie sich verbürgt. Ihr Gatte verwundete einen alten Elephantenbullen auf der Mau-Ebene unweit von Molo, konnte das Tier aber am selben Tag nicht mehr einfangen. Am nächsten Tag entdeckten er und seine Männer, daß der Bulle sich zu einem kleinen Wasserlauf geschleppt hatte. Bei dem Versuch zu trinken, war er eingebrochen und im Flußbett verendet. Dadurch staute sich das Wasser, doch statt zu steigen und den Kadaver zu überfluten, suchte es sich unterirdisch ein neues Bett, und seitdem verläuft das Flüßchen angeblich über eine Meile auf diesem Wege.[10]

Ab 1906 begann das Protektorat Ostafrika zu florieren und gewann damit auch zusehends Anschluß an die Zivilisation. Nairobi hatte sich beachtlich gemausert, es war nicht länger die Wellblechhüttenstadt, die Charles zwei Jahre früher vorgefunden hatte. Meinertzhagen schilderte sein Erstaunen, als er Nairobi 1906 besuchte:

... die Größe der Stadt hat sich verdreifacht. Überall hat man Bäume angepflanzt, und wo einst Zebras grasten, stehen heute Hotels. Privatbungalows in all ihrer Häßlichkeit verschandeln die Land-

*schaft, in der ich früher Hirschantilopen, Impalas und Waldducker
jagte. Überall trifft man auf fremde Gesichter, und ... wo ich
noch vor zwei Jahren jeden einzelnen der zwanzig oder dreißig
Europäer kannte ... haben sich inzwischen über 1200 Europäer
niedergelassen.*[11]

Die Clutterbuck-Farm war nach den Maßstäben jener Zeit bereits
sehr komfortabel ausgestattet. Eine Freundin, die sich im Jahre
1906 auf Green Hills von einer Krankheit erholte, erinnert sich
an ein »hübsches Häuschen mit einem Blumengarten im englischen Landhausstil« und notierte amüsiert, daß sie »bei jeder
Mahlzeit mit Lammbraten, gerösteten Zwiebeln und Tee« bewirtet
wurde.

Clutterbuck arbeitete nach wie vor für Lord Delamere und schal-
tete wöchentlich Anzeigen im *East African Standard*. »Zum Verkauf auf Lord Delameres Njoro Farm: Zahme Ochsen zu 50 Rupien, ungezähmte Ochsen 40 Rupien, ferner junge, kräftige Weiße
Yorkshire, Middle White und Berkshire Schweine, Eber und Sauen
zu je 30 Rupien ... ständig ausreichend im Angebot. Interessenten
wenden sich bitte an C. B. Clutterbuck, Njoro.«

Im August 1906 dokumentierte ein Bericht über den Turf Club
Ball im Gesellschaftsteil derselben Zeitung, daß selbst in den Pioniertagen das Leben nicht nur aus Arbeit bestand, sondern durchaus auch Raum für Vergnügungen ließ:

*Der Ballsaal war äußerst geschmackvoll mit Fahnen und wehenden
Blumengirlanden dekoriert, und die gut besuchte Tanzfläche bot
ein hübsches Bild. Unser Reporter sichtete viele schöne Frauen in
entzückender Toilette. Mrs. Clutterbuck trug eine herrliche Robe
aus rosa Chiffon, die ihr ausnehmend gut stand, Lady Delamere
war in weinrotem Samt erschienen, Mrs. Bowker glänzte in einem
Kleid aus zarter schwarzer Spitze ...*[12]

Das Konkurrenzblatt, *The Times of East Africa*, berichtete am
Ende der Woche: »Die Delameres und die Clutterbucks sind nach
Njoro abgereist.«[13]

Das Leben im Hochland freilich bot Aufregungen anderer Art.
Ständig kursierten Gerüchte über Unruhen unter den Eingeborenen – besonders unter den Nandi- und Sotik-Stämmen nördlich

von Njoro. Nachts durften in der Gefahrenzone keine Züge ver-
kehren, Durchreisende mußten in Nakura übernachten und konnten erst am nächsten Tag weiterfahren.

Als Lord Delamere nach England zurückkehrte, um Geld für seine
Farm in Kenia zu beschaffen, schrieb ihm seine Frau, Lady Florence, mit bewundernswerter Gelassenheit:

*Du hast vermutlich von unseren Sorgen hier gehört. Die Sotik ha-
ben zwei Massai-Dörfer jenseits der Eisenbahnlinie geplündert
und die Bewohner niedergemetzelt. Kurz darauf ließ die Regierung die El Mori [Ältesten] auf unserem Besitz wissen, daß eine
weitere Bande Sotik im Anmarsch sei. Also borgte ich mir 200 Pa-
tronen von Mr. Clutterbuck, um Casaro [der Massai-Führer auf
Delameres Besitz] und seine Leute auszurüsten; doch da alles ruhig blieb, nehme ich an, die Regierung ist falsch unterrichtet worden. Ich persönlich glaubte ja nie, daß sie hierherkommen würden,
aber zur Vorsicht schien es mir doch gut, gerüstet zu sein.*

*Ich war direkt amüsiert, als der Bezirksvorsteher aus Naivasha
telegrafierte, es seien Plünderer im Anmarsch. Dabei hatte die
Plünderung bereits zwei Tage vorher stattgefunden. Das sind
wirklich Herzchen, nicht?*

Feindseligkeiten kriegerischer Stämme war nicht die einzige Gefahr für Njoro. Ständig mußte man vor Löwen und Leoparden auf
der Hut sein, die nachts auf Raub ausgingen und die *Bomas* (mit
Dornbuschgeflecht eingezäunte Viehweiden) umschlichen, in denen die Herden des Nachts untergebracht waren. Nach Einbruch
der Dunkelheit mußte man stets darauf gefaßt sein, einem Raubtier
zu begegnen.

Langley Morris, dessen Familie von 1906 bis 1914 auf einer Farm
in Njoro lebte, erinnert sich, daß sein Vater einmal bei Nacht auf
dem Heimweg drei Meilen weit von einem Löwen »beschattet«
wurde. »Die ganze Zeit blieb der Löwe in etwa fünfzig Meter Abstand auf gleicher Höhe mit ihm. Blieb mein Vater stehen, tat der
Löwe das gleiche. Mein Vater hatte nur eine Pistole bei sich, es war
also sinnlos, etwas zu unternehmen, es sei denn, der Löwe würde
angreifen. Darum ging mein Vater einfach ruhig weiter ... und der
Löwe ebenfalls.«[14]

Löwen wurden als Schädlinge eingestuft und willkürlich geschossen, obgleich strenggenommen nur überführte Viehmörder getötet werden durften, es sei denn, der Jäger war im Besitz der erforderlichen Lizenz. Die Löwen waren nicht das einzige Wild, das den Pionierfarmern Kopfzerbrechen machte. Elefanten, Nashörner, Büffel, Zebras, Giraffen und Gazellen fraßen ihnen die junge Saat weg. Löwen, Leoparden und Geparden bedrohten ihr Vieh.

Richard, das älteste der beiden Clutterbuck-Kinder, kränkelte fast von Anfang an. Der blonde, schmächtige Junge war schon als Baby anfällig gewesen, doch nun litt er an einer Reihe quälender Krankheiten, die seine Eltern dem Klima und der ungewohnten Höhenluft zuschrieben. Die ersten Siedler waren keineswegs überzeugt davon, daß man Kinder im Hochland großziehen könne, auch wenn der Beauftragte Seiner Majestät, Sir Charles Eliot, bereits 1905 betonte, die gefahrvollen Risiken von Höhe, Äquatorsonne und Seuchen seien übertrieben worden; das Fieber grassiere im Protektorat gewiß nicht stärker als die Grippe in England: »... hinfort wird es nicht mehr unwahrscheinlich klingen, daß man europäische Kinder ohne Gefahr oder Schwierigkeit im Hochland aufziehen könne. Schon jetzt begegnen einem beim Nachmittagsspaziergang in Nairobi erstaunlich viele mollige und rotwangige Babies.«[15]

Der junge Winston Churchill war anderer Meinung: »Es ist nach wie vor keineswegs bewiesen, daß ein Europäer das Hochland von Ostafrika zu seiner ständigen Heimat machen kann ... geschweige denn, daß man in einer Höhe von fünf- bis achttausend Fuß über dem Meeresspiegel Kinder großzuziehen vermag.«[16] Im September 1906 wurde Richard Clutterbuck unter der Obhut von Freunden nach England zurückgeschickt.

Trotz der unverkennbaren Fortschritte, die seit 1904 erzielt wurden, gefiel Clara das Siedlerdasein ganz und gar nicht. Sie liebte Geselligkeit, Parties und Tanz und konnte sich mit den Unbilden und der Einsamkeit ihres neuen Lebens nicht abfinden. Ihren einzigen regelmäßigen Kontakt zur Zivilisation bildete offenbar die Freundschaft mit Lord Delameres Gattin Florence. Die Frauen, die gewiß beide unter dem Schock ihrer so kraß veränderten Lebensumstände litten, verband so manche Erinnerung; Lord Cranworth schreibt über ihre Freundschaft:

Wenn Delamere eine beachtliche Persönlichkeit war, so stand ihm seine Frau Florence in nichts nach. Ich kann mir keine entzückendere Gesellschafterin oder hingebungsvollere Gattin vorstellen. Sie liebte die Jagd, tanzte gern und war allen Freuden des gesellschaftlichen Lebens herzlich zugetan. Und doch fügte sie sich heiter und wie selbstverständlich in ein höchst unbequemes Dasein bar all dieser Annehmlichkeiten. In seinen persönlichen Bedürfnissen war das Ehepaar äußerst bescheiden. Jahrelang nahmen sie mit zwei Lehmhütten vorlieb, die jede Wohnbaukommission in England unverzüglich hätte niederreißen lassen, und sie besaßen weder einen Garten, noch leisteten sie sich irgendwelchen Luxus. Delamere war fast Tag und Nacht mit der Farm und seinen sonstigen Unternehmungen beschäftigt, und bis zur Ankunft der Clutterbucks führte seine Frau ein sehr einsames Leben ...[17]

Doch Lady Delameres Freundschaft konnte Clara nicht für den Lebensstandard und die Gesellschaft entschädigen, die sie so schmerzlich vermißte. Sie konnte sich nicht so klaglos mit den Entbehrungen abfinden und anpassen wie ihre Nachbarin. Drei Monate, nachdem ihr Sohn Richard nach England gesegelt war, schiffte Clara sich auf der SS *Djemnah* ein, die über Marseille heimwärts fuhr.

1986 erklärte Beryl, ihr Vater habe ihr immer erzählt, daß Clara »mit Harry Kirkpatrick nach England durchgebrannt« sei. Major Harry Fearnley Kirkpatrick (den Clara einige Jahre später heiratete), diente zur fraglichen Zeit bei den III. King's African Rifles in Ostafrika, und so kommt die Beziehung zu ihm durchaus als Trennungsgrund in Betracht. Doch Claras Entscheidung, Beryl nicht mit zurück nach England zu nehmen, könnte andererseits dafür sprechen, daß sie ursprünglich beabsichtigte, nach Njoro zurückzukehren. Da Beryl sich offensichtlich in Afrika gut eingewöhnt hatte und sich dort wohlfühlte, sah die Mutter keine Veranlassung, sie für die lange und anstrengende Reise nach England aus ihrer gewohnten Umgebung herauszureißen. Welche Gründe auch immer dazu geführt haben mögen, es wurde beschlossen, daß Beryl bei ihrem Vater in Njoro bleiben solle.

Vermutlich wird nie geklärt werden, ob Clara ernsthaft die Absicht hatte, zu Charles auf die Farm in Njoro zurückzukehren. Beryl war bereits erwachsen, als sie ihren Bruder und die Mutter wiedersah. In der kurzen Zeit, die sie als junge Frau mit ihm verbrachte, lernte sie ihren Bruder lieben. Aber sie verzieh ihrer Mutter nie, daß sie sie als Kind im Stich gelassen hatte.

Kapitel 2
(1906–1918)

Als Clara nach England abgereist war, kam die kleine Beryl unter die Obhut der afrikanischen Hausdiener; sie waren für das Kind verantwortlich, während Charles Clutterbuck sich um den Aufbau seiner Farm kümmerte. Bis zum Jahre 1909, als eine Phalanx von Erzieherinnen auf den Plan trat, waren Beryls Gefährten gleichaltrige Afrikaner, die Kinder der ständig wechselnden Wanderarbeiter, die Clutterbuck (oder »Clutabuki«, wie die Einheimischen ihn bald nannten) beschäftigte. Von den Eingeborenenkindern, den *Totos*, lernte Beryl afrikanische Sprachen. Auf der Farm arbeiteten hauptsächlich Kikujus, Leute aus dem Kavirondo-Distrikt, und Kipsigis – ein friedlicher Stamm, doch verbündet mit den kriegerischen Nandi, die nördlich von Njoro beheimatet waren. Die Kipsigis eigneten sich besonders gut als Hirten. Beryls Tage waren erfüllt von Sonnenschein, dem weichen Singsang afrikanischer Stimmen und dem Peitschenknallen der Buren, die die mächtigen Ochsengespanne lenkten, mit denen das geschlagene Nutzholz abtransportiert wurde.

Nachts lauschte das Kind dem gelegentlichen Brüllen eines Löwen in der Ferne, dem Knistern und Knacken der Zedernholzfeuer und dem immerwährenden Gekreisch der Klippschliefer – ansehnliche Geschöpfe mit dichtem Fell, die äußerlich einem Nagetier ähneln, in Wahrheit aber die nächsten noch existierenden Verwandten des Elefanten sind.

Die Abwesenheit von Mutter und Bruder blieb nicht ohne Einfluß auf Beryls Charakter; die Kraft und Unabhängigkeit, die sie in späteren Jahren bewies, sind mit ziemlicher Sicherheit auf diese

Trennung zurückzuführen. Auch ihre zeitlebens beibehaltene Gewohnheit, so oft als möglich barfuß zu laufen, stammt aus diesen Jahren, und der vertrauliche Umgang mit den afrikanischen Familien auf der Farm führte dazu, daß ihr Verhalten und ihre Gesinnung eher afrikanisch als europäisch geprägt waren. Gewiß erwarb sie sich als Heranwachsende den notwendigen Schliff europäischer Umgangsformen, aber jene frühen Jahre, die soviel dazu beitrugen, ihre Haltung und Persönlichkeit zu prägen, schufen in ihr auch eine tiefe Unsicherheit, die es ihr zeitlebens erschwerte, mit persönlichen Beziehungen fertigzuwerden. Sie wußte einfach nie, was von ihr erwartet wurde, erzählte mir einer ihrer Freunde, und ihr Instinkt war einzig und allein aufs Überleben ausgerichtet, selbst wenn es auf Kosten anderer ging.

Aufschlußreich ist in diesem Zusammenhang auch Beryls Schilderung ihres Vaters:

Er ist ein hochgewachsener Mann, mein Vater, schlank und hager und sparsam im Umgang mit Worten. Das liegt, glaube ich, an seinem Charakter, denn er ist überhaupt genügsam und haßt jegliche Verschwendung. Zeit seines Lebens, und das währt schon viele Jahre, hat er Gefühlsüberschwang mit vergeudeter Kraft gleichgesetzt, unnütz geopfert für ein aussichtsloses Projekt.[1]

Beryl war von klein auf lebhaft und voller Energie, und den Aussagen der Zeitgenossen zufolge könnte man sie nach heutigen Maßstäben als hyperaktives Kind einstufen. Dabei verfügte sie schon als ganz junges Mädchen über eine ungewöhnliche Ausstrahlung, und die afrikanischen Arbeiter auf der Farm schrieben ihr ein »mächtiges *Dawda*« (Suaheli für Zauber oder Medizin) zu. Selbst Erwachsene zollten ihren Ansichten Respekt.

Zwar war es für sie der Höhepunkt des Tages, »mit Daddy die Ställe zu versorgen«, doch ihr Vater hatte bei seinem gewaltigen Arbeitspensum kaum Zeit, sich seiner Tochter zu widmen. Statt dessen kümmerte sich Lady Delamere in rührender Weise um das Kind. Tom, der Sohn der Delameres und nur zwei Jahre älter als Beryl, war in England zurückgeblieben, als der Lord und seine Frau 1902 nach Kenia auswanderten, und so ist es kaum verwunderlich, daß Claras Tochter auf der benachbarten Farm Lady

Delameres mütterliche Gefühle ansprach. Als ich Beryl im Frühjahr 1986 interviewte, erinnerte sie sich immer noch dunkel daran, wie sie einst als Kind auf ihrem Pony zu den Delameres hinübergeritten war, in einem »weißen Kleidchen, das Mylady mir zum Geschenk gemacht hatte«.

Clutterbuck war von Anfang an versessen darauf, seine Unternehmungen in Afrika zum Erfolg zu führen. Dabei kam ihm zugute, daß er einfallsreicher zu Werke ging als die meisten der frühen Siedler und außerdem mit dem Rat und der Unterstützung Delameres rechnen konnte; tatsächlich fällt es schwer, Clutterbucks erste Projekte von den Belangen und Interessen Delameres zu trennen. Vieles von dem, was Clutterbuck in Angriff nahm, geschah im Auftrage Delameres und wurde erst später, wahrscheinlich zu sehr günstigen Bedingungen, von Clutterbuck selbst übernommen.

Delamere wies ihn darauf hin, daß die Eisenbahngesellschaften an verschiedenen Stationen längs der Strecke ungenutzte Lokomotiven stehen hatten, und Clutterbuck kaufte zwei ausgediente Maschinen, rüstete sie um und betrieb damit eine Mühle für den Mais und Weizen, die er und seine Nachbarn anbauten. Es war kein leichtes Geschäft, aber Clutts Mühle, wie sie bei den Siedlern hieß, gedieh trotz der zahlreichen Schwierigkeiten in der Landwirtschaft, die dem Protektorat zu schaffen machten. Mit den Jahren gelang es dem vorausschauenden Clutterbuck, Regierungsaufträge auszuhandeln, die ihm gestatteten, die Arbeiter der Uganda-Bahn mit *Posho* (gemahlenem Mais) zu beliefern.

Ähnlich flink reagierte er auf Delameres Besorgnis darüber, daß trotz des riesigen Waldbestandes im Protektorat Bauholz eingeführt werden mußte, weil in Kenia die Verarbeitungsbetriebe fehlten. Im Herbst 1906 kaufte Clutt zwei weitere Dampfmaschinen und errichtete an der Stelle, wo die Eisenbahn sein Land kreuzte, eine Sägemühle. Delamere hatte schon etwas früher erkannt, welche Chancen eine Sägemühle im Protektorat haben würde, und seinen Vertreter in England beauftragt, »zwei kleine und eine große Kreissäge sowie weiteres Gerät zur Holzbearbeitung« zu kaufen und nach Übersee zu schicken.

Das Holz aus Clutts Sägemühle benutzte ein 1907 eingewanderter Zimmermann, um erst sein und dann Lady Delameres Haus zu bauen. Lady Delamere schrieb an ihren Mann: »Die Regenzeit war furchtbar und die Kälte unerträglich. Ich hoffe, du wirst nicht böse sein, aber ich konnte es nicht mehr aushalten und habe einen Zimmermann beauftragt, mir ein Häuschen zu bauen.«

»Unerträgliche« Kälte auf einer Farm, durch deren Ländereien der Äquator verläuft, klingt wie ein Paradoxon, aber das Klima auf der Äquator-Ranch der Delameres hatte weit mehr Ähnlichkeit mit dem schottischen Hochland als mit den Tropen.

Die Zahl der Afrikaner, die auf der Clutterbuck-Farm arbeiteten, wuchs langsam und stetig, bis Beryls Vater schließlich über mehr als tausend Kräfte verfügte. Als Winston Churchill 1907 seine Bahnreise für einen kurzen Besuch auf der Farm unterbrach, waren fast neunhundert Mann allein damit beschäftigt, Holz zu schlagen und den Wald zu roden. Das Holz wurde zum Großteil als Brennmaterial für die Lokomotiven verwandt – ein einträgliches Geschäft für Clutterbuck, den Churchill so beschrieb: »Ein junger englischer Gentleman ... der den Eingeborenen ein vorbildlicher Arbeitgeber ist.«[2] Dieses Arbeitsaufgebot erscheint für heutige Verhältnisse riesig, war jedoch zur damaligen Zeit nicht ungewöhnlich. Karen Blixen zum Beispiel wurde 1914 von etwa ebensovielen afrikanischen Arbeitern auf ihrer Farm willkommen geheißen.[3]

Die Anstrengung, die es bedeutete, Busch- und Waldland urbar zu machen, kam einer Herkulesarbeit gleich. Damals gab es noch keine Maschinen, um die unnachgiebigen Baumstümpfe aus dem Erdreich zu ziehen, nachdem die Stämme geschlagen waren; statt dessen wurden viele arbeitswillige Hände und zahlreiche Ochsengespanne gebraucht. Die Holländer, die vom Kap aus nordwärts gezogen waren, verstanden sich besonders gut auf den Umgang mit Zugtieren, und Clutterbuck machte sich ihr Geschick rasch zunutze. Beryl schrieb später in einer ihrer Kurzgeschichten über den heroischen Einsatz ihres Vaters:

Wir rodeten Land für unsere Farm – oder vielmehr kämpften wir gegen den gewaltigen Mau-Wald an, der in Jahrhunderten unge-

*hinderten Wachstums einen so hohen Wall von Bäumen errichtet
hatte, daß ich allen Ernstes glaubte, ihre Äste würden bis zum
Himmel reichen. Es waren Zedern, Oliven, Eiben und Bambus,
und die ausladenden Kronen der Zedern, von denen viele bis an die
siebzig Meter hoch waren, ließen keinen Sonnenstrahl durch. Die
Leute behaupteten, dieser Wald sei unbesiegbar, und sie hatten
recht, aber mein Vater schaffte es immerhin, ihn einzudämmen.
Unter seinem Kommando stürmte ein holländisches Korps, mit
Äxten ausgerüstet und unterstützt von mehreren hundert Ochsen,
das Bollwerk; Tag um Tag schufteten sie, und mit der Zeit gaben
die Außenmauern wirklich nach.[4]*

Für Churchills Besuch ließ Clutterbuck einen Pfad durch den
Wald schlagen, der eine Schleife des Bahndamms säumte. Dieser
Weg, der eher einem belaubten Tunnel glich, führte anderthalb
Meilen weit durch den Dschungel, den Churchill als wirr und un-
durchdringlich beschreibt.

*Die mächtigen Baumriesen ragten bis an die fünfzig Meter hoch
auf, ein wundervoller Anblick. Dann folgten die herkömmlichen
Forstbäume, die weit dichter gedrängt standen. Darunter befand
sich eine Schicht Unterholz und Buschwerk, und unter, um und
zwischen dem Ganzen wogte ein Meer von abenteuerlich gewun-
denen Kletterpflanzen. Gegen diesen vierfachen Schleier kämpfte
das Sonnenlicht und drang auch wirklich alle zwanzig Meter in
grüngoldenen Karos durch.*

Es ist typisch für Churchill, daß er nicht nur der Landwirtschaft
Beachtung schenkte.

*Was für eine Methode, Brennholz zu schlagen! Eine wogende
Menschenmenge ... haut mit landesüblichen Messern, die eher
Spielzeughacken als brauchbaren Äxten ähneln, auf die Bäume
ein ... Jeder der neunhundert Eingeborenen kostet im Jahr ganze
sechs Pfund. Eine Maschinenanlage zum Bäumefällen würde, in-
klusive einer Meile Einschienenbahn-Anschluß, etwa fünfhundert
Pfund kosten, dafür aber die siebenfache Leistung erbringen. Es
ist sinnlos, das tropische Afrika mit bloßen Händen erobern zu
wollen. Die Zivilisation muß mit Maschinen ausgerüstet sein,
wenn sie diese wilden Regionen ihrer Autorität unterwerfen will.*

Churchill diskutierte dieses Thema mit Clutterbuck, während die beiden sich durch den Dschungel kämpften. Churchills Schluß-folgerung – »Es ist von entscheidender Bedeutung, daß diese Wäl-der nicht mit rücksichtsloser Hand zerstört werden. Das ist nicht weniger wichtig als die Beschaffung billigen Heizmaterials für die Uganda-Bahn«[5] – zeugt von prägnantem Weitblick: wer die von ihm beschriebene Stätte 1986 besucht, findet nur noch baumloses Ackerland vor.

Die Zeit verging, ohne daß Clara Anstalten machte, mit Richard nach Kenia zurückzukehren, aber die Farm gedieh, dank Clutter-bucks Anstrengungen und seines administrativen Geschicks, und Beryl gedieh mit ihr. Die besondere Liebe des Kindes gehörte den Pferden. Dem Vater blieb die große Neigung seiner Tochter zu Tieren, und vor allem zu Pferden, natürlich nicht verborgen. Schon als Kind besaß Beryl die Gabe, ein Pferd durch bloße Be-rührung zu beruhigen. Wie ihre beiden Eltern war auch sie eine ge-borene Reiterin, die ohne jede Angst und mit großem Einfüh-lungsvermögen im Sattel saß und jedes Pferd mit sanfter Zügelfüh-rung ritt. Ihr Lieblingspferd, das sie als Sechsjährige geschenkt be-kam, war ein Araberhengst mit Namen Wee MacGregor. Viele Jahre später schrieb Beryl über diesen Gefährten ihrer Kindheit:

Wee MacGregor begegnete den Menschen und ihren Errungen-schaften zeitlebens mit sanfter Verachtung, und ich bin überzeugt, daß es reine Toleranz war und nichts weiter, was ihn ihren Befeh-len so willig nachkommen ließ. Selten nur ignorierte er ein Wort oder widersetzte sich einer Hand ... Wee MacGregor war ein Ara-ber. Er hatte ein kastanienbraunes Fell, Mähne und Schweif waren schwarz, und auf der Stirn trug er einen weißen Stern – fesch und ein bißchen verrutscht, ungefähr so, wie ein frecher Gassenjunge seine Mütze tragen würde. Und ein Gassenjunge war er auch, je-denfalls nach den Maßstäben, die in unseren Ställen galten. Er war tadellos gewachsen, doch sehr klein, und obschon er ein Hengst war, hatte mein Vater ihn nicht für die Zucht gekauft und ganz ge-wiß nicht als Rennpferd. Er war bloß für die Arbeit da, trug ent-weder mich oder meinen Vater und mußte, wenn nötig, sogar un-seren Ponywagen ziehen.[6]

Vor einem Rennen half Beryl ihrem Vater und den Grooms, die
Pferde, einschließlich ihres geliebten Wee MacGregor, in den Zug
nach Nairobi zu verladen. Sie begleitete ihren Vater fast immer zu
den Rennen, und unterwegs schliefen sie in Zelten ... »das taten
fast alle«.

Ein Rennen des Jahres 1909 muß für das kleine Mädchen besonders aufregend gewesen sein, denn ihr Vater gewann auf Sugaroi,
einem Pferd, das er für Berkeley Cole trainierte, das Produce Plate.
Dieses Rennen wurde 1909 zum erstenmal veranstaltet, galt aber
schon bald als eines der bedeutendsten in Ostafrika. Wen wundert
es, daß Beryl mit schwärmerischer Verehrung zu ihrem Vater auf-
blickte, da sie ihn doch so oft als strahlenden Sieger erlebte.

Neben den Ställen voll glänzend gestriegelter Vollblüter beher-
bergte Green Hills stets zahlreiche Haustiere: »Hauptsächlich
Waisen«, erinnerte sich Beryl: Lämmer, Kitze, die bei Jagdunfällen
die Eltern verloren hatten, Zicklein und Welpen. Clutterbuck besaß einen reinrassigen Bullterrier (seinen Lieblingshund, ein Geschenk von Lord Delamere), von dem Beryls Mischling Buller ab-
stammte. Clara hatte einen großen und stattlichen Schäferhund,
den sie mit nach Kenia gebracht hatte, auf der Farm zurückgelas-
sen; ferner gab es noch zwei importierte Windspiele, Storm und
Sleet mit Namen, und zwei Dänische Doggen. Beryl entsann sich
voller Bedauern, daß fast all ihre Tiere einer Seuche zum Opfer fielen oder von Leoparden gerissen wurden.

Was indes Beryls Erziehung betrifft, so hatte darauf neben Lady
Delamere noch eine andere Dame Einfluß, auch wenn Beryl in ihrem Lebensbericht das Gegenteil behauptet. Diese Dame war ihre
Tante Annie. Clutterbucks älterer Bruder Henry war 1908 mit
Frau und Sohn Jasper von Indien nach Kenia übersiedelt, weil
das Klima in Indien seine Gesundheit allzusehr angriff. Sie ließen
sich in Molo nieder, etwa einen halben Tagesritt von Njoro entfernt, und selbstverständlich unterhielten die beiden Familien regen Kontakt miteinander. Jasper war nur zwei Monate jünger als
Beryl, und die beiden waren gelegentlich Spielkameraden.

Vor ihrer Heirat hatte die hochgewachsene, elegante Annie, die
aus einer wohlhabenden und einflußreichen Familie stammte, ein

luxuriöses Leben mit allen nur erdenklichen Annehmlichkeiten geführt. Auch in Indien stand ihr ein Heer wohlausgebildeter Diener zur Verfügung, und folglich bedeuteten die Entbehrungen auf der Farm in Molo zunächst einen ziemlichen Schock für sie. Aber sie stellte sich den neuen Anforderungen und kämpfte tapfer gegen alle Unbilden. Einmal, als ihr Gatte in Geschäften unterwegs war, erzählten ihr die Dienstboten: »Ein paar Männer haben gedroht, sie wollen bei Nacht herkommen und einbrechen, uns alle töten und das Vieh stehlen.« Annie holte daraufhin ruhig einen Revolver aus dem Schreibtisch, lud ihn vor den Augen des Personals, zündete eine Sturmlaterne an und ließ sich, mit dem Gesicht zur Tür, in einem Sessel nieder. »Sagt ihnen«, befahl sie, »daß ich das Haus die ganze Nacht hindurch bewachen werde. Wenn ich auch nur eine Menschenseele hier rumschleichen sehe, werde ich auf der Stelle schießen.«

Ein andermal, als sie mit ihrem kleinen Sohn allein zu Hause war, hörte sie etwas auf dem Dach herumtappen. Die Diener riefen von draußen: »Bleiben Sie drin – auf dem Dach ist ein Tier, das wird Sie töten und Ihr Hirn auffressen. Erschießen Sie es durchs Dach.« Annie, die nicht mit einem Gewehr umgehen konnte, aber nicht wollte, daß die Dienerschaft dahinterkam, rief zurück, der *Bwana* [Herr] würde böse sein, wenn sie das Dach durchlöchere, und stach statt dessen mit einem Eingeborenenspeer durchs Strohdach. Das Tier verschwand, und Annie erfuhr später von der Dienerschaft, es sei ein Nandi-Bär gewesen.

Die Europäer vermuteten hinter dieser Bezeichnung lange Zeit ein bloßes Fabeltier, doch seit kurzem gibt es Anzeichen dafür, daß es sich tatsächlich um eine kleinwüchsige Bärenart handelte. Die Afrikaner hatten ganz recht, der Nandi-Bär neigt dazu, seine Opfer zu töten und ihr Hirn zu verzehren.

Am Heiligabend 1910 brachte Annie einen zweiten Sohn zur Welt, Nigel, und Beryl traf mit beiden Cousins sowie mit Onkel und Tante so oft zusammen, wie die umständlichen Reisebedingungen es erlaubten. Beryl erwähnt in ihrem Lebensbericht weder die Tante noch ihre beiden Vettern, aber es ist unvorstellbar, daß Annie die Nichte während sechs entscheidender Entwicklungsjahre ignorierte; umgekehrt blieb die unerschrockene Haltung der Tante gewiß nicht ohne Einfluß auf Beryl.

Zweifellos verdankte Beryl die Fähigkeit, sich in späteren Jahren mühelos in der Londoner Gesellschaft bewegen zu können, sowie ihre kultivierten Umgangsformen, den vornehmen Akzent und die angenehm hohe, zugleich nasale Stimmlage dem Kontakt mit ausgewanderten Europäern der Oberschicht. Doch dies waren Äußerlichkeiten. Beryls Charakter entwickelte sich indes auf sehr komplexe Weise; zum Beispiel machte sie sich, aus Mangel an steter elterlicher Führung, instinktiv den Glauben zu eigen, daß »der Zweck die Mittel heiligt« – eine Grundvoraussetzung in der Kunst des Überlebens –, und dieser Zug kam, als sie älter wurde, immer deutlicher zum Tragen. Ihre Neigung, andere Menschen – und deren Besitz – ohne Skrupel zu »benutzen«, wurde bisweilen sogar als unmoralisch angeprangert. Ihre außergewöhnliche Energie, ihre Lebensfreude und die erstaunlichen Freiheiten, die man ihr gewährte (oder die sie sich nahm), stürzten sie schon als Kind in viele Abenteuer, mit denen Mädchen normalerweise nicht in Berührung kommen, gleichgültig ob sie nach europäischen oder nach afrikanischen Maßstäben erzogen werden. Im hohen Alter bekannte sie: »Ich bewundere meinen Vater dafür, daß er mich so und nicht anders erzogen hat. Andere Leute herzen und küssen ihre Kinder immerfort und machen schrecklich viel Wirbel um sie. Bei mir war das ganz anders. Ich mußte auf mich selbst achtgeben, und so lernte ich, mich mit mir allein zu beschäftigen, sei es, daß ich mich irgendwo verkroch und las oder meinen Gedanken nachhing. Komischerweise habe ich es gerade dadurch geschafft, mich im Leben durchzusetzen.« Aus ihrer Sicht mag die Erziehungsmethode des Vaters bewundernswert gewesen sein, aber als Außenstehender kann man sich nur schwer des Eindrucks erwehren, daß sie ein einsames Kind war, dem die Zärtlichkeit fehlte, die sie nach außen hin scheute, nach der sie sich jedoch im Herzen gesehnt haben mag. Denn zweifellos vergötterte sie ihren Vater, und zeitlebens traf sie keinen zweiten Mann, der es mit ihm aufnehmen konnte.

Falls der klassisch gebildete Clutterbuck sich darüber Sorgen machte, daß seine Tochter keine fundierte Schulbildung erhielt, so ließ er sich diese Bedenken zumindest nicht ohne weiteres anmerken. Beryl versicherte mir: »Daddy brachte mir allerhand bei«; doch dieser Privatunterricht scheint sich auf die Nacherzählung griechischer Dichtungen beschränkt zu haben und auf die Beantwortung des unermüdlichen Fragestroms der Tochter. Im Alter von acht Jahren verbrachte sie einige Zeit bei einer Nachbarsfrau, Mrs. Lister, und deren Sohn, während Clutterbuck mit dem Ehemann im Kongo auf Elfenbeinjagd ging. In dieser Zeit brachte Mrs. Lister Beryl das Lesen bei. Beryl war intelligent und hatte eine rasche Auffassungsgabe, aber sie war kein Freund von geregeltem Unterricht. Als ihr Vater heimkam, konnte sie sowohl lesen als auch schreiben, und von da an entwickelte sie sich zu einer leidenschaftlichen Leseratte; doch sie nutzte jede Gelegenheit, um sich vor dem Unterricht zu drücken und sich statt dessen ihren geliebten Pferden oder ihren afrikanischen Spielkameraden zu widmen. Sogar an Ringkämpfen, bei denen sie sich mit kräftigen Jungen messen mußte, nahm sie teil. Durch solches Training wurde sie selbst sehr stark und lernte, ihre Körperkräfte zu ihrem Vorteil zu nutzen.

Während ihres Aufenthalts bei den Listers lernte Beryl den damals siebenjährigen Langley Morris kennen. Europäische Kinder waren damals äußerst selten im Protektorat – die Farmen lagen weit auseinander, und die Kinder hatten kaum Gelegenheit zu verreisen. Beryl war das erste weiße Mädchen, das Langley je gesehen hatte, und in seiner Erinnerung sah sie aus wie »... Alice im Wunderland ... damit meine ich weniger, daß sie hübsch war oder etwas Vornehmes an sich hatte, nein, es war die Mode, die damals alle Mädchen mitmachten. Zwar lebten wir schon in der Zeit Eduards VII., doch es dauerte lange, bis eine neue Stilrichtung Ostafrika erreichte, und so kleidete man sich bei uns noch immer nach der viktorianischen Mode. Beryl war ein kluges Mädchen, groß und schlank und sehr lebhaft ... soweit ich mich erinnere, hatte sie ungefähr das gleiche gelernt wie ich auch: was gegen Schlangenbisse zu tun ist, wohin man bei einem angreifenden Elefanten zielt und wo bei einem Löwen (in die Schulter, um das Tier zu lähmen, denn es zu töten, gelang fast nie mit dem ersten Schuß), wie man eine Antilope abhäutet und wie man sterbende Tiere mit Strychnin vergiftet, um zu verhindern, daß die Eingeborenen sich des Fleisches bemächtigen ... Das waren für uns als Kinder die ausschlaggebenden Dinge. Unsere Erziehung war in erster Linie aufs Überleben ausgerichtet.«[7]

Kurz nach seiner Rückkehr aus dem Kongo engagierte Clutterbuck die Engländerin Mrs. Orchardson als Hauslehrerin für seine Tochter. Beryl konnte die Erzieherin von Anfang an nicht leiden, und im Laufe der Jahre steigerte sich diese Abneigung in offene Feindschaft, die höchstwahrscheinlich auf Eifersucht beruhte; noch fast achtzig Jahre später sprach Beryl von ihrer ehemaligen Gouvernante als von »diesem verdammten Frauenzimmer!«

Ungefähr zu der Zeit, als Mrs. Orchardson auf die Farm kam, ließ Clutterbuck ein wetterfestes Haus aus Zedernholz errichten. Abends warf das lodernde Kaminfeuer flackernde Schatten auf den gebohnerten Fußboden und spiegelte sich in den holzgetäfelten Wänden, deren aromatischer Duft sich in der Wärme vollends entfalten konnte. Am Kaminvorsprung im großen Wohnzimmer pflegte Clutterbuck mit Kohlestrichen zu markieren, um wieviel Beryl von einem Jahr zum anderen gewachsen war. Doch Beryl, trotzig und rebellisch wie sie war, weigerte sich, in das neue Haus umzuziehen, wo sie ständig unter Mrs. Orchardsons Aufsicht gestanden hätte, und so schlief sie weiterhin in ihrer ein Stück weiter entfernt gelegenen Lehmhütte.

Arme Ada Orchardson! Sie hielt es für ihre Pflicht, Ordnung und Kultur in das Leben dieses willensstarken Kindes zu bringen. Bis zu ihrer Ankunft hatte Beryls Vater seine Tochter wie einen Jungen behandelt. Sie durfte sich ihren Tag selbst einteilen, spielen oder arbeiten, ganz wie es ihr beliebte, konnte ihren Vater auf seinen Inspektionsritten über die Farm begleiten und gelegentlich ein wenig Lektüre treiben oder von dem lernen, was Clutterbuck ihr erzählte. Ihr Vater war gerecht, aber streng, und es kam durchaus vor, daß er zum Stock griff, wenn Beryl über die Stränge schlug. Beryl nahm das klaglos hin – sie liebte und achtete ihren Vater. Aber Mrs. Orchardson verabscheute sie. Wann immer sie ihr entwischen konnte, lief sie mit ihren afrikanischen Freunden auf und

davon; mal spielten sie in den kühlen Mau-Wäldern, mal versteckten sie sich in den Ställen, wo der rührige Clutterbuck inzwischen
über zwanzig Pferde hielt und trainierte. »Daddy war sehr geduldig mit mir – er konnte mir nachfühlen, was ich empfand«,
erinnerte sich Beryl. Eine Freundin bestätigte, daß sie eine recht
schwere Kindheit hatte. Allein, Beryl wünschte sich keine andere, im Gegenteil, sie genoß ihr ungebundenes Leben in vollen
Zügen.

So unverhohlen wie sie Mrs. Orchardson haßte, vergötterte Beryl
ihren Vater. Man gewöhnte sich daran, die beiden fast immer zusammen zu sehen, denn als Beryl zum jungen Mädchen herange-
wachsen war, begleitete sie ihren Vater auf seinen Geschäftsreisen
oder zu den Rennen nach Nairobi. Mitsamt ihren Pferden legten
sie die etwa hundert Meilen per Bahn zurück. Bereits mit elf Jahren
ritt Beryl mit den Rennpferden ihres Vaters auf die Koppel hinaus,
schon damals eine geübte Reiterin.

Manche ihrer Reisen in den Süden nutzten die Clutterbucks, um
mit den Masara Hounds auf Jagd zu gehen. Jim Elkington, Besitzer und Rüdemeister dieser importierten Meute, war mit Clutterbuck befreundet, wenngleich die beiden sich auf den Rennplätzen
Nairobis nicht selten als Rivalen begegneten. Beryl und ihr Vater
machten fast jedesmal auf der Farm der Elkingtons Rast, wenn sie
vom Hinterland nach Nairobi kamen. Berühmt war dieses ansonsten typisch englische Anwesen in weitem Umkreis wegen Paddy,
einem zahmen Löwen, den die Familie aufgezogen und der niemals
einen Käfig gesehen hatte. Doch Beryl wurde 1911 von diesem als
harmlos geltenden Raubtier angefallen, ein dramatisches Erlebnis,
das sie in *Westwärts mit der Nacht* packend und anschaulich geschildert hat.[8]

1914 ereilte die Verwandten der Clutterbucks in Molo ein tragisches Schicksal. Henry Clutterbuck, der schon seit einiger Zeit
kränkelte, starb an den Folgen einer (auf dem Küchentisch durch-
geführten) Operation; Annie blieb mit ihren zwei Söhnen auf der
Farm zurück, die wie die meisten in Kenia bis zum Dach verschul-
det war. Doch Annie war es nicht vergönnt, sich mit ihrer Trauer
zurückzuziehen, denn angesichts der drohenden Kriegsgefahr

durften Frauen und Kinder nicht schutzlos auf abgelegenen Gehöften bleiben. All ihre Gerätschaften wurden konfisziert, und Annie blieb nichts anderes übrig als zu packen und fortzuziehen. Eine Zeitlang fand sie mit ihren beiden Söhnen Unterkunft auf Green Hills, ehe sie widerstrebend die Rückreise nach England antrat. Mochte er auch noch so sehr in Not geraten – kaum ein Siedler gab leichten Herzens auf und kehrte in die Heimat zurück. Zu dieser Zeit war Beryl ein schlaksiges, hochaufgeschossenes Mädchen von zwölf Jahren.

Die letzte Erinnerung ihrer Vettern an sie ist ein typischer Beryl-Streich. Sie packte den Kamin im Wohnzimmer voll mit pulvertrockenem Reisig und setzte es in Brand. Ein wahres Feuerwerk brach los, binnen Minuten stand der Kamin in Flammen, und die strohgedeckten Hütten sowie das dürre Grasland rings ums Haus waren ernsthaft in Gefahr. »Beryl schaute bloß mit großen erstaunten Augen zu, wie alles in heller Aufregung durcheinanderlief, so als hätte sie nicht das geringste damit zu tun«, erzählte mir Nigel Clutterbuck.

Früher am selben Tag hatte Beryl mit Hilfe ihres Vetters Jasper eine Schwarze Mamba getötet – mit Stöcken waren die beiden einer der giftigsten Schlangen Afrikas zu Leibe gerückt. Stolz präsentierten sie anschließend ihre Beute, auf Pfählen aufgespießt, im Hof. »Sie war wild und ungebärdig bis zum äußersten und schreckte vor keiner Gefahr zurück«, erinnerte sich ihr Cousin Nigel.[9]

Auch als sie erwachsen wurde, prägte ihr enger Kontakt zu den Afrikanern, mit denen sie häufiger zusammenkam als mit ihrem Vater oder irgendeinem anderen Europäer, Beryl noch nachhaltig. Ihre afrikanischen Freunde schenkten ihr ein Gefühl der Gemeinschaft, das ihr wohltat, und lehrten sie Dinge, die sie den trockenen Schulbuchweisheiten vorzog. Im wesentlichen genoß sie die gleiche Erziehung, die auch den Söhnen des Stammes zuteil wurde. Beryl war hochgewachsen, stark und geschmeidig und nahezu unerschrocken, und falls sie doch Furcht kannte, so lernte sie rasch, sie zu verbergen.

Die Afrikaner lehrten Beryl, mit dem Speer umzugehen, mit Pfeil und Bogen zu schießen und so komplizierte Spiele zu beherrschen

wie das *Bao*, bei dem es gilt, in mathematischer Genauigkeit mit
Steinchen oder kleinen Äpfeln auf flache Erdlöcher zu zielen. Ge-
meinsam mit den jungen Männern lauschte sie den Ratschlägen des
Stammesältesten. Wenn ein Afrikaner auf Löwenjagd ging, stand
ihm kein hilfreicher weißer Jäger mit schußbereiter Flinte als
Deckung zur Seite, für den Fall, daß sein Speer die Beute verfehlte.
Beryls Darstellung einer solchen Jagd – die Mutprobe, bei der ein
junger Massai beweisen muß, ob er es wert ist, den Titel *Moran*
(Krieger) zu führen – ist so spannend und anschaulich geschildert,
als habe die Autorin sie selbst miterlebt:

*Der Löwe atmete ruhig, ließ seinen Schweif in leichten, rhythmi-
schen Bögen kreisen und betrachtete die Gestalt des Menschen unweit von ihm in einer Felsspalte. Auch Temas hatte sich aufgerich-
tet. Auf ein Knie gestützt, wartete er auf das Signal der erhobenen
Speere. Von seinen Kameraden konnte er nur zwei oder drei sehen
– dort den Federschmuck eines Kriegers, hier und da einen glänzenden Arm. ... Temas umklammerte den Schaft seines Speers, bis
alle Sehnen seiner Hand schmerzten. Der Löwe hatte sich geduckt,
und Temas stand plötzlich innerhalb seines Sprungfeldes. Der
Kreis der Krieger war enger und fester zusammengerückt, und
man hörte keinen Laut bis auf das unregelmäßige Atmen der Männer.*

*Der Löwe duckte sich gegen die rötliche Erde, den Kopf vorge-
streckt. Seine gewaltigen Rückenmuskeln waren gespannt, sein
Körper glich einem schußbereiten Bogen. Und wie ein Fechter
die Klinge aus der Scheide zieht, so entblößte er seine Fänge und
wählte sein Opfer.*

*... Er griff sofort an, und als er einen Ausfall machte, verwandelte
sich der junge Temas in einem Atemzug vom zaudernden Knaben
zum Manne. Alle Furcht – vor allem die Furcht vor der Furcht –
war verflogen, und als er sich dem Angriff stellte, blitzte ein
rauschhaftes Leuchten in seinen Augen auf, und der Geist seines
Volkes kam über ihn.*

*Über den Rand seines Schildes hinweg sah er die zornwütende
Rache Gestalt annehmen. Als der dunkle Koloß sich auf ihn
stürzte, löschte er alles Licht in seinen Augen – denn der*

letzte Satz des Löwen trug ihn über den Schild, den Speer und den Jüngling hinweg, so daß Temas, aus der Hocke emporblinzelnd, einen Zeitsplitter lang dem Tod ins Auge blickte.
Er wich nicht vom Fleck. Weder dachte noch fühlte oder reagierte er bewußt. Alles war ganz einfach, lief ab wie im Traum, und sein Geist sah seinem Handeln zu.
Er sah seinen eigenen Speer in geschicktem Bogen hochschnellen, seinen Schild am abgewinkelten Arm emporfahren, seine Augen den lebensgefährlichen Punkt suchen – und ihn verfehlen.
Aber er stieß zu. Es war ein harter Stoß, weder zu ungestüm noch übereilt geführt, sondern genau im rechten, ausgeklügelten Moment, und Temas sah, wie seine Speerspitze sich in die Schulter des Raubtieres bohrte. Allein, der Stoß genügte nicht. Im selben Augenblick war die Waffe seinem Griff entrissen, der Schild verschwunden, mächtige Klauen krallten sich in seine Brust und gruben sich tief ins Fleisch. Die Kraft und das Gewicht seines Angreifers überwältigten ihn.[10]

Abends saß Beryl manchmal zusammen mit den afrikanischen *Totos* am Feuer und lauschte den endlosen Sagen, die seit Generationen in mündlicher Überlieferung weitergereicht wurden. Viele dieser Fabeln, die meist einen moralischen Kern hatten, kreisten um den geheimnisvollen Ursprung des Menschengeschlechts. »Vor langer, langer Zeit«, so der Anfang einer solchen Geschichte,

in den Tagen, als die Berge noch Feuer spien, waren die Elefanten Menschen, und diese Menschen waren sehr reich. Sie besaßen Ngombi, Kondo, Mbuzi, Kuku [Rinder, Schafe, Ziegen und Hühner] – nicht weniger als du Grashalme auf der Steppe zählst. So reich waren sie, daß sie es gar nicht nötig hatten zu arbeiten. Den ganzen Tag lümmelten sie sich bloß faul herum, beschmierten sich mit Öl und roter Erde und liebten einander in der Hitze des Mittags. Sie hatten mehr Milch als sie verbrauchen konnten. Da kam eines Tages einer von ihnen auf die Idee, sich in der Milch zu waschen, und als die anderen das sahen, machten sie es ihm nach, bis es bei allen Brauch wurde, den glänzenden Körper jeden Morgen und jeden Abend mit diesem weißen Wasser zu übergießen. Eines Abends nun fügte es sich, daß Muungu [Gott] durch den Wald ging, um nachzusehen, ob auch alles in Ordnung sei bei den Tieren, die er erschaffen hatte – den Nashörnern, Hyänen, Löwen und den vielen anderen. Und er fand alles zu seiner Zufriedenheit. Auf dem Rückweg aber drang plötzlich Menschengelächter an sein Ohr, und er ging dem Lachen nach, um sich zu überzeugen, daß auch bei ihnen alles seine Ordnung habe. Der Zufall wollte es, daß die Menschen gerade ihr Abendbad nahmen, und als Gott sah, wie sie die gute Milch über ihre Körper spritzten, da packte ihn ein großer Zorn. »Ich habe die Kühe geschaffen, auf daß sie das weiße Wasser ihres Lebens spenden, und jetzt vergeuden die Menschen es auf frevelhafte Weise.« Er rief die Menschen zu sich in den Schatten des Waldes, und sie hörten Gottes Stimme, die lauter schallte als das Gebrüll des Löwen, wenn sein Bauch gefüllt ist. Zitternd kamen sie zu ihm gekrochen, auf Händen und Knien wie die Affen. Und Gott rief aus: »Da ihr euch meiner Gaben unwert gezeigt habt, sollt ihr Nyama [wilde Tiere] werden, eine neue Art von Nyama. Am Kopf werdet ihr milchweiße Zähne tragen, zur steten Erinnerung an eure Schuld.« Und so verwandelte Gott sie alle in Elefanten, und sie trotteten davon in den Wald, graue Riesen mit blitzenden Stoßzähnen an ihren gebeugten Köpfen; die sollten sie behalten bis in alle Ewigkeit.[11]

Beryl wurde nie müde, Geschichten zu hören, die mit: »Vor langer, langer Zeit ...« begannen oder: »Es war einmal ein Mann ...«

In ihrer einzigartigen Kindheit und Jugend standen ihr zwei afrikanische Freunde besonders nahe, der würdevolle Maina (den ihr Vater zu ihrem persönlichen Bediensteten ernannt hatte) und sein Sohn Kibii, der ein wenig jünger war als Beryl. Mit ihm verband sie die engste Freundschaft ihrer Kindheit. Ein weiterer Spielkamerad war Arthur Orchardson, der Sohn ihrer Erzieherin, der freilich zu sehr unter der Fuchtel seiner Mutter stand, als daß er es gewagt hätte, sich an Beryls waghalsigeren Abenteuern zu beteiligen. Als Teenager fand die langbeinige Beryl einen ständigen Begleiter in ihrem Hund Buller, benannt nach General Buller, dem Helden des Burenkrieges. Zusammen mit einem ganzen Rudel Hunde schlief Buller bei Beryl in ihrer Lehmhütte unweit vom Farmhaus. Der

Estrich war ein Gemisch aus Erde und Kuhmist, aber so ebenmä-
ßig festgestampft, daß er aussah wie ein glänzender Fliesenboden.
Durchs unverglaste Fenster bot sich ein herrlicher Blick über das
Liakipia-Escarpment. Wann immer sie konnte, drückte Beryl sich
vor ihren häuslichen Pflichten und den leidigen Schulstunden; in
Khaki-Bluse und Shorts, manchmal auch nur mit einem *Lungi* (ein
Stück Stoff, das der Länge nach um den Körper geschlungen wird)
bekleidet und immer barfuß, in der Hand den Massai-Speer und
neben sich ihren willfährigen Komplizen Buller, so schlich sie davon, während ihr Vater und das Hauspersonal noch schliefen.
Mit ihren afrikanischen Freunden ging Beryl im Mau-Wald auf
Jagd und erlegte Ried- und Buschbock, Hirschantilope und War-
zenschwein. Heute ist der Mau-Wald praktisch verschwunden, damals aber standen die Zederzypressen noch dicht an dicht.
Ihre hohen Stämme ragten kerzengerade gen Himmel; Flechten
hingen wie schlaffe, grau-grüne Bärte von ihren dunklen Kronen
herab, unter denen sich die helleren Olivenbäume duckten. Ab
und zu öffnete sich der dichte Wald zu einer Lichtung, und unver-
mutet trat der Wanderer aus dem kühlen Schatten des Gehölzes
hinaus in den grellen Sonnenschein. Buntschillernde Schmetter-
linge gaukelten durchs Waldesdämmern oder schwebten als türkis-
und orangefarbene Pünktchen übers hohe, fahle Steppengras. In
der Morgenfrühe, wenn die Felder noch übersät waren von glit-
zernden Tautropfen, konnte man bisweilen ein Rudel Hirschanti-
lopen beobachten, während sie unter freiem Himmel ästen. Schon
beim leisesten Rascheln erstarrten die grauen Tiere. Mit hochge-
recktem Kopf, die großen, buschigen Ohren gespitzt, lauschte ein
jedes, um noch das feinste Schwingen der Ätherwellen zu erha-
schen. Dann machten sie plötzlich kehrt, standen einen Moment
lang dunkel und massig im Gegenlicht und waren gleich darauf ge-
räuschlos im Wald verschwunden, so als hätten sie sich aufgelöst
und wären in lauter winzige Licht- und Schattenpunkte zerstoben.[12]
Die Luft hallte wider vom Flügelschlag der Vögel, deren heiseres
Krächzen sich mit den spitzen Schreien der Affen mischte. Am Boden schlich der heimtückische Leopard auf Beute, so sachte wie ein
Luftzug.

In den Wäldern hauste der scheue Wanderobo-Stamm, der mit
Giftpfeilen jagte und gelegentlich mit den Siedlern Geschäfte
machte – Honig im Tausch gegen das weiche Fell des Seidenaffen,
Fleisch für ihre Dienste als Pfadfinder und Spurenleser. Zu jener
Zeit tummelten sich die reizenden schwarz-weißen Seidenaffen
noch in großer Zahl in den Wäldern des Hochlandes, schwangen
sich über den Köpfen der Pioniere von Baum zu Baum oder schau-
ten mit blanken, klugen Äuglein auf sie herunter „gleich einem Heer
winziger Nonnen«, wie ein Siedler aus der Erinnerung berichtet.
Durch diese Wälder streifte die blonde Beryl, oft halbnackt, den
Speer fest umklammert. Sie hatte gelernt, sich flink und geräusch-
los zu bewegen, fast so verstohlen wie die Tiere; nur mit den Ballen auftretend, glitt sie so leichtfüßig über den Waldboden, daß
selbst dürre Zweige nicht unter ihren Schritten knackten. Sie wußte, daß auch der kleinste Laut ihr den Spott ihrer Kameraden zu-
ziehen würde, ebenso wie jedes Zeichen von Schwäche oder Erschöpfung. Diesen geschmeidigen Gang behielt Beryl ihr ganzes
Leben. Noch als sie fast achtzig war, bewegte sie sich, als hätte sie
Flügel an den Fersen, erzählte mir eine ihrer Freundinnen.
Beryls Jagdabenteuer, die aus heutiger Sicht geradezu sensationell
und aufsehenerregend wirken, hat sie selbst in *Westwärts mit der
Nacht* anschaulich und detailliert beschrieben. Viele Siedlerkinder
pflegten vertraulichen Umgang mit den Eingeborenen, aber wie
üblich ging Beryl ein gutes Stück weiter als die anderen. Gelegentlich wurden Zweifel am Wahrheitsgehalt der in ihrem Buch
geschilderten Erlebnisse laut, und in der Tat scheint es auf den ersten Blick verwunderlich, daß der Vater dem jungen Mädchen erlaubt haben soll, mit einheimischen Jägertrupps durch die Wälder
zu ziehen und manchmal sogar über Nacht von zu Hause fortzu-
bleiben. Umgekehrt mag manch einer daran zweifeln, daß die
Krieger sich auf ihren Streifzügen von einem jungen Mädchen
behindern ließen, noch dazu wenn es europäischer Herkunft
war.
Freunde, die Beryl im hohen Alter nahestanden, versichern dagegen, sie habe ihnen Geschichten von Jagdausflügen in den Busch
erzählt, die schon aufgrund ihrer akribischen Detailfülle gar nicht

erfunden sein könnten. Die Afrikaner waren ihre Diener. Wenn sie
auf die Jagd gehen wollte, befahl sie ihnen einfach, sie mitzunehmen. Schließlich war sie die Memsahib Kidogo [kleine Memsahib],
und sie konnte schon in jungen Jahren sehr gebieterisch auftreten.
Im übrigen ist es gar nicht so erstaunlich, daß Clutterbuck seine
Tochter ungehindert in der Gegend herumvagabundieren ließ.
»Ich habe selbst zwei Kinder in Kenia großgezogen«, erzählte mir
ein Informant, der mit Beryl gut bekannt war. »Man hatte seinerzeit das Gefühl, die Kinder seien im Busch mit den Afrikanern
gerade so sicher aufgehoben wie daheim im Hyde Park mit ihrer
Nanny. Die Schwarzen nahmen sich unserer Kinder mit uner-
schöpflicher Geduld an.
Beryl hat mir oft von ihren Jagdausflügen mit den Afrikanern erzählt. Auf der Farm ihres Vaters arbeiteten Hirten vom Stamme
der Nandi, die brachten ihr vieles bei. Sie durfte überall frei her-
umziehen ... völlig ungebunden, wie eine kleine Wilde. Sie erzählte mir, sie habe oft nur einen *Lungi* um die Hüften getragen und
sonst gar nichts. Immer lief sie barfuß, und in der Rechten trug sie
ihren Speer. Ich kann bezeugen, daß sie mit einem Speer oder mit
Pfeil und Bogen genausogut umgehen konnte wie die Afrikaner.
Sowas kann man sich nicht aneignen, wenn man es nicht von klein
auf gelernt hat.«[13]
Doreen Bathurst Norman, die in späteren Jahren zu Beryls eng-
stem Freundeskreis zählte, erinnert sich ebenfalls an Beryls Berichte von ihren Jagdstreifzügen, und auch sie zweifelt nicht daran, daß
die Geschichten in ihrem Buch auf Tatsachen beruhen. Ein weiterer und sehr prominenter Fürsprecher Beryls in diesem strittigen
Punkt war Ernest Hemingway, der sie auf seinen Safaris in Afrika
kennenlernte; er schrieb über ihr Buch: »... die einzigen Kapitel,
über die ich persönlich urteilen kann, teils aus eigener Anschau-
ung, teils aufgrund der Erzählungen anderer, entsprechen voll und
ganz der Wahrheit. Sie müssen also ihren Kindheitserinnerungen
Glauben schenken, die sie im übrigen ganz hervorragend wieder-
gibt ...«[14]
Daß Beryls stimmungsvolle Jagdgeschichten auf persönlichen Erfahrungen beruhen, steht außer Zweifel; ob sie ihren eigenen An-

teil an diesen Abenteuern nun übertrieben hat oder nicht, wird wahrscheinlich nie geklärt werden. Mehrere Informanten behaupten, daß die Afrikaner, mit denen sie auf Jagd ging, vermutlich dem Stamme der Kipsigi angehörten und nicht dem der kriegerischen Nandi. *Arap* Maina und sein Sohn Kibii waren Kipsigi – ein Stamm, der zwar mit den Nandi verbündet war, aber als Hirtenvolk eine friedlichere Kultur vertrat. Vielleicht hat Beryl sich in diesem Punkt wirklich ein wenig dichterische Freiheit gegönnt, was durchaus verständlich wäre, denn die aristokratischen Nandi mit ihrer bewegten Stammesgeschichte waren bei ihren Lesern gewiß bekannter als die Kipsigi.

Beryl erlangte jedenfalls eine Vertrautheit mit den Afrikanern und ein Wissen über sie, wie es nur ganz wenige Weiße erworben haben. Eine ihrer engsten Freundinnen erzählte mir: »Beryl dachte tatsächlich mehr wie die Afrikaner als wie wir Europäer. Die distanzierte Sicht der Auswanderer, die sich ihr Leben lang als Fremde in Afrika betrachteten, war ihr gänzlich fremd. Sie war fast die einzige unter meinen Bekannten, die die Menschen dort wirklich verstanden hat.«[15]

Beryl schien die Gratwanderung zwischen beiden Kulturen mühelos zu bewältigen und nahm sich von jeder, was sie brauchte. Wäre sie mit ihrer Mutter und dem Bruder nach England zurückgekehrt, hätte ihr Leben einen völlig anderen Verlauf genommen, und es ist ein reizvolles Gedankenspiel, sich vorzustellen, was wohl aus diesem quirligen, energiegeladenen Kind geworden wäre, hätte man es nach den Regeln des Landadels in der edwardianischen Epoche erzogen. Wäre sie andererseits als Afrikanerin zur Welt gekommen, hätte sie gewiß nie an ihren geliebten Jagdstreifzügen teilnehmen dürfen, denn die sind unter den Eingeborenen strikt der Domäne des Mannes und Kriegers vorbehalten.

Beryls ausgeprägtes Selbstbewußtsein machte sich bereits in frühester Jugend bemerkbar. Erst zehn Jahre war sie alt, als sie vom Anwesen eines befreundeten Farmers in Naro Moru durchs Aberdare-Gebirge ritt, um an einer Party teilzunehmen – drei Tage war sie auf ihrem Pony Wee MacGregor unterwegs, nur begleitet von *Arap* Maina. »Ich kann Ihnen versichern«, beteuerte mein Informant, »daß die Gegend damals ziemlich unwirtlich war. Sie muß schon ein ganz besonders couragiertes Kind gewesen sein, um sich das zuzutrauen.«[16]

1914 starb in Nairobi Beryls Freundin und vielleicht die einzige Europäerin, an der ihr wirklich gelegen war: Lady Delamere. Mit nur sechsunddreißig Jahren erlag sie einem Herzleiden. Mit ihrem Tod verlor Beryl die einzige Ersatzmutter, die sie je gekannt hatte. Lady Florence war charmant und geistreich. »Ihr Mut und die Fröhlichkeit, mit der sie allen Sorgen trotzte, trugen ihr viel Bewunderung ein. Ganz Britisch-Ostafrika trauerte um sie.«[17]

Beryls Reitkünste brachten sie allmählich auch mit den Kindern europäischer Nachbarn in Kontakt. Mrs. Hilda Furse erzählte mir: »Unsere Farm Marindas in Molo war zu Pferde nicht allzuweit entfernt vom Anwesen der Clutterbucks in Njoro, wo Clutt eine Zucht mit Vollblütern begonnen hatte. Wir schickten unsere Stuten hinüber und ließen sie von seinen stattlichen importierten Hengsten decken.«[18]

Einer dieser Hengste war Camiscan, ein prachtvolles Pferd, herrisch, gepflegt und verwöhnt, wie es sich für einen erstklassigen Zuchthengst gehört, und überdies schwer zu reiten. Doch die dreizehnjährige Beryl ritt täglich auf ihm aus. Einmal, während der Arbeit an der Longe, warf Camiscan sie zu Boden, und Beryl trug eine schwere Gehirnerschütterung davon. Noch Wochen nach ihrer Genesung mußte Beryl mit Camiscan einen zähen Willenskampf ausfechten, bis sie sich endlich darauf einigten, daß keiner des anderen Herr sei. Während dieser Zeit schlief Beryl sogar bei Camiscan im Stall. Die Narben seiner Zähne auf ihrem Rücken behielt sie ein Leben lang, und noch mit dreiundachtzig Jahren erinnerte sie sich, wie er sie einmal gepackt und hochgehoben hatte und sie schüttelte »wie ein Terrier es mit einer Ratte machen würde ... was war er doch für ein Prachtpferd, er hatte wirklich Klasse«, sagte sie und lächelte.[19]

Eine Zeitgenossin erinnert sich an einen Besuch auf der Clutterbuck-Farm um 1915, zusammen mit ihrer Mutter, die sich von Clutterbuck beim Pferdekauf beraten lassen wollte. »Meine Mutter fand uns in der Ecke einer geräumigen Box sitzend, wo wir voll

Bewunderung und Ehrfurcht zusahen, wie Beryl einen großen und sehr schönen, aber dem Vernehmen nach bissigen Hengst striegelte. Er wieherte und bockte, rührte sie jedoch nicht an. Sie hatte wirklich eine wunderbare Begabung im Umgang mit Tieren, verstand und liebte sie. Außerdem kannte sie keine Furcht.«[20]

Dieselbe Freundin traf Beryl ein Jahr später in völlig anderer Umgebung. Es schien seit langem klar, daß der mutwillige Teenager bei Mrs. Orchardson so gut wie nichts lernen würde. Der Grund dafür war höchstwahrscheinlich Eifersucht, denn mittlerweile lebten ihr Vater und Mrs. Orchardson zusammen. Aber keine der Erzieherinnen, die Mrs. Orchardson folgten, hatten mehr Erfolg als sie. Beryl »... verscheuchte sie alle, indem sie ihnen Spinnen ins Bett setzte«. Eine, die besonders hartnäckig war, schlug eines Abends die Decke zurück, um nach der erwarteten Spinne zu suchen, und fand eine Schwarze Mamba auf dem Laken.[21] Zwei männliche Tutoren kamen besser mit der widerspenstigen Schülerin zurecht, doch sie holte der Krieg vorzeitig fort.

Die spätere Mrs. Furse und ihre Schwester trafen Beryl Ende 1915 oder Anfang 1916 in einem Internat in Nairobi wieder. »Beryl war schon eine Weile dort, als wir auf diese Schule kamen. In der Rückschau muß ich gestehen, daß der arme Lehrkörper, lauter steife und sehr förmliche Damen, es wohl recht schwer hatte mit uns eigensinnigen jungen Dingern.« Das Internat war in einem »gräßlichen alten Kasten in der Nähe des Regierungsgebäudes untergebracht. Wir Jungen und Mädchen waren fast alle auf einer Farm aufgewachsen, hatten bisher eine wundervolle Kindheit verlebt und waren es gewohnt, frei herumstreifen und mit unseren Ponys überall hinreiten zu dürfen. In Nairobi fühlten wir uns plötzlich wie im Gefängnis. Die Eingewöhnung fiel weder Lehrern noch Schülern leicht. Beryl, erinnere ich mich, muckte gegen jede Autorität auf. Wir hatten großen Respekt vor ihr und bewunderten sie, denn sie war älter und größer als die übrigen von uns und *sehr* schön. Sie war eines der hübschesten Mädchen, das ich je gesehen habe.«[22]

Ein anderer Mitschüler beschreibt sie weitaus kritischer: »Sie war ein Bauerntrampel, zwei Jahre älter als ich ... Sie versuchte eine

Kricket-Mannschaft aufzustellen, aber da ich mich nie für das Spiel
interessiert hatte, machte ich nicht mit und traf nur selten mit Beryl zusammen. Sie bestand fast nur aus Armen und Beinen – absolut nicht der Typ einer Schönheitskönigin. Ich glaube allerdings,
daß sie eine sehr ernsthafte Person war, schließlich war sie ja auch
von klein auf gewohnt, wie eine Erwachsene zu denken.«[23]
Beryl blieb etwa zweieinhalb Jahre im Internat, die einzige Zeit, in
der sie eine formale Ausbildung erhielt. Sie war eine aufgeweckte
Schülerin, doch auch hier widersetzte sie sich jeder Disziplin. Bei
einer Schulaufführung durfte sie Alice im Wunderland spielen. Die
Rolle stand ihr gut zu Gesicht, aber wenn sie auf einem Szenenfoto
von damals auch dreinschaut, als könne sie kein Wässerchen trü-
ben, die Wirklichkeit sah anders aus. Nach langem Hin und Her
wurden die Lehrer ihrer Streiche und Störungen schließlich müde
und verwiesen sie von der Anstalt – vermutlich zur beiderseitigen
Erleichterung. Wie Freunde sich zu erinnern meinen, wurde Beryl
allerdings nicht allein wegen harmloser Unartigkeiten hinausge-
worfen, sondern weil sie einen Aufstand anzetteln wollte und ihre
Mitschüler aufwiegelte, aus der Schule fort und zurück nach Hause
zu laufen. Der Plan wurde vereitelt, weil ein Klassenkamerad der
Direktorin Meldung machte.
Die Jahre vor dem Internat waren besonders hart für Beryl gewesen. Lady Delamere war gestorben, und *Arap* Maina war, kurz
nach seinem Eintritt bei den King's African Rifles, in Tanganjika
gefallen. Nicht lange danach erfuhr Beryl, daß ihre Mutter sich von
ihrem Vater hatte scheiden lassen; als Gründe gab Clara Ehebruch
und böswilliges Verlassen an. Nur einen Tag nachdem die Scheidung rechtskräftig wurde, heiratete sie in England Harry Fearnley
Kirckpatrick. Daraufhin gaben Charles Clutterbuck und Mrs. Orchardson bekannt, sie wollten ihrerseits den Bund der Ehe schlie-
ßen, sobald die Dame ihre Freiheit wiedererlangt habe. Wenn auch
nicht unbedingt aus diesem Grund, aber immerhin auffallend bald
danach wurde Beryl nach Nairobi aufs Internat geschickt, wo man
plötzlich von ihr erwartete, sie solle sich benehmen wie ein fügsa-
mes, nach europäischen Maßstäben erzogenes Kind.
Jedes dieser Ereignisse hätte bei einem so sensiblen Mädchen einen

seelischen Schock herbeiführen können; da die einzelnen Vorfälle zudem sehr rasch aufeinander folgten, ist es kaum verwunderlich, daß Beryl nach einem Ventil suchte, um nicht an ihrer Einsamkeit zu verzweifeln.

Ein verborgenes Talent immerhin kam in der Schule zum Vorschein: Beryls Liebe zur Musik. Am Klavier entfaltete sie eine vielversprechende Begabung, und hätte sie weiter Unterricht genommen, wäre gewiß eine passable Pianistin aus ihr geworden.

1916, nachdem man sie von der Schule verwiesen hatte, fand Beryl sich in ihrem geliebten Njoro wieder. Davon, daß Mrs. Orchardson sie unterrichten solle, war nicht mehr die Rede, und nach einiger Zeit wurde die frühere Erzieherin Beryls Stiefmutter. Beryl konnte sie nach wie vor nicht leiden und weigerte sich, mit ihr unter einem Dach zu wohnen. Statt dessen zog sie allein in das verschnörkelte »Hexenhäuschen«, das Clutterbuck ihr mit Zedernholz aus den eigenen Wäldern, zugeschnitten in seiner Sägemühle, gebaut hatte.

Es war so recht eine Behausung nach dem Herzen eines Teenagers, das niedrige, einstöckige Cottage mit seinen drei Zimmern, von denen jedes ein eigenes Giebeldach mit hübscher Spitze hatte. Im Vergleich zu ihrer früheren einfachen Strohhütte empfand Beryl die Holzfußböden und Glasfenster regelrecht als Luxus. Der Wohnraum war mit einem Tisch, zwei Stühlen und Bücherregalen ausgestattet. Beryls Häuschen steht heute noch, ebenso wie die weitläufigen, scheunenartigen Stallungen; von einer sonnigen Hochebene unter dem klaren Äquatorhimmel überblicken sie ein unbeschreiblich schönes Panorama.

Bald nach ihrer Rückkehr aus dem Internat avancierte Beryl zum »Oberstallburschen« auf dem väterlichen Besitz. Ihr fiel die besondere Verantwortung zu, beim Fohlen der hypernervösen Vollblutstuten die Aufsicht zu führen, und schon damit war sie ihrem Vater gewiß eine unschätzbare Hilfe. Clutterbuck wurde zunehmend von der Farm und seinen finanziellen Sorgen in Anspruch genommen. Der Regen war in dem Jahr ausgeblieben, die Ernte fiel entsprechend mager aus, und er hatte große Mühe, seine Lieferverträge mit der Regierung und der Bahngesellschaft termingerecht zu erfüllen. Zwar hatte er sich als »bester Trainer des Landes« einen Namen gemacht, doch finanziellen Gewinn erwirtschaftete die Zucht kaum, obwohl Clutt mittlerweile über achtzig Pferde in seinen Ställen hatte, darunter die erfolgreichsten Rennpferde des Landes. Einige davon gehörten ihm, andere betreute er im Auftrag der führenden Persönlichkeiten des Protektorats.

1917 überwachte Beryl die Geburt eines Pferdes, das ihr sehr viel bedeuten sollte – Pegasus. Er war der Sohn eines importierten Vollbluthengstes und einer kenianischen Stute. Noch 1986 erinnerte sie sich an den »großen braunen Wallach. Er fraß mir praktisch aus der Hand.« In ihrem Lebensbericht geht sie auf den allegorischen Namensbezug ein, doch Freunde behaupten, sie habe den Einfall in Wahrheit einer Benzinmarke verdankt, die damals überall in Kenia erhältlich war und die mit dem Emblem eines geflügelten Pferdes warb. »Pegasus – Symbol für Ausdauer und Kraft«, hieß der dazugehörige Slogan.

Beryl und Pegasus wurden bald ein weithin bekanntes Paar, das zusammen durch die Lande streifte und zahlreiche Rennen, Gymkhanas und Schaukämpfe gewann. Ein Sieg der beiden ist in Kenia fast zur Legende geworden. Bei einem Springturnier machte den Wettkämpfern eine riesige Doppelhürde besonders zu schaffen. Zum Erstaunen der Zuschauer nahm Pegasus das Hindernis auf Anhieb glatt mit einem gewaltigen Sprung.

Etwa um die gleiche Zeit trat ein zweites Pferd in Beryls Leben, an das sie sich ebenfalls noch im hohen Alter erinnerte. Es war ein großes, dunkelbraunes Halbblut mit einer weißen Blesse, dessen Vollbluterbteil sich offenbar nur auf sein Temperament niedergeschlagen hatte, denn sein wuchtiger Vierkantschädel und die behaarten Beine zeugten eher von niederer Herkunft.

Dieses Pferd kam mit zwei von Wilson's Scouts, einer Kavallerieeinheit des Ersten Weltkriegs, nach Njoro. Die Soldaten waren im Kampf gegen die Schutztruppe von Deutsch-Ostafrika unter Paul von Lettow-Vorbeck verwundet worden und verbrachten ihren Genesungsurlaub auf der Farm. Auch Baron, eben jenes Pferd, war verletzt, und Beryl blieb nächtelang wach, um es zu pflegen. Als es sich wieder erholt hatte, ritt sie mit ihm aus, und bald schon lernte sie seinen edlen Charakter schätzen und lieben. »Wenn Camiscan ein Prinz war«, äußerte sie später, »so war der Baron ein General. Er war tüchtiger als mancher Mann.« Baron war ein tapferes Schlachtroß, das Schreckliches erlebt und seinen bewußtlosen Herrn durch erbittertste Frontkämpfe in Sicherheit gebracht hatte. Dem Reiter war das halbe Gesicht weggeschossen worden, und auch Baron wurde bei seinem Bravourstück schwer verletzt.

Barons Besitzer, ein Captain namens Denis, war groß, blond und ein vorzüglicher Reiter. Während sein zerschossenes Gesicht heilte und die Wunden vernarbten, hatte Beryl einen unermüdlichen Kricket-Partner an ihm. Sobald es ihm wieder besser ging, ritten sie gemeinsam auf die Jagd. Im Entwurf zu einer Kurzgeschichte schrieb Beryl darüber:

Die Soldaten brachten mir bei, mit einem Revolver umzugehen. Auf ihrem besten Pferd, dem Baron, ritt ich mit ihnen zur Jagd. Diese Tage sind mir als einige der glücklichsten und aufregendsten meines Lebens im Gedächtnis geblieben. Abends kamen wir müde, aber zufrieden heim, und wenn mein Vater mit seiner Arbeit fertig wurde, spielten wir alle miteinander Whisky-Poker. Ich sage bewußt, wenn mein Vater mit seiner Arbeit fertig wurde, denn bisweilen hatte er bis in die frühen Morgenstunden zu tun, da er selten vor Einbruch der Dunkelheit aus dem Wald oder von seiner Mühle heimkehrte. Und dann warteten die Buchführung und endloser Schreibkram auf ihn.[24]

Es kam der Tag, da die Soldaten mit ihren Pferden wieder ins Feld einrücken mußten. Beryl sah sie nie wieder, aber der Baron blieb ihr zeitlebens in Erinnerung, und die Bekanntschaft mit ihm und seinen Begleitern weckte ihren Haß auf die schiere Torheit des Krieges. Zuerst war ihr Freund *Arap* Maina ein Opfer seiner sinnlosen Brutalität geworden, und nun mußte dieses Pferd, mit dem sie eine ganz besondere Zuneigung verband, aufs todbringende Schlachtfeld zurückkehren. Viele Jahre später verarbeitete Beryl ihr Erlebnis mit Baron zu einer Kurzgeschichte, wobei sie wie üblich die Tatsachen behutsam veränderte, um ihrer Erzählung einen spannenden Höhepunkt zu verleihen.[25]

Wieder und wieder zollten Augenzeugen, die Beryl als Teenager
gekannt hatten, ihren Reitkünsten wie auch ihrer Furchtlosigkeit
Tribut. »Es gab kein Pferd, das sie nicht reiten konnte – selbst als
ganz junges Mädchen.« »Sogar gewalttätige Hengste ritt sie mit
verhängtem Zügel. Schon als elfjähriges Kind tummelte sie sich allein mit den Rennpferden ihres Vaters auf der Koppel.« Solchen
Berichten lauschend, kommt man unweigerlich zu dem Schluß,
daß Beryls einzig wahre Freunde die Tiere waren.

Kaum war sie den Kinderschuhen entwachsen, da kam ihre außergewöhnliche Persönlichkeit zum Vorschein. Sie war unerschrocken, kraftvoll und körperlich in der Lage, jede Aufgabe zu meistern, die sie sich stellte. Mit ihrer Umgebung war sie durch und
durch vertraut und so verwachsen mit ihrer Adoptivheimat, wie
ein Mensch es nur sein kann. Sie war begabt, tüchtig und versah all
ihre Pflichten umsichtig und gewissenhaft; hinzu kam ihr einzig-
artiges Talent im Umgang mit Tieren. Was ihr dagegen fehlte, war
das Gespür für zwischenmenschliche Kontakte. Während der prä-
genden Teenager-Jahre, in denen sie vielleicht das innige Verhältnis zu ihrem Vater hätte aufbauen können, nach dem sie sich unterschwellig sehnte, entfernte ihre (im übrigen völlig einseitige)
Abneigung gegen die Stiefmutter sie mehr und mehr von ihm.
Abgesehen von ihrer Freundschaft mit Kibii knüpfte sie keinerlei
engere Beziehung. Und so entwickelte sie sich zu einem komplizierten Geschöpf, in dem äußerlich selbstbewußtes Auftreten und
emotionale Scheu beständig miteinander kämpften.

Eine hellsichtige Freundin prophezeite ihr schon damals: »Du
wirst stets Erfolg haben, aber du wirst nie glücklich sein.«[26] Diese
erstaunlich prägnante Voraussage sollte sich erfüllen; als Erwachsene schien Beryl ihr Leben lang auf der Suche nach irgend etwas.
Weder sie noch sonst jemand wußte, worin dieses Etwas bestand,
und doch betrieb sie die Jagd danach rast- und schonungslos. Mit
sechzehn konnte Beryl freilich noch nicht ahnen, welch ein abenteuerliches und wechselvolles Leben ihr bevorstand und wie weit
es sie von ihrem geliebten Njoro fortführen würde.

Kapitel 3
(1918–1927)

Mit sechzehn war Beryl eine hochaufgeschossene, eigenwillige Schönheit. Ihr war vor nichts und niemandem bange, und im Gespräch mit Männern konnte sie ihren Standpunkt sehr wohl behaupten. Sie bildete sich ihre eigene Meinung, mit der sie auch nicht hinter dem Berg hielt, und stand im Ruf, andere, hauptsächlich Frauen, absichtlich und mit Vergnügen zu irritieren. Das hing wohl auch damit zusammen, daß Beryl wie ein Junge aufgewachsen war und, sobald sie das Internat in Nairobi verlassen hatte, fast nur in Hosen herumlief.

Dennoch war sie ein ausgeprägt weiblicher Typ. Sie achtete peinlich genau auf ihre Erscheinung, der einstige Wildfang hatte sich zu einer aristokratisch anmutenden Schönheit gemausert, die umso mehr faszinierte, als sie mit Sinn für Humor und außergewöhnlicher Energie gepaart war. Sie gewöhnte sich eine reizende Geste an, um ihr Haar mit ihren langen, wohlgeformten Händen zu ordnen. Die Sonne hatte ihren zarten Teint gebräunt und ihr hellbraunes Haar gebleicht, denn Beryl trug nie einen Hut; ihr frisches, natürliches Aussehen und ihr sprühendes Temperament machten sie zu einer begehrten Tanzpartnerin auf den Bällen, mit denen man das Ende des Ersten Weltkriegs feierte. Aber trotz allem war sie gleichsam ein ungeschliffener Diamant. Sie wußte nicht, wie sie sich kleiden sollte, und hatte niemanden, der ihr hätte raten können. In Gesellschaft wirkte sie linkisch und gehemmt, gefiel aber durch ihre verletzliche Zartheit.

Ihr Leben war ausgefüllt. Die Arbeit für ihren Vater machte ihr Freude, in der Freizeit ritt sie aus oder fuhr zu einem der zahlreichen Rennen, und die jungen Leute aus der Nachbarschaft waren immer zu gemeinsamen Unternehmungen aufgelegt. Beryl war selbstbewußt und stolz auf ihr Talent im Umgang mit Pferden; von den Mädchen ihres Alters unterschied sie sich merklich. Evanston Muwangi arbeitete seinerzeit in den Ställen von Green Hills und ist auch heute noch auf der ehemaligen Farm – jetzt Weberei-Genossenschaft – beschäftigt. Er erinnert sich, daß Beryl Pferde lieber hatte als Menschen. Mit den Grooms war sie sehr streng. »Wenn einer gute Arbeit leistete, dann fand sie nichts auszusetzen, aber wehe, wenn einer was falsch machte, der hatte nichts zu lachen bei ihr.«[1] Ein Groom brauchte sich nur einmal etwas zuschulden kommen lassen, und schon war er seinen Job los. Wenn einer zum Beispiel vergaß, die Hufe seines Pferdes zu säubern, konnte es ihm passieren, daß Beryl ihn deshalb auf die Straße setzte. Sie war hart, aber gerecht, erledigte ihre Arbeit sehr gewissenhaft und erwartete von anderen nicht mehr, als sie sich selbst abverlangte.

Mit knapp hundert Pferden in den Stallungen hatten Beryl und ihr Vater alle Hände voll zu tun. In rascher Folge errang Clutterbuck den Sieg in allen größeren Rennen des Landes; unter anderem gewann er den Jubiland Cup, die Produce Stakes, den Kenia Steeple Chase Cup, den Naval und Military Cup, den War Memorial Cup sowie den East African Standard Gold Cup. In vielen Rennen siegte er auf Camiscan, obwohl dem Hengst schwere Handicaps auferlegt wurden. Es steht außer Frage, daß Clutterbuck eine geradezu geniale Begabung dafür besaß, das Beste aus einem Pferd herauszuholen. Und all sein Wissen gab er an seine Tochter weiter.

Inzwischen stürzte die Dürre, die allen Farmern Probleme bereitete, Clutterbuck in besonders große Schwierigkeiten. Er hatte sich vertraglich verpflichtet, riesige Mengen Mehl zu einem vorher festgesetzten Preis an die Regierung zu liefern. Er selbst konnte kaum genügend Getreide anbauen, um den Kontrakt zu erfüllen; als dann noch der Regen ausblieb, stiegen die Getreidepreise in schwindelerregende Höhen, und die Speicher leerten sich in Windeseile. Um seinen Verpflichtungen nachzukommen, mußte Clutterbuck Getreide ankaufen, und zwar zu einem höheren Preis, als die Regierung ihm für das gemahlene Korn zahlte. Dennoch

kaufte Clutt alles, was er bekommen konnte, unter anderem auch
von seinem Nachbarn »Jock« Purves.

Alexander Laidlaw Purves, den alle Welt nur Jock nannte, hatte als
Captain der III. King's African Rifles am Weltkrieg teilgenommen
und war erst kürzlich auf seine Farm zurückgekehrt. Jock war damals Anfang dreißig, ein kraftvoller, durchtrainierter Sportsmann,
der sich vor allem als Rugby-Spieler einen Namen gemacht hatte.
Allein zwischen 1906 und 1908 wurde er zehnmal im Schottisch-
International aufgestellt. Als der Krieg ausbrach, schiffte sich Jock,
der inzwischen in Madras sein Glück gesucht hatte, nach Kenia
ein, wo er zuerst bei den Madras Volunteers, später dann bei den
King's African Rifles diente. Nach dem Krieg gelang es ihm, dank
der Unterstützung seiner Familie, in Njoro 600 Acres Land zu erwerben. Fürs erste aber, solange seine Farm sich noch nicht selbst
tragen konnte, arbeitete er als Teilzeitkraft für Clutterbuck.

Unbestätigten Gerüchten zufolge wurde Jock während der Dürre-
katastrophe einer von Clutterbucks wichtigsten Gläubigern. Man
munkelte damals, Jock sei bereit gewesen, Clutt seine Schulden zu
erlassen, wenn er ihm dafür die Erlaubnis gäbe, Beryl zu heiraten.
Beryl lächelte heiter, als ich sie auf diese Geschichte ansprach,
und behauptete, sie könne sich nicht erinnern, aber Jock sei jedenfalls ein »sehr netter Mann gewesen, so freundlich und unglaublich
stark ...«

Beryl war erst sechzehn, als sie sich im August 1919 mit Jock verlobte. Auf dem Trauschein ist ihr Alter mit achtzehn angegeben;
dieses Dokument wurde von ihrem Vater und Lord Delamere unterschrieben, die beide sehr wohl wußten, daß Beryl noch nicht
achtzehn war. Doch im Protektorat war ein gesetzliches Min-
destalter für die Eheschließung vorgeschrieben, und Delamere war
stets bereit, ein Auge zuzudrücken, wenn es ihm zweckdienlich
schien.

Die Hochzeit wurde in der Lokalpresse gebührend gewürdigt.
Einen besonders ausführlichen Bericht widmete ihr der *East
African Standard* in seinem Gesellschaftsteil:

*Ein großes Aufgebot klangvoller Namen aus dem Hochland gab
sich am Mittwoch ein Stelldichein in Nairobi. Anlaß war die*

Trauung von Captain Alexander Laidlaw Purves KAR [King's Af-
rican Rifles] mit Miß Beryl Clutterbuck, Tochter von Mr. Charles
B. Clutterbuck aus Njoro. Unsere All Saints Church reichte kaum
aus, um alle Verwandten und Freunde des Brautpaares aufzuneh-
men. Auch die Offizierskameraden des Bräutigams waren zahl-
reich erschienen.

Um 14.30 Uhr traf die Braut in Begleitung ihres Vaters vor der
Kirche ein, und zu den Klängen von »O himmlischer Vater, führe
und leite uns auf allen Wegen« schritt man in feierlicher Prozession
den Mittelgang hinauf. Der Bräutigam wartete mit seinem Trau-
zeugen Captain Lavender am Altar ... Die Braut sah hinreißend
aus in ihrem Kleid aus elfenbeinfarbenem Satin mit bestickter Cor-
sage und perlenbesetztem Tüllschleier. Dazu trug sie einen Gürtel
aus Orangenblüten ... Die Schleppe war mit Rosen und Disteln
bestickt.

Nach der Trauung luden die Brautleute zum Empfang ins Norfolk
Hotel, wo auch die Fotos von der Hochzeitsgesellschaft aufge-
nommen wurden. Vor dem Hotel spielte die KAR-Kapelle. Die
Neuvermählten nahmen die Glückwünsche ihrer zahlreichen
Freunde entgegen. Gleich anschließend traten sie die Hochzeitsrei-
se an, die sie nach Indien führen wird.

Mrs. Purves hatte für die Fahrt ein maßgeschneidertes Kostüm aus
weißem Gabardine mit Faltenrock und auffallend großem Kragen
gewählt.[2]

Die Motive auf der Schleppe symbolisierten die Heimatländer
des Brautpaares: Rosen für England (Beryl) und Disteln für
Schottland (Jock). Die Geschenkliste verzeichnete etliche Schecks,
eine Tortenplatte, eine Goldkette, Zigarettenetui, Vase und Ser-
viettenringe aus Silber usw. Lord Delamere verehrte Beryl einen
silbernen Wasserkessel. Zu den ausgefallenen Präsenten gehörten
ein Messer in Peitschenform und eine Kassette aus einem Nas-
hornfuß.

Der Flitterwochen in Indien, wo das Paar bei Jocks Verwandten
wohnte, erinnerte sich Beryl als »bezaubernd und sehr unterhaltsam – wir hatten beide viele Bekannte dort und spielten oft Polo«.
Unterdessen erlebte das Protektorat, das bald schon in eine Kolo-

nie umgewandelt werden sollte, den ersten Zustrom von Soldaten-
siedlern. Sie kamen im Rahmen eines Programms, das verdienten
Kriegsveteranen zu einer neuen Existenz verhelfen sollte; das Land
wurde im Rahmen einer Lotterie unter den Teilnehmern aufgeteilt.
Zwei Ziehungen wurden veranstaltet, eine im Mai 1919 im Theatre
Royal in Nairobi, die zweite einige Wochen später im Kolonial-
ministerium in London. Da den Gewinnern Grundstücke zu wahren Spottpreisen winkten, ist es kein Wunder, daß das Projekt sehr
erfolgreich war und viele tausend Anträge eingingen. Noch vor
Ablauf des Jahres trafen in Britisch-Ostafrika an die fünfzehnhun-
dert neue Siedler ein, die sich hauptsächlich im Hochland nieder-
ließen.

Clutterbuck hatte nach wie vor mit finanziellen Schwierigkeiten zu
kämpfen und mußte ohnmächtig zusehen, wie die Erträge seiner
guten Erntejahre dahinschwanden, während er auch weiterhin versuchte, seine Verpflichtungen zu erfüllen. Beryl und Jock kehrten
von der Hochzeitsreise zurück und wohnten nun auf Jocks Farm,
die an Green Hills grenzte. Zu Beryls großer Freude kam ihr Bruder Richard, den sie seit 1906 nicht mehr gesehen hatte, wieder
nach Kenia und zog zu seinem Vater.

Richard war ein guter Reiter und nahm an verschiedenen Rennen
teil; manchmal fügte es sich sogar, daß er gegen seinen Vater antreten mußte, den er freilich nie schlagen konnte. Doch das Klima
machte ihm noch ebenso zu schaffen wie einst als Kind. Mit nur
einundzwanzig Jahren starb Beryls Bruder, ob an den Folgen
einer Malaria oder an Tuberkulose blieb letztlich ungeklärt.

Im November 1920 gab Clutterbuck angesichts seiner erdrücken-
den Schuldenlast schließlich auf. Um seine Gläubiger zufrieden-
stellen zu können, verkaufte er seinen gesamten Besitz. Selbst die
gute Ernte dieses Sommers vermochte Green Hills nicht mehr zu
retten. Clutterbucks Unglück vergrößerte sich noch durch die
Aufwertung der Rupie im Februar 1920. Diese im fernen London
getroffene Entscheidung brachte viele Farmer an den Rand des
Ruins, denn ihre Verbindlichkeiten stiegen quasi über Nacht um
ganze fünfzig Prozent. Ein Siedler, der sich mit 5000 Pfund
Schulden zu Bett gelegt hatte, erwachte am nächsten Morgen mit

7500 Pfund Schulden und mußte obendrein noch acht Prozent
Zinsen für die 2500 Pfund aufbringen, die er sich in Wahrheit nie
geborgt hatte.
Der *East African Standard* meldet Clutterbucks Entschluß mit
unverhohlenem Bedauern: »... da sein Herz dem Pferdesport gehörte, ging er das Wagnis ein, englische Vollblüter ins Land zu holen, um hier eine eigene Zucht aufzubauen. Als Reiter gehörte Mr.
Clutterbuck stets zu den besten, und heute darf er stolz darauf
sein, unter den siegreichen Jockeys des Jahres 1920 einen Ehren-
platz zu behaupten.«
Die Farm wurde samt allem Zubehör versteigert. Getreidemühle
und Stallungen erwarb Jock aufgrund persönlicher Absprache;
dann reiste er mit Beryl fort, damit sie nicht mitansehen mußte,
wie das Heim ihrer Kindheit unter den Hammer kam. Für die
Auktion der Pferde waren zwei Termine anberaumt, und gleich
beim ersten am 14. Dezember sicherte Lord Delamere sich den damals achtjährigen Camiscan. Insgesamt wechselten siebenundvierzig Pferde, darunter Clutterbucks beste Stuten und Hengste sowie
einige sehr vielversprechende Ein- und Zweijährige, den Besitzer.
Die meisten von Camiscans Fohlen ersteigerte Lord Francis Scott.
Am Neujahrstag 1921 fand das renommierte East African Derby
statt, bei dem Clutterbuck – unter seinen Farben schwarz und gelb
– mit der Stute My Tern an den Start ging. Er kämpfte zweifellos
nach besten Kräften um den Sieg, und das nicht allein wegen des
Preisgeldes, sondern vor allem, weil ein solcher Triumph den Wert
seines Pferdes beachtlich gesteigert hätte. Aber an dem Tag hatte
sich scheinbar alles gegen ihn verschworen. Außergewöhnlich hef-
tige Regenfälle hatten das Gelände in einen einzigen Morast verwandelt, My Tern kam in der letzten Runde ins Rutschen, glitt aus
und warf ihren Reiter ab. Clutterbuck hatte bei diesem Turnier
gleich mehrere Pferde ins Rennen geschickt, denn das East African
Derby diente ihm sozusagen als Auftakt für seine zweite Auktion,
die am nächsten Morgen auf dem Nairobi Race Course stattfinden
sollte. Außer ihm schwangen sich auch Richard und Arthur Orchardson in den Sattel; alle gaben gewiß ihr Bestes, doch ohne Erfolg:

»Wir haben den Stall von Njoro schon lange nicht mehr in so schlechter Form erlebt«, notierte der Sportreporter des *East African Standard*, »denn Mr. Clutterbuck konnte an diesem Nachmittag nicht einen einzigen Sieg erringen. Die Stärke seiner Pferde liegt im Galopp auf festem, federndem Boden, und folglich konnten sie sich am Donnerstag in der aufgeweichten Bahn nicht durchsetzen.«[3]

Rechtzeitig vor der Versteigerung gab der Kenia Jockey Club bekannt, daß man im Februar ein außerordentliches Turnier veranstalten würde, um den Käufern Gelegenheit zu geben, ihre neuerworbenen Pferde schon vor dem offiziellen Juni-Rennen zu erproben. Doch selbst dieser Anreiz vermochte die Interessenten nicht zu großzügigen Angeboten zu verleiten, wenngleich alle Tiere (bis auf fünf, die nicht einmal den Mindestpreis erzielten) an den Mann gebracht werden konnten. Jock kaufte drei Pferde für sich und einige Partner. Den höchsten Tagespreis erzielte Ask Papa, eine hervorragende Stute aus Clutterbucks eigener Zucht, die für 8000 Rupien den Besitzer wechselte.

Clutterbuck nahm an dem außerordentlichen Februar-Turnier teil und errang mit den ihm noch verbliebenen Pferden zweimal den zweiten Platz. Es war gewissermaßen ein tröstliches Abschiedsgeschenk, daß er ausgerechnet das letzte Rennen des Tages gewann, denn er war inzwischen aus dem Jockey Club ausgetreten und nahm zum letzten Mal an einem Turnier in der Kolonie teil. Er hatte seinen Konkurs im *East African Standard* angezeigt und sich um eine Stelle als Trainer in Peru beworben. Einen entlegeneren Punkt auf der Landkarte hätte er kaum wählen können, um dem Stigma des Bankrotteurs zu entfliehen, und Beryl war untröstlich. Später gestand sie Freunden, sie habe sich damals völlig verlassen gefühlt. Aber um Clutterbuck Gerechtigkeit widerfahren zu lassen, muß man ihm zubilligen, daß er in dem Glauben handelte, Beryl sei in ihrem eigenen Heim und unter der Obhut ihres Gatten glücklich und geborgen. Vor seiner Abreise besprach er mit Beryl ihre Möglichkeiten, selbst eine Trainerlizenz zu erwerben, und als Abschiedsgeschenk überließ er ihr Reve D'Or, ein vielversprechendes Stutenfohlen, das jedoch bei der Auktion nicht den

Mindestpreis erzielen konnte. Von den fünf ihm verbliebenen Pferden hatte er bereits zwei verkauft, und die übrigen vertraute er Beryl an. Sie sollte sie trainieren, unter seinen Farben ins Rennen schicken und verkaufen, sobald jemand einen angemessenen Preis bieten würde.

Beryl erwarb ihre Trainerlizenz, die erste, die in Kenia an eine Frau vergeben wurde. Sie stellte einen englischen Jockey namens Walters ein, der für sie reiten sollte, und begann in einem der ehemaligen Green-Hills-Ställe zu trainieren. Am 25. Juni fand in Nakuru ein Turnier statt, das für die achtzehnjährige Beryl zum Auftakt ihrer Karriere werden sollte. Sie schickte zwei Pferde, die Jock und seinen Partnern gehörten, an den Start und belegte gleich im ersten Rennen einen zweiten Platz. Aber die Hauptattraktion des Tages war ein Proberennen für Zweijährige, an dem Beryl sich mit Cam beteiligte, einem Sohn Camiscans, der bisher noch in keinem Turnier gelaufen war. Er ging auf Anhieb in Führung und errang mühelos den Sieg. Am nächsten Tag heimste die junge Trainerin drei weitere Gewinne ein.

Einen Monat später wiederholte sie ihren Erfolg gegen die erlesenere Konkurrenz von Nairobi mit abermals drei Siegern. Kurz darauf gewann Cam die Produce Stakes und bestätigte damit Beryls heimliche Hoffnung, er könne ein Kandidat für das Derby sein. Anfangs strömten die Käufer nicht gerade in Scharen zu ihren Ställen. Beryl mußte sich erst mühsam bewähren. Doch im Oktober war es soweit: Ihre blau-goldenen Farben hatten so oft das Siegespodest geschmückt, daß selbst namhafte Rennstallbesitzer ihre Pferde von Beryl trainieren lassen wollten. Sie rechtfertigte das in sie gesetzte Vertrauen, indem sie ihren Auftraggebern prompt Sieger präsentierte, und zusätzlich gewann Cam spielend das große Rennen des Tages.

Ihr Erfolg machte Beryl in Kenia zum Star der Gesellschaft, und die Zahl der Rennstallbesitzer, die ihre Pferde von ihr trainieren ließen, wuchs. Der Name Mrs. Purves erschien bald ebenso häufig in den Listen siegreicher Trainer wie früher der Name C. B. Clutterbuck.

Ihre erste große Bewährungsprobe kam im Januar 1922 beim East

African Derby, wo Walters auf Cam den zweiten Platz belegte – wahrhaftig keine Schande für den ersten Versuch der neunzehnjährigen Trainerin. Im Laufe dieses Jahres errang sie sieben Siege sowie zahlreiche Plazierungen für Jocks Konsortium und andere Rennstallbesitzer. Doch im Dezember verschwand Beryls Name plötzlich von den Trainerlisten. Alle Pferde, die sie bisher trainiert hatte, liefen nun unter der Schirmherrschaft anderer Ställe, und Jock verkaufte seine Pferde.

Der Grund für diese unerwartete Wendung war ein heftiges Zerwürfnis zwischen Beryl und Jock. Trotz ihrer Erfolge konnte Beryl Clutterbucks Fortgang und Richards Tod kaum verwinden. Freunde aus jener Zeit berichten, Beryl sei sehr unglücklich und verstört gewesen. Jock und Beryl stritten häufig – manchmal kam es gar zu Handgreiflichkeiten –, und hinterher lief Beryl einfach davon. Einmal blieb sie drei Wochen fort, und Jock hatte keine Ahnung, wo sie sich aufhielt oder wie er sie ausfindig machen könnte. Gerüchten zufolge hatte Beryl in dieser Zeit etliche Liebhaber, und jedesmal, wenn ein neuer an die Reihe kam, schlug Jock einen fünfzehn Zentimeter langen Nagel in den Haustürpfosten, bis schließlich eine stattliche Anzahl beisammen war. »Wir wußten alle, was diese Nägel bedeuteten«, sagte ein Mitglied ihrer Clique.[4]

Als Beryl und Jock zwei Jahre zuvor geheiratet hatten, war sie fast noch ein Kind gewesen. Sie hatte eine ungewöhnliche Erziehung genossen und dürfte kaum gewußt haben, welche Pflichten von ihr als Ehefrau erwartet wurden oder wie sie sich als Dame des Hauses zu verhalten habe. Jock hatte wahrscheinlich nicht das nötige Verständnis für ihren Kummer über den Weggang des Vaters, und er war eifersüchtig auf die Zeit, die sie ihren Pferden widmete. In ihren Augen konnte er sich nie mit Clutterbuck messen (wenigen Männern sollte das je gelingen), und Beryl ließ ihn ihre Verachtung oft spüren. Als in Jock der Verdacht aufkeimte, seine Frau sei ihm untreu geworden, eskalierten die Probleme, und es kam zu unerfreulichen Szenen in der Öffentlichkeit. Beryl hätte ihren Mann sicher verlassen, wenn es ihr nicht um die Pferde gegangen wäre und um ihre Arbeit. Aber eines Tages lief sie doch von zu Hause fort; außer ihrem geliebten Pegasus nahm sie nur einige wenige Habseligkeiten mit. Sie hatte kein Geld und kaum Freunde, an die sie sich wenden konnte.

In dieser verzweifelten Lage kam sie erstmals näher mit Tania Blixen[5] und Denis Finch Hatton in Kontakt. Beryl konnte sich bei unseren Gesprächen nicht mehr daran erinnern, wo sie die beiden kennengelernt hatte. Sie sagte, sie habe sie »schon immer gekannt«. Alle drei nahmen an Pferderennen teil, und noch 1986 erinnerte sich Beryl, daß sie als Kind die Hunde der Blixens ausgeführt hatte. Sooft Beryl zu Turnieren oder auch geschäftlich nach Nairobi kam, besuchte sie die Baronin Blixen auf ihrer Farm vor den Toren der Stadt. Tania schrieb über viele Jahre jeden Sonntag an ihre Mutter Ingeborg Dinesen im heimatlichen Dänemark. Ihre Briefe lesen sich wie eine anschaulich-kritische Gesellschaftschronik aus dem Kenia jener Tage. Im April 1923 berichtete die Baronin:

Zur Zeit ist Beryl Purves bei mir zu Besuch … sie ist erst zwanzig, wirklich eines der hübschesten Mädchen, das ich je gesehen habe, aber die Ärmste hat soviel Pech gehabt. Sie ist mit einem Mann verheiratet, den sie nicht liebt, doch er will sich nicht scheiden lassen und zahlt ihr auch keinen Unterhalt. Daher sitzt sie ziemlich auf dem Trockenen – aber sie steckt so voller Tatkraft und Energie, daß ich denke, sie wird sich schon durchschlagen … Ich habe mir vorgenommen, Beryl zu malen, sobald ich die Sendung bekomme [Farben aus Frankreich]. Es müßte ein herrliches Bild werden, sie ist wirklich ungewöhnlich reizend – ein bißchen wie die Mona Lisa oder wie Donatellos Heilige Cäcilie … Beryls Mutter, die sich von ihrem Vater hat scheiden lassen, wieder heiratete und jetzt verwitwet ist, wird wahrscheinlich für ein Jahr das Mbagathi-Haus mieten. Es wäre nett, sie als Nachbarn zu haben. Beryl und ich könnten uns gegenseitig die Langeweile vertreiben. Sie hat ihr Pferd hier, und Du weißt ja, wie angenehm es ist, in Gesellschaft auszureiten …[6]

Beryl blieb ein paar Wochen bei Tania Blixen auf deren Farm mit Blick auf die Ngong-Berge, und Tania war froh über die willkommene Abwechslung. Doch Beryls Besuch fiel in die Regenzeit, und so konnten die beiden nicht oft ausreiten oder sonst etwas unternehmen. Einmal fuhren sie nach Nairobi hinein und speisten mit Lord Carbery und dessen Frau Maria, die am nächsten Tag nach Amerika abreisten. »Die Fahrt in die Stadt war wirklich gräßlich, der Wagen schlingerte von einer Straßenseite zur anderen wie ein Schiff auf hoher See; mehrmals blieben wir im Schlamm stecken und kamen nicht mehr von der Stelle, obwohl wir Ketten aufgezogen hatten ... Das Dinner fand ich sehr amüsant, wir waren eine große Gesellschaft. Die Nacht verbrachten wir im Muthaiga Club, aber zum Frühstück sind wir wieder hier herausgefahren ...«[7]

Im Mai kam Beryls Mutter, die seit 1918 Witwe war, mit ihren beiden kleinen Söhnen aus zweiter Ehe von England nach Kenia zurück. Wie vereinbart bezog sie Tania Blixens leerstehendes Haus in Mbagathi, und es war vorgesehen, daß Beryl, die sich nun endgültig von Jock getrennt hatte, bei ihr wohnen sollte. Aber es ging nicht alles nach Wunsch, wie ein Brief Tanias an ihre Mutter verrät: »Ich habe soviel Ärger gehabt – gerade hatte ich das Haus an eine Mrs. Kirkpatrick vermietet (die Mutter von Beryl Purves, die zur Zeit bei mir zu Gast ist), aber sie war kaum ein paar Tage drin, da klagte sie, es regne überall durch, und heute ist sie zurück nach Nairobi. Dabei hatte ich mir solche Mühe gegeben, das Haus sauberzumachen und in Ordnung zu bringen und das Dach richten zu lassen, aber bei dem vielen Regen, den wir hier in letzter Zeit hatten, hält praktisch nichts dicht ... die unglückliche Mrs. Kirkpatrick war ganz verzweifelt. Sie hatte ihre beiden kleinen Buben bei sich und mußte ständig deren Bettchen verrücken, um eine Stelle zu finden, wo es nicht durchregnete und die Kinder nicht naß wurden ...«[8] Später schrieb sie: »Beryl tut mir wirklich leid, sie ist im Moment völlig ›verloren‹ – die Leute, die hier geboren und aufgewachsen sind, kommen ganz gut zurecht, solange alles glatt geht, aber wenn sie in diesem Land in Schwierigkeiten geraten, dann haben sie eigentlich keine Ausweichmöglichkeiten – sie passen einfach nirgendwo anders hin.«[9]

Im Herbst 1923 kehrte Beryl zu Jock zurück, aber die Versöhnung war nicht von Dauer. Nach einem Streit an Weihnachten holte sie spätabends Pegasus aus dem Stall und floh nach Soysambu, wo sie sich unter Lord Delameres Schutz stellte. Lord Delamere kannte

sie seit ihrem dritten Lebensjahr und war ihr gewissermaßen ein
Ersatzonkel, der an allen wichtigen Ereignissen in der Familie
Clutterbuck teilgenommen hatte. Sein Sohn Tom, der nur zwei
Jahre älter war als Beryl und ein Leben lang mit ihr befreundet
blieb, hielt sich damals auch gerade in Soysambu auf. Beryl wußte
zu berichten, daß Lord Delamere und Tom sich ständig in den
Haaren lagen, vor allem weil Tom an den ehrgeizigen Plänen seines
Vaters für die Kolonie kein Interesse zeigte. Eines Tages, als es
beim Tee zum Streit zwischen den beiden gekommen war, stand
Tom auf und ging. Sein Vater warf ihm die Kanne mit kochendhei-
ßem Tee hinterher und brüllte: »Wie konnte ich nur einen solchen
Kretin zeugen?«

Guten Freunden gegenüber behauptete Tom später, er habe in
den Ställen von Soysambu seine Unschuld an Beryl verloren, und
seine Großzügigkeit ihr gegenüber in späteren Jahren sei einzig
und allein auf die zärtlichen Erinnerungen an dieses Ereignis
zurückzuführen.[10] Möglicherweise hatte man diese Geschichte
auch Jock zugetragen, jedenfalls griff er eines Abends Lord Delamere an und verprügelte ihn, weil angeblich sowohl Delameres
Verwalter als auch sein Sohn Beryls Liebhaber gewesen seien und
er, Jock, »Genugtuung« verlange. Tania Blixen schrieb an ihre
Mutter:

*Ich traf Beryl Purves [in Nairobi], Du wirst Dich wohl noch an sie
erinnern. Sie tut mir schrecklich leid, ihr Leben ist ein einziges
Durcheinander, und dabei ist sie noch ein richtiges Kind und kann
überhaupt nicht mit ihren Problemen fertig werden, ja sie begreift
nicht einmal, was vor sich geht. Wegen ihrer Shauries [Affären] hat
es neulich eine entsetzliche Szene gegeben – ihr Mann, der sich sowohl von Delameres Verwalter Long als auch von Delameres Sohn
Tom Cholmondeley hintergangen glaubt und meint, sie hätten ihm
seine Frau abspenstig gemacht, hat Delamere neulich vor dem Hotel Nakuru angegriffen, ihn niedergeschlagen und böse zugerichtet
… Der Ärmste wird mindestens sechs Monate das Bett hüten müssen. Mit Rücksicht auf seinen Sohn und auf Beryl möchte Delamere den wahren Grund für diesen peinlichen Vorfall nicht
publik machen, aber es wissen ohnehin alle Bescheid. Long hat*

sich in Panik zu Hause verkrochen, denn Purves droht, ihn bei nächster Gelegenheit zu erschießen. Es heißt, Delamere sei sehr beunruhigt und niedergeschlagen, und natürlich schadet die Geschichte dem Ansehen des ganzen Landes, da die meisten politischen Versammlungen mittlerweile in seinem Hause stattfinden. Ich meine, es wäre besser, wenn Beryl sich fürs erste von der Rennbahn fernhielte, aber ich glaube, sie ahnt nicht einmal, daß die Leute ihr die Schuld geben, bis zu einem gewissen Grad jedenfalls. Und es scheint sie auch nicht zu kümmern, wie empört man über Purves ist – Delamere nimmt hier schließlich eine ganz besondere Stellung ein ...[11]

Lord Delamere war schwer verletzt – er hatte mehrere Knochenbrüche an Arm und Kiefer davongetragen und sich außerdem bei der Schlägerei mit Jock die Schulter verrenkt. Jock war vor dem Hotel in Delameres Wagen gesprungen und weigerte sich, wieder auszusteigen; der Sportler war kraftvoll und durchtrainiert, hatte also leichtes Spiel gegen Delamere. Offensichtlich verlor Jock, als seine Ehe mit Beryl in die Brüche ging, völlig die Nerven. Seine Verzweiflungstat entspricht ganz der Reaktion eines Mannes, der bis über beide Ohren in seine sehr viel jüngere Frau verliebt ist, nicht weiß, wie er sie gefügig machen soll, und in seiner Hilflosigkeit blindwütig um sich schlägt.

Nach diesem bedauerlichen Vorfall trennte Beryl sich endgültig von Jock; die meisten ihrer Bekannten gaben ihr die Schuld am Scheitern der Ehe. »Sie hat sich sehr schlecht benommen.« »Jock hat eine ganze Menge geschluckt.« »Ich glaube, sie fand Jock schrecklich langweilig. Er war ein guter Kerl, aber nicht besonders aufregend.« »Er war ein lausiger Bridgespieler und erzählte ziemlich langweilige Geschichten.«

Rose Cartwright, die das Paar gut kannte, äußerte sich direkter: »Wir gehörten alle zur selben Clique junger Leute, es war ein sehr vergnügter Kreis ... Jock war reizend – ein wunderbarer Mann und Beryl treu ergeben. Aber sie benahm sich sehr schlecht und bändelte schon bald mit anderen Männern an. Die Ehe ist an Beryls Seitensprüngen zerbrochen.«[12] Alle Welt rügte Beryls Verhältnisse, und das in einer Gesellschaft, die keineswegs sonderlich prüde war und in der Klatsch zu den beliebtesten Zerstreuungen zählte.

Aus Beryls Sicht spielte die Geschichte sich freilich anders ab. Als sie 1983 von einem Reporter interviewt wurde, behauptete sie, sie habe Jock verlassen, »weil er trank«, Freunde des Paares bestreiten dies. »Sie tranken beide nicht viel – jedenfalls nicht mehr als alle anderen auch.«[13]

Immerhin sind Berichte über eine Gerichtsverhandlung aus dem Jahr 1924 erhalten, bei der Jock angeklagt wurde, unter Alkoholeinfluß einen Unfall verursacht zu haben. Zeugen sagten aus, er sei »sehr betrunken« gewesen und habe sich »aggressiv verhalten«, nachdem er ein anderes Automobil angefahren hatte.[14]

Gewiß empfand Beryl nicht sehr viel für Jock, und wahrscheinlich mißfiel ihr auch die Selbstverständlichkeit, mit der er als ihr Ehemann automatisch Anspruch auf eine dominierende Rolle in ihrem Leben erhob. Sie dagegen wollte ihr Leben so weiterführen, wie sie es immer getan hatte, ohne Bevormundung, doch im Rahmen dieser Ehe war das anscheinend unmöglich. Keine ihrer außerehelichen Beziehungen bedeutete ihr wirklich etwas, bis auf die Befriedigung ihrer sexuellen Wünsche. Sie schien nicht zu wissen oder sich zumindest nicht darum zu kümmern, daß ihr Verhalten untragbar war und wie sehr Jock darunter litt. Sie hatte ihn um die Scheidung gebeten – Tania Blixens Äußerung, Jock habe sich geweigert darauf einzugehen, bürgt dafür –, aber es sollte noch einige Jahre dauern, ehe sie ihre Freiheit auch vor dem Gesetz wiedererlangte. Jock blieb nach der Trennung noch eine Zeitlang in der Kolonie, ein einsamer Mann. Er spielte weiterhin Rugby für die Mannschaften von Njoro und Nairobi. Als seine Ehe mit Beryl geschieden wurde, verheiratete er sich wieder, zur großen Enttäuschung von mindestens einer glühenden Verehrerin, und kehrte nach England zurück, wo er bis 1939 als Football-Reporter für die *Times* tätig war. Bei Ausbruch des Zweiten Weltkriegs trat er als aktiver Offizier ins London Scottish Regiment ein, dem er seit seinem achtzehnten Lebensjahr verbunden war. Er kämpfte in Äthiopien, Nordafrika und Italien, brachte es bis zum Oberstleutnant, wurde 1944 verwundet und in die Heimat entlassen. 1945 starb er an den Folgen seiner Kriegsverletzungen. Sein Nachruf in der *Times* ehrte ihn als »einen Mann von kühnem und verwegenem Temperament, dabei sanft und friedfertig im persönlichen Umgang, aber äußerst gefährlich für jene, die es wagten, seine Gutmütigkeit auszunutzen«.[15]

Im Januar 1924 fuhr Beryl zum erstenmal nach England. Eine Freundin vermutet, ihre Mutter habe ihr das Reisegeld geliehen (etwa 47 Pfund), und Beryl hatte bei ihrer Ankunft tatsächlich nur sehr wenig Geld zur Verfügung. Tania Blixen notierte: »Am Freitag war ich in Nairobi, um mich von Beryl Purves zu verabschieden, die heute in ihre alte Heimat gefahren ist. Das arme Kind hat mir leid getan, sie ist so grenzenlos naiv und verwirrt und hat sich mit all ihren Freunden mehr oder minder zerstritten – besonders seit diesem *Shaurie* mit ihrem – verflossenen – Ehemann, der so gewalttätig gegen Lord Delamere wurde – gewiß erinnerst Du Dich? Noch vor einem Jahr hat alle Welt sie gefeiert und umworben, und jetzt reist sie zweiter Klasse, und wenn sie in England ankommt, wird sie kaum mehr als zwanzig Pfund in der Tasche haben und sich allein durchbeißen müssen – nur Flo Martin und ich waren am Bahnhof, um ihr Lebewohl zu sagen. Aber sie war trotz allem recht vergnügt und hat keine Ahnung, welch schwere Zeiten ihr bevorstehen ... sie ist sehr schön – doch es scheint ungewiß, ob ihr das weiterhelfen wird oder nicht.«[16]

In London war Beryl Gast im Hause von Lord Delameres Verwalter »Boy« Long. Von Kenia her kannte sie außerdem Cockie Birkbeck, die zu der Zeit ebenfalls in London lebte.[17]

»Ich hatte den Tag außer Haus verbracht«, erinnert sich Cockie, »und als ich heimkam, sagte mir mein Mädchen, eine junge Frau habe stundenlang auf mich gewartet. Ich fragte sie, wie die Dame ausgesehen habe, und das Mädchen antwortete, sie sei sehr schön gewesen, habe aber ein schlechtsitzendes, handgestricktes Kostüm getragen. Ich wußte gleich, das konnte nur Beryl sein. Die Ärmste hatte keinen Pfennig Geld. Eine meiner Freundinnen schenkte ihr ein entzückendes Kleid, und ich ging mit ihr einkaufen ... Ich weiß noch, was sie sich am meisten wünschte: eine Sonnenbrille mit Schildpattgestell. Sowas war damals überhaupt nicht in Mode, und das sagte ich ihr auch, aber Beryl bestand darauf! Sie eröffnete eigens ein Konto und belastete es mit dem Betrag für diese Sonnenbrille.«[18] Beryl blieb etwa ein halbes Jahr in England und kehrte dann nach Kenia zurück, ohne diese und wahrscheinlich auch andere ausstehende Rechnungen zu begleichen. Sie hatte ihr Leben lang ein gestörtes Verhältnis zum Geld, wobei man freilich berücksichtigen muß, daß sie kaum je welches besaß. Ihre gesamte Laufbahn, all ihre Abenteuer und Reisen, bewerkstelligte sie praktisch ohne Kapital, und immer wieder eröffnete sie ganz unverfroren Konten, ohne auch nur einen Gedanken daran zu verschwenden, woher sie die fälligen Einzahlungen nehmen sollte. Sie ging einfach davon aus, daß sie sich schon irgendwie durchlavieren würde – und irgendwie gelang ihr das tatsächlich immer wieder! Während ihres ersten Besuches in England traf sie mit vielen Leuten zusammen, die sie bereits aus Kenia kannte – darunter auch Karen Blixens Bruder Thomas, Denys Finch Hatton (der nach Hause gekommen war, weil seine Mutter im Sterben lag) und Frank Greswolde-Williams. Letzterer besaß eine Farm im Kedong Valley, etwa vierzig Meilen nördlich von Nairobi. Frank war ein steinreicher Mann, doch da er mehr oder weniger unter der Obhut der elterlichen Grooms aufgewachsen war, ließen seine Manieren sehr zu wünschen übrig. Trotz seines ungeschliffenen Benehmens fand Tania Blixen ihn »einen ungewöhnlich liebenswerten und netten Menschen«. Clutt hatte jahrelang seine Pferde trainiert, und Frank kannte Beryl von klein auf – er war sogar Gast auf ihrer Hochzeit gewesen. Neben seiner Farm in Kenia besaß Greswolde-Williams mehrere Ländereien in England, darunter auch den Stammsitz der Familie in Worcestershire. Der passionierte Jäger verlor kurz nach dem Ersten Weltkrieg ein Auge bei einem Unfall: Eine Flinte ging irrtümlich los, und Franks Gesicht wurde durch den Schuß übel zugerichtet. Frank war fast dreißig Jahre älter als Beryl, aber während ihres Aufenthaltes in England wurde er ihr großzügiger Gönner und Liebhaber. Als sie nach Kenia zurückkehrte, brachte Beryl eine Garderobe mit, die wesentlich mehr Chic hatte als das schlechtsitzende handgestrickte Kostüm, in dem sie sechs Monate zuvor in England angekommen war.

Im Juli schrieb Tania Blixen an ihre Mutter Ingeborg Dinesen: »Beryl Purves ist wieder da, ausstaffiert wie eine Prinzessin aus Tausendundeiner Nacht und mit riesigen Perlen behängt. Da es ihr bei unsrer letzten Begegnung sehr schlecht ging und sich offiziell nichts an ihrer Situation geändert hat, fiel es mir recht schwer zu entscheiden, wie ich mich ihr gegenüber verhalten sollte. Es heißt, Frank Greswolde-Williams stehe für alles gerade; jedenfalls lebt sie mit ihm zusammen. Fast bin ich geneigt zu sagen, es wäre besser, wenn die beiden heiraten würden, aber andererseits kann man wohl kaum von einer Frau erwarten, daß sie Frank heiraten möchte. Beim Rennen neulich war er betrunken wie eine Strandhaubitze ...«[19]
Die Affäre mit Greswolde-Williams glich einer Sternschnuppe – die meisten Leute hatten noch nicht einmal davon erfahren, da war sie auch schon wieder vorbei. Aber Frank zeigte sich Beryl gegenüber noch lange Zeit sehr großzügig; so half er ihr beispielsweise mit einem Darlehen, wieder als Trainerin Fuß zu fassen. Beryl tat sich noch im selben Jahr mit John Drury und Gerald Alexander aus Molo zusammen, und da alle drei ausgezeichnete Pferdekenner waren, bildeten sie ein erfolgreiches Gespann. Eine mitfühlende Freundin, die in Molo eine Farm besaß, stellte Beryl ein paar Ställe zur Verfügung sowie ein Cottage, in dem sie wohnen konnte. Hilda Hill-Williams, Beryls ehemalige Schulkameradin, erinnert sich, daß zu der Zeit recht viele junge Leute in Nairobi und Umgebung lebten und daß sie eine Menge Spaß miteinander hatten. »Damals zog David Furse in unseren Bezirk, ein junger Verwalter, der bei den Mädchen großartig ankam. Er verknallte sich bis über beide Ohren in Beryl, und sie und ich, wir schwärmten beide für ihn. Aber 1926 wurde er schließlich mein Mann, und wir blieben trotzdem alle gute Freunde.«[20]
Zu Beginn trainierte Beryl in Molo nicht mehr als drei Pferde, darunter ihren besonderen Liebling Baron, der zu gleichen Teilen ihren Freunden Tom Campbell Black und Gerald Alexander gehörte. Sie machte die meiste Arbeit selbst, nur unterstützt von einem Hausboy und Kibii, dem treuen Spielkameraden aus ihrer Kindheit, der jetzt als Erwachsener den Namen *Arap* Ruta trug. Er wurde Beryls rechte Hand.

»Er war sehr geschickt im Umgang mit den Leuten und nahm Beryl viele Sorgen ab. Er war ehrlich und gescheit und alles in allem ein wirklich feiner Kerl«, urteilt Sonny Bumpus. »Die beiden gingen fast wie Freunde miteinander um, nicht wie Herrin und Diener. Aber wenn Ruta von Beryl sprach, dann hieß es immer Madam oder Memsahib.«[21]

Alle Europäer bekamen von ihren Dienern Suaheli-Namen, die oft sehr treffend auf eine bestimmte Eigenschaft oder ein äußeres Merkmal anspielten – so zum Beispiel Bwana Samaki (Fisch) für einen Mann mit Glupschaugen und steinerner Miene oder Memsahib Maua (Blumenlady) für eine Frau mit besonders sanftem und gütigem Wesen. Beryl bildete hier keine Ausnahme. Sie bekam einen besonders komplizierten afrikanischen Beinamen, der in der Übersetzung ungefähr lautet: »Sie, die kein Pferd abwerfen kann«, und ein Somali sagte einmal über sie: »Sie sieht aus wie ein Speer« – ein sinnfälliger Vergleich für die sportliche und biegsame junge Frau. »Sie war so stark wie ein Mann und weitaus tüchtiger als die meisten Männer«, versicherte eine Freundin.[22] Doch der Name, der Beryl ein Leben lang anhaften sollte, war Memsahib wa Farasi (die Dame mit den Pferden).

Wie nicht anders zu erwarten, machte Beryl auf den Rennplätzen bald wieder von sich reden. Im Juli 1925 belegte sie zweimal den zweiten Platz, und weitere Erfolge folgten rasch. Zu den Rennen fuhr sie teils mit dem Automobil, teils auf einem klapprigen, alten Motorrad. Einmal, als sie vom Rennplatz in Nairobi zu Tania Blixen unterwegs war, fuhr sie im Dunkeln in ein Schlagloch, stürzte vom Motorrad und brach sich das Nasenbein. Blutüberströmt legte sie den Rest des Weges zu Fuß zurück. Ihre vormals schöngeschwungene Nase wies nach der Heilung einen (in ihren Augen) häßlichen kleinen Höcker auf, über den sie sich jahrelang ärgerte, bis sie ihn schließlich 1936 in London wegoperieren ließ.

Als ihre Erfolge sich mehrten, wurde es Beryl in den geliehenen Räumlichkeiten bald zu eng, und weil es gleichzeitig zu Meinungsverschiedenheiten mit ihrer Gastfamilie in Molo kam, verlegte sie ihr Trainingsquartier auf den Rennplatz von Nakura. Hier standen ihr feste Stallungen für die Pferde zur Verfügung, aber für sie selbst gab es keine Unterkunft, und so schlug sie fürs erste unter den Tribünen ein Zelt auf. Einer ihrer Freunde erfuhr von einem englischen Bekannten in einer Hotelbar in Nakuru von Beryls spartanischer Lebensweise. Die beiden kamen überein, zur Rennbahn hinauszufahren und sie, um ihr einmal eine besondere Freude zu machen, zum Dinner einzuladen. In Nakuru angekommen, gingen sie gleich zu den Ställen, um Beryl zu überraschen.

Sie war sehr fesch gekleidet, trug Safari-Shorts und Stiefel und lehnte mit dem Rücken an der Stallmauer, die Beine über den Knöcheln gekreuzt. Sie bemerkte uns gar nicht, so versunken war sie in den Anblick der untergehenden Sonne. Es war ein wunderschönes Bild. Der Spiegel des Sees glänzte wie geschmolzenes Gold, vom anderen Ufer grüßte in einiger Entfernung der tiefgrüne Wald herüber und Flamingos stiegen, rosafarbenen Wolken gleich, in den klaren Himmel auf. Beryl stand ganz still, sie hatte nur Augen für das Naturschauspiel. Reizend sah sie aus. Es war ein Bild, das ich nie vergessen werde, dieses entzückende Mädchen vor einem solch atemberaubenden Panorama. Als die Sonne untergegangen war, sprachen wir sie an. Sie freute sich herzlich über unser Kommen und bot an, uns ihre Pferde zu zeigen. Die Ställe waren nur mit dem Nötigsten ausgerüstet, und Beryl selbst wohnte in einem Zelt, das sehr spärlich möbliert war. Sie bat uns herein und setzte sich aufs Bett, das auch als Sofa diente. Mein Freund nahm auf dem einzigen Stuhl Platz, und ich machte es mir auf einem Heuballen bequem. Ungeachtet der spartanischen Verhältnisse waren wir bester Laune, unterhielten uns angeregt und leerten die Flasche Wein, die wir Beryl mitgebracht hatten. Hinterher gingen wir zum Dinner ins Hotel. Es wurde ein sehr vergnügter Abend. Ich war froh, daß wir ihr diese kleine Abwechslung bieten und sie für ein paar Stunden aus ihrer Einsamkeit entführen konnten. Sie war so ein bezauberndes Wesen ...[23]

Die spartanischen Verhältnisse konnten auch Beryls Fähigkeiten als Trainerin nichts anhaben, und ihre Pferde zählten bald regelmäßig zu den Siegern. Sie arbeitete unermüdlich und kannte nur das eine Ziel, die einstige Stellung ihres Vaters als führender Trainer des Landes für sich zu erobern.

Anfangs muß den Eigentümern recht riskant erschienen sein, diesem attraktiven jungen Mädchen mit dem noch fast kindlichen Gebaren ihre Pferde anzuvertrauen. Gewiß, vor ein paar Jahren hatte sie schon einmal beachtliche Erfolge verzeichnen können, doch damals hatte sie auch die Unterstützung eines reifen Ehemannes gehabt, mit namhaften Rennställen gearbeitet und vermutlich mehr oder weniger von den Leistungen eines gut eingespielten und bewährten Teams profitiert. Jetzt mußte Beryl ihre Fähigkeiten aufs neue unter Beweis stellen, und diesmal galt es, ganz unbekannte Pferde zu Champions zu trainieren. Ihr Kapital waren ein erstaunliches Talent, eine robuste Konstitution, unermüdlicher Fleiß und die Bereitschaft, hart zu arbeiten. Einmal, als sie ein besonders temperamentvolles Pferd besteigen wollte, schleuderte dieses sie aus dem Sattel über den Hof, und sie prallte rücklings gegen den steinernen Wassertrog. Ohne weiteres hätte sie sich bei dem Sturz das Rückgrat brechen können, aber sie kam mit leichten Verletzungen davon, und obwohl sie sich ein paar Rippen gebrochen hatte, saß sie unverzüglich wieder auf und ritt das störrische Pferd.

Im April 1926 schrieb Tania Blixen an ihre Mutter: »Kürzlich traf ich Beryl, sie scheint recht zufrieden, trainiert wieder Rennpferde und muß hart arbeiten, aber ich glaube, sie macht ihre Sache sehr gut. Wie es aussieht, verdient sie damit gerade genug zum Leben, trotzdem gefällt es ihr weitaus besser als die Ehe. Sie sah sehr gut aus, war eben mit dem Automobil von Nairobi heruntergekommen, und das bei unvorstellbar schlechten Straßenverhältnissen, mit denen bestimmt kein anderer fertig geworden wäre ...«[24]

Im August 1926 gewann die von Beryl trainierte Jungstute Wise Child das renommierte Saint Leger. Die vierundzwanzigjährige Beryl hatte allen Grund, stolz zu sein auf ihren Erfolg. Denn sie hatte hart dafür gearbeitet und sich ihren Platz in dieser Männerdomäne redlich verdient.

Lord Delamere bot ihr an, künftig die Pferde aus seiner Zucht in Soysambu zu trainieren, und Beryl griff zu. Als Unterkunft stand ihr auf der Farm zwar nur eine der Pferdeboxen zur Verfügung, die aber recht hübsch eingerichtet war mit Tisch, Stuhl und einem

Bett, das – mit einem Zebrafell als Überwurf – auch als Besucher-
sofa diente. Alles in allem also eine Verbesserung im Vergleich zu
Nakuru.

Es bedurfte einer besonders wachen Intelligenz und großer Ge-
schicklichkeit, wenn eine junge, schutzlose Frau sich in Kenia in
einem »Männerberuf« durchsetzen wollte, vor allem zu einer Zeit,
da in England Frauen überhaupt noch nicht als Trainer für Rennpferde zugelassen wurden. Wie die Lektüre des *East African Standard* aus jenen Tagen beweist, wurden auch in Kenia in der Regel
mehr die häuslichen Tugenden der Frau hochgehalten; so fanden
sich auf der Frauenseite Ratschläge zur »Einstellung von Dienstboten« und Empfehlungen für »Krankenpflege und -betreuung«.
Dennoch schien niemand an Beryls Ausnahmestellung Anstoß zu
nehmen, und in der oben zitierten Ausgabe der Zeitung heißt es:
»Mrs. Purves hält mit Charlatan und Welsh Guard zwei beachtliche Favoriten in ihrem Stall.«

Beryl eroberte sich ihre führende Rolle in erstaunlich kurzer Zeit,
hauptsächlich durch ihr Können, aber auch dadurch, daß sie frei
von jenen Zwängen war, die viele Frauen ihrer Generation an der
Entfaltung ihrer Talente hinderten.

Mitte der zwanziger Jahre hatte die Gesellschaft Kenias sich, gemessen an den Pioniersiedlungen der Anfangszeit, beträchtlich gewandelt. Zum Teil hing dies mit dem großen Zustrom der Solda-
tensiedler und Abenteurer zusammen, zum Teil auch mit dem
Aufschwung und der Leichtlebigkeit des Jazz Age, das den
Schrecken des Ersten Weltkriegs folgte.

Unter den neuen Farmen, die im Hochland gegründet wurden,
waren viele geräumige Steinbauten mit getäfelten Zimmern,
gemütlicher Ausstattung und luxuriösem Mobiliar. Gepflegte
Rasenflächen säumten die Gebäude, in denen ganze Heerscharen
dienstbarer Geister damit beschäftigt waren, Stil und Flair englischer Landsitze möglichst genau zu kopieren.

In den besonders wohlhabenden Häusern residierten die Nichts-
tuer und Müßiggänger der sogenannten Happy-Valley-Gesell-
schaft;[25] oft waren dies die jüngeren Söhne reicher englischer Familien, die Opfer des englischen Erstgeburtsrechts. Im Gegensatz

zu den Pionieren, die sich ihren Besitz schwer erarbeiten mußten, verfügten sie über ein festes Einkommen, und da sie nicht zu arbeiten brauchten, entwickelten sie einen opulenten und leichtfertigen Lebensstil mit endlosen Picknicks und Hausparties, bei denen der Champagner in Strömen floß und flüchtige Liebesabenteuer unter den Gästen an der Tagesordnung waren. Treffpunkt dieser Clique in Nairobi war der Muthaiga Country Club, wo auch Beryl etliche Mitglieder der privilegierten (und wie manche versichern übel verleumdeten) Koterie kennenlernte.

Beryl ließ sich ganz unbekümmert mit dem Happy Valley Set ein. Titel, Geld und Ruhm faszinierten sie zwar, und sie nahm auch an zahlreichen sagenumwobenen Festen im Oserian und anderen verschwiegenen Adelssitzen des Hochlandes teil, doch gehörte sie eigentlich nie ganz dazu. Auch an den berüchtigten Ausschweifungen, die oftmals unter Drogeneinfluß stattfanden, beteiligte sie sich nicht. »Ich hielt sie immer für eine stille Person«, urteilt Sonny Bumpus. »Auf Parties sah man sie oft in einer Ecke sitzen, wo sie sich ganz ernsthaft mit jemandem unterhielt. Sie war nicht bloß hübsch, sondern eine richtige Schönheit mit ihrer hochgewachsenen, schlanken Gestalt und dem anmutigen, aufreizenden Gang.«[26]

Ihr enger Vertrauter und zeitweiliger Jockey Buster Parnell widersprach dieser Charakteristik einer zurückhaltenden Beryl. Zwar war er zur fraglichen Zeit nicht in Kenia gewesen, doch erinnerte er sich lebhaft an Beryls übermütige Schilderung einer der berühmten Parties im Oserian. Mit ihrem Verehrer wollte sie auf dem Rücksitz eines Buick ein Schäferstündchen verbringen, aber als sie hineinschlüpfte, fand sie sich zu ihrer Überraschung auf den nackten Körpern einer Dame und eines Herrn wieder, die vor ihr dort Unterschlupf gesucht hatten. Die Dame, die einige Jahre später ihre Nachbarin werden sollte, verstand keinen Spaß und biß Beryl voller Wut in den kleinen Finger; die Wunde ging fast durch bis auf den Knochen. Der peinliche Zwischenfall verdarb beiden Paaren ihr Tête-à-tête, und die zwei Frauen sprachen vierzig Jahre kein Wort mehr miteinander.[27]

Sonny Bumpus ist freilich nicht der einzige, der sich an eine stille und zurückhaltende Beryl erinnern kann; mehrere meiner Informanten schildern sie ebenso, und auch ich habe sie nicht selten in sich gekehrt und versunken angetroffen. Zuweilen strahlte sie eine Ruhe aus, zu der nur ungemein starke Persönlichkeiten fähig sind. Bei ihr geschah das allerdings ganz unbewußt, und sie konnte derlei Stimmungen mit einer beiläufigen Bemerkung mühelos wieder abschütteln: »Ach, du meine Güte, wie die Zeit vergeht! Kommen Sie, schenken Sie uns noch einmal ein.«

Am Samstag, den 19. März 1927, setzte der *East African Standard* die Kolonie mit folgender Annonce in Erstaunen:

Verlobung. Watson – Clutterbuck

Ihre Verlobung beehren sich anzuzeigen: Der Honourable Robert Fraser Watson, 2. Sohn des verstorbenen Lord Manton und dessen Gattin Lady Claire aus Offchurch, Bury/Leamington – und Beryl Purves, einzige Tochter von Mr. C. B. Clutterbuck aus Njoro und Mrs. Kirkpatrick.

Clara Kirkpatrick wohnte inzwischen mit ihren beiden Söhnen aus zweiter Ehe in Limuru. Kirkpatrick hatte ihr bei seinem Tode nur 173 Pfund hinterlassen, weshalb Clara auf die Hilfe und Unterstützung ihrer Verwandten angewiesen war. Vermutlich konnte sie mit ihren bescheidenen Mitteln in Kenia leichter ein Auskommen finden als daheim in England – andernfalls wäre ihre Rückkehr ins ungeliebte Afrika kaum verständlich. Wenn sie sich allerdings eine Aussöhnung mit ihrer Tochter erhofft hatte, so wurde sie bitter enttäuscht. Beryl verstand sich zwar sehr gut mit den zwei Buben, die sie sogar »Brüder« nannte, aber Clara gegenüber blieb sie kühl und abweisend, auch wenn die beiden einander häufig sahen und gelegentlich sogar für kurze Zeit zusammen wohnten. Pamela Scott erinnert sich, daß Mutter und Tochter »einander äußerlich sehr ähnlich sahen. Beide waren sehr groß und schlank, hatten dunkelblondes Haar und blaue Augen, und beide waren auffallend hübsch.«[28]

Beryls Verlobung mit Bob Watson war kein Glück beschieden, und bald schon kursierten im Muthaiga, ja in der ganzen Kolonie, gehässige Gerüchte über Beryls Flatterhaftigkeit. Aber selbst während der Hochzeitsvorbereitungen vernachlässigte sie ihre Ar-

beit nicht, und beim Rennen im Juli konnte sie gleich mehrere
Preise einheimsen. Sie war eine begehrte und umschwärmte Gesellschafterin, und trotz des auffallend großen Verlobungsrings an
ihrer Hand wurde sie mit mehreren stadtbekannten Herren beim
»Nachtbummel« gesichtet. Einer davon war Mansfield Markham.
Tania Blixen notierte: »Bror, dem ich letzten Montag in Nairobi
begegnete, ... hat sich neuerdings mit Mansfield Markham und
dessen Bruder Sir Charles Markham eingelassen.«[29]
Die Kolonie hatte kaum die Verlobungsanzeige Watson–Clutterbuck verarbeitet und darüber entschieden, ob man die Einladung
zur Hochzeit annehmen solle oder nicht, da erschien am 27. August 1927 ein neues Aufgebot.

Verlobung. Markham – Purves

Ihre Verlobung und baldige Hochzeit beehren sich anzuzeigen:
Mansfield Markham, zweiter Sohn des verstorbenen Sir Arthur
Markham Baronet und Mrs. James O'Hea aus London, Hyde Park
Gardens 20 –

und Beryl Purves, einzige Tochter von Mr. Charles B. Clutterbuck
und Mrs. Kirkpatrick aus der Kolonie Kenia.

Diese zweite Annonce lieferte der Kolonie verständlicherweise
Stoff für allerlei amüsante Spekulationen. Aber das Rätselraten
blieb nicht auf Britisch-Ostafrika beschränkt. Auch in London
wurde die Verlobung gemeldet, und hier sprang sie der aufmerksa-
men Rose Cartwright ins Auge, die sich vorübergehend in England
aufhielt und eine Gesellschaftskolumne für den *Daily Express*
schrieb. Bereits einen Tag nach der offiziellen Anzeige konnten die
Briten zum Frühstück folgende Schlagzeile lesen:

FORTSETZUNGSROMAN AUS DEM WIRKLICHEN LEBEN
Zwei Verlobungen in drei Folgen

Ein Fortsetzungsroman, der reichlich mit Fakten gespickt ist, aber
geradezu aufreizend mit Erklärungen geizt, sorgt seit letztem Frei-
tag für Spannung in unseren Tageszeitungen. Eigentlich ist es eine
enttäuschende Geschichte, denn nach dem letzten Kapitel sieht
sich der unzufriedene Leser um den spannenden Mittelteil be-
trogen. Hier noch einmal die erste Folge aus unserer Freitags-
ausgabe:

*Als Verlobte grüßen der Honourable R. F. Watson, zweiter Sohn
des verstorbenen Lord Manton und Claire, Lady Manton auf Offchurch, Bery/Leamington Spa – und Beryl, einzige Tochter von
Mr. C. B. Clutterbuck, vormals Njoro, und Mrs. Kirkpatrick aus
Sey, Kolonie Kenia.*

*Die Folge vom Dienstag meldete Komplikationen, denn das Blatt
schrieb:* »*Die angekündigte Hochzeit zwischen dem Honourable
R. F. Watson und Mrs. B. Purves wird nicht stattfinden.*« *Der
Roman endete gestern, also nur drei Tage später [sic!], mit dieser
Anzeige:*

Aus der Kolonie Kenia geben ihre Verlobung bekannt:

*Mansfield Markham, zweiter Sohn des verstorbenen Sir Arthur
Markham Baronet –*

*und Beryl, einzige Tochter von Mr. Charles B. Clutterbuck und
Mrs. Kirkpatrick aus der Kolonie Kenia.*

Die englischen Zeitungen irrten sich freilich, was den zeitlichen
Ablauf betraf; zwischen beiden Verlobungen lagen in Wahrheit
immerhin fünf Monate, doch da die erste Verbindung in London
erst im August gemeldet wurde, kam es zu jener Glosse über den
»Fortsetzungsroman« aus Kenia.

Tania Blixen hielt ihre Mutter über Beryl und deren Pläne auf dem
laufenden; im August schrieb sie, daß sie den Markhams ihr Haus
für die Flitterwochen überlassen werde: »Beryl heiratet am Samstag, und ich fahre zur Trauung nach Nairobi, weiß also nicht, ob
ich Sonntag zum Schreiben komme. Aber ich schicke auf jeden Fall
wenigstens eine Postkarte ... Ich hoffe sehr, die beiden werden
glücklich miteinander, und ich will auch nicht wieder mit meinen Dir wohlbekannten Zweifeln an der Ehe aufwarten – aber
diesmal gleicht die Verbindung noch mehr als sonst einer
Lotterie!«[30]

Der *East African Standard* widmete den Hochzeitsfeierlichkeiten
einen ausführlichen Bericht:

Samstag, 3. September 1927
Vermählung. Markham – Purves

In stiller, aber feierlicher Zeremonie wurde am Samstagmorgen in

der St.-Andrew's Kirche, Nairobi, Mrs. B. Purves aus Njoro mit
Mr. Mansfield Markham getraut, dem zweiten Sohn des verstorbenen Sir Arthur Markham, Baronet.

Das Brautpaar hatte sich für einen Chorgottesdienst entschieden,
und die Kirche war dem festlichen Anlaß gemäß farbenprächtig
mit Lilien und Bougainvileen ausgeschmückt. Lord Delamere
führte die Braut zum Altar. Sie trug ein schlichtes Hochzeitskleid
aus cremefarbenem Crêpe de Chine mit glatten, schmucklosen Ärmeln. Das Mieder war mit Silberstickereien verziert, und der silberne Fransenbesatz am Rock betonte den weichfließenden
Charakter des sehr kleidsamen Gewandes. Um den Hals hatte die
Braut einen ebenfalls fransenbesetzten Schal drapiert. Das enganliegende Hütchen aus feinem, silberfarbenen Stroh war an der
Seite mit weißen Federn garniert; cremefarbene Strümpfe und silberne Schnallenschuhe vervollständigten die Toilette.

Ein Somali-Diener überreichte der Braut vor dem Kirchenportal
ihr Lilienbukett. Der Bräutigam erschien in Begleitung der Herren
A. C. Hoey of Eldoret, Pelham-Burn und der Trauzeugen.

Nach dem Gottesdienst wurde das neuvermählte Paar vor der Kirche von buntem Konfetti-Regen und einem Spalier gekreuzter
Reitgerten empfangen. Auf letzteren ehrten die Turnierfarben der
Braut Mrs. Markhams Engagement für den Pferdesport in Kenia,
wo sie ihre Aktivitäten vorwiegend und segensreich konzentriert
hat.

Den Hochzeits-Lunch nahmen Brautpaar und Gäste im Muthaiga
Club, wobei Lord Delamere und der Bräutigam die Tischreden
hielten.

In Tania Blixens wöchentlichem Brief an ihre Mutter heißt es:
»Die Hochzeit fand gestern statt, es war in jeder Beziehung ein
gelungenes Fest – erst die Trauung ... und dann der Lunch im Muthaiga. Delamere machte den Brautvater, und Beryl sah ganz reizend aus – ich hatte das Bukett beigesteuert, Lilien und weiße Nelken. Beim Lunch waren wir 65 Personen. Delamere und
Markham hielten die Tischreden ... das Essen war ausgezeichnet.
Ich saß rechts vom Bräutigam, dann kam sein Trauzeuge und
daneben die Brautmutter, alles sehr angenehm arrangiert. Zum

Abschied bewarf man die armen Dinger über und über mit Konfetti.«[31] An anderer Stelle heißt es in bezug auf eine blockierte Tränendrüse, die der Baronin zu schaffen machte, bei Beryls Hochzeit seien ihre Tränen »so unaufhaltsam geflossen, daß alle Welt geglaubt haben muß, ich sei außer mir vor Verzweiflung, weil Mansfield nicht mich geheiratet hat – oder hätte mich den schmerzlichsten Erinnerungen hingegeben ...«[32]

Das Hochzeitsfoto zeigt Beryl mit kurzem Herrenschnitt. Ihr Brautkleid ist der letzte Schrei der Mode der zwanziger Jahre; zu dem Kreis der Festgäste um sie zählen ihre Mutter, die beiden Halbbrüder sowie führende Persönlichkeiten der High Society Kenias, darunter Lord Delamere und Tania Blixen.

Beryl sitzt auf dem Bild neben dem Bräutigam, doch ihr Gesicht spiegelt keineswegs die strahlende Freude, wie man sie bei der Braut eines der reichsten jungen Aristokraten der Kolonie erwarten würde.

Kapitel 4
(1927–1930)

Mansfield Markham war der reiche Sohn des verstorbenen Sir Arthur Markham, Parlamentsmitglied für Mansfield in Nottinghamshire und erster Träger der 1911 verliehenen Baronatswürde. Sir Arthur starb 1916 und hinterließ drei Söhne, deren ältester, Charles (Vater des jetzigen Sir Charles), mit erst siebzehn Jahren sein Erbe antrat. Seine beiden jüngeren Brüder, Mansfield und Arthur, kamen ebenfalls in sehr jungen Jahren in den Besitz eines beträchtlichen Vermögens. Nach Meinung des jetzigen Sir Charles zu früh, denn die beiden älteren Brüder brachten ihren gesamten Besitz binnen zweier Jahrzehnte durch.[1] Mansfield mußte nach Abschluß seiner Schulstudien fast ein Jahr in einem Schweizer Sanatorium zubringen, um eine Tuberkulose auszuheilen; die Kur beinhaltete schmerzhafte Leberspritzen. Der Zwanzigjährige wurde als ehrenamtlicher Attaché an die englische Botschaft in Paris berufen. Zwei Jahre später, Anfang 1927, reiste er nach Kenia, um auf Safari zu gehen und Ostafrika zu erkunden.

Safaris waren Anfang des Jahrhunderts gerade groß in Mode gekommen. Die Reichen entdeckten hier einen neuen Sport und Zeitvertreib, und in England wie auch in Amerika rühmte man bald schon jenes »Paradies auf Erden«, wo es Wild in Hülle und Fülle zu jagen gab, wo aufregende Abenteuer warteten und selbst das Klima nichts zu wünschen übrig ließ. Nach der von der Presse vielbeachteten Roosevelt-Safari[2] strömten »wahre Heerscharen reicher, junger Sportbegeisterter aus Adels- und Offizierskreisen« in die Kolonie.

Bunny Allen, in den zwanziger Jahren ein bekannter Großwild-

jäger, erinnert sich: »Das Leben in Kenia war damals noch ziemlich abenteuerlich, dabei sehr bunt und bewegt, und man brauchte
viel Zeit, um das Land kennenzulernen. Wagte man sich mit dem
Automobil hinaus, blieb man fast regelmäßig im Schlamm stecken.
Deshalb wurden die meisten Safaris mit Pferden, Mulis oder Eseln
veranstaltet, und das dauerte eben ziemlich lange.« Bunnys erster
Safari-Wagen war ein Rugby, »mit Holzrädern, die knarrten und
quietschten, einem Kühler, aus dem ständig Wasser spritzte, so
daß ich jederzeit hätte Tee kochen können. Doch im Ernst,
manchmal habe ich sogar versucht, den Kühler mit Maismehl ab-
zudichten!« Der berühmte Jäger Philip Percival pflegte seinen
Trupp und die gesamten Vorräte tagelang vor der erwarteten Ankunft der Jäger an den Bestimmungsort zu schicken. Der Ritt zum
Lager konnte bis zu einer Woche dauern, »aber damals machte das
nichts aus, denn die Leute hatten nicht nur Geld wie Heu, sondern
auch jede Menge Zeit.«[3]
Nach einer solchen Safari machte Bror Blixen Beryl in Nairobi mit
Mansfield bekannt. Der verliebte sich auf der Stelle in die auffallend hübsche junge Frau, ohne sich sonderlich darum zu kümmern, daß Beryl schon mit einem anderen verlobt war. Sonny
Bumpus urteilte über Mansfield: »Er war ein recht netter junger
Mann, aber ein bißchen schüchtern und jedenfalls keine außergewöhnliche Persönlichkeit.« Freunde von Beryl meinten: »Ich
kann mir nicht denken, warum sie ihn geheiratet hat«, was natürlich genausogut umgekehrt gelten könnte. Beryl selbst vertraute
ihren Freundinnen an, daß sie »Mansfield nicht liebe, ihn aber
recht gern habe«.[4] Vielleicht gab dieses Geständnis den Anstoß zu
Tania Blixens skeptischer Bemerkung, Beryls Eheschließung gliche
»noch mehr als sonst einer Lotterie«.
Mansfield war schlank, fast schmächtig, kaum mehr als mittelgroß,
blond, gutaussehend und ein Mann von beträchtlichem, aber un-
aufdringlichem Charme, dazu intelligent und gebildet.
Nach der Hochzeit verbrachte das Paar den ersten Teil der Flitterwochen auf Tania Blixens Farm. Sie schrieb: »Es hat mir soviel
Freude gemacht, dem frischgebackenen Ehepaar mein Haus zur
Verfügung zu stellen – aber bei dem Klima hier draußen lassen sich

solche Arrangements auch viel leichter treffen.«[5] Die beiden revanchierten sich bei ihrer Gastgeberin mit einem ausgefallenen Geschenk. »Heute früh kam das Bett, das die Markhams mir verehrt haben – es ist so groß wie eine Kutsche! Ursprünglich hatten sie es zwei Meter breit bestellt, das konnte ich zwar grade noch ändern, aber 1 Meter 65 breit ist es immer noch, schmäler konnte man es, als ich mich einschaltete, nicht mehr machen. Einerseits herrlich, so ein breites Bett zu haben, aber meine Laken reichen nicht – und ich mußte zwei Decken kaufen und zusammennähen, weil ich auch keine passende Tagesdecke hatte. Den schönen Überwurf, den mir Tante Lidda zur Hochzeit geschenkt hat, kann ich auch nicht nehmen, und das ist wirklich schade, doch ich habe einen aus einer Gardine geschneidert, der sich sehr gut macht. Ich sah keine Möglichkeit, wie ich das Bett hätte ablehnen können, denn schließlich war es wirklich nett von den beiden, es eigens für mich anfertigen zu lassen – und sie haben 45 Pfund dafür bezahlt, an irgendwelche Wucherer in Nairobi, ist das nicht unglaublich? Ich habe es mit dem Kopfende ans Fenster gestellt, so kann man sich drauflegen und durch die Verandatür auf die Ngong-Berge hinausschauen ...«[6]

Von Tania Blixens Farm führte die Hochzeitsreise der Markhams nach Europa, wo sie auf dem Wege nach London in Paris Station machten. Hier führte Mansfield seine junge Frau in eine ihr bislang völlig fremde Welt ein. Der stete Reigen von Geselligkeiten und diplomatischen Empfängen erforderte eine Garderobe, wie Beryl sie nicht besaß. Mansfield ging mit ihr zu Chanel und kaufte ihr eine wunderschöne Ausstattung, einschließlich Abendkleidern und Pelzen. Er scheute keine Kosten und hatte wahrscheinlich ebensoviel Freude an der Sache wie Beryl, denn er fand offenbar Gefallen daran, die Verwandlung der hübschen Landpomeranze in eine elegante, juwelengeschmückte Schönheit zu bewerkstelligen.

Hatte Beryl schon in den zwar kleinen, aber erlesenen Zirkeln Kenias Furore gemacht, so gelang ihr das in Paris und London gleich doppelt. Ihre schlanke, hochgewachsene Gestalt, geradezu die Idealfigur für die Mode der zwanziger Jahre, und ihre erstklassig geschneiderten Roben fielen überall auf und erweckten jedermanns

Bewunderung. Trotz ihrer zwanglosen Erziehung hatte ihre klare, helle Stimme den gepflegten Akzent der englischen Upper Class, und sie besaß eine Ausstrahlung von solcher Intensität, daß die Männer sich unweigerlich von ihr angezogen fühlten. Soigniert – dieses Wort benutzte man damals oft, wenn es galt, die junge Mrs. Mansfield Markham zu beschreiben, aber ungeachtet ihrer auffallenden Erscheinung hatte Beryl sich ein stilles Wesen und eine nahezu kindliche Unsicherheit bewahrt, die auf Männer einen unvergleichlichen Reiz ausübten.

In diesem Winter ging das Paar mit den berühmten Meuten Englands auf Fuchsjagd, mit Koppeln, die schon Beryls Eltern gekannt und geschätzt hatten – Belvoir, Cottesmore und Quorn. Beryl hatte noch nie im Damensattel gesessen, und nachdem sie das vor Zäunen starrende Gelände in Augenschein genommen hatte, beschloß sie vernünftigerweise, auch hier im Herrensitz zu reiten. Das war damals noch so ungewöhnlich, daß die Jagdgesellschaften in Leicestershire anfangs die Nase rümpften, doch als man sah, wie schneidig Beryl querfeldein sprengte, verstummten Kritiker und Spötter bald. Bekanntlich fällt es schwer, einer schönen Frau im schmucken Gewand, die obendrein im Sattel eine fabelhafte Figur macht, zu widerstehen. Während der Jagdsaison in Leicestershire machte Beryl auch die Bekanntschaft des Prinzen Henry, Herzog von Gloucester, der fast jeden Winter in der Gegend verbrachte und ein leidenschaftlicher Parforcereiter war.

Anläßlich ihres Englandaufenthalts wurde Beryl auch bei Hofe vorgestellt, wahrscheinlich unter der Schirmherrschaft ihrer Schwiegermutter, wie es die Etikette verlangte. Das offizielle Porträt, das bei diesem Anlaß aufgenommen wurde, zeigt Beryl als ernsthafte, dunkelhaarige junge Frau in reichbestickter Satinrobe mit Schleppe und dem vorgeschriebenen Kopfputz: drei Prince-of-Wales-Federn als Krönung eines siebzig Zentimeter langen weißen Schleiers, gehalten von einem juwelenbesetzten Diadem im modischen Stil. Das übliche Hofzeremoniell mußte freilich ein wenig gelockert werden, damit Beryl ihren Knicks vor den Majestäten machen durfte, denn 1928 wurden in der Regel noch keine geschiedenen Frauen bei Hofe vorgestellt.

In der Ehe der Markhams gab es fast von Anfang an Probleme. Beryls Äußerung, sie liebe Mansfield nicht, wies schon darauf hin, daß es sich hier nicht gerade um eine Idealverbindung handelte. Mansfield war sexuell nicht sonderlich aktiv, Beryl dagegen führte ihr Leben lang ein reges Sexualleben. Es wäre durchaus denkbar, daß er eifersüchtig war auf ihre Erfolge bei anderen Männern.

Mansfields Neffe, der jetzige Sir Charles Markham, meint dazu: »Zwischen den beiden lagen Welten. Mansfield stammte aus völlig anderen Verhältnissen als seine Frau. Er hatte eine Privatschule besucht, und wenn er auch kein Intellektueller war, so hatte er doch eine ausgezeichnete Erziehung genossen und war in einem sehr reichen Hause mit zahlreichem Dienstpersonal aufgewachsen. Er war kultiviert und anspruchsvoll, weshalb ihm kaum daran gelegen sein konnte, sich mitten in der Wildnis niederzulassen, wo es außer Pferden so gut wie keine Gesellschaft gab. Beryl dagegen konnte nur mit einer sehr dürftigen formalen Bildung aufwarten, kannte praktisch kein anderes Gesprächsthema als Pferde und fühlte sich in freier Natur am wohlsten.«[7]

Als Mansfields erste stürmische Schwärmerei sich legte und der Stolz darüber, den »Goldfasan« der Kolonie erobert zu haben, nachließ, begannen Beryls Bildungslücken ihn zu irritieren. Zudem war ihre freizügige Moralauffassung durchaus nicht nach seinem Geschmack, und obwohl er selbst nichts gegen ein kleines Techtelmechtel im Fonds eines Automobils einzuwenden hatte, erwartete er von seiner Ehefrau doch mehr Zurückhaltung. Beryls Moralkodex entstammte einem Land, in dem außereheliche Beziehungen sich kaum geheimhalten ließen, da einfach jeder jeden kannte, weshalb sich auch nur wenige die Mühe machten, ihre Seitensprünge zu vertuschen – gehörte schließlich der Klatsch nicht mit zum Vergnügen? Mansfield dagegen war im puritanischen England aufgewachsen und hatte gelernt, daß Liebesaffären mit äußerster Verschwiegenheit und Diskretion zu behandeln seien.

Im März 1928 kehrte das Paar nach Kenia zurück und bat gleich nach seiner Ankunft Tania Blixen, sich für zwei Wochen ihrer Hunde anzunehmen, da Beryl und Mansfield eine zum Verkauf

angebotene Farm bei Njoro besichtigen wollten. Denn Beryl
war entschlossen, ihre Arbeit als Trainerin wieder aufzunehmen.
»Lady Markham gestand mir, ihre Ehe sei ein einziges Fiasko«,
schrieb Tania an ihre Mutter, »aber ich hatte doch den Eindruck,
sie kämen recht gut miteinander zurecht. Beryl sah reizend
aus, wirkte frisch und erholt, und ich glaube wirklich, sie bemüht
sich nach Kräften, ihrer Rolle als Dame der Gesellschaft gerecht zu
werden.«[8]

Vor der Rückkehr nach Kenia hatte das Paar auf einer Auktion in
Newmarket ein paar Vollblüter ersteigert, mit denen Beryl ihre
Zucht beleben wollte. Angeboten wurde auch ein Hengst namens
Messenger Boy, der im Ruf stand, äußerst brutal und völlig unre-
gierbar zu sein. Er hatte seinen Groom getötet und den berühmten
englischen Trainer Fred Darling so übel zugerichtet, daß dieser ins
Krankenhaus mußte. Experten versicherten, man könne dieses
Pferd einfach nicht reiten. Beryl ließ sich davon nicht im mindes-
ten beeinflussen, sie wollte den Hengst mit seinem stattlichen
Stammbaum für ihre Zucht haben und erwarb ihn auch wirklich zu
einem Schleuderpreis. Mansfield war ein wenig skeptisch, doch
Beryl zweifelte keine Sekunde daran, daß sie mit dem Tier fertig
werden würde. Viele Jahre später schrieb sie eine Geschichte über
Messenger Boy, dem sie darin den Namen Rigel gab. Wie üblich
variierte sie die Fabel behutsam, um ihrer Erzählung einen dramatischen Höhepunkt zu verleihen:

*Rigel besaß einen Stammbaum, der weiter zurückreichte als die
Ahnentafel manches englischen Adelsgeschlechts, und er hatte eine
glänzende Karriere vorzuweisen. Bei der Versteigerung hätte er
gut und gern zehntausend Guineas einbringen können, aber ich
wußte, daß er das nicht tun würde, denn Rigel hatte einen Menschen getötet.*

*Er hatte einen Mann getötet – nicht etwa, weil er auf ihn gestürzt
wäre oder ihn in momentanem Übermut aus dem Sattel geworfen
hätte, nein, er war im Stall mit Hufen und Zähnen über ihn herge-
fallen und hatte ihn umgebracht. Und das war nicht sein einziges
Verbrechen, wenn es auch das schlimmste war. Rigel hatte noch
andere Männer verletzt und würde, so hieß es, sein Leben lang*

fortfahren, Menschen zu töten oder zum Krüppel zu machen. Er
sei bösartig, sagten die Leute, und wenn man ihn auch nicht wie
einen Menschen für seine Verbrechen hängen konnte, so konnte
man ihn doch ächten wie einen gemeinen Frevler. Und man konnte
ihn zum Kauf anbieten. Aber kraft der eisernen Regeln des Renn-
sports war er auf Lebenszeit vom Turf verwiesen – wer also würde
ihn kaufen wollen?

Nun, ich zum Beispiel ... Ich weiß Bescheid über diesen Hengst.
Ich weiß, daß er ein Sohn von Hurry On und Bounty ist – der Vater ein unbesiegter Champion, die Mutter ein berühmter Steepler –
und daß es keinen besseren Stammbaum geben kann. Er mag ein
Killer sein, doch Rigel hat viele Rennen gewonnen und immer fair
gekämpft. Falls Gott und die Barclays Bank zu mir halten, wird
Rigel mit mir kommen, wenn ich nach Afrika zurückkehre.

Und da steht er – endlich! Im breiten Eingang der Arena erscheinen zwei kräftige Männer, die den Hengst zwischen sich führen.
Diese beiden sind keine gewöhnlichen Grooms; man hat sie wegen
ihrer Größe und Stärke ausgewählt, und jeder hält in der geballten
Faust das Ende einer Kette. Dicht am Maul des Hengstes führt ein
kurzes Verbindungsstück von dieser Kette zu Rigels Gebiß – ein
Eisenstab, leicht zu fassen, leicht zu handhaben. Um den gewaltigen Leib des Pferdes spannt sich ein dicker Ledergurt, mit Stahl-
ringen befestigt, der unwillkürlich an die Zwangsjacken in Irren-
häusern denken läßt.

Gemeinsam drängen die beiden Männer den Hengst vorwärts. So
groß sie auch sind, neben seinen wuchtigen Schultern nehmen sie
sich wie Zwerge aus. Er ist der größte Vollblüter, den ich je zu Gesicht bekommen habe. Und der schönste. Sein kastanienbraunes
Fell ist weißgesprenkelt, Mähne und Schweif schimmern fast gol-
den ... Er betrachtet die Männer, die ihn an der Kette halten, wie
ein gefangener König seine Häscher anschauen würde. Er ist nicht
gezähmt. Nichts an ihm berechtigt zu der Hoffnung, daß er sich
zähmen läßt. Steifbeinig, widerstrebend betritt er den Ring und
schnaubt die Menge aus scharlachroten Nüstern an, und die Menge
verstummt ... Alles starrt wie gebannt auf den Rebellen, und der
Rebell starrt zurück. Seine Augen lodern vor Zorn und Haß. Ver-

ächtlich wirft er den Kopf zurück, sein Hals gleicht einem Bogen
schillernder Arroganz. Jetzt steigt er ... die Kette wird ruckartig
festgezogen. Die langen Zügel sind straff gespannt – ängstlich ge-
spannt –, und die Männer, die sie halten, werfen dem Auktionator
drängend fragende Blicke zu.[9]

Messenger Boy war kaum einige Wochen in Kenia, da ritt Beryl
schon täglich mit ihm aus. Der jetzige Charles Markham erzählte
mir: »Mansfield pflegte zu sagen, sie fürchte sich vor rein gar
nichts. Ihr Mut nötigte einem den größten Respekt ab.«[10]

Doreen Norman erinnert sich: »Ich fragte sie, wie sie es fertig-
gebracht habe, Messenger Boy so gefügig zu machen, daß er sich
von ihr reiten ließ. Zuerst erzählte sie mir ganz obenhin, sie habe
ihn einfach ein paar Wochen auf die Koppel geschickt, sei dann
eines schönen Tages aufgestiegen und habe ihn geritten. Viel später
freilich räumte sie ein, daß Messenger Boy ihr anfangs doch ein
bißchen zu schaffen gemacht habe.«[11]

Beryl und Mansfield ließen sich nach gründlicher Suche auf Melela nieder, einer Farm in Ellburgon, nicht weit von Njoro. Jetzt
konnte sie es sich leisten, erstklassige Pferde einzukaufen, und sie
nutzte die Gelegenheit. Schon kurz nach ihrer Ankunft in Kenia
tauchte Beryls Name wieder in den Sportberichten des *East Afri-*
can Standard auf: »Glückliche Besitzerin des Siegers ist Mrs.
Markham, die ihn auch trainiert hat.« »Besitzer Mr. Mansfield
Markham, Trainer Mrs. Beryl Markham.« Es ist kaum verwunderlich, daß einige der Pferde, mit denen Beryl jetzt brillierte, früher
Clutterbuck gehört hatten; tatsächlich waren die meisten Nachkommen seines einstigen Gestüts in Njoro, das er vor sechs Jahren
hatte aufgeben müssen. Doch nun kehrte er, zu Beryls großer
Freude und auf Kosten Markhams, aus Peru zurück und bezog
ein Cottage auf der Melela-Farm. Beryls Verhältnis zu ihrer Stiefmutter Ada war ebenso gespannt wie zuvor – gegenseitige Toleranz war das Beste, worauf man hoffen durfte, aber zumindest
hatte sie ihren geliebten Daddy wieder. Mit keinem Geschenk der
Welt hätte Mansfield ihr mehr Freude bereiten können.

In den Gesellschaftsspalten aus dieser Zeit tauchen Beryl und
Mansfield häufig auf; so zeigt ein Foto sie bei der Überreichung

des Rift Valley Plate, den sie in einem großen Rennen Ende Juli
mit Clemency (Besitzer Mansfield, Trainerin Beryl) gewann. Das
Paar wurde oft miteinander gesehen und schien, zumindest nach
außen hin, eine glückliche Ehe zu führen. Dies verdient festgehalten zu werden, denn im Mai wurde Beryl schwanger, und jahr-
zehntelang kursierten Gerüchte und Mutmaßungen über den Vater
des Kindes. Der Streit um die Vaterschaft läßt sich nicht mit Bestimmtheit klären, aber sicher ist zumindest, wer nicht in Frage
kommt. Der jetzige Sir Charles Markham erzählte mir, Mansfield
sei bereits vor der Rückkehr nach Kenia unglücklich über Beryls
Lebenswandel gewesen. »Sie ging sehr gern und oft aus und hatte
ein Faible für Parties. Sie muß eine sehr attraktive Frau gewesen
sein, mit ihrem blonden Haar und dem klaren Teint, und überall
fiel sie gleich auf. Ich glaube, Beryl lernte Prinz Henry schon während ihres Aufenthalts in England kennen.« Mansfield stand Beryls
Beziehung zu dem Prinzen von Anfang an mit Mißtrauen gegenüber.

Als Beryl im Sommer 1928 entdeckte, daß sie schwanger war, »reagierte sie verärgert und sprach gleich von Abtreibung.[12] Sie hatte
einfach keine Zeit für ein Baby, und außerdem war sie ohnehin
kein mütterlicher Typ.«[13] Mansfield war gleichfalls erzürnt, und es
kam zu einem Streit, bei dem Beryl ihm angeblich vorwarf: »Du
weißt ja nicht einmal, ob das Kind von dir ist, warum regst du dich
also auf?« Wenn dies der Wahrheit entspricht, so dürfte Beryls Bemerkung den Ausschlag für Mansfields späteres Verhältnis zu seinem Sohn gegeben haben.[14] Tania Blixen schrieb ihrer Mutter im
Juli, sie habe sich mit dem Ehepaar Markham im Muthaiga zum
Essen getroffen, und Beryl »sah angegriffen aus, ich glaube, die
beiden sind recht unglücklich«.[15]

Während Beryl weiterhin erfolgreich als Trainerin arbeitete, entfaltete Nairobi im August und September emsige Geschäftigkeit.
Der bevorstehende Besuch des Prinzen von Wales und seines Bruders Prinz Henry war in aller Munde. Vielleicht weil sie beiden
Herren schon auf gesellschaftlichem Parkett begegnet war, bat
man Beryl, bei den Safaris der königlichen Hoheiten die Rolle der
Gastgeberin zu übernehmen.

Die Aufgaben einer Safari-Gastgeberin sind gleichermaßen gesell-
schaftlicher wie organisatorischer Natur. Safaris waren zu jener
Zeit gewiß abenteuerlich und bisweilen auch sehr anstrengend,
doch die Camps boten allen Komfort, den man für Geld beschaffen konnte. Die müden Jäger erwartete bei der Rückkehr ins Lager
ein Erfrischungscocktail, gefolgt von einem erquickenden, heißen
Bad in einer Zeltbadewanne. Anschließend setzten sich die Gäste,
nur in Pyjama und Morgenmantel, zum Dinner (häufig wurde
Wildbret aufgetischt, das die Jäger tagsüber erlegt hatten). Die
Tafel war im Freien gedeckt, und an kühlen Abenden entzündete
man ein Lagerfeuer, bei dem ganze Baumstämme als Scheite herhalten mußten. Die Organisation und Vorbereitung, die nötig waren, um diesen Luxus zu ermöglichen – Vorräte und Ausrüstung
bereitstellen, ständig für heißes Badewasser sorgen usw. – lag in
den Händen der Camp-Gastgeberin, und Beryl widmete sich diesen Pflichten mit Begeisterung. Als die Prinzen am 1. Oktober in
Nairobi eintrafen, stand sie an der Spitze des Begrüßungskomitees,
das sich auf dem Bahnhof eingefunden hatte. Eine anschauliche
Schilderung dieses Ereignisses findet sich in *Sport and Travel in
East Africa*, einem Buch, das Patrick Chalmers nach den Tagebüchern des Prinzen von Wales zusammengestellt hat.

*Als der Zug einfuhr, schlugen ihnen Beifallsstürme von einer
Herzlichkeit entgegen, wie die Reisenden sie gewiß nicht erwartet
hatten. Der Bahnhof erinnerte an eine Mischung aus Blumenkorso
und Zirkus. Ringsum in den Straßen standen oder saßen viele Tausende Schaulustiger aller Rassen und Hautfarben, malerisch her-
ausgeputzt. Auf einem mit roten Teppichen ausgelegten Podium,
gekrönt von wehenden Bannern und unzähligen Flaggen, hieß der
Gouverneur die königlichen Hoheiten willkommen. ... Anschließend bestiegen sie einen wartenden Wagen und fuhren im Schritt-
tempo unter Triumphbögen und tausend flatternden Fahnen zum
Gouverneurspalast. Die ganze Strecke war mit Rosen geschmückt,
und das winkende Volk am Straßenrand war außer sich vor Begeisterung.*[16]

In den nächsten Wochen wurden die beiden Prinzen mit großem
Pomp gefeiert und unterhalten; man veranstaltete Luncheons,

Pferderennen und geschlossene Gesellschaften im Muthaiga Club
sowie anderen exklusiven Nachtlokalen. Beryl gehörte regelmäßig
zur Begleitung der Hoheiten, und interessierte Beobachter notier-
ten von Anfang an, daß Prinz Henry ihrer Gesellschaft spürbar
den Vorzug gab.

Der Prince of Wales hatte eine Reihe von Safaris vorbereiten lassen, und wenngleich er versicherte, ihm sei mehr daran gelegen,
mit seiner Kamera zum Schuß zu kommen als mit der Büchse, so
wollte er doch unbedingt einen Elefanten und einen Löwen zur
Strecke bringen. Prinz Henry teilte die Jagdleidenschaft seines
Bruders nicht unbedingt. Er ritt sehr gern aus, unternahm Aus-
flüge in die Berge und genoß seinen Aufenthalt in vollen Zügen,
ohne sich jedoch sonderlich oft an der Jagd zu beteiligen. Ehe sie
die Zivilisation gegen den Busch eintauschten, tummelten sich die
beiden Brüder einige Zeit auf den Rennplätzen Nairobis. Prinz
Henry machte zu Pferde eine glänzende Figur und stach seinen
Bruder mühelos aus, der nach Ansicht der Einheimischen »ein be-
herzter, wenn auch etwas schwacher Reiter« war.[17] Bezeichnenderweise wurde der Prince of Wales stets mit den besseren Pferden
versorgt, errang aber trotzdem nur einen zweiten Platz, als er wenige Tage nach seiner Ankunft Cambrian ritt, den besten Hengst
der Markhams. Bei einem der folgenden Turniere allerdings siegte
der Prince of Wales, dicht gefolgt von seinem Bruder, der den
zweiten Platz belegte. Den Informanten, der andeutete, die übrigen Reiter hätten sich absichtlich zurückgehalten, wird wohl kaum
jemand als noblen Charakter rühmen.

Benny Allen machte Beryls Bekanntschaft bei einer zu Ehren des
Prince of Wales veranstalteten Safari:

Als Freundin seiner Königlichen Hoheit und seines Gefolges ging
sie im Lager ständig ein und aus. Es steht außer Zweifel, daß
Prinz Henry Beryl sehr zugetan war und daß sie seine Gefühle
erwiderte. ... Die beiden waren bald unzertrennlich, und sie ga-
ben ein hübsches Paar ab. Er war groß, gutaussehend, dabei eine
Spur arrogant; ein Bild von einem Mann. Sie war ein herrliches
Geschöpf mit anmutigen Bewegungen, direkt katzenhaft. Wenn
sie durch ein Zimmer ging oder über den Rasen des Muthaiga

Clubs schritt, war es, als schaue man einer schönen, goldfarbenen Löwin zu.
Sie war immer phantastisch angezogen und hatte die idealen Beine für Hosen. Damenhosen kamen damals gerade erst in Mode – die reizenden alten Damen, die früher auf Jagd geritten waren (viele waren es nicht), hatten auch im Sattel bauschige Röcke getragen. Beryl war das erste Mädchen, das es wagte, ein Paar hübsche Beine in einem Paar hübscher Hosen vorzuführen! Wenn man während Prinz Henrys Aufenthalt in den Club kam, traf man ihn fast immer in Beryls Gesellschaft an, und im Kreis ihrer zahlreichen Freunde amüsierten die beiden sich prächtig.
Beryl kam mehrmals in unsere Camps am Mount Kenya oder im nördlichen Grenzgebiet; mindestens einmal erschien sie in Beglei-tung Prinz Henrys. Während das Lager abgebaut und zum näch-sten Standort verlegt wurde, eilten die »Insassen« zum Muthaiga Club zurück, der als eine Art königlicher »Warteraum« diente. Man darf nicht vergessen, daß die Safaris jener Tage sich langsamer und schwerfälliger fortbewegten als heute. Der Transport von einem Lagerplatz zum nächsten, das Aufschlagen der Zelte, nicht zu vergessen das Kaltstellen des Champagners – all das nahm gut und gern eine Woche in Anspruch.[18]

In der autorisierten Biographie *Prince Henry: Duke of Gloucester* heißt es über den Aufenthalt des Prinzen in Britisch-Ostafrika:

Prinz Henry hatte das Gefühl, mit ganz Kenia Bekanntschaft ge-schlossen zu haben. »Manche Leute hier sind sehr nett«, bemerkte er, »und manche sind genau das Gegenteil.« Kenia mit seiner ein-zigartigen, berückend schönen Landschaft und seiner recht zwang-losen europäischen Gesellschaft, in der neben Persönlichkeiten der vornehmsten Kreise auch Herrschaften mit weniger seriösem Hin-tergrund vertreten sind, bot in der Tat einen idealen Tummelplatz für zwei so illustre Gäste wie den Prinzen von Wales und den Herzog von Gloucester. Von Nairobi brachen die Königlichen Hoheiten getrennt zu einer Reihe von Safaris auf. Prinz Henry begab sich zunächst nach Longido, wo er einige Tage im Schatten des Kilimandscharos verbrachte ... Er war auf der Suche nach Großwild, beschloß aber, höchstens zwei Tiere derselben Art zu erlegen, es sei denn, der Proviantbedarf erfordere eine größere Ration.

Der Bericht über Prinz Henrys Afrikareise verzeichnet auch die Pferderennen, an denen der Prinz teilnahm, und erwähnt insbesondere das Turnier, bei welchem

... der Prinz von Wales Sieger wurde und Prinz Henry den zweiten Platz belegte, »ein köstlicher Spaß«. Prinz Henrys Pferd war von Captain Clutterbuck trainiert, einem verdienten Bürger der Kolonie und Vater von Lady Beryl Markham, einer gefeierten Schönheit, die sich in späteren Jahren auch als meisterhafte Fliegerin einen Namen machen sollte. Nach dem Rennen dinierten die Königlichen Hoheiten mit Sir Edward Grigg, Gouverneur von Kenia, und dessen Gattin. Anschließend lud die Stadt Nairobi zu einem Ball, und ein Souper, zu dem die Prinzen in den Club gebeten hatten, beschloß den Abend. Kein Wunder, daß der Gouverneur die Hoheiten als »unermüdlich« charakterisierte. Weiter bemerkte er, »was für ein charmanter und bescheidener Mensch« Prinz Henry sei, und prophezeite, der Prinz werde »seinem Land und dem Königshaus große Dienste erweisen, wenn er erst etwas mehr Selbstbewußtsein gewonnen hat« ... Als [der Prinz] am 20. Oktober aus den M'hata Plains unweit von Kilosa an seine Mutter schrieb, ... konnte er der Königin berichten, daß er sich großartig amüsiere, sich »noch nie so wohl gefühlt« habe und im übrigen mit seiner Begleitung in gutem Einvernehmen stehe.[19]

Am 9. November schilderte Tania Blixen in einem Brief an ihre Mutter die Dinnerparty, die sie zu Ehren des Prince of Wales gegeben hatte; zu der erlesenen Gästeschar gehörte auch Beryl, deren Abreise nach England kurz bevorstand: »[Beryl] sah an dem Abend einfach hinreißend aus ...« Tania Blixens Biographin Judith Thurman beschreibt das festliche Ereignis ausführlicher:

Beryl war wie eine Circe... Ihr verführerischer Zauber blieb Tania gewiß nicht verborgen, und es zeugt in hohem Maße von ihrer Großmut als Gastgeberin – und von ihrer Fairneß im allgemeinen –, daß sie Beryl trotzdem zum Dinner einlud, ihr den Platz neben Denys gab und später ihrer Mutter schrieb, sie habe hinreißend ausgesehen.

*An dem Abend feierte Kamante [Tanias Koch] seinen größten
Triumph mit einem Menü, das mit seiner berühmten klaren Suppe
begann, gefolgt von Mombasa-Heilbutt in Sauce hollandaise,
Schinken in Champagner, Rebhuhn mit Erbsen, Rahmpastete mit
Trüffeln, grünen Perlzwiebeln, Tomatensalat und überbackenen
Pilzen. Als Dessert gab es Savarin sowie Erdbeeren und Grenadi-
nen aus dem Garten. Denys hatte für Wein und Zigarren gesorgt.
Nach dem Essen begaben sich die Gäste auf die Terrasse, von wo
aus sie einer Vorführung der Ngoma [Stammestänze] beiwohnten.
[Diese Darbietung fand auf besonderen Wunsch des Prince of
Wales statt. Tania hatte große Mühe, die Stammesältesten zu einer
unplanmäßigen Vorführung der fest im Jahreslauf verankerten,
rituellen Tänze ihrer Völker zu überreden, aber schließlich gelang
es ihr doch]. Die Häuptlinge hatten sie nicht im Stich gelassen, und
nun wiegten sich die vielen jungen Tänzer begeistert im Wider-
schein der Lagerfeuer. Die Auffahrt war von Fackeln erleuchtet,
und Tania hängte noch ein Paar alter Schiffslaternen – die sie für
Berkeley Cole aus Dänemark mitgebracht hatte – vors Haus.*[20]

Am nächsten Tag brach die Gesellschaft des Prince of Wales zu einer neuerlichen Safari auf. Beryl war inzwischen im fünften Monat
schwanger, was ihr freilich niemand angesehen hätte. Sie gab auch
das Reiten bis zum Tag ihrer Abreise nicht auf. Mitte November
nahm sie das Schiff nach England, wo sie ihr Kind zur Welt bringen und mit ihrer Schwiegermutter das Weihnachtsfest feiern wollte. Während ihrer Abwesenheit übernahm ihr Vater das Training
der Markham-Pferde.

Wenige Wochen später warnte der englische Königshof die beiden
Prinzen vor einer möglichen Krise: Der König war ernsthaft er-
krankt. Der Prince of Wales befand sich mit Bror Blixen auf Safari,
als ein Telegramm ihn nach London zurückrief. Es lautete: »EINE
TÜCKISCHE MIKROBENINFEKTION HAT LUNGEN- UND RIPPEN-
FELLENTZÜNDUNG NACH SICH GEZOGEN. HALTE DEN ZUSTAND
SEINER MAJESTÄT FÜR BEDENKLICH UND RATE EURER KÖNIG-
LICHEN HOHEIT DRINGEND, SICH SOBALD ALS MÖGLICH MIT MIR
IN VERBINDUNG ZU SETZEN. DAWSON.«[21]

Verständlicherweise erschütterte diese Nachricht den Prinzen zutiefst. »Er mußte jeden Moment darauf gefaßt sein, daß man ihm das bewußte blauweiße Kuvert mit der Botschaft aushändigen würde, er sei nicht länger der Prince of Wales.«[22] Vor seiner Abreise sagte der Prinz zu Cockie (Bror Blixens zweite Frau): »Denken Sie nur, in ein paar Tagen bin ich vielleicht König von England.«

Das ganze Land hielt den Atem an. Am 27. November erreichte den Prince of Wales, der sich gerade in Dodoma aufhielt, die Nachricht. Sein zweiter Privatsekretär, Captain Lascelles, telegrafierte unverzüglich Lord Stamfordham und teilte ihm mit, sie würden in Dodoma bleiben und die weitere Entwicklung abwarten. In einem zweiten Telegramm an Captain Howard Kerr im Buckingham-Palast fragte er an, ob man dort Verbindung mit Prinz Henry habe, da weder der Prince of Wales noch er selbst seinen Aufenthaltsort kannten. Endlich, am 1. Dezember, erreichte man Prinz Henry in Ndola. »BIN UNTRÖSTLICH ÜBER PAPAS ERKRANKUNG«, *telegrafierte er seiner Mutter,* »TRETE UNVERZÜGLICH HEIMREISE VIA CAPE TOWN AN.«[23]

Der Zustand des Königs war kritisch, und um keine Zeit zu verlieren, reiste der Prince of Wales auf schnellstem Wege und ohne Aufenthalt nach England zurück; am 11. Dezember, nur zehn Tage nach der Abfahrt aus Dar es Salaam, traf er in London ein, wo er unverzüglich zum Buckingham-Palast und ans Krankenbett seines Vaters eilte. »Ach, da bist du ja! Komm setz dich und erzähl mir von den Elefanten«, befahl der König.

Bereits am Tage darauf mußte der Leibarzt des Königs eine schwerwiegende Entscheidung fällen. Ein Abszeß hatte zu einer Blutvergiftung geführt, und Lord Dawson erkannte, daß nur eine Operation den Monarchen noch retten könne. Der Eingriff verlief erfolgreich, und bereits zum Monatsende konnten die Zeitungen melden, daß »Seine Majestät sich auf dem Wege der Besserung« befände.

In der *Times* vom 27. Februar 1929 erschien folgende Anzeige: »Markham: Am 25. Februar wurde Mrs. Mansfield Markham in Gerald Road 9, Eaton Square, von einem Jungen entbunden.« Beryls Sohn erhielt den Namen Gervase. Die Geburtsurkunde wurde erst sechzehn Monate später ausgestellt, eine ungebührliche Verzögerung, durch die die Mutter sich sogar strafbar machte. Das genaue Geburtsdatum des Kindes ist von großer Wichtigkeit, denn es entkräftet die Gerüchte, wonach Prinz Henry der Vater des Jungen hätte sein können. Trotzdem wurde diesen Spekulationen – die Beryl übrigens nie dementierte – in Kenia viel Beachtung geschenkt, ja selbst Mitglieder der Familie Markham beteiligten sich daran. Doch fast ein volles Jahr vor Gervases Geburt hatte Beryl sich bereits mit ihrem Mann nach Kenia eingeschifft. Und seit der Ankunft dort ist ihr Umgang ebenso lückenlos belegt wie der Prinz Henrys in England. Beryl muß schon einige Zeit in Kenia gewesen sein, als sie schwanger wurde, weshalb der Prinz als Vater ausscheidet. Bleibt die Frage, warum Beryl den gegenteiligen Gerüchten in all den Jahren nicht entgegentrat. Vielleicht sonnte sie sich in ihrer zweifelhaften Berühmtheit, wenngleich das eigentlich nicht ihrem Charakter entspricht. Die Theorie, daß sie sich einfach nicht um den Klatsch der Leute kümmerte, klingt da schon wahrscheinlicher. Tania Blixen schrieb ihrer Mutter: »Beryl und das Baby kommen vermutlich fürs erste nicht wieder. Der Herzog von Gloucester, der auch bei uns zu Gast war, scharwenzelt angeblich Tag und Nacht um Beryl herum, und ich glaube, ganz Kenia hat an den Fingern nachgezählt wie Corfitz im Wochenbett,[24] um rauszufinden, ob das Kind nicht vielleicht königliches Blut in den Adern hat, aber leider geht die Rechnung nicht auf.«[25]

Der Name, den man dem Baby gab, hatte bei den Markhams Familientradition, paßte freilich auch zu Beryls Interessen, denn Gervase Markham, ein Vorfahre und Namensvetter ihres Sohnes aus dem 16. Jahrhundert, hatte ein vielbeachtetes und noch 1933 nachgedrucktes Buch über Pferdedressur geschrieben.

Beryl und Prinz Henry nahmen ihre Beziehung nach Gervases Geburt erstaunlich rasch wieder auf, und hierin sehen viele Informanten den Grund für die Versuche des Prinzen, sich um seine geplante Japanreise zu drücken, wo er als offizieller Vertreter des englischen Königshauses dem Tenno den Hosenbandorden überreichen sollte.

Zwar konnte er sich mit seinen Einwänden nicht durchsetzen, aber bis zu seiner Abreise Ende März verbrachte er ein Großteil seiner Zeit mit Beryl. Sie war häufig Gast in seinen Gemächern im Buckingham Palast, wo sie »barfuß wie ein Nandi-Krieger durch die königlichen Wandelgänge lief«.[26] Beryl bekannte sich ganz freimütig zu ihren Besuchen beim Prinzen und erzählte auch von einem Fast-Zusammentreffen mit seiner Mutter, Queen Mary, die eines Abends unangemeldet bei ihrem Sohn auftauchte. Beryl versteckte sich im Schrank, bis die Königin wieder gegangen war.

Am Vorabend seiner Japanreise überraschte Beryl Prinz Henry mit einem kostbaren Abschiedsgeschenk: eine silberne Zigarettendose, in deren Deckel sie eine Widmung in ihrer Handschrift hatte eingravieren lassen: »28. März 1929. Von Beryl. Ein trauriger Tag nach vielen glücklichen Stunden.«[27]

Gervase war erst ein paar Monate alt, da trennte sich Beryl von Mansfield und ließ das Baby in der Obhut ihrer Schwiegermutter, Lady Markham, zurück. Sie reagierte damit auf eine fürchterliche Szene, die Mansfield ihr machte, als er einige Liebesbriefe Prinz Henrys in ihrem Schreibtisch gefunden hatte. Beryls Zorn galt mehr der Verletzung ihrer Privatsphäre als dem Aufdecken ihrer Liaison mit dem Prinzen. Wenn Mansfield bis dahin tatsächlich nichts von der Affäre seiner Frau gewußt hatte, so war er gewiß der letzte in London oder Kenia, dem ein Licht aufging. Gervase wurde im Haus der Großmutter erzogen; mit seiner Mutter traf er als Kind nur sehr selten zusammen. Eine Freundin Beryls sagt dazu: »Es war durchaus keine rein egoistische Entscheidung. Sie wußte, daß sie eine miserable Mutter abgeben würde, und glaubte außerdem, das Baby sei bei den reichen Markhams besser aufgehoben als bei ihr, die dem Kind vergleichsweise wenig zu bieten hatte.«[28] Meiner Ansicht nach war Beryls Kindheit – die allzu frühe Trennung von ihrer Mutter, die mangelnde Zuwendung des ganz von seiner Arbeit in Anspruch genommenen Vaters – schuld daran, daß sie keinen rechten Sinn für Familienleben entwickeln konnte; was sie hätte an mütterlichen Gefühlen einbringen können, ging frühzeitig in ihrer Liebe zu Tieren auf. Im übrigen darf man nicht übersehen, daß ein Baby ein ziemliches

Hindernis für die Fortsetzung ihrer Liaison mit dem Prinzen bedeutet hätte.

Als Prinz Henry im Juli von seiner Mission in Japan zurückkehrte, war er ein paar Monate frei von jeglichen Verpflichtungen. Zwar wurde er zum persönlichen Adjutanten des Königs ernannt, doch mit dieser Berufung waren kaum andere als dekorative Aufgaben verbunden. Da Beryl nun alle Fesseln abgeschüttelt hatte und der Prinz nicht recht wußte, was er mit sich anfangen sollte, verbrachte das Paar sehr viel Zeit miteinander und verhielt sich dabei alles andere als diskret. Der Journalist James Fox berichtet, wenn der Prinz sie zum Pferderennen mitnahm, habe Beryl die Farben Seiner Königlichen Hoheit ans Halsband ihres Hundes geknüpft, der Prinz seinerseits mietete einen Ponywagen und schickte ganze Ladungen weißer Blumen zum Aero Club in Piccadilly, wo Beryl seit ihrer Trennung von Mansfield wohnte.[29]

Beryl führte Prinz Henry in ihren Freundeskreis im London Aeroplane Club ein, und es dauerte nicht lange, da äußerte er den Wunsch, fliegen zu lernen. Dies führte zu einigen Kontroversen im Königshaus, weil weder Prinz Henry noch sein Bruder George (der sich ebenfalls lebhaft für die Fliegerei interessierte), Offizierspatente bei der Royal Air Force innehatten, weshalb man Kritik aus deren Reihen befürchtete, wenn die Prinzen Unterricht auf RAF-Maschinen nähmen. Doch schließlich kaufte die königliche Familie ein Privatflugzeug, in dem beide Prinzen gemeinsam ihre Flugstunden absolvieren konnten. Ab 1930 unternahm Prinz Henry dann Alleinflüge.

Inzwischen hatte Beryls königliche Romanze Mansfield so viele Unannehmlichkeiten und Ärger bereitet, daß er nicht länger schweigend zusehen konnte. Auf Anraten seines Bruders, Sir Charles, wandte er sich darum Ende 1929 an seine Anwälte in London und wies sie an, die Scheidung einzuleiten. Als Beweis für die Untreue seiner Frau legte er Prinz Henrys Liebesbriefe vor. Obgleich die Familie Markham heute noch glaubt, daß seinerzeit tatsächlich eine Scheidungsklage eingereicht wurde, gibt es dafür keinerlei Belege, und Cockie Hoogterp, deren Bruder damals eine einflußreiche Stellung bei Hofe bekleidete,[30] erfuhr von diesem, die Angelegenheit sei nicht über eine Drohung hinausgediehen. Beryl, die ich 1986 selbst befragen konnte, reagierte diskret wie immer und behauptete, es liege alles schon so weit zurück, daß sie sich nicht mehr erinnern könne. Der Anwalt, der nach Auskunft des jetzigen Sir Charles Markham seinen Onkel Mansfield vertrat, starb an dem Tag, als ich mit ihm in Verbindung treten wollte.

Nachprüfbar ist lediglich, daß Sir Charles Markham (Mansfields älterer Bruder und Familienvorstand) in aller Eile in den Palast zitiert wurde, wo Queen Mary ihm in einer sehr ernsten Unterredung klarmachte, daß die Absicht seines Bruders unter keinen Umständen verwirklicht werden dürfe. »Es war einfach undenkbar, ein Mitglied des Königshauses in einen Scheidungsprozeß zu verstricken – noch dazu als Beschuldigten.«[31] Andererseits widerstrebte es Mansfield verständlicherweise, weiterhin für seine Frau zu sorgen, obwohl sie sich in aller Öffentlichkeit mit dem Prinzen zeigte und das Paar ständig für pikanten Gesprächsstoff in der Londoner Gesellschaft sorgte. Er antwortete daher, falls kein zufriedenstellendes Übereinkommen getroffen werden könne – und das rasch –, würde er die Scheidung vorantreiben, den Prinzen als Verführer beschuldigen und auf Schadenersatz klagen.

Zu dieser Zeit bot die englische Rechtsprechung keinen Raum für eine Scheidung in gütlichem Einvernehmen. Außer böswilligem Verlassen war Ehebruch der einzig gangbare Weg, um eine zerrüttete Verbindung aufzulösen. Als Kavalier lieferte für gewöhnlich der männliche Partner die nötigen Beweise, indem er sich mit einer Frau (die er in der Regel gar nicht kannte und »nach geheimer Absprache« traf, wie das in Juristenkreisen hieß) in einem Hotel einquartierte, dessen Personal später beschwören würde, die beiden hätten die Nacht miteinander verbracht. Das Prekäre an diesem Arrangement war freilich, daß der Gatte seine Frau – da diese nicht als »schuldige Partei« überführt wurde – natürlich weiterhin versorgen mußte, und dazu war Mansfield keineswegs bereit.

Man kann sich leicht denken, wieviel Kummer und Sorgen Mansfields Entschluß der Königin bereitete. Ein Scheidungsprozeß, in dem ihr Sohn als Liebhaber der Ehefrau genannt wurde, hätte einen Riesenskandal entfesselt. Aber damit nicht genug – Mansfield deutete sogar an, daß Beryl nach der Scheidung frei sein würde und den Prinzen heiraten könne, und in der Tat wäre der Beschuldigte unter solchen Umständen geradezu verpflichtet gewesen, die Dame um ihre Hand zu bitten. Der Prinz stand in der Thronfolge an dritter Stelle, weshalb seine mögliche Verbindung mit einer geschiedenen Frau bei Hofe wie ein Alptraum gewirkt haben muß. Scheidung war im damaligen England immer noch gleichbedeutend mit Schmach und Schande, vor allem eine geschiedene Frau galt als gesellschaftlich untragbar. Es stand also außer Frage, daß die Liaison rasch ein Ende haben mußte. Man beschloß, Beryl abzufinden.

Die Mutmaßungen über die genaue Summe, die Beryl ausgesetzt wurde, damit sie ihrem Gatten nicht länger zur Last fiel, sind zahlreich und gehen weit auseinander. Daß eine solche Transaktion stattfand, wurde indes niemals in Zweifel gezogen. Während der Recherchen für das vorliegende Buch konnte ich mich anhand verschiedener Bankauszüge davon überzeugen, daß Beryl von 1929 bis zu ihrem Tode eine Leibrente empfing, deren Quelle sich eindeutig nachweisen läßt.

Informanten aus Hofkreisen entsinnen sich, die Angelegenheit mit Mitgliedern des Königshauses besprochen zu haben; so bestätigte beispielsweise Cockie Hoogterp, daß ihr Bruder ihr von der Regelung erzählt habe.[32] Eine Freundin, die sich vor einigen Jahren während einer schweren Erkrankung Beryls um deren finanzielle Angelegenheiten gekümmert hatte, gestand mir, sie sei »überrascht gewesen, daß der monatliche Betrag so gering war – wenn man bedenkt, was ich im Laufe der Jahre alles zu hören bekam... Die Leute glauben, sie hätte damals ein Vermögen rausgeschlagen.«[33] Cockie Hoogterps Bruder, der als Intendant der Zivilliste vermutlich direkt mit der Transaktion betraut war, erzählte seiner Schwester, Queen Mary habe angeordnet, daß 15 000 Pfund für die Angelegenheit bereitgestellt würden. Die Familie Markham war überzeugt, es habe sich um 10 000 Pfund gehandelt. Nach Darstellung zahlreicher weiterer Informanten, die ebenfalls behaupten, mit dem Vorgang vertraut zu sein, schwanken die genannten Beträge zwischen zehn- und dreißigtausend Pfund.

Natürlich haben über die Jahre Klatsch und Spekulation für die nebulösen Fehlinformationen gesorgt, die Beryls Geschichte umgeben. Viele dachten, Beryl habe auf der Zivilliste[34] gestanden, doch das ist nicht der Fall. Andere meinten, sie sei mit einer stattlichen Summe zusätzlich zu der Leibrente abgefunden worden, unter der Bedingung, daß sie sich nie mehr in England niederlassen würde. Auch dies ist nicht korrekt. 1986, nach Beryls Tod, erlaubte ihr Testamentsvollstrecker mir dankenswerter Weise, den Vertrag einzusehen.

Cockie Hoogterps Bericht deckt sich noch am ehesten mit den Tatsachen. Das bereitgestellte Kapital belief sich auf 15 000 Pfund – für damalige Verhältnisse eine großzügige Summe –, aber es war Prinz Henry selbst, der das Geld aufbrachte, und nicht seine Mutter. Als Treuhänder fungierte eine Anwaltsfirma, doch obgleich der Prinz in dem Vertrag nicht genannt ist (er wurde von Beryl und einem Anwalt unterzeichnet), geht aus einer handschriftlichen Notiz aus dem Jahre 1939 auf der Rückseite des Dokumentes eindeutig hervor, daß Prinz Henry die Mittel zur Verfügung stellte.

Mit dem Stammkapital wurde ein Treuhandfonds gegründet, aus dem Beryl vom Dezember 1929 bis zu ihrem Tode jährlich eine Leibrente ausgezahlt bekam. Der Betrag, der Beryl pro Monat blieb, wirkt nach heutigen Begriffen eher bescheiden, aber 1929 konnte sie sich damit durchaus einen angemessenen Lebensstandard leisten – jedenfalls in Kenia, und dahin wünschten alle, die um den Ruf des Prinzen besorgt waren, die eigenwillige junge Dame aufs schnellste zurück. 1982, in einer Phase ernsten finanziellen Niedergangs, wurde die jährliche Zuwendung vorübergehend erhöht. Große Sprünge machen konnte Beryl vermutlich trotzdem nicht, wenn man bedenkt, daß sie ursprünglich 750 Pfund pro Jahr erhalten und die Inflation den Wert dieser Summe soweit reduziert hatte, daß sich damit selbst bei äußerster Sparsamkeit höchstens die laufenden Kosten für einen bescheidenen Mittelklassewagen decken ließen.

Die Leibrente wurde durch Beryls spätere Eheschließung nicht tangiert und blieb ihr bis ans Lebensende erhalten. Die Zahlung war an keinerlei Bedingungen gebunden, wenn auch möglicherweise mündliche Versprechen geleistet wurden. Jedenfalls war Mansfield durch dieses Arrangement für immer von der Verpflichtung befreit, für Beryl sorgen zu müssen.

Als kurze Zeit später der Prince of Wales zu einer zweiten Safari nach Kenia zurückkehrte, vertraute er Bror Blixens Frau Cockie an, er sei über die Affäre seines Bruders mit Beryl entzückt gewesen. Zuvor nämlich sei Prinz Henry vom Königspaar stets als leuchtendes Beispiel hingestellt worden, während man ihn als das schwarze Schaf der Familie gebrandmarkt habe, wann immer das Verhältnis der Prinzen zum schwachen Geschlecht aufs Tapet kam. Beryl selbst wollte sich, als ich sie 1986 interviewte, nicht über diese Affäre äußern, obwohl sie ansonsten kein Blatt vor den Mund nahm, wenn es um heikle Geschichten aus ihrem bewegten Leben ging. An den Vertrag mit dem Königshaus erinnerte sie sich angeblich überhaupt nicht; sie wisse nur, daß sie tatsächlich »von jemand sehr nettem« in England Geld erhielte. Über Prinz Henry sprach sie dagegen nur zu gern. »Er war *so* amüsant! Ich glaube, er mochte mich, weil ich ganz anders war als all die anderen« – ein geradezu klassisches Understatement! Als ich Beryls Bemerkung über den Prinzen einer ihrer Freundinnen aus der Londoner Zeit wiederholte, die 1929 häufig mit den beiden zusammengetroffen war, rief diese aus: »Nein, so was! Hat sie das wirklich gesagt? Kein Wunder, daß er sie gern hatte, wenn sie ihn tatsächlich für amüsant hielt. Vermutlich war sie die einzige, die so dachte... Er war ein schrecklicher Langweiler.«[35]

In Wahrheit stand Beryl mit ihrer Meinung nicht allein da. Ihr Testamentsvollstrecker erinnert sich, daß ein Offizierskamerad des Prinzen aus seiner Jugendzeit ihm erzählte: »Prinz Henry war sehr charmant und witzig. Bei den Damen erfreute er sich großer Beliebtheit, und das nicht etwa wegen seiner gesellschaftlichen Stellung, sondern allein aufgrund seiner persönlichen Ausstrahlung.« Sicher ist, daß er bei dem munteren Jagdvölkchen in Melton sehr geschätzt wurde, denn dort erinnert man sich noch heute des feschen Reiters und seiner freundlich aufgeschlossenen Art.[36]

Was die Beziehung des Prinzen zu Beryl betrifft, so wurde vermutlich auf beide seitens ihrer Familien Druck ausgeübt. Falls man ihnen überhaupt gestattet hätte, ihr Verhältnis fortzuführen, wären sie zu mehr Diskretion angehalten worden. Im Februar 1930 kehrte eine traurige Beryl nach Kenia zurück – anscheinend nicht auf eigenen Wunsch. »Beryl war letzten Freitag bei mir draußen«, schrieb Tania Blixen am 28. Februar, »... sie war erst tags zuvor in Nairobi eingetroffen und wirkte sehr unglücklich und niedergeschlagen. Ich kann kaum glauben, daß alles so ablief, wie sie es schildert... Aber wie dem auch sei, jetzt sitzt sie erst einmal hier fest, getrennt von ihrem Kind und fast mittellos, fast wie im Exil. Sie fühlt sich natürlich sehr einsam und elend, aber ich bin zuversichtlich, daß Jugend und Unbeschwertheit das ihre tun werden und daß sie früher oder später wieder Freude am Leben findet. Ich habe sie eingeladen, für die Dauer des Turniers bei mir zu wohnen. Sie muß ohnehin dabei sein, da sie mehrere Pferde fürs Rennen gemeldet hat, und sie klagte mir, die Leute in Nairobi seien so unfreundlich, und jeder starre sie an, es sei das reinste Spießrutenlaufen! Trotz all ihrer Erfahrung ist sie nach wie vor das größte Baby, das mir je untergekommen ist, aber sie hat doch mehr Courage als die meisten der Leute, die sich jetzt so über sie entrüsten.«

Diesem Brief nach zu urteilen, muß Beryl die Vorfälle in England so geschildert haben, als träfe sie keine Schuld an der Trennung von Mansfield. Offensichtlich legte sie dabei die Tatsachen sehr nach eigenem Gutdünken aus. Mansfield hatte ihre Beziehung zu dem Prinzen bereits seit geraumer Zeit mit Mißtrauen beobachtet, und nach der königlichen Safari konnte er nicht mehr daran zweifeln, daß seine schlimmsten Befürchtungen eingetroffen waren. Es ist kaum verwunderlich, daß er im nachhinein die Vaterschaft seines Sohnes in Frage stellte. Sollte Beryl wirklich nicht gewußt haben, daß sie durch ihr verantwortungsloses Betragen ihre Ehe gefährdete? Eigentlich müßte ihr doch klar gewesen sein, daß Mansfield eine solch prekäre Situation nicht einfach hinnehmen konnte. Dennoch erweckt Tanias Brief den Eindruck, als sei sie erstaunt gewesen über seine Reaktion, ja habe das Verhalten ihres Mannes unverständlich, wenn nicht gar irrational gefunden.

Zwei Monate lang arbeitete Beryl mit dem Gestüt, dessen Training

nach und nach ganz in die Hände ihres Vaters übergegangen war, und reiste zwischendurch ruhelos in ganz Kenia herum. Zu ihrer Verwunderung erhielt Tania Blixen am 30. April unerwartet ein Telegramm, in dem Beryl sie bat, mit ihr im Muthaiga Club zu lunchen. »Wie erstaunt war ich, als sie mir bei diesem Treffen erzählte, sie sei im Begriff, nach Europa zurückzukehren, ja müsse noch am selben Tag nach Mombasa aufbrechen, um dort am ersten Mai das italienische Schiff zu erreichen. Da sie erst seit 1. März [sic!] wieder hier ist, erschien mir das äußerst merkwürdig, aber leider kam kurz darauf ein dummer Mensch an unseren Tisch und bat, sich dazusetzen zu dürfen – so konnte ich nicht herausfinden, was sie zu diesem Schritt bewogen hat. Vielleicht steckt der Herzog von Gloucester dahinter, der sie womöglich nicht länger entbehren kann, und an sich ist sie wohl in England wirklich besser aufgehoben als hier draußen. Wenn er [Prinz Henry] schon auf Lebenszeit für sie zahlen muß – wofür ihr Ehemann, dieser gemeine Mensch, ja gesorgt hat –, dann sollen die beiden sich ruhig auch ein bißchen miteinander vergnügen.«[37]
Im Sommer 1930 blühte die Freundschaft zwischen Beryl und Prinz Henry wieder auf, aber trotz aller Aufregung, die ihr Verhältnis entfachte, hat der Herzog in Beryls Leben nie eine wirkliche Hauptrolle gespielt. Sie hatte ihn aufrichtig gern, genoß vermutlich auch die Privilegien, die der Mätresse eines königlichen Prinzen zufielen, und als die Affäre schließlich zu Ende war, fühlte sie sich einsam und traurig, aber verzweifelt war sie nicht. Tatsächlich hatte Beryl bisher noch kein Verhältnis mit einem Mann gehabt, der ihr wirklich etwas bedeutete. Nicht einmal ihre Ehen mit Jock und Mansfield hatten den Stellenwert für sie, den sie später wesentlich kurzlebigeren Affären beimessen sollte, denn beide errangen nie ihre volle Achtung oder ihren Respekt, und zwar weil es ihnen mißlang, ihrem persönlichen Idealbild eines Mannes – sprich ihrem Vater – gleichzukommen.
Ende 1930 kehrte Beryl nach Kenia zurück. Angeblich hatte man ihr in England gedroht, sie würde ihre Leibrente verlieren, wenn sie nicht abreise; allerdings räumte man ihr das Recht ein, in vertretbaren Abständen ihren Sohn zu besuchen.

Beryl war inzwischen achtundzwanzig Jahre alt. Neben ihrer kultivierten Eleganz besaß sie andere, weniger leicht zu definierende Reize – allen voran ihr betörendes Lächeln: ein Mittelding zwischen jungenhaft-burschikosem Grinsen und dem scheuen Abglanz des Lächelns eines kleinen Mädchens, das gar zu gern gefallen möchte. Ihr Leben lang weckte die augenscheinliche Verletzlichkeit, die sich hinter diesem Lächeln verbarg, in den Menschen, die mit Beryl in Berührung kamen, Beschützerinstinkte. Bei ihrer Rückkehr nach Kenia war ihr faszinierender Charme voll erblüht, und der Mann, der ihm erliegen sollte, war kein anderer als der legendäre Denys Finch Hatton.

Kapitel 5
(1930–1931)

Obgleich Beryl mit dem inzwischen unsterblich gewordenen Paar Tania Blixen und Denys Finch Hatton[1] freundschaftlich verkehrte, schwärmte sie seit vielen Jahren für Denys.[2] Sie ging bei Tania ein und aus, und die intelligente, sprunghafte Phantasie der beiden Liebenden schlug sie ebenso in Bann wie deren geradezu sinnliches Vergnügen an Musik und Literatur. Vielleicht weil Beryl praktisch noch ein Kind war, als Tania sie kennenlernte, kam diese nie auf den Gedanken, in ihr eine Rivalin zu sehen. Tanias Briefe bezeugen, daß sie und Beryl – zumindest bis 1930 – befreundet, ja einander innig zugetan waren.

Ingrid Lindström, die wohl engste Vertraute Tanias in Kenia, war der Ansicht, daß »Tania Frauen eigentlich nicht mochte«.[3] Während meiner Recherchen für das vorliegende Buch hörte ich das gleiche des öfteren über Beryl. Doch trotz solcher Berichte hat es den Anschein, als hätten Tania und Beryl einander recht gern gehabt, und Tanias Bemerkungen über die Jüngere klingen nachgerade mütterlich.

Bei meinen Interviews im Frühling 1986 entsann sich Beryl nur, daß Tania »... schwer zugänglich war. Sie hielt sehr auf Abstand, brauchte viel Freiraum. Aber sie hatte wunderhübsche Sachen. Ich war gern dort, bloß am Ende nicht mehr.« Über Denys sagte sie: »Er war ein phantastischer Mann, etwas ganz Besonderes. Intelligent und sehr gebildet. Er war ein großer Jäger und eine hervorragende, eine außergewöhnliche Persönlichkeit.«[4] Endlich ein Mann, der an ihren Vater heranreichte.

Mehrfach wurde Beryl vorgeworfen, sie sei verantwortlich für den Bruch zwischen Tania und Denys, deren Affäre die Medien mitt-

lerweile in aller Ausführlichkeit dokumentiert haben. In Wahrheit
aber gab es bereits 1928 Unstimmigkeiten zwischen dem Paar, weil
Denys in seinem unbändigen Freiheitsdrang sich gegen Tanias
Eifersucht zur Wehr setzte. Zur Krise kam es, als Tania herausfand, daß ihr früherer Gatte, Bror Blixen, und seine zweite Frau
Cockie an der königlichen Safari teilgenommen hatten, die unter
Denys' Leitung stand. Es kam zu heftigen Auseinandersetzungen,
die Tania auch in ihren Briefen nach Hause erwähnte: Es verstoße
»gegen die Gesetze der Natur«, schrieb sie, wenn Denys weiterhin
freundschaftlich mit Bror verkehre, nachdem der sie, Tania, so
schändlich behandelt habe.[5]

Als Beryl aus England zurückkehrte, war Denys' und Tanias Ver-
hältnis praktisch schon beendet. Denys war zu einem Freund nach
Nairobi gezogen, und Beryl mietete einen kleinen Bungalow in
Muthaiga, den Denys und Lord Delamere früher gemeinsam als
Pied-à-terre benutzt hatten und der nur einen kurzen Fußweg vom
Muthaiga Club entfernt lag.

Man sagte Denys einen katalytischen Effekt auf beinahe jeden
nach, mit dem er in Berührung kam. In Beryls Leben spielte er gewiß eine zentrale Rolle, denn er formte die kapriziöse Kindfrau,
führte sie zur Reife und ermunterte sie, sich weiterzubilden. Dennoch war ihr Verhältnis ebensowenig auf das zwischen Lehrer und
Schülerin beschränkt wie seine frühere Beziehung zu Tania, die er
in Mathematik und Griechisch unterwiesen hatte. Eine Freundin
aus Nairobi urteilte über Beryls Affäre mit dem Mann, den sie so
lange schon bewunderte: »Sie war nicht bloß verliebt in Denys, sie
war verrückt nach ihm...« Ihre Beziehung zu Prinz Henry sei dagegen »eine Spielerei« gewesen – ein Techtelmechtel, an dem beide
ihren Spaß hatten. Ihr Gefühl für Denys war in der Tat nicht zu
vergleichen mit der flatterhaft unbeschwerten Zuneigung, die sie
Prinz Henry entgegengebracht hatte. Denys weckte in Beryl zum
erstenmal die stürmischen Regungen wahrer Leidenschaft: die
sinnverwirrende Aufwallung des Blutes; Herzbeklemmung und
flatternder Pulsschlag; das schwindelerregende Glück der Gewißheit, daß der Angebetete die eigenen Empfindungen nicht unerwi-
dert läßt.

Karen (»Tanne«) Dinesen war im Januar 1914 als Achtundzwan-
zigjährige nach Ostafrika gekommen, um ihren Vetter Baron Bror
von Blixen-Finecke zu heiraten. Eigentlich gehörte ihr Herz Brors
Zwillingsbruder Hans, doch da sie seine Liebe nicht gewinnen
konnte, war Tania, wie sie sich bald nannte, um nicht durch die
stete Nähe zu dem geliebten Manne ihren Schmerz wachzuhalten,
zwei Jahre lang ruhelos in halb Europa umhergereist. 1913 kehrte
sie nach Dänemark zurück, wo gegen den Widerstand der Familie
ihre Verlobung mit Bror bekanntgegeben wurde. An sich war Bror
bei Tanias Eltern durchaus beliebt; sein offenes, freundliches
Wesen schuf ihm in der Tat überall Freunde. Außerdem sah er gut
aus mit seinem blonden Haar, den markanten Gesichtszügen und
leuchtendblauen Augen, aber seine Manieren ließen zu wünschen
übrig, und er »betrachtete Frauen von oben herab, sah in ihnen
wenig mehr als ein Lustobjekt und war überhaupt in dem Glauben
aufgewachsen, gleich den Fischen in seinen Gewässern und dem
Wildbret in seinen Wäldern sei die ganze Welt nur zu seinem
Plaisir geschaffen.«[6]
Tania und Bror faßten noch vor der Hochzeit den Entschluß, nach
Ostafrika auszuwandern, wo man mit finanzieller Unterstützung
der Familie eine Farm kaufen und bewirtschaften wollte. Den Anstoß zu diesem Abenteuer hatte ein gemeinsamer Onkel des jungen
Paares gegeben, der voller Enthusiasmus behauptete: »Eine gut ge-
führte Farm in Ostafrika – damit kann einer gerade jetzt im Handumdrehen zum Millionär werden.« In seinen Memoiren gesteht
Bror, er habe nur die eine Sorge gehabt, »... wie ich all das viele
Geld auf die Bank schaffen sollte. Die Goldader gehörte uns, und
wir brauchten nichts weiter zu tun, als sie auszubeuten.«[7] Ursprünglich hatte man, noch von Dänemark aus, eine Rinderfarm
mit Molkereibetrieb gekauft, aber Bror, der vorausgefahren war,
um seinen neuen Besitz in Augenschein zu nehmen, erkannte
rasch, daß die wahren Chancen anderswo lägen. »Mit Viehzucht
sind keine Reichtümer zu gewinnen«, konstatierte er schon bald
nach seiner Ankunft in Nairobi, dessen ärmliche Wellblechhütten
ihn »am ehesten an leere, alte Anchovisbüchsen [erinnerten]. Die
Häuser waren eine kunterbunt verstreute Ansammlung ziemlich

schäbiger Blechkaten, zwischen denen Ziegen, Geflügel und allerlei
andere Haustiere ein unbeschwertes, wenn auch kärgliches Leben
führten... Aber was machte das schon aus? Ich jedenfalls ließ mich
davon nicht anfechten. Schließlich war es mir um Gold zu tun und
nicht um elegante Hotels.«

Bror verkaufte die Viehzucht und erwarb statt dessen an die zehntausend Acres Grundbesitz unweit von Nairobi und Eldoret. Hier
wollte er eine Kaffeeplantage gründen. »Denn Kaffee war gleichbedeutend mit Gold. Er war das einzige, was Zukunft hatte; die
Welt schrie förmlich nach Kaffee aus Kenia.« Kaffeeanbau erfor-
dert eine Unzahl rühriger Hände: Bror warb also unermüdlich arbeitswillige Eingeborene an, und als Tania schließlich in ihrem
neuen Heim eintraf, hatten gut tausend Afrikaner vor dem Haus
Aufstellung genommen, um die Memsahib zu begrüßen.

Bror und Tania wurden kurz nach deren Ankunft in Mombasa getraut. Anschließend reisten die Neuvermählten ins Hochland von
Nairobi, und zwar mit einem Sonderzug, der eigens für Prinz Wil-
helm von Schweden eingerichtet worden war. Der Prinz befand
sich gerade auf Staatsbesuch in Kenia und hatte als Brors Trauzeuge an der Hochzeit teilgenommen. Sie war noch nicht ein Jahr
verheiratet, da erkrankte Tania an Syphilis. Daß Bror zahlreiche
außereheliche Affären hatte, ist hinreichend belegt, obgleich hier
darauf hingewiesen sei, daß keine seiner späteren Gattinnen von
der Krankheit befallen wurde. »Wenn es anders wäre, dann wüßte
ich es«, sagte Cockie, die zweite Baroness Blixen. Auch fehlt jeder
Beleg dafür, daß irgendeine andere Frau Bror beschuldigt hätte, sie
angesteckt zu haben,[8] und langjährige Freunde versichern, Bror
selbst habe nie Symptome einer Geschlechtskrankheit gezeigt.

Die Plantage erwirtschaftete nicht den erhofften Gewinn. Bror
konnte sich kaum um die Farm kümmern, denn zuerst wurde er im
Krieg gegen Deutsch-Ostafrika eingezogen, später nahmen seine
Jagdexpeditionen ihn ganz in Anspruch. Die gesellschaftlichen
Privilegien, die der Titel einer Baronin von Blixen ihr einbrachte,
bedeuteten Tania zwar viel, dennoch war sie eine zutiefst unglückliche und ernüchterte Frau, als sie 1918 im Muthaiga Club die Bekanntschaft von Denys Finch Hatton machte.

Zwei Jahre verstrichen. Die finanzielle Lage der Blixens verschlechterte sich weiter, und ihre Ehe schien heillos zerrüttet. Das Mißtrauen, mit dem Tanias Familie Bror anfänglich begegnet war, »... verwandelte sich nun in offenen Abscheu, der sich ebenso gegen seine schlechte Wirtschaft richtete wie gegen seine moralische Leichtfertigkeit.«[9] Während Tania ihre Familie in Dänemark besuchte, verpfändete Bror, der dringend Geld brauchte, um die Plantage zu retten, ihr Silber und ihre Möbel, ja war bereit, Haus und Park einem jeden zu überschreiben, der ihm einen anständigen Preis dafür bot. Ein Jahr später wurde Bror offiziell von der Leitung der Farm ausgeschlossen und Tania an seine Stelle gesetzt. Die Familie Dinesen bestand darauf, daß Bror sich künftig nicht mehr in die Führung der Plantage einmischen dürfe, ja man verbot ihm sogar, das Anwesen zu betreten. 1922 wurde das Paar geschieden, sehr gegen Tanias Willen, doch Bror hatte sich inzwischen in Cockie verliebt und wollte seine Freiheit wieder, um sie heiraten zu können. Tania verzieh Cockie niemals, daß sie ihr Bror weggenommen habe, was freilich angesichts Tanias eigener Situation ein wenig an den sprichwörtlichen Hund erinnert, der einem anderen den Knochen nicht gönnt, mit dem er selbst nichts anzufangen weiß. Denn lange vor Brors Auszug von der Farm waren Tania und Denys ein Liebespaar geworden, und Bror hatte sich angewöhnt, Denys als »der Liebhaber meiner Frau und mein bester Freund« vorzustellen.

Da er sein ganzes Vermögen in das gescheiterte Unternehmen gesteckt hatte, stand Bror nun praktisch als Bettler da. Doch er war nicht der Typ, tatenlos sein Unglück zu bejammern. Er lebte ganz einfach weiter wie bisher, wohnte mal bei Freunden, mal in einem einfachen Zeltlager im Busch und versuchte sich über Wasser zu halten so gut es ging. Bror war ein Mann, der das Leben immer und zu allen Zeiten in vollen Zügen genoß, ein Mann von echtem Schrot und Korn, ein liebenswürdiger, unmöglicher, verschwenderischer Windhund. Bunny Allen schildert ihn als »viel zu grob für sie. ... [Tania] war ein entzückendes, sanftmütiges Mädchen, wie eine schöne, zerbrechliche Porzellanfigur. Er aber nahm nie Rücksicht auf sie. Grob war er und ständig nur zu gern bereit, mit seinen Kumpanen auf Sauftour zu gehen. Er trank ziemlich viel und war bei den Damen, mit denen er ins Bett ging, nicht wählerisch... Ansonsten war er durchaus ein netter Kerl, aber er und Denys Finch Hatton waren so verschieden wie Tag und Nacht.«[10]

Brors Patensohn Eric Rundgren erinnert sich seiner als eines hochgewachsenen, freundlichen Mannes mit aristokratischen Gesichtszügen, der sich wunderbar darauf verstand, dem Leben immer etwas Positives abzugewinnen. »Er war stets guter Laune, voller Unternehmungsgeist und zu jeder Schelmerei aufgelegt. Seine Persönlichkeit faszinierte die Leute. Mein Vater pflegte zu sagen, Bror könne einem einfach alles aufschwatzen.« Eric bewunderte Bror über die Maßen, und daran änderte sich auch nichts, als Bror eines Tages bei den Rundgrens auftauchte, um sich Geld zu leihen, und Erics Vater nach der Verabschiedung zu seinem Sohn sagte: »Da geht ein Mann, der in zwanzig Jahren als Großwildjäger gut und gern seine 200000 Pfund verdient haben muß, aber jetzt nicht einmal einen Cent in der Tasche hat.«[11]

Tania lebte inzwischen ganz ihrer Liebe zu Denys. Sie war intelligent, einfühlsam, phantasievoll. Denys war kultiviert und liebenswürdig, ein Intellektueller und dabei ein Mann von so unwiderstehlichem Charme, daß diese Anziehungskraft noch fünfzig Jahre nach seinem Tod unfehlbar als sein größter Vorzug genannt wird. Die meisten meiner Interviewpartner fanden es ungemein schwierig, seinen Zauber zu analysieren. Ein Freund charakterisiert ihn als Führernatur, rasch entschlossen und entscheidungsfreudig; dabei ging er paradoxerweise in fast allem, was er tat, mit ungekünstelter Nonchalance vor, was man womöglich mit Trägheit hätte verwechseln können, wäre er nicht allenthalben als Erfolgstyp bekannt gewesen. Ungeachtet seiner vornehmen Bildung war irgend etwas in seinem Habitus, das »den Abenteurer und Vagabunden ahnen ließ, den Mann, der jedes noch so versteckte Rinnsal am weitverzweigten Oberen Nil kannte und der wohl an die hundertmal gesehen hatte, wie die untergehende Wüstensonne die weißgetünchten Städte in Somaliland in gleißendes Gold tauchte.«[12]

Denys wurde oft mit den Rittern am Hofe Elizabeth I. von England verglichen – auf den ersten Blick nur untadeliger Kavalier, im Grunde seines Herzens aber ein kühner Draufgänger, dem jedes Wagnis glückte. Kurz gesagt, Denys Finch Hatton war ein Mann, der alle Erfahrungen auskosten wollte, die das Leben zu bieten hatte – seien sie physischer, intellektueller, ästhetischer oder sinnlicher Natur. Er war gewiß nicht hübsch oder gar schön; sein Gesicht war etwas zu schmal geraten und stets zu einem schiefen Lächeln verzogen, und zudem war er fast kahl. Aber er war ungemein agil und tüchtig, und er verfügte über so gewaltige Körperkräfte, daß er einmal ohne jede Hilfe ein Automobil aus einem Graben wuchten konnte.

Gleich seinem Freund Berkeley Cole war Denys fasziniert von dem Lebensstil, den Tania in ihrem Haus in den Ngong-Bergen geschaffen hatte und zu dem Mobiliar, Bilder, Porzellan und Kristall einen geschmackvollen Rahmen lieferten. Es war eine Oase kühler, unaufdringlicher Kultiviertheit, in der Denys seinen intellektuellen Neigungen frönen und auf gleichgesinnte Gesellschaft zählen konnte. Die Farm war der ideale Rastplatz, an dem er sich zwischen seinen Jagdabenteuern und im Stillen betriebenen Geschäften erholte, und solange er sich durch sie nicht eingeengt fühlte, liebte er Tania. Er schaffte sogar seine persönlichen Sachen in ihr Haus, und sechs Jahre lang lebten die beiden in fast märchenhaftem Glück miteinander. In dieser Zeit rückte das Paar so sehr von den Menschen seiner Umgebung ab, daß die beiden sogar in Gesellschaft gleichsam eingesponnen schienen in ihre eigene, strahlend helle Welt. Ihre Liebe war zärtlich, voller Poesie und Innigkeit, doch sie spielte sich auf einer Ebene ab, die selbst ihren engsten Freunden kaum zugänglich war. Beide schwärmten für die geheimen Mythen Afrikas, für die samtweichen Nächte unter dem unendlich weiten, sternengeschmückten Firmament und die glutheißen Tage, an denen sie gemeinsam Busch und Steppe durchstreiften, die Sinne von leidenschaftlicher Glut geschärft. Tania hat diese gemeinsame Zeit mit wunderbar poetischen Worten beschrieben, ohne freilich je die ganze Kraft ihrer abgöttischen Liebe zu Denys durchscheinen zu lassen:

Denys Finch Hatton hatte in Afrika kein anderes Zuhause als die

Farm. Hier ruhte er zwischen seinen Safaris aus, hier hatte er seine Bücher und sein Grammophon. Wenn die Regenzeit ihn heimbrachte, putzte die Farm sich zu seiner Begrüßung heraus; sie hieß ihn willkommen in der Sprache der Kaffeefelder – mit tropfnassen, weißen Blütenwolken, die sich unter den ersten Regenschauern öffneten. Wenn ich auf Denys wartete und endlich seinen Wagen die Einfahrt heraufkommen hörte, hoben gleichzeitig alle Dinge um mich herum zu sprechen an und enthüllten mir ihr wahres Sein. Denys war glücklich auf der Farm; er kam nur hin, wenn er Lust dazu hatte, und sie entdeckte an ihm eine Tugend, von der die restliche Welt nichts ahnte, eine gewisse Demut. Er tat überhaupt alles nur aus freien Stücken; dabei kannte er keine Arglist und keinen Falsch. Denys brachte mir Latein und Griechisch bei, damit ich die Bibel und die klassischen Dichter im Original lesen konnte. ... Und er schenkte mir mein Grammophon, an dem ich nicht müde wurde, mich zu ergötzen, denn es brachte neues Leben auf die Farm, wurde gleichsam zu ihrer Stimme – »Die Seele des Waldes bist du, süße Nachtigall«. Manchmal kam Denys ins Haus, während ich draußen auf den Kaffeefeldern war... Dann zog er das Grammophon auf, und wenn ich bei Sonnenuntergang heimritt, trug die kühle, klare Abendluft mir eine Melodie entgegen, an der ich ihn fast ebenso deutlich erkannte wie an seinem oft gehörten, spöttischen Lachen. ... Denys hatte eine Vorliebe für ganz moderne Musik. »Ich hätte nichts einzuwenden gegen Beethoven«, meinte er, »wenn er nur nicht so ordinär wäre.«[13]

Beryl Markham soll angeblich einmal behauptet haben, Tania und Denys hätten nur ein platonisches Verhältnis gehabt.[14] Mir gegenüber wiederholte Beryl diese Theorie allerdings nicht, die im übrigen hinlänglich dadurch widerlegt ist, daß Tania sich zweimal von Denys schwanger glaubte. 1922 erlitt sie offenbar eine Fehlgeburt, wahrscheinlich bedingt durch ihre wegen der damals bei Syphilis noch recht brutalen Behandlungsmethoden stark angegriffene Gesundheit. Im Mai 1926 meinte Tania abermals, sie sei schwanger, und telegrafierte Denys, der gerade seine Familie in England besuchte. In ihrem Kabel benutzte sie den Codenamen Daniel, den sie und Denys in früheren Gesprächen einem gemeinsamen

Phantasiekind gegeben hatten und den er folglich leicht würde deuten können.

Denys' knappe Antwort – »RATE DRINGEND DANIELS BESUCH AB-ZUSAGEN« – muß in ihrem beleidigend beiläufigen Tenor wie eine Ohrfeige gewirkt haben. Tanias Entgegnung ist nicht erhalten, doch Denys' nächstes Telegramm aus England lautet nicht minder kühl: »DEIN KABEL ERHALTEN, MEINE ANTWORT: ENTSCHEIDE DU ÜBER DANIEL STOP MIR WÄRE ER WILLKOMMEN WENN ICH PART-NERSCHAFT BIETEN KÖNNTE WAS ABER LEIDER UNMÖGLICH STOP BIN SICHER DU WIRST RAT DEINER MUTTER BERÜCKSICHTIGEN DENYS.« Verletzter Stolz hat deutlich Tanias Antwort diktiert. »DANKE FÜR KABEL STOP HATTE NIE AUF BEISTAND GERECHNET STOP WOLLTE NUR ZUSTIMMUNG EINHOLEN TANIA.« Schließlich endete auch diese Schwangerschaft mit einer Fehlgeburt. Tanias Biographin schließt im übrigen nicht aus, daß sie diesmal auch die Anzeichen falsch gedeutet haben könnte.[15] Jedenfalls mußte sie nun die Illusion, daß ihre Liebe zu Denys je im Hafen der Ehe münden würde, endgültig begraben.

Wider besseres Wissen gab Tania dem verzweifelten Verlangen nach, Denys ganz und ausschließlich an sich binden zu wollen, ob-gleich sie wußte, daß sie mit ihren Eifersuchtsszenen die Bezie-hung nur zerstören konnte. Den Auftakt machten die erste könig-liche Safari und Tanias Empörung darüber, daß Cockie eine Einla-dung erhalten hatte, sie dagegen nicht. Tania reagierte überhaupt sehr empfindlich darauf, daß in ihrem relativ kleinen gesellschaftli-chen Kreis jetzt zwei Baroninnen von Blixen verkehrten. Ärgerlich stellte sie Denys zur Rede. Ihre Freundin Ingrid Lindström mein-te, dieser Streit habe »in den Herzen beider Frauen Verbitterung hinterlassen, die unterschwellig weitergärte und irgendwann zum Ausbruch kommen mußte«.[16]

1929 erkrankte Tanias Mutter schwer, und Tania fuhr für ein hal-bes Jahr heim nach Dänemark, um sie zu pflegen. Auch Denys rei-ste nach Hause, nahm in England Flugstunden, erwarb den Pilo-tenschein und kaufte sich ein eigenes Flugzeug.[17] Den Unterricht brauchte Denys freilich nur, um die Kenntnisse, die er bereits im Ersten Weltkrieg als Flieger erworben hatte, aufzufrischen.

In England traf Denys mit verschiedenen Freunden aus Kenia zusammen, darunter auch Rose Cartwright und Beryl Markham. Rose, die als Gesellschaftsreporterin für den *Daily Express* arbeitete, wurde fürchterlich luftkrank, als Denys sie in seinem Flugzeug mitnahm – allerdings passierte das Malheur zum Glück erst nach der Landung. Beryl, die sich von Mansfield getrennt hatte, genoß gerade ihr »tolles kleines Abenteuer mit Prinz Henry«.

Anfang Oktober reiste Tania zu Denys und seiner Familie nach England. Im Sommer hatte sie ihn um finanzielle Unterstützung gebeten, da sie fürchten mußte, die Farm, die erst vom Frost, dann von einem Heuschreckenschwarm heimgesucht worden war, nicht aus eigener Kraft halten zu können. Er hatte ihre Bitte erfüllt und einen Teil seines freilich recht bescheidenen Vermögens zur Verfügung gestellt, aber seine Anwälte hatten unmißverständlich darauf hingewiesen, daß ihr Mandant nur in begrenztem Umfang zur Hilfeleistung bereit sei und daß im übrigen sie die Rechtskosten für die Ausfertigung der Pfandbriefschuld auf die Farm in Höhe von 2000 Pfund zu entrichten habe. Denys' Familie war zunächst nicht sonderlich angetan von Tania, deren Motiven sie mißtrauten. »Ich mag diese Frau nicht«, äußerte ein Verwandter, »sie versucht, Denys ganz in Beschlag zu nehmen. Die Sache wird nicht halten.«[18]
Zu Weihnachten fuhr Tania wieder heim nach Dänemark.

Denys kehrte Ende 1929 nach Kenia zurück, um die zweite königliche Safari vorzubereiten, die der Prince of Wales anberaumt hatte, um sich für die jähe Unterbrechung der ersten zu entschädigen. Als Tania in Nairobi eintraf, war Denys bereits vollauf mit der bevorstehenden Safari beschäftigt. Bror und Cockie würden auch diesmal mit von der Partie sein, was Tania nicht wenig verärgerte und ihr Verhältnis zu Denys weiteren Belastungen aussetzte. Doch als er sie zu einem Rundflug in seiner Gipsy Moth mitnahm, war aller Unmut vergessen; es war, schwärmte Tania in der Rückschau, »das großartigste und aufregendste Erlebnis meiner Zeit auf der Farm«.

Ein gewaltiges Panorama öffnet sich, sobald man über dem afrikanischen Hochland schwebt. Wechselvolle Licht- und Farbenspiele fügen sich zu immer neuen, überraschenden Bildern; der Regen-

bogen überm sonnig-grünen Tal, die hochaufragenden Wolkentürme und schwarzdrohenden Gewitter – sie alle umgaukeln einen in atemberaubendem Tanz... Wenn man das Rift Valley überflogen hat und die Vulkane Suswa und Longenot, dann ist man weit gereist, dann hat man die Rückseite des Mondes kennengelernt...

Einmal flogen Denys und ich zum Natron-See, der neunzig Meilen südöstlich der Farm und außerdem gut zwölfhundert Meter tiefer gelegen ist... Der Himmel war blau an jenem Tag, doch kaum, daß die Steppe von der steinigen, kahlen Tiefebene abgelöst wurde, da schien das Firmament plötzlich wie ausgebrannt und aller Farbe beraubt. Die Landschaft unter uns sah aus wie ein Paar feingezeichneter Schmetterlingsschwingen. Auf einmal tauchte mittendrin der See auf. Aus der Luft betrachtet, verleiht der weißschimmernde Grund dem Wasser einen so blendenden, azurblauen Glanz, daß man unwillkürlich die Augen davor schließt. Wie ein hellgleißender Aquamarin leuchtet das Gewässer im gelbbraunen Ödland. Bisher waren wir in ziemlicher Höhe geflogen, jetzt aber gingen wir tiefer, und als wir uns dem See näherten, glitt unser eigener Schatten dunkelblau über den zartblauen Wasserspiegel. Tausende von Flamingos leben hier...

Als wir zur Landung ansetzten, stoben sie kreis- und fächerförmig auseinander, wie die Strahlen der Abendsonne oder wie ein kunstvolles chinesisches Muster auf Seide oder Porzellan... Wir landeten auf dem weißen Uferstreifen, der vor Hitze glühte wie ein Backofen, und lunchten dort, im Schatten einer Tragfläche der Moth.

Besonders gern flogen Denys und Tania in die nahegelegenen Ngong-Berge, um Büffelherden zu beobachten oder Adler aufzuspüren.

Oftmals haben wir einen dieser Adler gejagt, indem wir unser Gewicht bald auf die eine, bald auf die andere Tragfläche verlagerten, um ihn auszumanövrieren, doch ich glaube, in Wahrheit hat der scharfäugige Vogel mit uns gespielt. Einmal, als wir auf gleicher Höhe mit ihm flogen, stoppte Denys plötzlich hoch oben in der Luft den Motor, und da hörte ich den gellenden Schrei des Adlers.[19]

Aber auch diese kurzen Glücksphasen vermochten Tania nicht
darüber hinwegzutrösten, daß Bror und Cockie im Februar beim
Gouverneur eingeladen wurden, während sie von den Festlichkeiten, die den Besuch des Prince of Wales umrahmten, ausgeschlossen blieb. Wieder kam es zu einem heftigen Streit mit Denys, dem
sie die Schuld an ihrer unfreiwilligen Isolation gab. Um sie zu ver-
söhnen, sorgte Denys dafür, daß der Prinz bei ihr auf der Farm
dinierte. Dennoch sollte diese Auseinandersetzung den Bruch zwischen den beiden beschleunigen; Tania war der Ansicht, wenn sie
nur als die »Honourable Mrs. Finch Hatton« auftreten könne, wären alle Probleme aus der Welt geschafft, aber soweit wollte Denys
ihr nicht entgegenkommen.

Die königliche Safari ging im Frühsommer 1930 zu Ende, doch
Denys war fast das ganze Jahr über als Safari-Begleiter engagiert.
Zu Tania kam er nur noch selten, und wenn er sie besuchte, dann
eher als guter Freund denn als Liebhaber. Zwar hatte er Verständnis für ihre mannigfachen Probleme mit der Farm, aber in ihre verzweifelten Bemühungen, die Uhr zurückzudrehen, ließ er sich
nicht einspannen.

Zum Jahresende unternahm Denys einen Jagdausflug mit den
Marshall-Fields, und etwa zur gleichen Zeit kehrte Beryl, deren
Liaison mit Prinz Henry ein erzwungenes Ende genommen hatte,
nach Kenia zurück. Wegen der Antipathie gegen ihre Stiefmutter
mußte sie darauf verzichten, mit dem geliebten Vater zusammen-
zuleben, und so mietete sie statt dessen ein kleines Cottage auf dem
Gelände des Muthaiga Clubs, wo auch Denys viel verkehrte, wenn
er in Nairobi war. Als Denys im Frühjahr 1931 von der Mar-
shall-Field-Safari zurückkam, räumte er seine Sachen aus Tanias
Haus und stellte sie bei seinem Freund Hugh Martin in Nairobi
unter. Denys gab an, er tue das nur, weil es bequemer für ihn sei, in
Nairobi zu wohnen; im übrigen behage es ihm nicht, bei Tania –
die inzwischen Anstalten machte, ihre geliebte Farm zu verlassen –
dauernd über Umzugskisten zu stolpern.

Eine Freundin Tanias, die ungenannt bleiben möchte, vermutet dagegen, Denys sei von Tania weggezogen, weil sie ihm eine grauen-
hafte Szene machte, als sie erfuhr, daß Denys sich schon seit gerau-

mer Zeit mit Beryl traf und daß ihr Verhältnis alles andere als platonisch war. Während dieser Auseinandersetzung nahm Denys auch den Ring aus »weichem abessinischen Gold« zurück, den er Tania 1928 zu Weihnachten geschenkt und den sie seither stets anstelle eines Traurings getragen hatte.

Rose Cartwright, eine treue Freundin von Tania ebenso wie von Denys, berichtet, Denys habe ihr gestanden, er sei erst nach reiflicher Überlegung von der Farm weggezogen. Tanias Eifersucht und ihre Besitzansprüche hätten ihn so eingeengt, daß er schließlich keine andere Möglichkeit mehr sah, wenigstens etwas von ihrer früheren Beziehung zu retten. Es gibt freilich viele kleine Hinweise dafür, daß Denys während seiner kurzen Affäre mit Beryl für Tania nur rein freundschaftliche Gefühle hegte und sie bestenfalls bemitleidete, weil sie gerade eine so schwere Zeit durchmachen mußte. Die Farm war mittlerweile verkauft, und obwohl ausgemacht war, daß Tania dortbleiben solle, bis die Kaffee-Ernte eingebracht sei, begriff sie doch, daß ihre Tage in Kenia gezählt waren. Denys' Briefe an Tania aus diesen Monaten, in denen sie vor allem Liebe und Verständnis gebraucht hätte, sind liebenswürdig, aber kühl: »Schick nach mir, wenn ich Dir bei irgend etwas behilflich sein kann. Ich habe hier ein Buch, von dem ich gern möchte, daß Du es auch liest. Das bringe ich dann mit...« Und ein andermal: »Ich habe das Gefühl, Du siehst alle Dinge von ihrer düstersten Seite an. Ich möchte Dich gern noch einmal sehen, bevor Du abreist, und werde versuchen, einen Abend rauszukommen.«[20]

In den sehr knapp bemessenen Erholungspausen zwischen seinen Safaris wurden Denys und Beryl ein Liebespaar. Es wurde ein kurzes, jäh und vor der Zeit beendetes, für Beryl aber dennoch unendlich süßes Intermezzo. Denys war ihr Geliebter, Bruder, Mentor und Freund in einer Person.[21] Er nahm sie in seinem Flugzeug mit, was sie herrlich fand; doch anders als bei Tania bedachte sie auch die praktische Seite des Abenteuers. Einmal flogen sie hinunter zur Küste, wo Denys sich im Winter 1926–27 ein Haus gekauft hatte. Am Ende ihres Lebens konnte Beryl sich nur noch daran erinnern, daß es ein kleines Anwesen am Strand gewesen sei.

Aber in *Afrika dunkel lockende Welt* vermittelt Tania Blixen dem Leser ein anschauliches Bild:

Denys besaß ... [ein kleines Haus] an der Küste, dreißig Meilen nördlich von Mombasa, in der Takaunga-Bucht. Hier lagen auch die Ruinen einer alten arabischen Siedlung mit einem sehr bescheidenen Minarett und einem Brunnen – ein Haufen verwitterter, grauer Steine auf salzigem Boden, umrahmt von ein paar alten Mangobäumen... Die Meerlandschaft mit ihrer klargegliederten, öden Weite hatte etwas Erhabenes: vor einem glänzte azurblau der Indische Ozean, nach Süden hin erstreckte sich die tiefe Bucht von Takaunga und dahinter, soweit das Auge reichte, der ungebrochene Küstenstrich mattgrauer und gelber Korallenfelsen. Bei Ebbe konnte man vom Haus meilenweit seewärts wandern, wie über eine riesige, ein wenig holprig gepflasterte Piazza. Fremdartige Muscheln mit langen Spitzen sammelte ich hier und Seesterne. Die Suaheli-Fischer, die farbenprächtige und zum Teil sehr schmackhafte Stachelfische feilboten, sahen mit ihrem Lendenschurz und dem rot-blauen Turban aus wie weiland Sindbad der Seefahrer. In den tiefausgehöhlten Grotten unterhalb des Hauses saß man im kühlen Schatten und schaute hinaus aufs blau-glitzernde Wasser. Wenn die Flut kam, überspülte sie die Grotten und stieg bis zu der Anhöhe, auf der das Haus stand; das Meer sang und seufzte dann gar wunderlich im porösen Korallengestein; es klang geradeso, als sei der Boden unter unseren Füßen lebendig... Das Herz wollte einem zerspringen, so schön waren die hellen, lauen Nächte. Ließ man die Tür gegen das silberglänzende Meer hin offen, so fegte eine warme Brise leise wispernd und spielerisch ein paar Sandkörner über die Steinfliesen.[22]

Beryls unverbildete Intelligenz war für Denys eine reizvolle Herausforderung. Er regte sie zur Lektüre guter Bücher an. Sie war immer schon eine Leseratte gewesen, und nun machte er sie mit Lyrik bekannt, mit den Klassikern und der Bibel. Er las oft in der Bibel und konnte stundenlang daraus zitieren; allerdings galt sein Interesse dem historisch-mythischen Hintergrund und hatte nichts mit Frömmigkeit zu tun – falls Beryl je religiös gewesen sein sollte, so zerstörte Denys ihren Glauben durch seine Sophistereien

und Spitzfindigkeiten. Er führte Beryl an gute Musik heran, die sie
sehr schätzte, doch bewahrte sie ihr Leben lang eine entschiedene
Abneigung gegen Beethoven, einfach weil Denys ihn ablehnte. Er
hatte eine besondere Vorliebe für Walt Whitman und las ihr ständig aus seinen Gedichten vor, obgleich er ein Großteil davon aus
dem Gedächtnis zitieren konnte.

Beryl hätte Denys nie die Gefährtin werden können, die Tania ihm
gewesen war. Hier trafen nicht zwei geistesverwandte, gebildete
Naturen aufeinander, aber Beryls langgehegter »Schulmädchen-
schwarm« reifte jetzt zu wahrer Leidenschaft, was Denys, im Ver-
ein mit ihrem ungekünstelten Wesen, das weder Eifersucht kannte
noch Besitzansprüche stellte, als erfrischende Abwechslung begrüßte. Beryl unterschied sich in jeder Beziehung von seinen früheren Geliebten, die allesamt zierliche und zurückhaltende Frauen
gewesen waren und obendrein sehr belesen. Beryl mit ihrem stolzen Gardemaß von gut einsachtzig und dem lohfarbenen Haar-
schopf muß einfach berauschend auf ihn gewirkt haben, besonders, da sie sich obendrein so empfänglich für all seine Lehren
zeigte. Was ihre sportlichen Ambitionen betraf, so paßten die beiden gewiß großartig zusammen. Sie ritten gemeinsam aus, pick-
nickten an lauschigen Plätzchen, hörten Musik und sangen miteinander; sie tanzten auf Parties, und Beryl war glücklich wie nie zuvor. Melela, die von Mansfield gekaufte Farm, gehörte ihr immer
noch; inzwischen hatte dort ihr Vater das Training der Pferde
übernommen. Das Land war zum größten Teil verpachtet, aber
Haus und Stallungen befanden sich nach wie vor in ihrem Besitz,
und Beryl erwähnt in ihren Logbüchern häufig »meine Farm«. Sie
hatte das Gefühl, daß sie über kurz oder lang wieder zur Arbeit
mit den Pferden zurückkehren würde. Denys flog sie mehrmals
nach Melela, wo sie auf der Rennbahn landeten, abends am flak-
kernden Feuer saßen und Denys ihr vorlas; Beryl hörte schweigend zu, ihre porzellanblauen Augen unverwandt auf sein kluges
Gesicht gerichtet. Diese Fähigkeit, eine Aura wohliger Ruhe um
sich zu schaffen, bewahrte sie ihr Leben lang; es war dies eines
ihrer faszinierendsten Talente.

Denys und Beryl verband auch eine geradezu leidenschaftliche

Liebe zu Kenia, obgleich er im Vergleich zu ihr, die mit den vielfältigen Kulturen des Landes großgeworden war, nur als Zuschauer
und Zaungast gelten konnte. Eine Safari mit Beryl war selbst für
den Routinier Denys eine gänzlich neue Erfahrung, denn sie schien
ebenso Teil des ungezähmten Dschungels zu sein wie die Tiere, die
ihn durchstreiften, und sie lehrte ihn, Kenia in einem neuen Licht
zu sehen.

Denys ist von manchen Biographen Selbstsucht vorgeworfen worden, und Tania gegenüber hat er sich zweifellos egoistisch verhalten, obwohl er ihr vermutlich nie auch nur den leisesten Grund zu
der Hoffnung gab, daß er sie jemals heiraten würde. Für ihn war
die Ehe – ja selbst schon das Zugeständnis einer festen Bindung –
gleichbedeutend mit einem Leben im Käfig. Es ist anzunehmen,
daß er bereits während seiner Beziehung zu Tania kurze Affären
mit anderen Frauen hatte; Tania nahm sich im übrigen offenbar die
gleiche Freiheit heraus.[23] Beryl bekam den Egoismus ihres Ange-
beteten nie zu spüren, denn ihr Verhältnis nahm, noch auf dem
Gipfel des Glücks, ein tragisches Ende. Im übrigen hatte sie es sich
zur Regel gemacht, nie über den jeweiligen Tag hinauszuplanen.
»Kosten Sie jeden Augenblick bis zum äußersten aus, und blicken
Sie nie in die Zukunft«, riet sie mir noch im hohen Alter.

Nachdem Denys sie ein paarmal in seiner Gipsy Moth mitgenommen hatte, wollte Beryl, wie vorauszusehen war, selbst fliegen lernen. Zum einen wußte sie den großen Vorteil zu schätzen, den es
bedeutete, entlegene Gebiete der Kolonie statt in mehrtägiger Reise binnen weniger Stunden erreichen zu können, zum anderen ver-
hieß ihr dieser neue Sport eine aufregende Herausforderung. Denys weigerte sich vernünftigerweise, ihr Unterricht zu geben; er
hatte nicht die nötige Erfahrung für einen Fluglehrer. Also wandte
er sich an einen alten Freund, Tom Campbell Black, den geschäfts-
führenden Direktor von Wilson Airways in Nairobi. Bei ihm begann Beryl im April 1930 ihren Flugunterricht.

Tom Black, der Beryl in den zwanziger Jahren verschiedentlich
beim Pferderennen getroffen hatte, war neuerdings in die Schlagzeilen der Weltpresse geraten, weil er den berühmten deutschen
Jagdflieger Ernst Udet gerettet hatte: Im März, Tom war gerade

auf dem Rückflug von Europa nach Nairobi, hörte er bei einer
Zwischenlandung in Malakal im Sudan, daß Udet irgendwo in der
Wüste verschollen sei. Tom machte sich ohne Zögern auf die Suche
und durchkämmte sorgfältig das ganze Gebiet. Tatsächlich gelang
es ihm nach vielen Stunden, die Position des Verunglückten auszu-
machen. Udet saß seit über achtundvierzig Stunden ohne Proviant
in der Wüste fest und war dem Verdursten nahe. Tom warf eine
Nachricht ab, in der er Udet bat, eine Lichtung freizuschlagen und
so für einen notdürftigen Landeplatz zu sorgen. Dann flog er zurück nach Malakal, um Udets Position zu melden. Doch als er wieder zur Unglücksstelle gelangte, fand er noch immer keine Möglichkeit zur Landung. Da warf er nasse Handtücher und eine
lederne Wasserflasche für Udet ab und landete ein Stück weit
entfernt auf einer Lichtung. Von dort bahnte er sich zu Fuß einen
Weg zu seinem Fliegerkameraden, und gemeinsam gelang es
den beiden schließlich, ein Stück Land vom wuchernden Buschwerk zu befreien, so daß Toms Maschine wieder aufsteigen
konnte.

Unter Tom Blacks Führung erwies Beryl sich als gelehrige Schülerin, und nach nur acht Flugstunden an seiner Seite startete sie zu
ihrem ersten Alleinflug. Doch ehe es soweit war, erschütterte ein
tragischer Unglücksfall die Kolonie.

Da Tanias Rückkehr nach Europa nahte und er sich wieder einen
festen Platz für seine Bücher und weitere persönliche Habe
wünschte, hatte Denys beschlossen, auf seinem Grundstück am
Meer ein größeres Haus zu bauen und außerdem Mangobäume
dort anzupflanzen. Im Juni sollte er mit einem zweiten berufsmä-
ßigen Jäger zu einer Foto-Safari aufbrechen, also nahm er sich vor,
Anfang Mai zur Takaunga-Bucht hinunterzufliegen und auf dem
Rückweg via Voi die Chancen für das Aufspüren von Elefantenherden aus der Luft zu erkunden. Sollte das Experiment gelingen,
dann versprach Denys sich davon eine gute Werbung für seine Safaris, denn er würde den Jägern in Zukunft das tagelange Fährten-
suchen ersparen können. Allerdings war er sich auch der Gefahren
seines Unternehmens bewußt. Ein Maschinenschaden – in der
Luftfahrt jener Tage nichts Ungewöhnliches – konnte eine Lan-

dung auf unwirtlichem Gebiet notwendig machen, wo es keine geeignete Piste gab.

Tania bat Denys, ihn auf diesem Flug begleiten zu dürfen, und zunächst willigte er ein, doch später änderte er seine Meinung und erklärte ihr, ein solcher Erkundungsflug sei zu beschwerlich für eine Frau. Er rechne damit, im Busch landen und dort übernachten zu müssen; außerdem benötige er den zweiten Platz in der Maschine für seinen Boy, der ihm helfen solle, eine Piste für den Start freizuschlagen. »Ich erinnerte ihn an sein Wort, daß er das Flugzeug mitgebracht habe, um mir Afrika aus der Luft zu zeigen«,[24] schreibt Tania, und ihre Worte legen die Vermutung nahe, daß sogar ihr letztes Zusammensein von stürmischen Eifersuchtsszenen getrübt war. Nachdem Denys von Tania Abschied genommen hatte, verbrachte er noch ein paar Tage in Nairobi.

Am Abend vor seinem Abflug fragte er Beryl beim Essen im Muthaiga Club, ob sie Lust habe, ihn hinunter zur Küste zu begleiten.[25] Er meinte, ganz besonders würde ihr der Rückflug gefallen, von dem er Tania erzählt hatte, er sei »zu beschwerlich« für eine Frau. Beryl war fasziniert von seinem Vorschlag, aber sie hatte am nächsten Morgen Unterricht bei Tom und hielt es für ihre Pflicht, erst mit ihm Rücksprache zu nehmen.[26]

Denys startete am 9. Mai, begleitet von seinem schwarzen Diener Kamau. Zuvor hatte Tom aufgrund einer dunklen, ihm freilich selbst nicht recht erklärlichen Vorahnung Beryl überredet, nicht mitzufliegen. Er hielt ihr vor Augen, daß sie schließlich nur noch ein oder zwei Unterrichtsstunden benötige, bevor sie ihren ersten Alleinflug wagen könne – und mit Denys würde sie doch noch so oft fliegen können. Vielleicht dachte Tom dabei an den beklagenswerten Zustand, in dem er vor kurzem Ernst Udet nach seiner Bruchlandung angetroffen hatte, oder auch an die beiden Angestellten der Shell Oil Company, die er in eben dieser Woche hatte retten können. Ihr Flugzeug war unweit von Marsabit abgestürzt, und Tom fand sie »so ausgehungert, durstig und von der sengenden Sonne geschwächt, daß sie schon fast an Wahnvorstellungen litten«.[27]

Bei der Landung auf seinem Grundstück nahe Mombasa beschädigte Denys seinen Propeller an einem Korallenriff und telegrafierte an Tom, damit der ihm Ersatz schicke. Unterdessen vertrieb er sich im Haus die Zeit damit, Vorbereitungen für den beabsichtigten Neubau zu treffen. Der neue Propeller kam, Tom hatte auch gleich einen Mechaniker mitgeschickt, und am 12. Mai war die Maschine wieder startklar. Bereits einen Tag später flog Denys los, diesmal mit Kurs aufs Binnenland, nach Voi.

Unterwegs entdeckte er wirklich eine Elefantenherde, und so war er sehr zufrieden mit sich, als er auf dem Anwesen von Freunden eintraf, bei denen er die Nacht verbringen wollte.[28]

»Denys und ich waren Gäste auf einer Gesellschaft, zu der der Bezirkskommissar eingeladen hatte«, erinnert sich sein Freund J. A. Hunter. »Denys erzählte uns, er wolle am nächsten Morgen nach Nairobi zurückfliegen und dort eine eigene Safari vorbereiten. Ich ging schon recht früh, denn ich mußte am nächsten Morgen zeitig raus. Denys brachte mich zur Tür und winkte mir nach. Die Frau des Bezirkskommissars hatte ihm einen Armvoll Orangen geschenkt, und als er so in der Tür des Bungalows stand, spiegelte sich das Licht von drinnen hell leuchtend in den Früchten.«[29]

Am Morgen des 14. Mai 1931, unmittelbar nach dem Start in Voi, stürzte Denys' Gipsy Moth ab und ging in Flammen auf. Pilot und Passagier waren beide auf der Stelle tot.[30]

Hunter wollte wie geplant um acht Uhr morgens aufbrechen, als er plötzlich vom Aerodrom her schwarze Rauchwolken aufsteigen sah. »Wir befürchteten das Schlimmste und eilten, so rasch uns unsere Füße trugen, an die Unfallstelle. Aber wir kamen zu spät: Denys muß sofort nach dem Start abgestürzt sein, seine Maschine war nur noch ein einziges Flammenmeer. Wir standen wie gelähmt – die sengende Hitze rings um das Flugzeug machte jede Annäherung unmöglich –, und während wir fassungslos das grausige Schauspiel beobachteten, rollten ein paar geschwärzte Orangen aus den Trümmern.«[31]

Tom Black flog unverzüglich nach Voi, um die Ursache des Absturzes zu untersuchen, doch er kam zu keinem eindeutigen Ergebnis.

Finch Hattons Biograph erwähnt zwei Möglichkeiten: erstens die fatale Wirkung des Abwinds, ein ständiges Problem in heißen Ländern und besonders in Berglage; zweitens ein Krampf, worunter Denys in den vorangegangenen Wochen öfter gelitten hatte.[32]

Beryl hat sich nie über ihre Reaktion auf Denys' Tod geäußert, aber viele meiner Interviewpartner versicherten mir, sie sei fast daran zerbrochen. Als ich sie 1986 persönlich befragte, war Beryl sicher, daß sie Tom Black nach Voi begleitet habe, sobald sie die Nachricht von dem Unglück erhielten. Aber Tom nahm nicht sie mit, sondern Major C. A. Hooper, einen Spezialisten für Flugzeugunfälle. Es ist natürlich denkbar, daß Tom, der von Beryls Liebe zu Denys wußte, sie später zur Unglücksstelle geflogen hat, um sie davon zu überzeugen, daß Denys wirklich tot sei. Nach vielen Jahren gestand Beryl ihrer Freundin Doreen Bathurst Norman ihre Liebe zu Denys in so glühenden Worten, daß Doreen den Eindruck hatte, er sei der einzige Mann in Beryls Leben gewesen, der sich mit ihrem Vater messen konnte.

Mit Rücksicht auf das Klima mußte das Begräbnis bereits für den nächsten Tag anberaumt werden. Tania erinnerte sich, daß es Denys' Wunsch gewesen war, in den Ngong-Bergen beigesetzt zu werden, auf einer Anhöhe über der Athi-Ebene, von wo man in der Ferne Tanias Haus sehen konnte. Einmal war sie mit ihm bei Sonnenuntergang dort gewesen, und von der Stelle, die Denys für sein Grab ausgesucht hatte, erblickten sie gleichzeitig den Mount Kenyia und den Kilimandscharo. Die Leiche wurde also mit der Bahn nach Nairobi zurückgebracht, damit Denys dort seine letzte Ruhestätte finden konnte, wo er es sich gewünscht hatte.[33]

Die Regenzeit, die jahrelang ausgeblieben war (was beim Niedergang von Tanias Farm zweifellos eine große Rolle gespielt hatte), setzte in diesem Frühling mit ungeahnter Heftigkeit ein, so als wolle sie alles Versäumte nachholen. Am Morgen der Beisetzung fuhren Tania und ihr Freund Gustav Mohr ins Gebirge hinauf, um das Grab ausheben zu lassen. Auf der Höhe waberte der Nebel so dicht, daß sie kaum die Hand vor Augen erkennen konnten. Im Nu waren sie bis auf die Haut durchnäßt, und Tania fror bitterlich. Sie erinnerte sich später an ein seltsames Echo in den Bergen: »... als die Boys zu arbeiten begannen, da antwortete es den klirrenden Spatenstichen, und es klang wie ein kläffendes Hündchen.«[34] Tanias Schmerz rührte alle, die ihr nahestanden. Von dem Augenblick an, da Lady McMillan es gewagt hatte, ihr zu sagen, daß Denys tot sei, ging sie herum wie eine verhärmte, alte Frau, das Gesicht eine qualvoll beherrschte Maske.

Beryls Erinnerungen an das Begräbnis waren selbst nach fünfundfünfzig Jahren noch sehr deutlich, denn: »Ich gehe eigentlich nie zu Beerdigungen, ich hasse Friedhöfe. Sein Begräbnis war das einzige, an dem ich in meinem ganzen Leben teilgenommen habe. Alle wußten, wie nahe wir einander gestanden hatten, und man ließ mir den Platz direkt am offenen Grab. Tom hatte mich hingefahren. Es war sehr traurig für mich, aber auch für die anderen, er wurde von allen so geschätzt, wissen Sie, er war einfach einmalig ...« In *Westwärts mit der Nacht* hat sie Denys ein Denkmal gesetzt, das den poetischen Erinnerungen Tania Blixens in nichts nachsteht und in zarten Andeutungen das Ausmaß ihrer Liebe zu Denys verrät.

Viele Trauergäste waren, ungeachtet der durch den Regen aufgeweichten Straßen, von weither gekommen, um Denys die letzte Ehre zu erweisen. Aber Tania blieb es erspart, Cockie und Bror an seinem Grab zu sehen, da die beiden in Tanganjika waren und die Nachricht von Denys' Tod erst geraume Zeit nach der Beisetzung erhielten. »Liebste Tanne«, schrieb Bror, »Denys' Tod hat uns alle schmerzlich getroffen, am schlimmsten aber Dich, die Du immer eine so große Stütze an ihm hattest. ... Es war ein schwerer Verlust für Kenia, ein großer Kummer für all seine Freunde. Als ich die Nachricht erhielt, wollte ich gleich nach Nairobi fliegen und sehen, ob ich etwas für Dich tun könne – aber wenn man kein Geld hat, ist man so hilflos. Soll ich mich um Deine Boys kümmern oder um Deine Hunde?«[35]

Tania empfing das Beileid und die Zuwendung, die normalerweise einer Witwe vorbehalten sind, während nur wenige daran dachten, Beryl zu trösten, die im Gegenteil wieder einmal mit scheelen Blicken bedacht wurde.[36] Dabei war die Ärmste so verzweifelt, daß sie sogar mit dem Gedanken an Selbstmord spielte. Es ist wichtig, sich vor Augen zu halten, daß Denys für sie weit mehr

gewesen war als ein Liebhaber, nämlich der helfende Beistand, den
sie ihr Leben lang brauchen sollte. Ihre innere Unsicherheit und
die quälenden Zweifel an sich und ihren Fähigkeiten ließen sich
nur dann lindern und bewältigen, wenn sie sich auf eine starke Persönlichkeit stützen konnte, auf einen Menschen, von dem sie wußte: »Ich darf mich auf ihn verlassen.« Ihre übersteigerte Angst bei
der Abreise ihres Vaters nach Peru fand eine Parallele, als Denys
starb. Wer aber bereit war, sich ihrer anzunehmen und ihre Seelen-
qualen zu stillen, den pflegte sie als geradezu unfehlbares Wesen zu
vergöttern.

Doch ihre wahren Freunde scharten sich auch jetzt um Beryl –
der Zauber ihres ratlos-verwirrten Kinderlächelns tat noch immer
seine Wirkung. Vor allem Tom bot ihr in diesen Tagen Halt und
Wärme. Er war es auch, der sie schließlich zu ihrer Farm flog, weil
sie sich danach sehnte, »allein zu sein«. Später wohnte sie eine
Weile bei ihrem Vater auf seiner Farm in der Nachbarschaft, und
dort, in der Landschaft, die sie als Kind von ganzem Herzen geliebt hatte, versuchte sie, ihren Schmerz zu meistern.

Fast ein Monat war vergangen, als sie nach Nairobi zurückkehrte
und ihre Flugstunden bei Tom wieder aufnahm, und jetzt widmete
sie sich dieser Aufgabe mit einer ganz neuen Entschlossenheit.
Tom bemerkte es und lobte sie dafür. Sie arbeitete fleißig, um sich
mit den Regeln der Navigation vertraut zu machen. Schmerz und
Trauer befreiten sie von jener blasierten Unbekümmertheit, die sie
in London angenommen hatte. Denys' Tod war ein Wendepunkt
in Beryls Leben.

Kapitel 6
(1931–1933)

Beryl hatte bereits sechs Flugstunden auf einer Gipsy Moth der Wilson Airways – dem ersten kommerziellen Unternehmen seiner Art in Ostafrika – absolviert, als sie im Juni 1931 nach Nairobi zurückkehrte. Nach weiteren zweieinhalb Stunden entschied Tom Black, daß sie nun reif sei für ihren ersten Alleinflug. Das bedeutet freilich nicht, sie sei als Pilotin bereits flügge gewesen – keineswegs! Ihr Unterricht ging weiter wie bisher und durchlief alle Stufen, die ein Flugschüler – auch heute noch – absolvieren muß. Der Neuling vollführt unter den wachsamen Augen des Lehrers die verschiedenen Etappen der Flugzeugführung – Start, Wendemanöver, Schräglage, Steigen, Sackflug und Landung –, wobei er sein besonderes Augenmerk auf die Reaktionen der Leitflächen lenken muß: auf Quer- und Höhenruder, Seitensteuer und Landeklappen. Solche Probeflüge, die ständig wiederholt werden, dienen dazu, dem Anfänger allmählich das Gefühl für die Maschine zu vermitteln.

Wie alle Flugschüler hatte Beryl ihren Einführungsunterricht zum größten Teil mit »Platzrunden und Steigbögen« verbracht, denn ehe er nicht absolut sicher war, daß sie diese Manöver einwandfrei beherrschte, durfte Tom ihr den Alleinflug nicht erlauben.

Die sogenannte Platzrunde besteht aus Start, einer Schleife um den Flugplatz auf vorgeschriebener Bahn und Landung. Das klingt einfach, und mit den heutigen modernen Maschinen ist es auch wirklich keine schwierige Übung. Aber im Nairobi des Jahres 1931 waren die Dinge längst nicht so leicht. Die Piste – eine simple Aschenbahn – wies oft genug gefährliche Buckel auf, verursacht

durch Ameisenhaufen oder Schweinekuhlen, und es war nicht ungewöhnlich, daß man vor dem Start erst einmal die wilden Tiere
fortscheuchen mußte, die sich, von der Athi-Ebene kommend, bei
der Wassersuche aufs Flugfeld verirrt hatten.[1] Kam man nach er-
folgreichem Rundflug wieder herunter, so galt es, eine perfekte
Dreipunktlandung zu vollführen, das heißt, man mußte mit
Hauptträdern und Bugrad oder Sporn gleichzeitig auf dem Boden
aufsetzen. War die Maschine beim Landeanflug zu schnell und der
Pilot riß die Steuersäule zurück, um die Geschwindigkeit gewaltsam
zu drosseln, dann machte das Flugzeug einen Satz in die Luft und
kam erst nach allerhand Ruckelei zum Stillstand, ein Schauspiel,
das stets viele interessierte Zuschauer anlockte. War die Geschwindigkeit dagegen zu niedrig, dann sackte die Maschine bei der Landung durch, wobei nicht selten der Schwanzsporn zu Bruch ging.
Schritt für Schritt überläßt der Fluglehrer seinem Schüler die Kontrolle über die Maschine, und wenn er sicher ist, daß der Neuling
Start, Rundflug und Landung gefahrlos bewältigen kann, sagt er
eines Tages wie beiläufig: »Ich denke, jetzt sind Sie reif für den ersten Alleinflug. Wie steht's, hätten Sie Lust, die Mühle um den
Platz zu steuern?« Natürlich hat der Schüler nur diesem Moment
entgegengefiebert, doch nun, da er gekommen ist, zieht sich ihm
vor Aufregung der Magen zusammen, und das Herz klopft zum
Zerspringen.
Beryl durfte erst dann allein aufsteigen, als Tom sicher war, daß
sie das Flugzeug beherrschte – keine Sekunde früher. Er war ein
außergewöhnlich gewissenhafter Pilot, und sie hätte sich keinen
besseren Lehrer wünschen können. Tom gehörte vermutlich zu
den besten Piloten, die es damals auf der Welt gab. Er war bescheiden, besaß einen wunderbar kauzigen Humor, war korrekt, gebildet und gutmütig, und er glaubte vorbehaltlos an die Zukunft der
Zivilluftfahrt. Während viele seiner Generation, die während des
Krieges fliegen gelernt hatten, Flugzeuge als eine Art Spielzeug
betrachteten und die Fliegerei als mondänen Sport betrieben,
hatte Tom eine ambitionierte Vision von der Zukunft der zivilen
Luftfahrt, die sich später genau seinen Träumen gemäß erfüllen
sollte.

Tom Black war der Sohn eines Australiers, der es im englischen Brighton bis zum Bürgermeister brachte. In Brighton wurde auch Tom geboren, hier ging er aufs College, und später wechselte er auf die königliche Marineschule in Greenwich über. Auf die Frage, was ihn als Schüler am meisten interessiert habe, antwortete er: »Als Bleriot damals den Kanal überflog, waren wir alle ganz aus dem Häuschen. Wir Jungs setzten uns hin und bastelten Modellflugzeuge … Diese Spielerei und die Chance, die der Krieg so vielen meiner Generation bot, weckten in mir schon frühzeitig den Wunsch, Flieger zu werden.«[2] Er war siebzehn, als der Krieg ausbrach, aber er meldete sich freiwillig beim Royal Naval Air Service und machte sich, um nicht abgewiesen zu werden, heimlich um ein Jahr älter. Später wechselte er zu den Royal Flying Corps über, und bei Kriegsende führte er die erste britische Staffel nach Köln hinein.

Auch nach dem Krieg blieb er vorerst bei der königlichen Luftwaffe, dann versuchte er sich erfolglos als Student der Jurisprudenz, und Anfang der zwanziger Jahre ging er, unterstützt von einem verständnisvollen Onkel, nach Kenia. Zusammen mit seinem Bruder gründete er in Rongai eine Kaffeeplantage. Doch die Fliegerei steckte ihm im Blut, und so verbrachte er denn von Monat zu Monat weniger Zeit auf den Kaffeefeldern und mehr in der Luft. Sein Bruder kehrte schließlich enttäuscht nach England zurück. Tom engagierte einen Verwalter für die Plantage, von deren Erträgen allein er nicht leben konnte, erwarb die Lizenz für Handels- und Verkehrsluftfahrt und richtete einen privaten Flugtransportdienst ein. Er arbeitete Luftverkehrswege für die Postzustellung in Ostafrika aus und sah es geradezu als seine persönliche Mission an, eine kommerzielle Fluggesellschaft auf dem afrikanischen Kontinent zu gründen. Ohne Zweifel verdankt Beryl ihre spätere Kompetenz seiner vernünftig-abwägenden Einstellung zur Fliegerei.

1928 lernte Tom die fast fünfzigjährige und seit kurzem verwitwete Florence Kerr Wilson kennen. In ihr (die später selbst eine beachtliche Pilotin wurde) fand Tom eine engagierte Förderin seines Traumprojekts: die Errichtung eines kommerziellen Fluglinienverkehrs für Ostafrika, und am 31. Juli 1929 wurden, mit einem

Startkapital von 50000 Pfund und einer Maschine vom Typ Gipsy
Moth, die Wilson Airways aus der Taufe gehoben – mit Tom als
geschäftsführendem Direktor an ihrer Spitze. Bereits im ersten
vollen Geschäftsjahr flog die Gesellschaft über 150000 Meilen zu
einem Preis von 1 Shilling, 3 Pence die Meile pro Passagier, und
1931 – dem Jahr, in dem Beryl fliegen lernte – verfügte das Unternehmen bereits über drei Piloten und eine Flotte von zwei Avro
Fives, zwei De Havilland Puss Moths und drei De Havilland
Gipsy Moths.

Bei der zweiten königlichen Safari im Februar 1930 fungierte Tom
als Pilot des Prinzen von Wales. Für seine Erkundungsflüge hatte
man auf einer Buschlichtung einen Behelfsflugplatz eingerichtet.
Tom flog den Prinzen und seinen Adjutanten Joey Legh in einer
Puss Moth über das Rift Valley. Später spürte er mit Bror Blixen
in Voi vom Flugzeug aus Elefantenherden auf – damit Denys
Finch Hattons genialen Einfall vorwegnehmend. Im März zeigte
er dem Prinzen von Wales den Kilimandscharo aus der Luft. Der
Prinz hielt dieses eindrucksvolle Erlebnis in seinen Tagebüchern
fest:

*Die Aussicht war über die Maßen schön. Unter uns lag der Ambo-
lesi-See, umschlossen von einem ausgedehnten Sumpfgürtel und
wuchernden Savannen, deren Ausläufer sich ostwärts bis hin zum
Tsavo-Fluß erstreckten. Nach Westen zu dehnte sich, in unregel-
mäßigem Wechsel von Bergriegeln und Wasserscheiden, das gigan-
tische Rift Valley, das der Athi mit seinen zahlreichen, diamant-
blitzenden Wasserfällen durchmißt. Und vor [uns] erhob sich
die alles überragende Silhouette des Großen Berges, des wolken-
verhangenen Kilimandscharo. Die Moth durchstieß selbst diese
dichte Wolkendecke, und als sie auf der anderen Seite wieder her-
vorkam, glitzerte weit unten im gleißenden Sonnenlicht der
schnee- und eisbewehrte Kegel des Kibu-Gipfels. Einer nach dem
anderen kamen die Gletscher zum Vorschein, während die Moth
die riesigen Bergspitzen umkreiste. Nach den grünen Tropenwäl-
dern glaubte man sich hier in einer anderen Welt.*[3]

Tom Blacks Erinnerungen an seine Flüge mit dem Prinzen sind
eher prosaischer Natur. Einmal, als sie über Voi eine Elefanten-

herde sichteten, rief der Prinz ihm aufgeregt zu: »Gehen Sie
runter, Tom, rasch, das gibt einen prächtigen Schuß!« Tom tat so,
als habe er nichts gehört, und flog weiter. Später, als sie auf dem
Rückflug waren, sprach ihn der Prinz wieder an, und diesmal
antwortete Tom. Als der Prinz daraufhin wissen wollte, warum er
nicht gelandet sei, als sie über der Elefantenherde waren, sagte
Tom: »Ich konnte Sie nicht verstehen, Sir.« »So? Ist ja verdammt
komisch, daß Sie mich jetzt verstanden haben«, gab der Prinz ungehalten zurück.[4]

In seinen Pioniertagen als Flieger in Kenia hatte Tom eine Safari-
Gesellschaft in den Busch begleitet, wo die unerschrockenen Jäger
mit einer Schmalfilmkamera den Abschuß eines Löwen festhalten
wollten. Einer der Männer schoß einen Löwen, und der übereifrige
Kameramann fing an zu drehen, ehe Tom ihn zurückhalten konnte. Der Löwe, der nur verwundet war, fiel den Mann an, und die
noch laufende Kamera nahm die grausige Szene auf. Tom gelang
es, den Löwen durch einen weiteren Schuß zu erledigen, den Mann
aber konnte er nicht mehr retten. Die Frau des Toten, die alles mitangesehen hatte, erlitt einen schweren Schock, und als man ihr gar
noch erklärte, sie könne die Leiche ihres Mannes wegen der Hitze
nicht in die Heimat überführen und dort begraben lassen, bekam
sie einen hysterischen Anfall. Tom und die übrigen Safari-Teilneh-
mer verbrannten die Leiche und schütteten die Asche in den einzig
verfügbaren Behälter – eine Keksdose aus Blech, die Tom auf seinen Flügen stets bei sich führte. Anschließend flog er die Witwe
und die provisorische Urne nach Nairobi zurück.

Im April 1930 unternahm Tom den ersten Nonstopflug von Sansibar nach Nairobi; er legte die Strecke, für die man normalerweise
zwei Tage brauchte, in fünf Stunden und zwanzig Minuten zurück. Angeblich war er der erste Pilot überhaupt, der auf Sansibar
landete.

Man kann sich die Szene, die sich an jenem 11. Juni 1931 auf dem
Flugplatz von Nairobi abspielte, nachdem Tom und Beryl ihr
Landemanöver beendet hatten, lebhaft vorstellen. Als die Gipsy
Moth, eingehüllt in rote Staubwolken, auf der Piste ausrollte, klet-
terte Tom auf eine Tragfläche. »Na, wie wär's – wollen Sie nicht

gleich nochmal allein mit der Mühle hochsteigen?« brüllte er Beryl
zu und lehnte sich dabei übers hintere Cockpit, damit sie ihn trotz
des Motorenlärms verstehen konnte. »Steigen Sie einfach bis auf
achthundert Fuß und drehen Sie dann eine Platzrunde. Okay?«
Beryl hob lächelnd den Daumen zum Zeichen, daß sie einverstanden sei, und Tom sprang von der Tragfläche ab.
Er gab die Bahn frei und sah zu, wie sie die Maschine bis ans Ende
der Piste rollen ließ und in Windrichtung manövrierte. Dann
schirmte er seine Augen gegen die Sonne ab und verfolgte kritisch,
wie sie das Tempo beschleunigte, bis die Maschine die erforderli-
che Abhebegeschwindigkeit erreicht hatte. »Braves Mädchen, halt
sie niedrig, schön unten halten, Beryl, bis sie das richtige Tempo
hat…« Beryl war, als könne sie seine beschwörenden Worte hören.
Der Wilson Airport liegt reichlich fünftausend Fuß über dem Meeresspiegel, eine Höhe, die das Steuerungssystem leichter Flugzeuge
erheblich beeinflußt, besonders bei großer Hitze. Da muß ein Pilot
schon ganz sicher sein, daß seine Maschine genügend Tempo hat,
ehe er den Steuerknüppel zurückzieht. Denn wenn er ohne die er-
forderliche Geschwindigkeit aufsteigt, rutscht das Flugzeug unweigerlich ab. Tom hatte ihr das auf seine ruhige, überzeugende
Art so oft klar gemacht, daß Beryl nie an den Start ging, ohne im
Geiste seine mahnende Stimme zu hören.[5]
Als sie nach einem nur fünfminütigen Flug wohlbehalten wieder
landete, lächelte Tom zufrieden. »Gut. Das war prima, Beryl. Aber
wir wollen gleich nochmal hochgehen und versuchen, die Lande-
technik zu verbessern. Als Sie eben runterkamen, fiel mir auf, daß
Sie die Mühle vor der Landung zu früh aufrichten …« Bereits am
nächsten Tag schaffte Beryl einen fünfzehnminütigen Alleinflug,
wie sie stolz in ihrem brandneuen Logbuch vermerkte.[6]
Dann wurden ihre Flugstunden für eine Woche unterbrochen, weil
Tom in einem gewagten Unternehmen versuchte, Wert und Nutzen der kommerziellen Fliegerei für Ostafrika zu demonstrieren.
An einem einzigen Tag wollte er alle vier Hoheitsgebiete ansteuern; von Nairobi würde er Kurs auf Entebbe nehmen, von dort
sollte es weitergehen nach Kisumu, Mombasa, Sansibar, Daressalam und endlich zurück nach Nairobi. In der erwähnten Woche

flog er zunächst jedes Ziel einzeln an, um sich zu vergewissern, daß auf der Strecke genügend Treibstoffvorräte und Ersatzteile für den Notfall vorhanden seien. Nachdem er den Flug einmal angekündigt hatte, durfte Tom sich keine Panne erlauben. Falls sein Vorhaben aus technischen Gründen scheiterte, würde das seinen Traum von einem regulären zivilen Luftdienst um Jahre zurückwerfen. Doch das Wagnis glückte, und Tom stellte sogar einen Weltrekord auf: In einem einzigen Tag legte er mit seiner De Havilland Puss Moth die 1600-Meilen-Strecke zurück.

Als Tom am 19. Juni zurückkehrte, nahm Beryl ihre Flugstunden wieder auf; mit jedem Tag sammelte sie mehr Erfahrung. Noch im hohen Alter erinnerte sie sich des Unterrichts bei Tom voll herzlicher Dankbarkeit: »Er wartete bis zur allerletzten Minute, bevor er mich ermahnte: ›Beryl – wollen Sie wirklich sterben – denn über den Berg da kommen Sie nie rüber‹ ... Oder er sagte: ›Wo wollen Sie eigentlich hin?‹ Und ich antwortete: ›Nach Nairobi.‹ Und darauf er: ›Das werden Sie auf dem Kurs aber nie schaffen.‹« Tom wartete stets, bis Beryl selbst erkennen konnte, daß sie einen Fehler gemacht hatte, und erst dann korrigierte er sie auf seine ruhige, überlegene Art.[7]

Einen Monat nach ihrem ersten Alleinflug am 13. Juli – Beryls Logbuch verzeichnet gerade fünfeinviertel Stunden – bestand sie die Prüfung für die »A«-Lizenz. Von nun an konnte sie nach Belieben und ohne Zustimmung ihres Fluglehrers starten. Doch sie hatte immer noch eine Menge zu lernen, denn selbst wenn man die ersten, an Toms Seite absolvierten Flüge mitrechnet, brachte sie es nur auf knappe fünfzehn Stunden in der Luft und hatte bisher noch keinen Geländeflug im Alleingang versucht. Am 17. Juli aber meisterte sie auch diese Hürde und flog ohne Begleitung nach Nakuru, einem Landeplatz unweit von Njoro. Dabei ließ sie es sich natürlich nicht nehmen, eine Schleife über der Farm ihres Vaters zu drehen und ihn aus der Luft zu grüßen. In der Rückschau urteilte sie über ihre ersten Erfahrungen mit der Fliegerei:

Ich fürchte, Tom hatte an mir eine ziemlich anstrengende Schülerin ... In Ostafrika sind die Entfernungen riesig, und das Leben dort ist folglich recht einsam. Mit dem Aufkommen des Flugver-

kehrs schien sich uns eine völlig neue Perspektive zu eröffnen. Ich verspürte von Anfang an das ungestüme Verlangen, an dieser Chance teilzuhaben, ja sie zu der meinen zu machen. Also marschierte ich zum Flugplatz und engagierte mir einen Fluglehrer. Meine Familie und meine Freunde zuckten bloß die Achseln und meinten: »Eine Laune, weiter nichts, das geht schon vorüber.« Sie hatten keine Ahnung, daß ich bereits den Entschluß gefaßt hatte, die Fliegerei zu meinem Beruf zu machen. Dank soliden Fleißes meinerseits und der übermenschlichen Anstrengungen Tom Campbell Blacks startete ich nach nur acht Unterrichtsstunden zu meinem ersten Alleinflug. Gewissenhaft hielt ich jede einzelne Stunde in meinem Logbuch fest. Diese Aufzeichnungen sind mir kostbarer als jedes Tagebuch. Jede Minute, die ich notieren konnte, brachte mich der A-Lizenz einen kleinen Schritt näher. Heute liegt dieses erste Logbuch neben mir, während ich meine Erinnerungen niederschreibe. Ich hatte fünfzehn Flugstunden vorzuweisen, als ich meine A-Lizenz erwarb. Nun war ich eine – zumindest beinahe – flügge Pilotin![8]

Selbst Tom fand an Beryls Fleiß nichts auszusetzen. Ihr Logbuch erzählt die ganze Geschichte. Besondere Vorkommnisse und Marksteine ihrer Lehrzeit sind dort unter der Rubrik »Bemerkungen« festgehalten. Mitte August absolvierte Beryl in Machakos ihre erste Buschlandung. Später im selben Monat flog sie hinaus zu ihrer Farm Melela, wo sie auf der Galoppbahn landete. Im September beförderte sie ihren ersten Passagier – es war Tom. Im Oktober wagte sie sich erstmals an einen ihr bis dahin fremden Flugzeugtyp. Tom hatte ihr erklärt, falls sie ernsthaft vorhabe, die Fliegerei beruflich zu betreiben (und zu diesem Zeitpunkt erwog Beryl bereits, sich eine eigene Maschine anzuschaffen), dann sei sie mit einer Avro Avian am besten beraten. Eine Maschine dieses Typs war kürzlich erst aus England eingetroffen und trug noch immer das britische Kennzeichen GA-BEA.[9] Es war eine Avion IV mit dem 120-PS-Motor einer Gipsy II. Beryl mietete die Maschine Anfang November, und im Februar darauf kaufte sie der Wilson Airways die Avro für 600 Pfund ab.

Der Flugunterricht ging unterdessen auf fortgeschrittener Ebene weiter. Nach dreißig Stunden in der Luft war Beryl im Cockpit so sicher, daß sie erstmals einen Passagier fliegen durfte, der selbst keinen Pilotenschein besaß.

Am 13. November erhielt Beryl eine für sie (und die gesamte Kolonie) sehr schmerzliche Nachricht: Lord Delamere, der ihren Lebensweg von frühester Kindheit an als gütiger Freund und Mentor begleitet hatte, war gestorben.

Im Dezember wagte sich Beryl mit ihrer Avro erstmals in die weitere Umgebung hinaus; sie flog nach Njoro, wo sie auf dem Polofeld landete, nach Nakuru, wo sie zum Pferderennen blieb, und weiter nach Naivasha, wo sie bei den Errols in Oserian zu Gast war. Aus den Einträgen in ihrem gewissenhaft geführten Logbuch geht ferner hervor, daß sie »für Crofton eine Nachricht abwarf«, einen gewissen F. Darling nach Kajiado und zurück flog und mit ihrer Freundin Lilian Graham einen kurzen Rundflug über Nairobi unternahm. Keine dieser Unternehmungen war vergeudet, nicht eine Übung schien ihr zu gering, um daraus zu lernen.

Anfang 1932 stieg sie mit ihrem jüngeren Halbbruder auf, und am 9. Januar flog sie mit Tom nach Tanganjika, um Bror und Cockie Blixen zu besuchen. Allerdings nahmen die beiden zwei Maschinen; er flog eine Gipsy Moth, Beryl die Avian. Cockie erinnert sich, daß die beiden »dauernd miteinander turtelten«. Auf dem Rückflug von Babarti wollten Tom und Beryl in Arusha zum Auftanken zwischenlanden, und Cockie bat, sie bis dahin mitzunehmen. »Auf unserem Flug nach Arusha hatte Tom nur Augen für Beryl, die sich die ganze Strecke neben uns hielt. Am Ende wurde mir das ein bißchen zu dumm, und ich sagte zu ihm: ›Sie könnten wohl nicht ab und zu auch darauf achten, wo *wir* hinsteuern?‹« Tom behauptete daraufhin, in dieser Gegend sei mit tückischen Abwinden zu rechnen, und er wolle nur sichergehen, daß Beryl ihre Maschine auch wirklich im Griff habe. Als sie schließlich wohlbehalten in Arusha landeten, sprach er Beryl auch wirklich auf dieses Phänomen an und hielt ihr vor Augen, welch tödliche Gefahr es für einen unachtsamen Piloten bedeuten könne.[10]

Cockie Blixens Gespür hatte sie dennoch nicht getrogen; Beryl und Tom lebten bereits seit dem vergangenen Herbst zusammen;

bei der Rückkehr von einer Englandreise hatte er ihr seine Liebe
gestanden. Beryl sah in dieser Beziehung weit mehr als nur ein un-
terhaltsames Abenteuer. Manche ihrer Freunde behaupteten sogar,
Tom sei der einzige Mann in Beryls Leben gewesen, der in ihrer
Wertschätzung an den Vater herangereicht, ja selbst ihre Gefühle
für Denys Finch Hatton verdrängt habe. Als ich sie 1986 interviewte, sprach Beryl von beiden Männern mit großer Achtung und
Herzlichkeit, aber es war Toms Foto, das über ihrem Sessel hing.
Tom war, wenn das auch kaum bekannt ist, im Sattel ein ebensol-
cher Meister wie in der Luft. Auch in der Kolonie hatte er schon an
einer Reihe von Pferderennen teilgenommen, und wie Beryl und
viele ihrer Freunde war Tom regelmäßig dabei, wenn sich die Pferdeliebhaber bei den landauf, landab veranstalteten Gymkhanas
miteinander maßen. Er war ein ausgezeichneter Reiter, und mit
nichts auf der Welt hätte er Beryl mehr imponieren können. Gemeinsam durchstreiften sie hoch zu Roß die Hügel rings um Rongai, wo Toms Ranch lag. Sie spielten Polo im Hochland, wo die
Mannschaften zu gleichen Teilen aus Frauen und Männern bestanden, tanzten in Nairobi im Muthaiga Club oder in Torr's Hotel. Es
war also eine durchaus vielseitige Beziehung, und gleich der früheren zu Denys funktionierte sie, weil Beryl nie Gelegenheit bekam,
die Führung an sich zu reißen. Tom hatte gewissermaßen Denys'
Rolle eines Lehrers und Mentors übernommen, wenn auch sein
Unterricht mehr auf praktische als auf ästhetische Belange ausgerichtet war.

Das waren die guten Zeiten mit Tom. Seine Arbeit bei den Wilson
Airways füllte ihn aus und machte ihm Freude; vor allem hatte er
viel Spaß an den abenteuerlichen Flügen ins Landesinnere oder gar
nach Europa.[11] Er war ein zärtlicher, rücksichtsvoller Liebhaber,
ließ sich aber von Beryl nichts gefallen und erlaubte ihr vor allem
niemals, sich zwischen ihn und seinen Beruf zu drängen. Beryls
Neigung zum Kommandieren entsprach einer angeborenen Füh-
rungsqualität (die freilich von manch einem als Arroganz mißver-
standen wurde), womit sie aber auf Tom keinen Eindruck machen
konnte. Seine sichere, fast väterlich lenkende Hand war vermutlich
genau das richtige Rezept für Beryls Glück, vor allem in An-

betracht ihrer offensichtlichen Vaterfixierung. Übrigens sah Tom
dem alten Clutterbuck sogar ähnlich mit seiner hohen Stirn, dem
schmalen Gesicht und den buschigen Brauen über humorvoll blitzenden Augen. »Er konnte Beryl mit einem einzigen Blick kontrollieren«, weiß ein gemeinsamer Freund, »und sie betete ihn
förmlich an.«

Tom war freilich weit mehr als nur Beryls Geliebter, er half ihr, in
der Verkehrsluftfahrt Fuß zu fassen, und ermöglichte es ihr, eine
Karriere einzuschlagen, die ganz ihrem Naturell entsprach. Wenn
Beryl sich einmal etwas in den Kopf gesetzt hatte, dann arbeitete
sie mit einer nachgerade beängstigenden Zielstrebigkeit darauf
hin – ein Zug, den sie sich ihr Leben lang bewahrte. Nichts durfte
ihr den Weg versperren, und sie spannte ihre Mitmenschen mit bisweilen erschreckender Skrupellosigkeit für ihre Zwecke ein. Der
Umstand, daß Tom bereit war, zur Befriedigung seines persönlichen Ehrgeizes genauso hart zu arbeiten wie sie, kam der Beziehung dieses eigenwilligen Paares sehr zugute. Es steht außer Zweifel, daß Beryl Denys Finch Hatton geliebt hat; ihre Trauer über
seinen Tod war echt und wird von vielen Zeitgenossen bezeugt,
obwohl vermutlich nur wenige begriffen, wie tief der Schmerz saß
– Beryl verstand es von jung auf sehr gut, ihre persönlichen Gefühle zu verbergen. Aber die Liebe zu Denys entsprang der kindlichen
Schwärmerei für ein vermeintlich unerreichbares Idol, für einen
Mann, der einer anderen Frau gehörte. Auch wenn Denys am Leben geblieben wäre, hätte die Verbindung keinen Bestand gehabt –
und zwar aus vielerlei Gründen. Beryls Liebe zu Tom stand dagegen auf festerem Fundament und hätte ein Leben lang dauern können. Noch als ich die Dreiundachtzigjährige interviewte, sprach sie
von Tom als »meinem Geliebten«, und engen Freunden hatte sie
schon vorher anvertraut, daß Tom die große Liebe ihres Lebens
gewesen sei.[12]

1932 erreichte der Medienrummel um das Fliegerpaar Amy Johnson und Jim Mollison seinen Höhepunkt. Der Briefwechsel zwischen Tom und Beryl beweist, daß die beiden sich in ihren Träumen als ebenso glanzvolles und erfolgreiches Duo sahen. In ehrgeizigen Zukunftsvisionen schwärmten sie von spektakulären Flügen,

mit denen sie Rekorde brechen, reich und berühmt werden wollten. Amy Johnson hatte ihren Rekordflug nach Australien unter-
nommen, und Jim Mollison war es gelungen, in seiner Puss Moth
im Alleinflug den Atlantik zu überqueren. Allerdings war er in Irland gestartet und erreichte sein vorgegebenes Ziel New York
nicht im nonstop.

Tom und Beryl diskutierten viel über diese Langstreckenflüge und
über neue Ziele, die dank des sprunghaften technischen Fort-
schritts rasch in greifbare Nähe rückten. Hier lagen Herausforde-
rungen und Abenteuer, etwas, wofür es sich zu arbeiten lohnte.
Beryl hegte keinen Zweifel daran, daß sie und Tom zusammenge-
hörten und als Fliegerpaar Ruhm und Ehre ernten würden. Dabei
ging es ihr freilich nicht um den flüchtigen Starglanz im Rampen-
licht der Öffentlichkeit – der konnte sie nie reizen –, sondern nur
um den Stolz auf die persönliche Leistung. Sie war glücklich, bis
über beide Ohren verliebt und glaubte, an Toms Seite einer viel-
versprechenden Zukunft entgegenzugehen.

Von nun an dienten fast all ihre Flüge einem praktischen Zweck –
die Trainingszeit lag hinter ihr. Manchmal besuchte sie Freunde im
Hochland und verbrachte die Nacht auf deren Farm, und immer
häufiger beförderte sie Passagiere – so flog sie zum Beispiel im
Februar Betty Playfair von Nairobi nach Mombasa, übernachtete
dort und kehrte am nächsten Morgen nach Nairobi zurück. Ihre
Passagierliste liest sich wie das Mitgliedsverzeichnis des Muthaiga
Clubs: allerdings beschwerte sich manch einer, weil Beryl ihm zunächst einen Freiplatz in ihrer Maschine angeboten, bei der Landung aber plötzlich Geld verlangt habe. Im März wurden Beryl
und Tom in aller Öffentlichkeit kritisiert, weil sie zusammen lebten, ohne miteinander verheiratet zu sein. Es war allgemein bekannt, daß Beryl ein Kind hatte und nicht nur geschieden war,
sondern auch – zumindest in England – ein ziemlich bewegtes Leben geführt hatte. Eines Abends kam es in der Bar des Muthaiga
Clubs zu einem peinlichen Zwischenfall. Ein Herr, der etwas zuviel getrunken hatte, machte seiner Entrüstung lauthals und vor
aller Welt Luft: »Ladies wie die haben unsere Kolonie in Verruf
gebracht ...« Zahlreiche Klatschgeschichten über das angeblich

lasterhafte Treiben auf den reichen Farmen der White Highlands kursierten zu jener Zeit in England und erfreuten sich vor allem in London einer Publicity, die den Kolonisten verständlicherweise höchst unangenehm war. Tom reagierte prompt, forderte den Störenfried auf, mit ihm hinauszukommen, und verprügelte ihn dort nach Kräften. Aber Beryls Ruf hatte dennoch gelitten.

Der unangenehme Vorfall im Club fiel zeitlich mit einem Streit zwischen Tom und Mickey Wheeler (einem von Beryls Freunden) zusammen, der Tom vorwarf, er beute Mrs. Wilson schamlos aus und verwende ihr Geld zur Verwirklichung seiner eigenen Ziele statt im Dienste von Wilson Airways.

Tom war bitter gekränkt. Der Anschuldigung, er habe ein Verhältnis mit Beryl, konnte er sich schwerlich entziehen, aber für die Wilson Airways hatte er geschuftet wie ein Kuli. Durch Zufall war ihm eben jetzt eine Stelle als Privatpilot bei Lord Furness angeboten worden, der den Winter auf Safari in der Kolonie verbracht hatte. Falls Tom annehmen sollte, würde er den Lord noch in diesem Frühjahr nach England begleiten müssen. Da das gehässige Gemunkel über ihn und Beryl in der Kolonie nicht verstummte und überdies Florrie Wilson nicht, wie Tom erwartet hatte, seine Partei ergriff, kündigte er im April bei Wilson Airways und trat in Lord Furness' Dienste.

Furness war nur wenige Jahre älter als Tom, ein »rothaariger Peer mit stahlblauen Augen, hochfahrend und stolz, ein Mann, der fluchen konnte wie ein Bierkutscher und dem dank eines millionenschweren Vermögens selbst seine skandalumwitterte Vergangenheit zum Ruhme gereichte.«[13]

Neben Grantley, dem Stammhaus in Yorkshire, besaß die Familie Furness noch drei weitere Landsitze, darunter auch Burrough Court bei Melton Mowbray, wo Thelma Furness im Jahre 1930 den Prinzen von Wales mit einer gewissen Wallis Simpson bekannt machte und damit, ohne es zu ahnen, den Lauf der englischen Geschichte verändern half.

Marmaduke (Spitzname Duke) Lord Furness war der Sohn eines dynamischen Aufsteigers, der in Hartlepool als Dockarbeiter angefangen und sich zum Multimillionär emporgewirtschaftet hatte, weshalb er als der erste Baron Furness von Grantley in den Adelsstand erhoben wurde. Als er im Alter von sechzig Jahren starb, war der ehemalige Schauermann Direktor der Furness-Schiffahrtslinie, hatte für Hartlepool im Parlament gesessen und war Friedensrichter sowie Deputy Lieutenant von Durham. Die Skandalgerüchte, die seinen Sohn Duke umgaben, reichten ins Jahr 1921 zurück, als Dukes erste Frau, Daisy Hogg, unter mysteriösen Umständen, die übrigens nie aufgeklärt wurden, auf der Furness-Yacht *Sapphire* eines plötzlichen Todes starb und eilends auf See beigesetzt wurde.[14] Duke hatte ein aufbrausendes Temperament, und wenn ihm jemand in die Quere kam, schrie, fluchte und tobte er fürchterlich, doch Tom wußte ihn offenbar zu nehmen und fühlte sich bei seinem neuen Arbeitgeber durchaus wohl.[15]

Beryl hielt es offenbar für selbstverständlich, daß Tom diese neue Stellung nur vorübergehend angenommen habe, jedenfalls machte sie keinen Versuch, ihm den Vertrag mit Lord Furness auszureden. Ob sie damit Erfolg gehabt hätte, scheint freilich zweifelhaft, denn in der Rückschau wird deutlich, daß Beryl mehr in Tom verliebt war als umgekehrt. Furness hatte bereits durchblicken lassen, daß er auch die kommenden Winter in Ostafrika auf Safari verbringen wolle, und so wußte Tom, daß er binnen sechs Monaten, vielleicht sogar früher, nach Kenia zurückkehren würde. Seine Aufgabe bestand in erster Linie darin, die Familie Furness innerhalb Englands oder auf dem europäischen Kontinent herumzufliegen, und er wurde für seine Dienste gut bezahlt. Außerdem hatte Furness ihm erlaubt, sich während der Sommermonate mit seiner De Havilland Puss Moth an den King's-Cup-Wettkämpfen zu beteiligen. Tom teilte Beryl also mit, er würde im April nach England fliegen.

Beryl hatte bereits ihre silberblaue Avian gekauft, die nun das kenianische Kennzeichen VP-KAN am Rumpf trug, was der Maschine prompt den Spitznamen »die Kan« einbrachte. Ohne Tom etwas davon zu erzählen, faßte Beryl den kühnen Entschluß, ihm nach England zu folgen, und begann auch gleich, sich mit dem ihr eigenen Fleiß für dieses waghalsige Unternehmen zu rüsten. Ihr Logbuch verzeichnet intensive Übungen im Trudeln, in Nacht- und Gewitterflügen; sie bestand alle Tests mit Bravour. Ende März flogen Tom und Beryl nach Naivasha, wo sie ein paar Tage mit Freunden verbrachten. Zwei Wochen später begleitete sie Tom nach Nyeri, wo er einen amerikanischen Waco-Doppeldecker abholte, mit dem er kurz darauf den Flug nach England antrat.[16] Beryl kehrte nach Nairobi zurück und bereitete sich auf ihre Reise vor.

Beryls Logbuch verzeichnete 127 Flugstunden, als sie in der Morgendämmerung des 24. April von Nairobi nach Kisumu am Victoriasee startete, der ersten Etappe ihres Englandfluges. Die Mechaniker von Wilson Airways waren entsetzt gewesen, als sie ihnen ihr Ziel nannte. Die Maschine, die sie benutzen wollte, war keiner speziellen Flugwartung unterzogen worden, und es blieb nicht einmal genügend Zeit, das alte britische Kennzeichen GE-BEA auf den Tragflächen zu übermalen. Der Flug nach Kisumu verlief jedoch ohne Zwischenfall, und obwohl Beryl einen Umweg über die Farm ihres Vaters machte, benötigte sie nur knapp zwei Stunden für die Strecke. In Kisumu tankte sie und vertrat sich kurz die Beine; dann ging es weiter nach Juba. Auf dem Weg dorthin geriet sie in ein schlimmes Unwetter und mußte wegen eines Maschinenschadens einige Meilen südlich des Flugplatzes niedergehen. »Knapp hinter einem Sumpf. Hätte ich dort landen müssen, wäre das vielleicht mein Tod gewesen«, sagte sie später. In Juba übernachtete sie und flog am nächsten Tag – der Himmel war inzwischen wieder klar – weiter nach Malakal, einem wichtigen Navigationspunkt ihrer Reise. Die Maschine wurde aufgetankt, und Beryl ließ das Fahrgestell reparieren, das bei der Notlandung tags zuvor beschädigt worden war.

In Malakal kamen ihr offenbar Zweifel, ob sie den Flug fortsetzen solle, denn sie telegrafierte an Wilson Airways, daß sie vielleicht umkehren würde. Doch in einem zweiten Kabel informierte sie die Gesellschaft, sie habe ihre Bedenken überwunden und werde wie geplant auf nördlichem Kurs weiterfliegen. In Kosti, auf halber Strecke nach Khartum, mußte Beryl abermals notlanden. Wieder hatte der Motor ihrer Avian gestreikt, aber sie landete wohlbehalten im tiefen Wüstensand am Westufer des Nils. »Mein Flugzeug war bald von einer Schar lachender Eingeborener umringt. Sie standen einfach da und sahen mir zu, während ich die Maschine wieder flottmachte«, erzählte sie später den Reportern des *Daily Sketch*. Mit Hilfe der Eingeborenen rollte sie die Avian auf festeren Boden, wo sie »am Motor herumbastelte, um festzustellen, was die Fehlzündungen verursacht hatte«. Am nächsten Morgen nahm sie erneut Kurs auf Khartum, das sie freilich nur mit knapper Not erreichte; während des zweistündigen Fluges hatte der Motor zweimal ausgesetzt. Ein Mechaniker in Khartum meinte, ein Kolbenring sei gesprungen. Entgegen seiner Warnung beschloß Beryl, nach Atbara weiterzufliegen, wo sie die nötigen Ersatzteile zu bekommen hoffte.

Eine Woche lang hörten ihre Freunde in Nairobi nichts mehr von ihr, doch dann kam Nachricht von unerwarteter Seite. Sir Philip Wigham Richardson war auf dem Weg nach Nairobi in Atbara im Sudan gelandet und hatte Beryl dort getroffen. »Sie saß wegen eines gebrochenen Kolbenringes fest«, berichtete er. »Aber von Kairo war eben ein Ersatzteil eingetroffen. Sie schien mir wohlauf und wollte gleich nach beendigter Reparatur weiterfliegen.«[17]

Die nächsten Stationen der Reise waren gleichermaßen beschwerlich. Der Motor machte weiterhin Schwierigkeiten, und in Kairo mußte sie während eines Sandsturms landen, der die Sonne verdunkelte, so daß Beryl nicht einmal mehr die Landebahn sehen konnte. Diesmal kam ihr die Royal Air Force zu Hilfe. Von Heliopolis wurde ein Mechaniker eingeflogen, der den Motor überprüfte und reparierte. Mit der so instandgesetzten Maschine flog Beryl nach Alexandria weiter und von dort entlang der Mittelmeerküste über Tobruk und Bengasi nach Tripolis. Sie überquerte Malta und Sizilien und gelangte schließlich via Neapel, Rom, Pisa, Marseille, Lyon und Paris nach London. Am 17. Mai landete sie auf dem Heston-Flugplatz.

Die Nachrichtenagentur Reuter berichtete ausführlich über Beryls abenteuerlichen Flug. »Die einunddreißigjährige Mrs. Mansfield Markham, Schwägerin von Sir Charles Markham, sorgte gestern abend für beträchtliche Aufregung am Heston-Flugplatz, als sie – in grauen Flanellhosen, blauem Sweater und einem ölverschmierten weißen Mackintosh – aus ihrem Flugzeug stieg und bekanntgab, sie habe in sieben Tagen die Strecke von Kenia nach London im Alleinflug bewältigt.« Der Presse erklärte Beryl, sie habe ganz einfach Sehnsucht nach England bekommen, wo sie seit achtzehn Monaten nicht mehr gewesen sei. »Und da habe ich ein paar Sachen zusammengepackt und bin losgeflogen. Der Motor hat mir unterwegs ganz schön zu schaffen gemacht, und ich saß tagelang im Sudan fest. Am schlimmsten war die Überquerung der Wüste – wegen der unerträglichen Hitze; dann der Flug übers Mittelmeer, bei dem mir ziemlich mulmig war, weil ich fürchtete, der Motor könne wieder streiken; und die Strecke von Marseille nach Lyon, wo miserable Wetter- und Sichtverhältnisse herrschten.« Wenn das Personal in Heston schon verblüfft war über ihren Auftritt, so kann man sich lebhaft vorstellen, was Tom für ein Gesicht machte, als Beryl ihn an diesem Abend in London begrüßte. »Ich glaube, er war ein bißchen überrascht«, kommentierte sie in der Rückschau bescheiden. Aber er verzieh Beryl ihren Leichtsinn rasch – sie hatte in jedem Falle eine sensationelle Leistung vollbracht, ganz besonders in Anbetracht ihrer geringen Erfahrung, und sie hatte es für ihn getan. Welcher Mann hätte einem derartigen Kompliment widerstehen können, noch dazu wenn es von einer so schönen Frau kam? Tom selbst hatte den Flug von Kenia nach London in der Rekordzeit von fünf Tagen zurückgelegt, doch als er von Beryls Notlandungen hörte, wurde er blaß. Der allererste Flug von Kenia nach England lag weniger als fünf Jahre zurück, und Beryls Maschine war nur mit der üblichen Standardausrüstung versehen: Kompaß, Drehzahl- und Höhenmesser sowie ein Anzeiger für dynamisches Seitengleichgewicht. Sie hatte weder Funk- noch Peilgerät an Bord, ja nicht einmal einen Fahrtmesser.

Gleich nach ihrer Ankunft in London geriet Beryl in den Strudel der großen Gesellschaft. In geborgten Abendkleidern durchtanzte sie die Nächte im Dorchester, im Savoy und im Ritz. Sie traf viele Bekannte aus Kenia wieder und lernte unter Toms Fliegerkameraden neue Freunde kennen. Tagsüber fand man sie meist auf dem Flugplatz, wo ihre Maschine auf Toms Veranlassung hin einer Generalüberholung unterzogen wurde. Inzwischen machte Beryl in

einer geliehenen Avian die Runde zwischen den schicken Aero-
clubs von Heston, Stag Lane, Brooklands und Croydon. Am
9. Juli bekam sie ihre Maschine zurück, deren Motor zu ihrer und
Toms Erleichterung jetzt tadellos funktionierte. Ein paarmal besuchte sie ihren mittlerweile dreijährigen Sohn Gervase, zeigte aber
kein Verlangen, ihn zu sich zu nehmen. Falls sie sich mit ihrer alten
Flamme Prinz Henry traf, der bei den 11. Husaren in Tidworth
stationiert war, so behandelte sie diese Begegnung diskret und verzeichnete sie jedenfalls nicht in ihrem Logbuch.

Mitte August unternahm sie einen einigermaßen geheimnisvollen
Flug nach Koblenz. Unterwegs ging ihr das Benzin aus, und sie
mußte bei Münden notlanden, wobei Propeller und Rumpf ihrer
Maschine beschädigt wurden. Beryl erlitt leichte Verletzungen und
setzte ihre Reise im Automobil fort. Auf die Frage eines Reporters,
was sie denn in Koblenz wolle, antwortete sie kurzangebunden:
»Freunde treffen.«[18] Ihre brüske Weigerung, der Presse über ihren
Unfall Auskunft zu geben, war ganz und gar untypisch für Beryl.
Auch in ihrem Logbuch verzeichnete sie den Flug nach Koblenz
erst nachträglich und außer der Reihe. Vielleicht wollte sie ihn über-
haupt nicht eintragen, besann sich dann aber eines Besseren – zehn
Flugstunden waren kein Pappenstiel, und sie sammelte ihre Stun-
den mit einer ganz bestimmten Absicht. Also kam der Koblenz-
Flug in ihr Logbuch, allerdings ohne Kommentar zu dem Unfall.
Der Sommer verlief recht angenehm; Beryl und Tom waren oft zu-
sammen und flogen mehrmals zum Landsitz der Familie Furness
bei Melton Mowbray, wo sie miteinander ausritten. Während des
King's-Cup-Turniers machte Tom sie mit dem französischen
Autor und Flieger Antoine de Saint-Exupéry bekannt, ferner mit
Hubert Broad, einem Testpiloten von De Havilland und obendrein einem der besten Sportflieger des Landes, sowie mit Sydney
St. Barbe, einem namhaften Piloten und ehemaligen Fluglehrer des
Londoner Aeroplane Clubs. Er hatte das Unterrichten aufgegeben,
um sich als Himmelsschreiber zu versuchen, ein Sport, der sich in
den Vereinigten Staaten großer Beliebtheit erfreute, in England
allerdings nur zögernd Anklang fand. Die Herzogin von Bedford
(bekannt als die »fliegende Herzogin«), die zu St. Barbes Schüle-

rinnen gehörte, wurde später durch ihre Langstreckenflüge berühmt. Einmal, als ihr eine besondere Glanzleistung gelungen war, begrüßte St. Barbe sie bei ihrer Rückkehr nach England mit dem Wort BRAVO, das er in riesigen Lettern an den Himmel geschrieben hatte.[19] In Saint-Exupéry, Broad und St. Barbe fand Beryl drei gute und treue Freunde, deren jeder in den kommenden Jahren eine wichtige Rolle in ihrem Leben spielen sollte.

Tom brach Anfang Oktober mit dem Herzog von Furness nach Kenia auf, und am 22. Oktober, vier Tage vor ihrem dreißigsten Geburtstag, startete auch Beryl, begleitet von St. Barbe, zum Rückflug nach Nairobi. Der achttägige Flug verlief problemlos.

Bis zum nächsten April war Tom unausgesetzt für Furness tätig. Doch dann hatte er ein paar Wochen frei, ehe er dem Lord nach England folgen sollte. Diese kostbaren Ferien verbrachten er und Beryl zurückgezogen auf ihrer Farm im Hochland.

»Wenn es dir wirklich ernst ist mit der ›B‹-Lizenz«, sagte Tom eines Tages, »dann könntest du Weihnachten die nötigen Prüfungen ablegen. Vielleicht bekommst du mit dem Schein eine Anstellung als Privatpilotin in England.«[20] Im Juni mußte Tom fort, und Beryl trainierte von Melela aus für die begehrte »B«-Lizenz. Sie nutzte jede Gelegenheit, um Flugstunden zu sammeln, und paukte wie besessen die theoretischen Aufgaben. So verbissen arbeitete sie, daß sie erst in der Woche, als sie zu den Prüfungen nach Mombasa fliegen mußte, eine Lücke in ihren Aufzeichnungen bemerkte. Beryl legte stets Wert darauf, daß ihr Logbuch sauber und übersichtlich geführt war, und in der Regel notierte sie sich auf jedem Flug ein paar Stichworte in einer Schmierkladde, um sie später am Schreibtisch ins Logbuch zu übertragen. Nur dieses eine Mal taucht eine andere Handschrift darin auf, die ihres Vaters, der auf Beryls Bitte hin ihre Notizen kopierte.

Die Prüfungen für den Erwerb der »B«-Lizenz umfaßten schriftliche und mündliche Fragen zur Theorie und Praxis von Luftrecht und Navigation sowie einige praktische Tests, darunter das Zerlegen eines Motors, Reinigen von Benzin- und Ölfilter sowie der Düsen, ferner das Auswechseln von Zündkerzen und Einstellen der Magnetzünder.

Am 18. September meldete die *Mombasa Times,* daß »Beryl Markham vom Luftfahrtministerium die ›B‹-Lizenz für Verkehrspiloten zuerkannt wurde, wonach sie berechtigt ist, Passagiere gegen Entgelt zu befördern. Mrs. Markham darf sich rühmen, als bisher einzige Frau Kenias Inhaberin der ›B‹-Lizenz zu sein; außerdem hat sie als erste aller in Kenia trainierten Piloten diese begehrte Qualifikation errungen. Sogar weltweit können nur sehr wenige Frauen eine ›B‹-Lizenz vorweisen.« Beryl erinnerte sich später: »Du meine Güte, was war ich aufgeregt damals! ›Meine Liebe‹, sagte ich zu mir, ›jetzt hast du's endlich geschafft!‹«[21] Ihr erster Auftrag, den sie noch in Mombasa bekam, bestand darin, Touristen auf Vergnügungsflügen die Küstenlinie aus der Luft zu zeigen.

Nun, da sie die begehrte Lizenz als Verkehrspilotin in der Tasche hatte, heimste Beryl jeden Auftrag ein, den sie ergattern konnte. Ihr Quartier hatte sie wieder in dem gemieteten Cottage in Muthaiga aufgeschlagen, und *Arap* Ruta, der ihr unverändert wie ein treuer Schatten folgte, wußte bald schon ebensogut über Flugzeugwartung und -pflege Bescheid wie seine Herrin.

Tom war unterdessen mit Furness nach Kenia zurückgekehrt und verbrachte jede freie Minute mit Beryl. Er berichtete ihr vom King's-Cup-Turnier, bei dem er in den ersten Runden den zweiten, vierten und achten Platz belegt hatte, was freilich nicht ausreichte, um ihn ins Finale zu bringen.

Beryl hatte inzwischen angefangen, für Blixen und dessen Safari-Gesellschaften Elefantenherden aus der Luft aufzuspüren; außerdem plante sie, einen Nachrichtendienst von und zu Percival's Buschcamps einzurichten. Ab Dezember 1933 begleitete sie Safari-Trupps auf bis zu zehntägigen Streifzügen. Frühmorgens startete sie von notdürftig freigeschlagenen Pisten, um die Lagerstätten begehrter Beutetiere auszukundschaften, deren Position sie anschließend den im Lager wartenden Jägern mitteilte. Tom war mit solch riskanten Unternehmungen ganz und gar nicht einverstanden und schärfte ihr immer wieder ein, sich zumindest in unwegsamem Gelände stets einer Landemöglichkeit zu versichern. Beryl nahm sich seinen Rat zu Herzen und gewöhnte sich an,

bei ihren Erkundungsflügen Ausschau nach offenem Gelände zu
halten, das sie im Ernstfall ansteuern könne – ein Notbehelf, von
dem sie zum Glück nur höchst selten Gebrauch machen mußte.
Diesen ganzen Winter über war Tom für Furness unterwegs,
und Beryl flog als Kundschafterin für Blixen und andere weiße
Jäger.

Beryl und Tom waren immer noch ein Liebespaar. »Soweit ich
mich erinnere, war er ihr einziger Freund«, urteilt ein Bekannter.
Tom freute sich mit Beryl, als sie den ersten Vertrag als Post-
fliegerin bekam. Eines Tages bat George Edye von East African
Airways sie zu sich. »Möchten Sie einen Job?« fragte er. Beryl war
viel zu aufgeregt, um antworten zu können, und so nickte sie nur.
Edye bot ihr an, den Arbeitern in den Goldminen von Kakamega,
Musoma und Watende Post und Proviant zu liefern. »Es war eine
knifflige Sache«, äußerte Beryl später. »Die Pisten dort draußen
waren kaum größer als ein Taschentuch, und wer irgendwo auf der
Strecke hätte notlanden müssen, der wäre gewiß elend ver-
durstet.«[22] Die Goldminen in Kenia erwiesen sich auf Dauer als
ziemlich unrentabel, aber Anfang der dreißiger Jahre, als die ersten
Nuggets gefunden wurden, brach ein regelrechtes Goldfieber aus,
und Abenteurer und Glücksritter zogen in hellen Scharen zu den
»Goldfeldern« unweit des Victoriasees. Als Elspeth Huxley (damals eine junge und noch relativ unbekannte Journalistin) 1933
Kakamega besuchte, kampierten dort über tausend Mann in Zelten
und *Bandas,* den Hütten der Eingeborenen. Mit Feuereifer wu-
schen sie Goldsand aus den Flüssen und trieben überall Stollen ins
Erdreich. Elspeth Huxley aber beeindruckten vor allem die Glüh-
würmchen: »Nachts erleuchteten Millionen dieser Insekten die
Hügel und Täler ringsum; unermüdlich sandten sie ihre Signale
aus, bis es den Anschein hatte, als wetteiferte von der Erde her ein
zweiter gestirnter Himmel mit den zahllosen Sternen über uns am
Firmament.«[23]

G. D. Fleming, der 1935 als Pilot für East African Airways flog,
erinnert sich gut an den Flugplatz von Kakamega: »Er lag 5000
Fuß über dem Meeresspiegel und hatte zwei Pisten, die im rechten
Winkel zueinander verliefen; jede war etwa 600 Meter lang und

25 Meter breit.« Einmal mußte Fleming dort in einem tropischen Gewitter landen. »Der Regen kam runter wie eine Wand, man konnte kaum zwanzig Meter weit sehen. Die Rollbahn verlief ziemlich steil aufwärts und wurde oben von hohen Bäumen begrenzt. Wir benutzten zum Landen die Steigung und starteten hügelabwärts. Als die Maschine schon Bodenberührung hatte, sah ich durch die Wasserwand verschwommen einen Gegenstand in einiger Entfernung vor mir, und im raschen Näherkommen erkannte ich, daß es ein Auto war.« Fleming gab Gas und schaffte es im letzten Moment, die Maschine in einer Steigböe über das Hindernis hinwegzureißen. Doch durch die hohe Geschwindigkeit gelang es ihm nicht mehr, das Flugzeug auf der Landebahn zum Stehen zu bringen, »und die Mühle schoß mit einem Salto über den Umgrenzungswall«. Als Fleming wieder zu sich kam, »hingen die Passagiere wie flügellahme Fledermäuse in den Gurten und waren kreidebleich im Gesicht.«24

Um ihr Einkommen aufzubessern, richtete Beryl neben dem Postdienst einen Kurierservice für Safarijäger ein und beförderte in Notfällen Medikamente oder Ärzte. Manchmal brachte sie auch ein Unfallopfer oder einen schwerkranken Patienten von einem entlegenen Winkel der Kolonie nach Nairobi ins Krankenhaus.25 Zusätzlich offerierte sie einen Lufttaxiservice zu den Farmen im Hochland, der dadurch lukrativ für die Passagiere wurde, daß sie den Tarif der Wilson Airways von einem Schilling und drei Pence die Meile unterbot. Häufig sprang sie auch bei East African Airways als Ersatzpilotin ein, und ihr Kollege G. D. Fleming urteilte über sie:

Sie war eine hervorragende Pilotin, mutig und ausdauernd, und nach meinem Dafürhalten war Beryl – mit Ausnahme von Jean Batten – die beste Fliegerin im ganzen britischen Empire...

Ich habe sie nie müde oder »mitgenommen« erlebt, nicht einmal nach einem zehnstündigen Flug oder nach einer ausgiebigen Party am Abend zuvor. Sie wirkte immer frisch und war stets guter Laune ... Ihre Navigationskünste waren geradezu unheimlich, und sie fand sich mit schlafwandlerischer Sicherheit in den weiten Steppen Ostafrikas zurecht ... Ich wüßte nicht, daß sie je eine Bruchlan-

dung gemacht hätte, weder bei wirklich scheußlichem Wetter,
noch auf einem ungünstigen Flugplatz oder des Nachts.[26]
Als die Furness-Safari im Januar zu Ende ging, machte Tom sich
für den Rückflug zum Landsitz des Lords bei Melton Mowbray in
Leicestershire bereit. Beryl war bis März als Kundschafterin für
Blixens Safaris engagiert, hatte alle Hände voll zu tun und war
glücklich. Das Paar betrachtete die kommende Trennung nur als
vorübergehend. Tom hoffte, im Sommer beim King's-Cup-Turnier besser abzuschneiden als im Vorjahr, und versprach, daß er im
nächsten Winter wie gewöhnlich zur Safari-Saison nach Kenia zurückkehren werde. Er wollte außerdem gern an dem großen Wettfliegen von London nach Australien teilnehmen, aber dafür würde
er Geldgeber brauchen und einen besonderen Flugzeugtyp, und so
blieb dieser Plan vorläufig mehr oder weniger ein Traumprojekt.
Tom schlug vor, daß Beryl im Sommer nach England kommen solle, und sie willigte freudig ein.
Keiner von beiden ahnte es, doch Toms Abflug von Kenia signali-
sierte das Ende ihrer Affäre.

Kapitel 7
(1933–1936)

1933 war Beryl Markham dank ihres Erfolges als Pilotin zu einer
selbstbewußten jungen Frau herangereift, die zuversichtlich daran
glaubte, mit ihrem aufregenden neuen Beruf ihren Lebensunterhalt
bestreiten zu können. Aber auch wenn sie im Cockpit gescheitert
wäre, hätte sie sich um die Zukunft keine Sorgen zu machen brauchen, denn ihr Talent als Pferdetrainerin war ihr gewiß. Auch jetzt
half sie noch gelegentlich auf der Farm ihres Vaters aus, der in Elburgon eine erfolgreiche Zucht aufgebaut hatte; schon Mitte der
dreißiger Jahre konnte er sich wieder zweier Derby-Sieger rühmen. Aber Beryl war immer noch auf der Suche nach etwas. Ihr
Schicksal hatte sich noch nicht erfüllt, davon war sie überzeugt,
und sie war rastlos, ja erwartete fast ängstlich »irgendwas, das geschehen und mein Leben verändern würde – eines Tages mußte es
passieren, das wußte ich die ganze Zeit«.[1]
Beryl, die stets peinlich auf ihr Äußeres bedacht war, besuchte regelmäßig einen Schönheitssalon in Nairobi, wo sie sich das Haar
aufhellen und die Nägel maniküren ließ. In der Stadt erkannte man
sie mittlerweile schon an ihrer »Livree«: Zur weißen Seidenbluse
mit Krawatte trug sie weiße Hosen, die enganliegend ihre knaben-
haft schmalen Hüften betonten und weichfließend die superlangen
Beine umspielten. Angesichts ihres zarten, hellen Teints, der
blauen Augen und ihrer femininen Ausstrahlung, vor allem aber
ihrer lässigen Ausdrucksweise wegen, hätte ein Unkundiger sie
leicht als eine verwöhnte Dame der Gesellschaft abtun können, die
sich nur zum Zeitvertreib mit Flugzeugen beschäftigte. Aber das
Fliegen war für Beryl beileibe kein Spiel, und ungeachtet der Ver-

letzlichkeit, die sich in ihrem schüchternen Lächeln spiegelte, war ihre Wirkung auf andere Menschen wohlkalkuliert. Im übrigen machte es ihr Spaß, die Reaktionen zu beobachten, die sie durch ihre ungewöhnliche Kombination von phantastisch gutem Aussehen und vergleichsweise männlichem Beruf hervorrief. Unter den Piloten Ostafrikas war sie zu ihrer Zeit zwar nicht die einzige Frau, aber außer Beryl verdiente sich keine ihren Lebensunterhalt mit diesem aus damaliger Sicht recht gefahrvollen Sport.

Wie mag wohl einem Mann zumute gewesen sein, der seit Tagen mit gebrochenem Knöchel im Busch festsaß und nichts tun konnte als hoffen, daß der ausgeschickte Läufer bald Hilfe bringen würde? Solch ein armer Kerl war gewiß heilfroh, wenn er endlich das kleine silbergraue Flugzeug über seinem Camp kreisen sah. Gespannt beobachtete er, wie die Maschine ein Stück abseits auf der freigeschlagenen Behelfspiste niederging, und wartete dann auf den Piloten. Selbst wenn es King Kong gewesen wäre, der mit Verbandskasten und frischem Proviant auf die Lichtung heraustrat – er hätte ihn wie einen Bruder willkommen geheißen. Nun stelle man sich vor, was er empfand, wenn statt des erwarteten Piloten eine hochgewachsene, ganz in Weiß gekleidete Greta-Garbo-Erscheinung mit langem Blondhaar und lackierten Fingernägeln fröhlich lächelnd auf ihn zutrat und ihm eine Flasche Gin reichte – Beryls Allheilmittel für Gestrandete. »Er muß sich gefragt haben, ob er am Ende gestorben und im Himmel gelandet sei«, frotzelte ein Oldtimer, als er die Geschichte weitergab. Dies ist freilich nur eine von vielen solcher und ähnlicher Schilderungen, und aus heutiger Sicht scheint es fast unmöglich, Legende und Wahrheit auseinanderzuhalten.

Beryls unermüdliche Einsatzbereitschaft zahlte sich aus. Sie bot das allererste Elefantenscouting aus der Luft an, und glücklicherweise liegt ein Augenzeugenbericht über ihren ersten Auftrag dieser Art vor. Colonel Leonard Ropner, der im Oktober 1933 an einer Safari in Kenia teilnahm, schrieb über Beryls »Erfindung« der Elefantenfliegerei.

Ich war in Ägypten, um mich in meiner Eigenschaft als Parlamentsmitglied über die politische Lage zu informieren, und da mir nach Abschluß meiner Recherchen noch sechs Wochen Zeit blieben, entschloß ich mich zu einem Abstecher nach Kenia. Von Kairo aus flog ich mit der einmal wöchentlich verkehrenden Maschine der Imperial Airways hinüber. Während des Fluges sichteten wir jede Menge Wild, auch Elefanten. In Nairobi trafen wir mit Baron von Blixen, einem schwedischen Jäger, zusammen. Die Safari-Gesellschaft, die er aufgestellt hatte, verfügte über zehn Schwarze, von denen drei ausgezeichnete Spurenleser waren ... lauter ehemalige Wilderer, und einer war sogar ein Mörder! ... Eine meiner erstaunlichsten Erfahrungen war die Jagd vom Automobil aus – allerdings keine sehr sportliche Erfindung. Ich könnte mich nicht dafür erwärmen. Drei Wochen lang versuchte ich, einen Elefanten vor die Büchse zu bekommen, doch erst am letzten Tag meines Aufenthalts hatte ich Glück.

Auf Blixens Rat schickte Colonel Ropner einen Nachrichtenläufer zu Beryl ins 200 Meilen entfernt gelegene Nairobi. Sie flog daraufhin zum Safari-Camp und übernahm den Auftrag, Elefanten aus der Luft aufzuspüren und den Jägern ihre Position bekanntzugeben.

Dies war ihr erster Auftrag dieser Art, und sie nahm den Baron als Scout mit. Die beiden spürten einen Elefantenbullen auf, dessen Stoßzähne schätzungsweise 150 Pfund wogen, und zwei weitere mit an die 100 Pfund schweren Stoßzähnen. Beryl und der Baron brauchten nur eine halbe Stunde für den Rückflug zum Lager, wir dagegen mußten anderthalb Tage durch den Busch marschieren, bis wir die angegebene Stelle erreichten. In der Morgendämmerung des nächsten Tages kreuzte [Beryl] über dem Gebiet, in dem sie und Blixen die Elefanten gesichtet hatten, während wir unten Signalfeuer anzündeten, um ihr unseren Standort zu bezeichnen. Sie warf eine Nachricht für uns ab, in der stand, sie habe vier große Bullen aufgetan. Wir waren volle fünf Stunden unterwegs, ehe wir die Tiere zu Gesicht bekamen.«[2]

Gelegentlich arbeitete Beryl auch für Bunny Allen. »Sie war eine vortreffliche Pilotin ...«, erinnert sich der ehemalige Safari-Jäger und erklärt, Beryl habe zur Landung beim Camp eine Behelfspiste benutzt, die der Jagdtrupp möglichst nahe am Lager für sie anzulegen pflegte. Nachdem sie sich vergewissert hatte, worauf die Herren aus waren – ob auf Büffel oder Elefanten –, flog sie los und machte sich auf die Suche. »Wenn man ihr auftrug, sich nach einem großen Elefanten umzuschauen, dann war sie ein Mädchen, das wußte, was damit gemeint war.« Ein großer Elefant bedeutete gewaltige Stoßzähne – bis zu zweihundert Pfund schwer. Manchmal kehrte Beryl nach einiger Zeit zum Camp zurück und holte einen der Jäger, um ihm zu zeigen, was sie gefunden hatte. Oder sie warf über dem Lager eine Nachricht ab – in besonderen Lederbeuteln, von denen sie eigens zu diesem Zweck stets einige mitführte. Damit keiner im Dickicht übersehen wurde oder verlorenging, hatte sie an jedem Beutel lange Bänder in ihren Rennfarben blau und gold befestigt, die weithin sichtbar waren.[3]

»Sie kannte sich im ganzen Land phantastisch aus ... und war eine sehr gute Buschpilotin. Manchmal verabredeten wir ein Treffen mit ihr an einer markanten Stelle, einem Fluß oder einem Tümpel, der von der letzten Regenzeit übriggeblieben war.« Wenn Gestrüpp und Unterholz eine Landung verhinderten, gab Beryl die Position der Tiere dadurch an, daß sie in weitem Bogen über ihnen kreiste.[4] Während dieser ganzen Zeit hatte sie weder Funk- noch Peilgerät an Bord. Hätte sie im Busch landen müssen, wäre sie außerstande gewesen, jemandem ihre Position mitzuteilen.

Im Januar 1934 besuchte Ernest Hemingway Kenia und ging mit Phillip Percival, dem berühmtesten aller weißen Jäger, auf Safari. Als Großwildjäger Robert Wilson hat Hemingway ihn später in einer meisterhaft konstruierten Short story unsterblich gemacht.[5] Während seines Aufenthalts in Kenia erkrankte Hemingway an der Ruhr. »Vor lauter Schmerzen kam ich zu der Überzeugung, daß ich ... auserwählt sei, dem großen Buddha zu seiner Wiedergeburt auf Erden zu verhelfen.«[6] Was Hemingway wie Geburtswehen beschreibt, war in Wirklichkeit ein kritischer Darmvorfall. Ein Rettungsflugzeug brachte ihn auf schnellstem Wege nach Nairobi ins Krankenhaus. Trotz der argen Schmerzen, die er erleiden mußte, machte sich Hemingway Notizen vom Flug über den Kilimandscharo und verwendete diese Eindrücke später mit dem ihm eigenen Gespür für Ambiente im Roman *Schnee auf dem Kilimandscharo.*

Während seiner Genesung machte Hemingway die Bekanntschaft von Bror Blixen, und die beiden Männer, die so vieles gemeinsam hatten, wurden enge Freunde. Hemingway lud Blixen ein, ihn Ende Februar zusammen mit seinem Safari-Kunden Alfred Vanderbilt zum Tiefseefischen im Indischen Ozean zu begleiten. Blixen seinerseits führte den Dichter in die Gesellschaft von Nairobi ein und machte ihn auch mit Beryl bekannt, die den Auftrag hatte, die Vanderbilt-Safari als Elefantenfliegerin zu unterstützen. Hemingway bezog sich auf diese Zusammenkünfte, als er über Beryls Lebenserinnerungen schrieb: »Ich lernte die Lady recht gut kennen, während ich in Afrika war ...«[7] Der Schreiber dieser Zeilen ahnte wohl kaum, daß er damit eines Tages den entscheidenden Anstoß zu Beryls Wiederentdeckung als Schriftstellerin geben würde. Auch Bror Blixen erwähnte die Vanderbilt-Safari in *African Hunter.*

Zuerst gingen wir auf Elefantenjagd in der Gegend von Voi, aber das war ein klägliches Unterfangen. Wir machten einen großen Bullen aus, der uns jedoch zweieinhalb Monate lang an der Nase herumführte. Wir waren die ganze Zeit im Geschirr und verschlissen viele Paar Stiefel ... Ein Flugzeug und drei Automobile gingen zu Bruch, aber alles vergebens.

Bei dem erwähnten Flugzeug kann es sich nicht um Beryls Maschine gehandelt haben, denn ihr Logbuch verzeichnet für den fraglichen Zeitraum keinen einzigen Ausfall ihrer KAN. Zwei Wochen lang flog sie täglich für die Vanderbilt-Safari, und einige Male nahm sie Blixen oder Vanderbilt mit, um über Kilamakoy nach Beute zu spähen.

Als die Safari-Saison zu Ende ging, verdiente Beryl sich ihren Lebensunterhalt teils mit dem Transport von Passagieren zu oder von ihren Farmen im Hochland, teils mit Frachtlieferungen oder indem sie Ärzte zu Patienten in entlegene Ortschaften flog. Aber ihr Leben bestand nicht nur aus Arbeit: Nach wie vor nahm sie an Gymkhanas teil, und ihr Name erschien regelmäßig in den Preislisten der Springturniere. Im April 1934 wurde mit dem Njoro Landing Ground ein neuer Behelfsflugplatz eröffnet. Zusammen mit so bekannten Piloten wie Carberry, St. Barbe, Florrie Wilson und Silver Jane flog Beryl dort ein. Sie gewann einen Preis in dem vom Luftfahrtkomitee ausgeschriebenen Wettfliegen und heimste auch beim Aerial Derby den Siegespokal ein. Das Derby ging über eine Strecke von dreißig Meilen, doch »mehrere Teilnehmer kamen vom Kurs ab«, und Beryl erreichte das Ziel einige Minuten vor ihren Konkurrenten. Der Tag endete mit Rundflügen zur Unterhaltung der Zuschauer, und als die einbrechende Dunkelheit den Vorführungen ein Ende setzte, begab man sich zum Clubhaus, wo bis in die frühen Morgenstunden das Tanzbein geschwungen wurde.[8]

Kurz vor dem Derby kam die Nachricht, daß Tom Black sich für das Wettfliegen von London nach Melbourne gemeldet habe. Aufgeregt bat Beryl ihn um nähere Einzelheiten. Die Antwort kam postwendend. Beryls Briefe an Tom sind nicht erhalten, dafür aber einige seiner Antwortschreiben. Sie sind alles andere als leidenschaftlich, und zwar schon bevor Tom jene schöne Schauspielerin kennenlernte, in die er sich Hals über Kopf verliebte und der er solange den Hof machte, bis sie nachgab und ihn heiratete.

Ich las aus Toms Briefen an Beryl einen onkelhaften, ja fast herablassenden Ton heraus, ein Urteil, dem sie energisch widersprach; das sei, meinte sie, »einfach seine Art« gewesen.

> *The Royal Aero Club*
> *119 Piccadilly, London W1*
> *24. März 1934*

Liebe Beryl,
sei herzlich bedankt für Deinen Brief, wie klug von Dir, so voll und ganz zu verstehen, was ich über die bestimmte Unterströmung einer starken, ja tödlichen Mißgunst der Leute in Ostafrika sagen wollte. Wenn man das Land nur vom Großteil dieser Neidhammel befreien könnte, wie würde es da aufblühen, all seine erstaunlichen Reize entfalten und zu Wohlstand kommen – dann wäre es wahrhaftig ein Traumland.

Dieses London beherbergt Millionen und hält sie fest, trotzdem liegen die Dinge hier ein wenig anders; man zeigt längst nicht soviel Interesse an den Verhältnissen der Nachbarn oder den Eifersüchteleien seiner Freunde wie in unserem armseligen kleinen Kenia.

Doch trotz der herrlichen Unabhängigkeit von skandalhungrigen Sittenwächtern, trotz der Gewißheit, daß man tun und lassen kann, was einem beliebt, treffen darf, wen man mag, und völlig ungehemmt leben könnte, falls einem der Sinn danach steht – trotz all dieser Freiheiten lenkt eine gräßliche Aura deprimierender Melancholie Wunsch und Gedanken in eine andere Richtung und weckt in mir die Sehnsucht, wieder eine Persönlichkeit zu werden, mich also von allem hier loszumachen und zurückzukehren zu der Individualität und Unabhängigkeit des Lebens in Kenia – ungeachtet der verlogenen, unflätigen Gedanken und gehässigen Bemerkungen der Nachbarn dort.

Vielleicht ist das, was ich bisher geschrieben habe, unsinnig und widersprüchlich, aber ich weiß, daß Du, wenn Dir meine Argumentation vielleicht auch nicht logisch erscheint, zumindest verstehen wirst, wovon ich schreibe, und darum werde ich diesen Brief nicht noch einmal lesen, denn durch Änderungen kann man vielleicht manches klarer zum Ausdruck bringen, aber womöglich verfälscht man auch gerade das, was man sagen wollte.

Diejenigen, die uns als Freunde und sogar mehr zur Seite standen, sollten in die Liste der Dinge aufgenommen werden, die uns mit Stolz und Glück erfüllen. Auf sie stützen sich all meine hochfliegenden Pläne. Und seine Träume muß man sich bewahren, dafür aber die Alpträume vergessen und die lächerlichen Unannehmlichkeiten, die einem »völlig unwichtige« Leute immer wieder bereiten.

Da sehne ich mich also nach Freiheit und bin doch gefangen im monotonen Trott einer gutbezahlten Stellung, bin durch unsichtbare Fesseln gebunden, aber wenn ich meinen gegenwärtigen Posten aufgäbe, dann würde ich genau die Dinge zerstören, die mir seit jeher soviel bedeutet haben. Ich habe Furness wahnsinnig gern. In all seinen Geschäften ist er stets freundlich und rücksichtsvoll gegen mich, dabei aber so außerhalb seiner Sphäre und in vielem so von mir abhängig, daß es einfach undankbar wäre, würde ich ihn jetzt im Stich lassen! Ist es die Möglichkeit, daß Tom Black, den alle Welt verdächtigt, er hätte Mrs. Wilson ausgenutzt (vide Wheelers Version), sowas schreibt!!! Wer hätte gedacht, daß in diesem erstaunlichen Zeitalter noch irgendwo Gefühle ins Spiel kommen würden. Und obendrein ausgerechnet bei uns beiden!

Aber einerlei, ich war ja schon immer verrückt und in letzter Zeit ganz besonders, denn – um auf ein paar Dinge des praktischen Lebens zu kommen – ich habe mich auf einige tolle Börsenspekulationen eingelassen und vermutlich verloren. Daher »existiere« ich jetzt nur noch bis Oktober.

Du fragst nach dem Wettkampf – da gibt es nicht viel zu erzählen. Ich wollte unbedingt dabei sein, da ich diesen Streckenflug zum Auftakt meiner weiteren Karriere als Pilot machen möchte. Worin meine Ziele bestehen, läßt sich im einzelnen kaum aufzählen, denn im gleichen Maß, wie die Maschinen schneller und die Flugbereiche größer werden, wachsen auch die Pläne, und viel hängt ohnehin davon ab, wie das Rennen ausgeht. In Mußestunden, wenn wir über Gott und die Welt sprachen, haben wir oft auch von Transatlantikflügen oder solchen zum Kap geträumt, und jetzt, wenn alles klappt und gutgeht, rücken all diese Träume vielleicht in greifbare Nähe, doch mit einem viel flotteren, womöglich unmöglichen Konzept. Auf jeden Fall und Gott sei Dank muß zuerst das Rennen in Angriff genommen werden.

Die Maschine ist schon im Bau und wird, denke ich, ein schneller Vogel mit großem Flugbereich. Scott ist ein phantastischer Kamerad, und wir hielten es beide schon ganz zu Anfang, als noch kaum jemand von dem Rennen sprach, für besser, halbpart zu machen, statt sich jeder getrennt auf einen zweiten Piloten zu verlassen, von denen einer oder womöglich gar beide dann doch nicht unser volles Vertrauen genießen oder jedenfalls nicht 100 % ins Team passen würden.

Dann bot man sowohl ihm als auch mir eine Maschine für das Rennen an, und ohne Wissen des anderen lehnten wir beide wegen unserer ursprünglichen Vereinbarung ab. Nun waren wir ein Team *ohne Flugzeug; aber wir blieben optimistisch und einigten uns schließlich, nach Gesprächen mit verschiedenen Unternehmensverbänden, auf die Comet. Im August wird sie fertig, und wir wollen das Beste hoffen. Ohne die Leistungen der anderen Teilnehmer zu kennen, wäre es lächerlich, eine auch nur ungefähre Prognose unserer Chancen zu wagen.*

Im August trenne ich mich vorübergehend von Furness, genauer gesagt bis nach dem Rennen; wir treffen uns dann in Kenia wieder. Von August bis Oktober will ich mich ganz dem Training widmen. Wir nehmen den Wettkampf sehr, sehr ernst und hoffen natürlich auf das Beste. Wenn wir uns gut halten und das Glück auf unserer Seite ist, war mein Weggang aus Kenia vielleicht doch nicht umsonst, sondern im Gegenteil zu etwas nütze.

War während der sogenannten Revolution drüben in Deutschland, und ich finde Hitlers Verhalten angesichts 200 bewaffneter Rebellen, denen er ganz allein mit seinem Piloten gegenüberstand, noch dazu nachts und während einer Versammlung dieser Putschisten, eines der herausragendsten Beispiele von Mut und Tapferkeit in den Annalen der Geschichte. So ist er allerdings – ein wunderbarer Mann, über jede persönliche Schwäche erhaben.[9]

Ich wünsche Dir alles Gute, Beryl, und hoffentlich habe ich Dich nicht gelangweilt mit dem Versuch, meine Gedanken in Worte zu fassen, so schlecht mir das auch gelungen sein mag, weil ich bemüht war, mit ihnen Schritt zu halten, und so natürlich zweifellos jede Menge Fehler hineingebracht habe, sowohl was Stil, als auch Aufbau und Logik angeht.

Tom.[10]

Obwohl Beryl gewiß enttäuscht war, daß Tom seinen Rekord ohne sie aufstellen wollte (denn sie hatte zweifellos gehofft, bei einem solchen Abenteuer mit von der Partie zu sein), beruhigte sie andererseits wieder sein Versprechen, nach dem Wettkampf nach Kenia zurückzukehren. Dann würde alles gut werden. Wenn er erfolgreich abschnitt, würde Tom berühmt werden, und dann würden sie ohne viel Mühe Sponsoren für künftige Gemeinschaftsflüge finden. Trotzdem wünschte sie sich nichts sehnlicher, als an Toms

Unternehmung teilzuhaben – und sei es nur, um ihm während der harten Trainingsphase zur Seite zu stehen.

Gar zu gern wäre Beryl sofort nach England geflogen, aber dazu fehlten ihr die Mittel; Blixen kam ihr zu Hilfe. Sein Neffe Gustaf »Romulus« Kleen, der eine Farm in Tanganjika betrieb, plante eine Europareise und würde gewiß die Kosten für den Flug übernehmen, wenn Beryl ihn hinbrachte. Die nötigen Vorbereitungen waren bald getroffen, und zwei Wochen vor dem festgesetzten Start kam Romulus nach Nairobi, wo Beryl ihn in ihrem Cottage im Muthaiga Club aufnahm.

Mitte April flogen sie nach Seremai, zu Carberrys Farm; dort wurde Beryls Avian gründlich überholt. Als sie wieder aufbrechen wollten, hatten sintflutartige Regenfälle die Piste von Seremai unter Wasser gesetzt, so daß an einen vollbeladenen Start nicht zu denken war. Sidney St. Barbe erklärte sich bereit, die Maschine leer zum nahegelegenen Nyeri-Flugplatz zu fliegen, während Beryl und Romulus samt Gepäck im Automobil nachkommen sollten. Doch die heftigen Regengüsse hatten eine tiefe Rinne in die Piste gegraben; St. Barbe, der die Gefahr nicht bemerkte, blieb beim Start in der Spalte stecken, und die Avian überschlug sich. St. Barbe kam zum Glück unverletzt davon, aber das Flugzeug wurde beschädigt, und der Propeller ging zu Bruch. Einen Ersatzpropeller aus England kommen zu lassen, hätte einen Monat gedauert, und so mußte die geplante Überführung zu Beryls Leidwesen ausfallen.

»Wie sich herausstellte, war dieser Unfall im Grunde ein Glück, denn Beryl erlitt noch am selben Abend einen schweren Malaria-Anfall, und wir beschlossen, sie gleich am nächsten Tag per Flugzeug nach Nairobi ins Krankenhaus zu bringen«, berichtete Romulus. Aber obwohl sie sehr elend war, abwechselnd unter Kälte- und Fieberanfällen litt, zuzeiten das Bewußtsein verlor und oft phantasierte, weigerte Beryl sich energisch, ins Krankenhaus zu gehen. Romulus und der treue *Arap* Ruta pflegten sie in ihrem Cottage, und sobald sie außer Gefahr war, reiste Romulus per Schiff nach Europa. Die beiden sollten sich erst ein Vierteljahrhundert später wiederbegegnen.[11]

Es dauerte sechs Wochen, ehe Beryl wieder fliegen konnte, doch die Avian war selbst dann noch nicht flugtüchtig. Carberry borgte ihr zur Überbrückung eine Klemm, einen zweisitzigen Tiefdecker deutschen Fabrikats. Der ausgesprochen deutschfreundliche Carberry benutzte mit Vorliebe deutsche Flugzeuge und Automobile. Beryl freilich war mit der Klemm ganz und gar nicht zufrieden. Das einzige, was sie halbwegs mit der Maschine aussöhnen konnte, war der Umstand, daß der Tiefdecker sich dank seiner enormen Spannweite gut für Langstreckenflüge eignete. Aber über den Motor urteilte sie verächtlich, er sei »so schwach, daß der Pilot das Fingerspitzengefühl eines Pianisten brauchte, um seine Tastatur auf Wind und Wetter abzustimmen«.[12]

Im Juni und Juli benutzte Beryl die Klemm zwar einige Male als Lufttaxi, aber ihre eigentliche Arbeit nahm sie erst Ende August wieder auf, als die Avian endlich startbereit war. Zwischen April und August verzeichnet ihr Logbuch ganze sieben Flüge; vermutlich ließ ihre Gesundheit immer noch zu wünschen übrig, denn selbst als sie wieder mit der Avian aufsteigen konnte, unternahm sie zunächst nur kurze Rundflüge. Das Elefantenscouting konnte sie erst im November wieder beginnen. Dann aber konzentrierte sie sich vorrangig auf diese Arbeit, obwohl ihre Freunde sie vor den vielfältigen Risiken warnten, denn das lukrative Geschäft brachte ihr fast doppelt soviel ein wie andere Charter-Aufträge.

Den Juli und die erste Augusthälfte verbrachte Beryl bei ihrem Vater, um sich gründlich auszukurieren. Für die rastlose Fliegerin war dies eine ungewöhnlich lange Genesungszeit; ungehalten verglich sie die wiederkehrenden Fieberanfälle, begleitet von Kopfweh und Muskelschmerzen, mit dem Fegefeuer. Es war ein Glück, daß sie nicht ahnte, was sich unterdessen in England abspielte, denn sonst wäre aus dem Fegefeuer die reine Hölle geworden.

Im August hatte Tom Lord Furness zum Pferderennen nach Le Touquet geflogen, wo er die bildhübsche junge Schauspielerin Florence Desmond kennenlernte. Sie hatte in den berühmten Pariser Modehäusern eingekauft und machte nun ein paar Tage Ferien.

Tom war vom ersten Moment an hingerissen von »Dessie«, wie alle Welt sie nannte, und brachte einen ganzen Abend damit zu, ihr seinen bevorstehenden Australienflug in glühenden Farben zu schildern. Sie meinte freilich, dieser Kindskopf müsse entweder verrückt sein, oder er habe zuviel Champagner getrunken. Von London nach Melbourne in drei Tagen? Unmöglich!

Kaum war sie nach England zurückgekehrt, da rief Tom die Schauspielerin in ihrem Cottage in Hertfordshire an und schmeichelte ihr eine Einladung fürs Wochenende ab. Er sagte, er werde mit dem Flugzeug kommen, falls sie ein Bettlaken auf dem größten Feld in der Nähe ihres Hauses ausbreiten würde, damit er einen Anhaltspunkt für die Landung habe. Dessie spielte mit, und natürlich erregte der Vorfall im Dorf großes Aufsehen. Sogar der Polizist der kleinen Ortschaft kam angeradelt, »um die Personalien dieses sonderbaren Kauzes aufzunehmen. In den nächsten Wochen«, schrieb Dessie in ihrer Autobiographie, »machte das Dorf sich an jedem Samstag ein Vergnügen daraus, die Ankunft der kleinen Puss Moth zu beobachten. Die Leute fingen an, sich für den bevorstehenden Wettflug nach Australien zu interessieren, und der Umstand, daß Tom daran teilnehmen würde, lockte natürlich noch mehr Schaulustige zu meinem Cottage. Alle wollten den künftigen Helden landen sehen.«[13]

Im Oktober, als er sich zum Überflug nach Australien rüstete, hatte Tom sich ernsthaft in die Schauspielerin verliebt. Seine Briefe an Dessie lesen sich ganz anders als die, welche Beryl von ihm bekam. So schrieb er aus dem Trainingslager:

Mildenhall Aerodrom
Mittwoch

Mein Liebling,
Du darfst auch nicht einen Augenblick glauben, ich hätte nicht an Dich gedacht, weil ich Dir nicht geschrieben und Dich nicht angerufen habe. Du bist immer bei mir, am Tage in der Luft und nachts im Schlaf, und wenn ich abends hier am Feuer sitze, sehe ich Dein Bild in den tiefen Schatten des Zimmers. Meine Gefühle für Dich sind von der gleichen unbeirrbaren Zielstrebigkeit, mit der ich mich diesem Wettkampf widme, und ich wünschte mir, Du wür-

*dest ein klein wenig daran glauben, daß irgendwo und irgendwie
und irgendwann auch ich für Dich wichtig sein werde.*

*Vielleicht wird es nur eine kurze Weile dauern, man kann diese
Dinge ebensowenig steuern wie man ganz, ganz sicher sein kann,
daß die Maschine zusammenhält.*

*Aber ich denke und hoffe, sie wird es, wir jedenfalls geben unser
Bestes, und wenn der Vogel die Strecke schafft, haben wir recht
gute Chancen zu gewinnen, obwohl die Franzosen und die Amerikaner auch mit Spezialanfertigungen antreten.*

*Das Wetter hier ist einfach scheußlich, trotzdem haben wir ein
paar notwendige Tests durchführen können. Die Maschine wurde
erst Samstag geliefert, es bleibt also nicht mehr viel Zeit, uns einge-
hend mit ihr vertraut zu machen. Aber abgesehen von einer Nacht-
landung in Bagdad und der schlechten Wetterlage, die für nächste
Woche über Mitteleuropa angesagt ist, scheint mir alles in Ordnung.*

*Bitte denk ein bißchen an mich, so wie ich stets an Dich denke und
in Gedanken bei Dir bin.*

Immer Dein
Tom

Dessie besuchte Tom am Vorabend des großen Starts in Mildenhall. Sie fand das Spektakel, das Tausende von Schaulustigen sowie
Reporter und Fotografen, Flugzeugbauer, -ingenieure und Geldgeber veranstalteten, ebenso bedrückend wie die spannungsgela-
dene Atmosphäre.

*Diese begeisterten Piloten, die besten der Welt, rüsteten sich zu
einem Wettkampf, der in die Geschichte der Luftfahrt eingehen
würde. Tom und Charles Scott[14] hatten wochenlang trainiert. Sie
waren in Höchstform ... Champagnerkorken knallten, aber Tom
und Charles tranken nicht mit, sie hatten schon seit Wochen keinen Alkohol mehr angerührt. An diesem Morgen waren der König
und der Prince of Wales nach Mildenhall gekommen, um den
Wettkämpfern einen guten Flug zu wünschen ... Drei Comets waren für das Rennen gemeldet, eine würden Jim und Amy Mollison fliegen, die zweite Cathcart-Jones und Ken Waller, und die
dritte war Grosvenor House, die Maschine, mit der Tom und*

Charles Scott an den Start gingen. Es war ein schneidiger, zweimotoriger Tiefdecker, zur damaligen Zeit die beste Maschine dieses Typs. Um den Flugbereich auf ein Maximum auszudehnen, hatte man die Maschine in einen fliegenden Benzintank verwandelt und Kanister in den Tragflächen, in der Kanzel und im Heck verstaut. Die Piloten saßen auf sehr engem Raum hintereinander und stießen mit dem Kopf fast an die obere Kabinenhaube. Als ich in die winzige Kanzel hineinschaute, in der Tom und Charles für die nächsten drei Tage eingesperrt sein würden (mindestens solange, wenn ihre Berechnungen stimmten), da fragte ich mich, wie um alles in der Welt zwei Männer die Kraft aufbringen könnten, so viele und anstrengende Stunden dermaßen eingepfercht ein Flugzeug zu steuern.[15]

Dessie wollte nicht zusehen, wenn Tom in der Morgendämmerung des kommenden Tages an den Start ging. Also fragte er sie noch am gleichen Abend, als er sie zu ihrem Wagen brachte, ob sie ihn heiraten wolle. Dessie meinte, dies sei nicht der geeignete Moment, eine so wichtige Entscheidung zu fällen. »Tom«, sagte sie, »ich gebe Dir meine Antwort, wenn Du zurückkommst.«[16]

Die nächsten Tage verbrachte Dessie in banger Sorge. Als ein Reporter sie anrief und wissen wollte, ob es wahr sei, daß sie Tom Black heiraten werde, erklärte sie ihm, daß sie es selbst noch nicht wisse. »Ich erzählte ihm wahrheitsgemäß, daß Tom vor dem Abflug um meine Hand angehalten habe und daß ich versprochen hätte, ihm zu antworten, sobald er zurück sei.« Endlich kam die Nachricht, daß Tom und Charles Scott das Rennen in zwei Tagen, 22 Stunden und 59 Minuten gewonnen hatten. Dessies Freude verwandelte sich in helle Empörung, als sie die Zeitungen zu Gesicht bekam: »Campbell Black kämpft für eine Braut. [Miß Desmond erklärt] ›Wenn Du das Rennen gewinnst, gebe ich Dir mein Jawort.‹« Was, wenn Tom glaubte, sie hätte das wirklich gesagt? Doch als Tom sie aus Australien anrief, lachte er nur über ihre Bedenken: »Hör auf, dir wegen dieser dummen Schlagzeilen den Kopf zu zerbrechen. Willst du mich nun heiraten oder nicht?« Aber Dessie antwortete ihm immer noch nicht. Sie war der

Ansicht, der Wettkampf dürfe keinen Einfluß nehmen auf ihre Gefühle für Tom.[17]

Einen Empfang, wie man ihn Tom und Charles bei ihrer Ankunft in London bereitete, erlebt man heutzutage höchstens noch anläßlich einer königlichen Hochzeit. Parties, Pressekonferenzen und Diners jagten sich, bei denen Tom jedesmal eine Rede halten mußte – er flocht immer eine amüsante Anekdote ein, um die eher dramatischen (wenngleich völlig wahrheitsgetreuen) Schilderungen Scotts abzumildern. Doch trotz allen Beifalls und Ruhms, den sie einheimsen konnten, brachte ihr spektakulärer Flug den beiden finanziell so gut wie keinen Gewinn. Sie waren von A. O. E. Edwards, Besitzer des Grosvenor House Hotels in der Londoner Park Lane, gesponsert worden, der 5000 Pfund für den Ankauf der Comet bereitstellte. Als Gegenleistung erhielt Edwards das Preisgeld in Höhe von 10000 Pfund sowie den Gold Cup im Werte von 5000 Pfund. Außerdem bekam er einen beispiellosen Reklamefeldzug, denn der Name *Grosvenor House* erschien weltweit auf den Titelseiten jeder namhaften Zeitung. Tom und Charles Scott bekamen nicht einmal einen Anteil an den Preisen, die sie errungen hatten, und Edwards verkaufte die Comet schließlich für 7000 Pfund zu Forschungszwecken ans Luftfahrtministerium, obwohl Tom ihn inständig gebeten hatte, sie ihm für den ursprünglichen Preis von 5000 Pfund zu überlassen. Der einzige Profit, den Tom verbuchen konnte, bestand aus den Eintrittsgeldern, die Schaulustige zahlten, um sich die Comet in London vorführen zu lassen, sowie dem Honorar für einige Zeitungsartikel, Werbetexte und einem Scheck von Lord Wakefield in Anerkennung seiner Leistungen im Dienste der Luftfahrt.

Privat war dem großen Flieger mehr Glück beschieden. Dessie hatte sich endlich zu einem Entschluß durchgerungen, und als Tom sie das nächste Mal bat, seine Frau zu werden, willigte sie ein.

Beryl erfuhr von alledem zum erstenmal durch einen kleinen Artikel, der in derselben Nummer des *East African Standard* erschien, die auch über den Australienflug berichtete. Unter der Schlagzeile BRITEN SIEGER IM LANGSTRECKENFLUG brachte die Zeitung vier Spalten über den sensationellen Erfolg des Teams Black-

Scott,[18] aber Beryl verlor jedes Interesse an der mit Spannung erwarteten Reportage, sobald ihr der nachstehende Artikel ins Auge fiel:

FLIEGERROMANZE
London, 23. Oktober 1934

Eine heimliche Romanze war mit dem Flug London-Melbourne verknüpft. Erst jetzt wurde bekannt, daß Miß Florence Desmond, die britische Schauspielerin, von Capt. Campbell Black vor seinem Start von Mildenhall einen Heiratsantrag bekam. Miß Desmond teilte Reuter mit, sie würde dem Captain erst antworten, wenn er das Rennen gewonnen habe. Bevor Campbell Black startete, verehrte sie ihm eine schwarz-goldene Streichholzschachtel mit eingravierter Glücksbotschaft, und er stellte drei Fotos der Schauspielerin im Cockpit seiner Maschine auf.[19]

Beryl hatte fest damit gerechnet, daß Tom nach diesem wunderbaren Sieg mit fliegenden Fahnen zu ihr zurückkehren würde. Ach, wie stolz sie auf ihn gewesen war, als sie die Siegesmeldung erhielt, so stolz und glücklich, daß sie gleich nach Elburgon fliegen mußte, um ihrem Vater von Toms Triumph zu erzählen. Alle Welt wußte, daß Tom ihr Freund war. Dieser dumme Zeitungsartikel konnte nicht der Wahrheit entsprechen. Vermutlich war das Ganze nur ein Reklametrick. In fliegender Hast schrieb sie Tom einen Brief, aber noch ehe er ihn erhielt, kamen die englischen Zeitungen mit einer neuen Schlagzeile heraus, die bald auch in Kenia zu lesen war: »Fliegeras gibt Verlobung mit Londoner Bühnenstar bekannt.« Beryl war wie gelähmt. Eilig sandte sie Tom ein Telegramm: DARLING IST ES WAHR? DU HEIRATEST FLORENCE DESMOND? BITTE ANTWORTE RASCH STOP DEINE VERZWEIFELTE BERYL.[20]

Arme Beryl – die Berichte waren nur zu wahr. Im Gespräch mit mir meinte sie, sie sei nach England geflogen und habe Tom dort bei seiner Rückkehr aus Australien in Empfang genommen; sie konnte sich freilich nicht daran erinnern, worüber sie gesprochen hatten. Tom erwähnte diesen Besuch Dessie gegenüber mit keinem Wort, und Beryls Logbuch für den fraglichen Zeitraum ist leider verlorengegangen. Tom und Dessie heirateten im Frühjahr 1935.

Ein weiterer Brief von ihm, kurz nach der Hochzeit datiert, er-
mahnt Beryl nochmals, das Elefantenscouting aufzugeben, obgleich Tom gewußt haben muß, daß sie seine Warnung in den
Wind schlagen würde. Beryl hatte abermals einen Malariaanfall erlitten, und er war in Sorge um ihre Gesundheit. Er schrieb, dank
Dessies Hilfe sei es ihm gelungen, sich eine eigene Comet anzuschaffen. Mit dieser Maschine plane er mehrere Langstreckenflüge:
London – Kapstadt und zurück; London – New York und zurück;
London – Hong Kong und zurück; und jede dieser Strecken wolle
er an einem verlängerten Wochenende bewältigen. Wären ihm all
diese Pläne geglückt, dann hätte Tom für eine Sensation ersten
Ranges in der Geschichte der Luftfahrt gesorgt.

Wie Beryl auf dieses – unter den waltenden Umständen ein
wenig herzlos anmutende – Schreiben reagierte, ist ungewiß;
mir gegenüber äußerte sie nur, sie habe sich gefreut, daß Tom endlich auf dem Wege war, seine Ziele zu verwirklichen, »und
er hatte deren einfach unzählige. Er hatte sich ja soviel vorgenommen ...«[21]

Beryl selbst stürzte sich mit aller ihr zu Gebote stehenden Energie
in die Safari-Fliegerei. Kein Auftrag schien ihr zu gefährlich oder
zu anstrengend, und sie war ununterbrochen im Einsatz. Jetzt
gelang es ihr auch, sich von ihren nervösen Angstzuständen zu befreien, denn sie hatte sich endlich ein eigenes Ziel gesetzt, ein Ziel,
das auch Tom betraf, denn Beryl verspürte den brennenden
Wunsch, ihm etwas zu beweisen.[22]

Außenstehende hatten keineswegs den Eindruck, als sei sie untröstlich über den Verlust ihres Geliebten. Eine Kenia-Reisende,
die Beryl nur flüchtig kannte, traf sie eines Tages im Muthaiga
Club. Beryl war mit Cockie Blixen zusammen, beide waren nach
der neuesten Mode gekleidet, jede auf ihre Weise eine Schönheit,
dabei kühl und selbstbewußt. Die Besucherin war traurig, denn am
nächsten Tag sollte sie nach England zurückfahren. »Warum reisen
Sie ab, wenn Sie's gar nicht möchten?« fragte Beryl verständnislos.
»Aus Gewissensgründen vermutlich«, antwortete die Dame. »Beryl und Cockie sahen sich von der Seite an. Es war offensichtlich,
daß die beiden ganz sich selbst lebten und nicht im *Traum*

darauf gekommen wären, aus so einem schikanösen Grund etwas gegen ihren Willen zu tun. Offen gestanden, ich glaube, sie waren überrascht.«[23]

Allenthalben kursierten Geschichten über Beryls zahlreiche Liebschaften, aber diese flüchtigen Abenteuer bedeuteten ihr rein gar nichts. Vielleicht dienten sie einfach der Befriedigung ihrer sexuellen Bedürfnisse, vielleicht waren sie auch ein Symptom für ihre unermüdliche Suche nach Geborgenheit.

Tom und Dessie waren inzwischen mit Lord Furness' Maschine in die Flitterwochen nach Marokko geflogen. Dessie, die wußte, was für ein ausgezeichneter Reiter ihr Mann war, hatte sich einige elegant geschnittene Reithosen machen lassen und wollte während der Hochzeitsreise bei Tom Unterricht nehmen. Er hatte ihr von seinen Ausritten mit Beryl in Kenia erzählt, obgleich sie damals noch nicht ahnte, daß die beiden ein Verhältnis gehabt hatten. Gleich am Morgen nach ihrer Ankunft in Tanger mieteten die Neuvermählten sich zwei Pferde. Dessie bekam einen Hengst – kaum ein ideales Reittier für eine Anfängerin, aber Tom versicherte ihr, sie brauche keine Angst zu haben, sie würden es ganz gemächlich angehen. Dessie hätte sich ihre erste Reitstunde in ebenerem Gelände gewünscht und seufzte erleichtert auf, als Tom den Weg zurück zum Hotel einschlug. Leider hatte sie sich zu früh gefreut – denn als ihnen unversehens ein anderer Reiter entgegenkam, stieß Dessies Hengst »ein markerschütterndes Wiehern« aus, und die beiden Pferde stürzten aufeinander los. Vorsicht ist besser als Nachsicht, dachte sich Dessie, sprang aus dem Sattel und rannte aufs Hotel zu. Tom, der ihrem heißblütigen Hengst in die Zügel gefallen war, versuchte zusammen mit dem fremden Reiter, die beiden kampflustigen Tiere zu beruhigen.

Als Tom seine junge Frau später in der Bar fand, wo Dessie sich mit einem Brandy stärkte, fuhr er sie an: »Du hättest nicht absteigen sollen ... Na, egal, jedenfalls mußt du so schnell wie möglich wieder aufs Pferd, sonst setzt der Schreck sich fest, und du verlierst die Nerven. Wir versuchen's gleich morgen wieder.« Dessie fragte sich, wie sie wohl etwas verlieren könne, was ihr bereits abhanden gekommen war; aber sie hätte sich keine Sorgen zu machen brauchen; am nächsten Morgen zeigte der Mietstallbesitzer sich unerbittlich. Er wollte Dessie keins seiner wertvollen Pferde mehr anvertrauen.[24]

Dies blieb freilich nicht der einzige Vorfall, der Dessie während ihrer Flitterwochen Angst einjagen sollte. Einmal hatte die Puss Moth einen Motorschaden, als sie gerade über eine Bergkette flogen und weit und breit keine Landemöglichkeit in Sicht war – selbst Tom reagierte da beunruhigt. Als sie nach allerhand furchterregenden Manövern endlich landen konnten, schlackerten Dessie die Knie, und sie schluchzte vor Erleichterung. »Was [Tom] über dreckiges spanisches Benzin sagte, kann man gedruckt kaum wiedergeben«, meinte sie später lakonisch.

Am Ende ihres Aufenthaltes entschied Tom, Dessie solle samt dem Gepäck per Bahn nach Biarritz fahren. Das Wetter war schlecht, und er würde ohne sie mehr riskieren können. Zum Glück landete er wohlbehalten am Golf von Biskaya, und ohne weitere Zwischenfälle flog das Paar heim nach London. Die Frage liegt nahe, wie solche Zwischenfälle auf Tom gewirkt haben mögen. Ungeachtet seiner großen Liebe zu der reizenden Dessie konnte er gewiß nicht umhin, Vergleiche darüber anzustellen, wie wohl Beryl auf derlei Mißgeschicke reagiert haben würde. Sie hätte sowohl die Episode zu Pferde als auch die in der Luft spielend gemeistert, so daß weder die eine noch die andere zum Mißgeschick geraten wäre. Tom mußte einsehen, daß Dessie einer Fürsorge und Rücksichtnahme bedurfte, die Beryl nie erwartet hätte.

Sobald sie von der Hochzeitsreise zurückkehrten, setzte Dessie ihre erfolgreiche Bühnenlaufbahn fort, während Tom mit seiner De Havilland Comet für neue und aufsehenerregende Rekordflüge zu trainieren begann. Dessie hatte seine Maschine *Boomerang* getauft und hoffte, daß dieser beziehungsreiche Name sie »immer heil zurückbringen« würde. Als erstes wollte Tom mit Gordon McArthur als Copilot den Kapstadt-Rekord in Angriff nehmen. Sein Ziel war es, das Kap in sechsunddreißig Stunden zu erreichen; Zwischenlandungen zum Auftanken waren in Kairo und Kisumu (wo Beryl sich auf ein kurzes Wiedersehen freute) geplant.

Aufs beste vorbereitet gingen die beiden Männer an den Start, und nach bangem Warten erhielt die erleichterte Dessie die Mitteilung, daß Tom und Gordon Kairo in elf Stunden erreicht und damit alle bisherigen Rekorde gebrochen hätten. Doch in die Freude mischte sich bald ein Wermutstropfen, als Dessie hörte, daß die Comet mit einem völlig ausgebrannten Motor gelandet sei. Eine erste Inspektion ergab, daß die Maschine mit dem falschen Ölmeßstab ausgestattet war, weshalb die Piloten den Ölstand nicht korrekt hatten ablesen können. Tom blieb nichts anderes übrig, als nach England zurückzukehren und noch einmal ganz von vorn anzufangen. Doch das war leichter gesagt als getan. Tom mußte ein Wochenende mit klarer Sicht und Vollmond abwarten, denn sein ehrgeiziges Projekt stand nun einmal unter dem Motto »An einem einzigen langen Wochenende zum Kap und zurück«.

Beim zweiten Anlauf überredete Dessie die beiden Männer, Fallschirme mitzuführen, was sie freilich nur widerwillig taten, da das zusätzliche Gewicht eine erhebliche Behinderung darstellte. Wieder erreichte die Comet Kairo in der Rekordzeit von elf Stunden und zehn Minuten, und das, obwohl sie diesmal unterwegs mit schweren Unwettern zu kämpfen hatte. Auf der zweiten Etappe nach Kisumu streikte plötzlich der Motor; buchstäblich in letzter Minute sprangen Tom und McArthur mit ihren Fallschirmen über dem Busch ab. Eine arabische Handelskarawane kam ihnen zu Hilfe, und nach langem, ermüdendem Kamelritt landeten die beiden schließlich wohlbehalten in Atbara. Zwei volle Tage verstrichen, ehe ihre Angehörigen erfuhren, daß sie gerettet und in Sicherheit seien. Tom gab zu, daß die Fallschirme ihm und McArthur vermutlich das Leben gerettet hätten, denn in dem undurchdringlichen Gelände habe er nirgends eine Landemöglichkeit für die *Boomerang* entdecken können.

Beryl, die von Toms wagemutiger Leistung erst durch die Presse erfuhr, fühlte sich ausgeschlossen, ja hintergangen. Daß Tom ihre Liebe zurückgewiesen und statt ihrer Dessie geheiratet hatte, war schon bitter genug, aber nicht minder schmerzlich traf sie die Erkenntnis, daß Tom ihr auch beruflich keinen Platz in dem neuen und abenteuerlichen Leben einräumen wollte, das er sich offenbar

inzwischen aufgebaut hatte. Daß ihr Leben mindestens ebenso aufregend war wie das seine, schien ihr überhaupt nicht in den Sinn zu
kommen; vielmehr redete sie sich ein, sie müsse – ungeachtet
ihrer Liebe zu Kenia – nach England gehen, um ihre ehrgeizigen
Ziele verwirklichen zu können. Und als Toms Versuch, den Kap-
Rekord zu brechen, fehlschlug, spielte sie mit dem Gedanken, dieses Wagnis selbst in Angriff zu nehmen.

Sie hatte Blixen versprochen, während der Safari-Saison 1935–36
erneut für ihn als Scout zu fliegen, die Reise nach England würde
sie also erst zu Beginn der Regenzeit, im kommenden Frühjahr,
antreten können. Inzwischen waren ihre Charter-Aufträge derart
gestiegen, daß sie sich ein zweites Flugzeug zulegen mußte. Im
September nahm Beryl eine De Havilland Leopard Moth in Betrieb, eine dreisitzige Maschine, in der hinter dem Piloten zwei
Passagiere nebeneinander Platz fanden. Die Leopard Moth war ein
einmotoriger Hochdecker, moderner als die Avian, wenngleich sie
sich mit einer Reisegeschwindigkeit von knapp 200 km/h und
einer wesentlich höheren Landegeschwindigkeit nicht so gut für
die Arbeit im Busch eignete, wo es auf kurze Start- und Landemanöver ankam. Beryl benutzte die Leopard Moth daher hauptsächlich für Lufttaxi- und Ambulanzdienste.[25]

Immer wieder ist die Frage gestellt worden, in welchem Verhältnis
Beryl und Bror Blixen zueinander gestanden hätten. Als ich sie im
Frühjahr 1986, kurz vor ihrem Tod, interviewte, verwickelte Beryl
sich bei der Beantwortung dieser heiklen Frage in Widersprüche.
Zunächst spottete sie nur über die Unterstellung, sie und Blixen
hätten eine Affäre gehabt. »Um Gottes willen, nein! Ich kannte ihn
sehr gut, und wir waren befreundet. Ich flog ihn überall hin ... in
ganz Afrika waren wir unterwegs, und zweimal brachte ich ihn
nach England.« Doch als das Thema in anderem Zusammenhang
ein zweites Mal zur Sprache kam, verblüffte sie mich mit der Erklärung: »Natürlich habe ich mit ihm geschlafen ... wenn wir
draußen im Busch kampierten, war das manchmal die einzige Zerstreuung.« Als ich sie darauf aufmerksam machte, daß sie nur zwei
Tage zuvor jede Anspielung auf eine Liebesaffäre mit Blixen heftig
zurückgewiesen habe, warf sie mir einen vernichtenden Blick zu

und sagte: »Aber mit ›Liebe‹ hatte das doch nicht das geringste zu tun … Da war nichts weiter dabei.«[26]

Auch Cockie glaubt an ein Techtelmechtel zwischen Beryl und Bror. Allerdings war ihre Ehe mit Blixen zum fraglichen Zeitpunkt bereits zum Scheitern verurteilt, eine Entwicklung, an der Beryl keinerlei Schuld traf. Nachdem sie mit ihrer Kaffeeplantage in Babarti Schiffbruch erlitten hatten, kehrten Cockie und Bror nach Nairobi zurück, wo Cockie einen Modesalon übernahm. »Beryl war die einzige meiner Kundinnen, die ich dauernd mahnen mußte«, erinnert sie sich ohne Bitterkeit.[27] Blixen betätigte sich unterdessen wieder einmal als Safari-Führer und Schürzenjäger.[28]

Elspeth Huxley weiß zu berichten, daß diesmal ausnahmsweise Bror der Gejagte war, der einer schönen Dame in die Falle ging. Die ehemalige schwedische Schauspielerin Eva Dixon hatte in ihrer Heimat so viele aufregende Geschichten über Bror Blixen, einen entfernten Vetter von ihr, gehört, daß sie kurzentschlossen ihren Besitz verkaufte und nach Kenia reiste, um den berühmten Jäger persönlich kennenzulernen. »Eine Zeitlang gefiel sich Blixen darin, ganz nach afrikanischer Sitte mit einer Frau im Busch und einer zweiten in Nairobi zu leben. Doch als er die Einladung eines Freundes mit dem Zusatz beantwortete: ›Ich werde meine beiden Damen mitbringen‹, da stellte Cockie ihm ein Ultimatum: ›Du wirst nur mit einer hingehen.‹ Blixen entschied sich für Eva. Das war das Ende seiner Ehe mit Cockie.«[29]

Cockie verheiratete sich später mit Jan Hoogterp, einem charmanten und hochbegabten jungen Architekten, aber es heißt, sie habe in der Rückschau die Jahre mit Bror als die glücklichsten ihres Lebens gerühmt. Hätte er noch einmal um ihre Hand angehalten, sagte sie, dann wäre sie ohne Zögern wieder seine Frau geworden. Diese Äußerung ist insofern aufschlußreich, als die kluge, erfahrene und anspruchsvolle Cockie sich kaum zu einem solch überschwenglichen Lob hätte hinreißen lassen, wäre Blixen der ungehobelte Wüstling gewesen, zu dem seine Kritiker ihn stempeln wollen.

Cockie und Jan Hoogterp ließen sich nach der Hochzeit in Johannesburg nieder, und dort sollte Cockie eines schönen Tages ihren eigenen Nachruf in der Zeitung lesen.

Eva Blixen kam bei einem Autounfall in Bagdad ums Leben. Sie durchquerte als erste Frau die Sahara im Automobil, ein Wagnis, zu dem sie sich durch eine Wette verleiten ließ, bei der als Preis eine Kiste Champagner winkte. Nach ihrem tragischen Unfall berichtete ein Reporter irrtümlich über den Tod der Baronin Jacqueline Blixen; Cockie amüsierte sich köstlich über die Verwechslung, doch als sie den Herausgeber der Zeitung darüber aufklärte, erging der sich in überschwenglichen Entschuldigungen. »Aber nicht doch«, wehrte Cockie ab, »ich find's herrlich. Von jetzt an werde ich alle Rechnungen mit dem Vermerk ›Verstorben‹ zurückschicken.« Der Verleger bestand jedoch darauf, eine Richtigstellung in Cockies eigenen Worten zu drucken, und so sandte sie folgenden Text ein: »Mrs. Hoogterp, frühere Baronin von Blixen, wünscht hiermit kundzutun, daß sie sich vorläufig noch nicht im Sarg vögeln läßt.«[30]

Beryl und Eva Blixen wurden Freundinnen – übrigens bestand eine auffallende Ähnlichkeit zwischen der hochgewachsenen, blonden Eva und Beryl, und beide hatten außerdem die Eigenschaft, sich »ganz und gar zu verausgaben«, wenn sie erst einmal ein Ziel vor Augen hatten. »Weder Eva noch Beryl schreckten vor Risiken zurück«, erklärt Blixens Patensohn und Biograph Ulf Aschan. Oft sah man die beiden Frauen in der Bar des Muthaiga Club, wo sie zusammensaßen »wie ein reizendes Paar skandinavischer Bücherstützen.«

Winston Guest, ein reicher amerikanischer Sportsmann und Freund Hemingways, war Blixens letzter Safari-Kunde der Saison. In seinem Buch *Briefe aus Afrika* schildert Blixen diese Safari sehr ausführlich und geht auch auf Beryls Rolle als Elefantenfliegerin ein. Er erinnert sich, wie stolz sie war, als sie Guests erste Beute aufspürte, einen Bullen mit mächtigen Stoßzähnen. Beryl selbst hatte freilich nie Interesse daran, ein Tier zu töten, nur um sich mit seinen Trophäen zu schmücken. Sie ging zwar auf die Jagd, wenn der Fleischvorrat knapp wurde, doch wie Denys Finch Hatton zog sie es vor, Tieren mit der Kamera nachzustellen statt mit der

Flinte. In einem seiner Briefe in die Heimat schildert Blixen, was er mit Beryl auf Foto-Safari erlebte:

Die Sonne kletterte eben über den Horizont, als wir uns gegen eine südliche Morgenbrise über die Baumwipfel schraubten. Langsam stiegen wir auf eine Höhe von 1000 Fuß, zogen eine Schleife über die Piste und flogen dann hinaus in den Busch. Wir folgten der Eisenbahnlinie ostwärts und sahen zu, wie die aufgehende Sonne die eisblaue Kuppel des Kilimandscharo in rosiges Licht tauchte. Die Luft war noch klar von der Kühle der Nacht, und über den Flußbetten schwebten weiße Nebelschwaden, die sich unter den rasch kräftiger werdenden Sonnenstrahlen allmählich auflösten. Beryl brachte die Maschine mehrmals in Schräglage, so daß wir bald an Höhe gewannen; der Wind spielte in der Verspannung ein flottes Lied, der Motor summte dazu, und das Leben hätte sicher nicht schöner sein können.[31]

Die beiden sichteten eine kleine Elefantenherde, und nach der Landung heuerte Bror ein paar schwarze Träger an, die ihnen Gewehre, Proviant und Wasserflaschen nachtragen sollten. Dann pirschten sie sich in Hörweite an die Herde heran: hier ein Trompetenstoß, da das Schlagen eines mächtigen Ohrenpaares und hin und wieder ein lautes Prusten, wenn eines der Tiere sich Sand über den Rücken blies. Beryl hatte ihre Leica mit Teleobjektiv dabei, und Bror meinte, falls sie bis auf dreißig oder vierzig Meter an die Tiere herankäme, könne sie bestimmt hervorragende Aufnahmen machen. Sobald sie sich einen guten Platz gesichert hatten, wartete man darauf, daß der Bulle aus dem Dickicht, wo er und seine Kühe ästen, heraustreten und die Lichtung zu einem kleinen Wäldchen hin überqueren würde.

Würdevoll wie ein König näherte er sich. Unter dem Gewicht seiner prächtigen Stoßzähne schaukelte der Kopf im Rhythmus seiner Schritte langsam auf und ab. Er kaute an einem Büschel Bogenhanf und genoß augenscheinlich die wärmenden Sonnenstrahlen auf seinem Rücken. Jetzt stand er auf der Lichtung, und die Leica klickte. Der Bulle hielt einen Moment inne, und da trug der Wind ihm unsere Witterung zu. Doch statt umzukehren, wie ich es erwartet hätte, kam er mit aufgestellten Ohren direkt auf uns zu. Er meinte es offensichtlich ernst. »Haut ab und bringt euch in Sicherheit«, rief ich Beryl und den Trägern zu. Im selben Moment griff der Bulle an – den Rüssel vorgestreckt, die kleinen Schweinsaugen zornsprühend. Ich duckte mich hinter einen Baum, Gewehr im Anschlag. Dicht vor mir machte der Elefant jedoch unvermittelt halt, schmetterte mir zwei triumphierende und ohrenbetäubende Trompetenstöße entgegen, kehrte gleich darauf um und trottete befriedigt zu seiner Herde zurück. Der Feind war in die Flucht geschlagen, und er hatte seine Pflicht getan! Beryl war entzückt. »Donnerwetter!« rief sie, »so erschrocken war ich mein Lebtag noch nicht ...«[32]

Ende Februar gab Beryl ihre Avian zur Versteigerung frei. Mit dem Erlös hoffte sie ihre Reise nach England zu finanzieren, wo sie Tom überreden wollte, mit ihr gemeinsam noch einmal den Kap-Rekord zu wagen. Falls er nicht einwilligte, war sie entschlossen, einen Geldgeber für einen Soloflug zu finden. Da sie selbst über ein – wenn auch bescheidenes – Kapital verfügte, brauchte sie ausnahmsweise nicht mit leeren Händen anzutreten. Außerdem konnte sie noch auf die Leibrente zurückgreifen, die der Buckingham-Palast regelmäßig auf ihr Londoner Bankkonto überwies. Der alte König war inzwischen verstorben, Prinz Henry hatte man sicher in den Hafen der Ehe geleitet, und Beryl brauchte mithin nicht zu befürchten, durch ihre Rückkehr nach England allzu großes Mißfallen beim Königshaus zu erregen. Vor ihrer Abreise machte sie noch einen Besuch bei ihrem Vater in Melela. Es sollte ein Abschied auf Jahre werden, denn kurz nachdem Beryl Kenia verlassen hatte, zog Clutterbuck nach Durban, Südafrika, um dort, im Dorado des Pferderennsports, zu trainieren.[33]

Besonders schwer fiel Beryl der Abschied von *Arap* Ruta, ihrem treuen Freund aus Kindertagen. Ruta hatte ihr beigestanden, als sie sich zum erstenmal als Pferdetrainerin an die Öffentlichkeit wagte; während ihrer Ehe mit Mansfield hatte er in ihrer Abwesenheit das Gestüt betreut; als sie das Training aufgab, um fliegen zu lernen, wurde er ihr zuliebe ein geschickter Flugzeugmechaniker. Stets dienstbereit, dabei diskret wie ein Schatten, war Ruta immer an ihrer Seite gewesen, der einzige Getreue in leidvollen Tagen wie nach dem Tod von Finch Hatton oder Toms Hochzeit mit Dessie.

Als Beryl in ihrer Leopard Moth zu dem 6000-Meilen-Flug nach England aufbrach, hatte sie Bror Blixen als Passagier an Bord. Eva war einige Wochen zuvor mit dem Schiff abgereist und sollte in London wieder mit Bror zusammentreffen; von dort wollte das Paar in die Vereinigten Staaten übersetzen, wo sie sich vor allem auf einen Besuch bei Hemingway auf den Bahamas freuten. Durch Toms Vermittlung erwarteten Beryl in London mehrere Angebote für eine Pilotenstelle, aber sie hatte nicht die Absicht, ihr geliebtes Kenia zu verlassen, nur um anderswo wieder einen prosaischen Job zu übernehmen. Eine einfache, geregelte Beschäftigung konnte Beryl nicht reizen, sie brauchte immer und überall einen besonderen Ansporn, und der bestand vordergründig darin, bei allem, was sie unternahm, als Beste abzuschneiden. Gegenwärtig hatte sie sich vorgenommen, einen neuen Rekord auf der Strecke London–Kapstadt–London aufzustellen oder sich gar an die noch unerprobte Route London–New York–London zu wagen. Jedenfalls wollte sie Tom beweisen, daß sie die Nummer Eins unter den Fliegerinnen war.

Beryls zuverlässige Avian wurde bei der Auktion von den African Air Services ersteigert. Nur wenige Monate später zerschellte die Maschine auf einem Übungsflug und brannte völlig aus; der unerfahrene junge Pilot kam dabei ums Leben.[34]

Kapitel 8
(1936)

Bror Blixen hatte ursprünglich zusammen mit seiner Frau per Schiff nach Europa reisen wollen, doch Beryl bot all ihre Überredungskünste auf, um ihn als Flugbegleiter zu gewinnen. In dieser Zeit war es nämlich keiner Frau erlaubt, allein über den Sudan zu fliegen, und trotz ihrer ansehnlichen Erfolge als Pilotin machte man auch für Beryl keine Ausnahme.

Der Start in Nairobi wurde durch Morgennebel geringfügig verzögert, doch bald schon flogen sie über das Kikuju-Escarpment und nahmen Kurs auf Kisumu, die erste Auftankstation ihres 6000-Meilen-Fluges. Beryl berichtet darüber in *Westwärts mit der Nacht,* und Blixen räumt dem Abenteuer in seinen *Briefen aus Afrika* breiten Raum ein. Beide Versionen weichen in Kleinigkeiten voneinander ab – die Aufzeichnungen entstanden geraume Zeit später –, doch fest steht, daß es ein ereignisreicher Flug wurde. Die italienisch-faschistische Okkupation Äthiopiens war bereits im Gange, und Nordafrika wurde von italienischen Truppen kontrolliert, deren Einstellung stark anti-britisch geprägt war.

In einem Brief in die Heimat betont Blixen das platonische Verhältnis zu seiner Reisegefährtin:

Eine Zeitlang folgten wir dem Lauf des Nils und flogen dann über die Wüste, deren sengende Sanddünen grell unter uns flimmerten. Um die Mittagszeit kam es zu leichten Turbulenzen, die Hitze nahm zu, und Staubwolken wirbelten bis zu hundert Meter gen Himmel. Es war ein anstrengender Tag, und als wir gegen fünf Luxor erreichten, beschlossen wir, dort zu übernachten. Wir füllten Benzin und Öl nach und parkten in einem Schuppen, ehe wir

im Automobil in die Stadt fuhren. Welche Wohltat, sich nach die-
sem langen Tag mit einem kühlen Drink zu erfrischen! Danach
verlangte es uns nur noch nach einem Bad, einem guten Dinner
und einem bequemen Bett. Wir hatten indes große Schwierigkei-
ten, dem Hotelpersonal begreiflich zu machen, daß wir getrennte
Zimmer wünschten. Unsere Erklärung, wir seien nicht verheiratet,
machte keinerlei Eindruck auf die Leute. Man beteuerte uns nur
immer wieder, es stünde ein so schönes Doppelzimmer zur Verfü-
gung, mit Blick auf den Fluß, einem lauschigen Balkon und separa-
tem Bad. Ich bestand hartnäckig auf zwei Zimmern mit Bad, doch
erst als ich hinzufügte: »Ich schnarche«, konnte ich die Burschen
dazu bewegen, meinem Wunsch nachzukommen.[1]

Der Weiterflug nach Kairo verlief ohne Zwischenfälle, aber dort
angelangt, durchkreuzte der Amtsschimmel ihre Pläne. Beryl und
Bror hatten ohnehin ein paar Tage Aufenthalt eingeplant, um das
Flugzeug überholen zu lassen, doch sie mußten eine ganze Woche
ausharren, während die Offiziere des Duce ihre Papiere prüften.
Nicht ahnend, wie lange man sie festhalten würde, quartierten die
beiden sich frohgemut in Shepheard's Hotel ein, damals eines der
renommiertesten Häuser der Welt. »Wie Ihr wißt, ist der Frühling
in Kairo sehr mild. Beryl hatte dort viele flugbegeisterte Freunde,
mit denen sie die meiste Zeit verbrachte.«[2] Als Beryl und Blixen
endlich die Genehmigung zum Weiterflug erhielten, »blitzte und
funkelte die kleine Maschine wie neu im Sonnenlicht«. Beryls
Freunde auf dem nahegelegenen Royal-Air-Force-Flugplatz Heliopolis hatten gute Arbeit geleistet.

Auf der nächsten Etappe ihres Fluges, die entlang der nordafrika-
nischen Küste westwärts führte, wurden sie noch mehrmals durch
die Behörden aufgehalten – einmal unterstellte der zuständige Offizier sogar, Beryl sei ein als Frau verkleideter Spion. Mit beträchtlicher Verzögerung trafen sie schließlich in Bengasi ein. Hier waren sämtliche Hotels vom Militär beschlagnahmt; in *Westwärts*
mit der Nacht schildert Beryl recht plastisch jenes Bordell, in dem
sie und Blixen gezwungenermaßen die Nacht verbrachten. Ihr
Ekel vor der schmutzigen Unterkunft und dem ungenießbaren
Essen wurde nur gemäßigt durch das Mitleid mit der traurigen

Lebensgeschichte der Puffmutter. Blixen hatte das Abenteuer ganz
anders in Erinnerung: »Endlich«, schrieb er, »fanden wir zwei
Zimmer, stärkten uns mit Spaghetti und einem guten Wein und genossen vor allem die Gastfreundschaft einer braven alten Frau, die
ein Bordell führte.«

Am nächsten Morgen standen sie vor der schwierigen Wahl, entweder in einem jede Sicht raubenden Sandsturm abzuheben, oder
eine zweite Nacht im Bordell zubringen zu müssen. Beryl plädier-
te dafür zu starten, obwohl sie Bedenken hatte, daß die schwer
herniederprasselnden Sandkörner den Metallpropeller der Leopard
Moth beschädigen könnten.

Beryl gab Gas, und trotz des starken Gegenwindes hoben wir nach
nur fünfundzwanzig Metern vom Boden ab. Wir kurvten über
sturmgepeitschten Dattelpalmen, die sich unter dem wütenden
Element wie menschliche Leiber krümmten, und wurden mit ra-
sender Geschwindigkeit himmelwärts getragen. Die Wolken lich-
teten sich, die Sonne kam heraus, und unter uns waberte die stau-
bige Sandwüste. Beryl zog lächelnd ihren auf Tripolis gerichteten
Kompaß hervor.[3]

In Tripolis wurden die beiden »trotz Beryls blauer Augen und ihres blonden Haars« abermals festgehalten und mußten wohl oder
übel die Nacht im Hotel zubringen. »Wir waren schlechter Laune
und nahmen das Abendessen auf unseren Zimmern ein – Spaghetti
und Chianti«, notierte Blixen.[4]

Endlich ließen sie die nordafrikanische Küste hinter sich und erreichten – nach einem bangen Flug übers wolkenverhangene Mittelmeer – Südfrankreich; Beryl schreibt, sie seien in Cannes gelandet. Blixen meint, es sei Nizza gewesen. Ohne weitere Verzögerung erreichten sie von der Côte d'Azur aus ihr endgültiges Ziel:
London, wo sie von Schlagzeilen über Hitlers Einmarsch im
Rheinland und die Affäre des Königs mit Wallis Simpson empfangen wurden. Nach dem Tode seines Vaters hatte Beryls Freund aus
Safari-Tagen, »Edward P.«, endlich den Thron bestiegen, doch seine kurze Regentschaft wurde alles andere als glücklich für den jungen Monarchen. An ihrem ersten Abend in London dinierten Beryl und Bror mit Dessie und Tom Black.

Dessie hatte von Tom schon viel über Beryl gehört, unter anderem auch die Geschichte (die Tom für wahr hielt), daß Beryls Sohn Gervase einen königlichen Prinzen zum Vater habe,[5] und so war sie sehr gespannt, als Tom sie eines Nachmittags anrief und bat, ins Mayfair zu kommen, damit er sie mit Beryl bekannt machen könne, die gerade aus Kenia eingeflogen sei. Nach Toms Schilderung von Beryls Reitkünsten und ihren Bravourstücken als Pilotin war Dessie darauf gefaßt, eine eher maskuline Frau zu treffen. Als sie sich statt dessen einer hochgewachsenen, attraktiven Blondine mit leuchtend blauen Augen und schmalen, nervösen Händen gegenübersah, war sie nicht wenig überrascht.[6]

Als sie mich später mit hinauf in ihr Hotelzimmer nahm und ich auf dem Frisiertisch eine ganze Batterie von Gesichtscremes, Lotions und Parfums erblickte, staunte ich noch mehr. Beryl war eine der femininsten Frauen, denen ich je begegnet bin. Je besser ich sie kennenlernte, desto unbegreiflicher schien es mir, daß sie einen Wagen steuern, geschweige denn ein Flugzeug lenken konnte.

Dessie beschreibt Beryl als verträumtes, schwärmerisches Wesen und erinnert sich, daß sie bei Verabredungen öfter zu spät als pünktlich erschien, ja manchmal einen Termin ganz einfach vergaß.[7] In Wirklichkeit verbarg sich hinter dieser scheinbar traumtänzerischen Haltung brennender Ehrgeiz. Beryl, die inzwischen dreiunddreißig Jahre alt war, wünschte sich nichts sehnlicher, als einen der großen Rekordflüge in Angriff zu nehmen, und hatte sogar schon mit dem Gedanken an eine Atlantiküberquerung gespielt. Tom zeigte Verständnis für Beryls Ambitionen und förderte sie auch; so lernte er sie etwa auf einer zweimotorigen Dragon-Maschine an, damit sie für Langstreckenflüge besser gerüstet sei. Doch ansonsten hatte Tom seine eigenen Pläne. Kürzlich war eine Gruppe von Spaniern an ihn herangetreten, die erklärten, sie wollten ein paar Flugzeuge kaufen und Tom engagieren, damit er eine der Maschinen samt Passagier – der aber ungenannt zu bleiben wünsche – nach Spanien überführe. Geld schien bei diesem Unternehmen keine Rolle zu spielen.

Tom war fast sicher, daß es sich bei dem Kunden um einen Sympathisanten der Faschisten handele, doch ließ er sich davon nicht ab-

schrecken. Er hatte schließlich mit dem spanischen Bürgerkrieg
nichts zu schaffen. »Zu der Zeit«, erläutert Dessie, »wußte keiner
von uns, daß der Krieg in Spanien sich zur Generalprobe für den
Zweiten Weltkrieg auswachsen würde«. Selbst Hitler beunruhigte
die Welt in diesem Stadium noch nicht sonderlich: Die meisten sahen in ihm einen starken Führer, der dem deutschen Volk Arbeit
und Brot bringen würde. Das Honorar, das die Spanier boten, war
ungewöhnlich hoch, und Tom brauchte Geld, also nahm er den
Auftrag an und veranlaßte alles Notwendige für die Überführung
des Flugzeugs nach Spanien. Nebenher trainierte er eifrig für den
Wettflug London–Johannesburg Ende September, zu dem ihm allerdings noch ein Sponsor fehlte.

Beryl fand rasch Arbeit. Nach mehreren Gesprächen mit verschiedenen Fluglinien entschied sie sich für Air Cruisers Ltd., wo man
ihr die Stellung einer Chefpilotin angeboten hatte. Eigner dieser
Gesellschaft war François Dupré, ein reicher französischer Finan-
zier und Freund Mansfields.[8] Ihm gehörte unter anderem auch das
Hotel George V. in Paris, und er besaß den größten Rennstall
Frankreichs. Beryl und Mansfield trafen sich gelegentlich zum Essen, und eines Abends bat er sie rundheraus um die Scheidung.
Doch Beryl wollte davon nichts hören.[9] Eine Zeitlang erschien sie
regelmäßig im Hause der Markhams, um ihrem inzwischen sechs-
jährigen Sohn Gervase Gutenacht zu sagen. Als Gervase sich so an
diese Besuche gewöhnte, daß er sich weigerte, zu Bett zu gehen,
ehe Mummy ihm nicht seinen Gutenachtkuß gegeben hatte, schritt
seine Nanny ein: »Man konnte sich schließlich nicht darauf verlassen, daß Madam jeden Abend vorbeikommen würde ...«

Die Arbeit für Dupré machte Beryl großen Spaß; ihre Pflichten
hielten sich in Grenzen, und die meiste Zeit brauchte sie nur in
Bereitschaft zu sein, denn Dupré benutzte sein Flugzeug – eine
achtsitzige, zweimotorige De Havilland Dragon – nicht häufig.
Mehrmals im Monat mußte er nach Paris, hinzu kamen einige In-
landsflüge und gelegentlich ein Abstecher nach Deauville. Die Maschine war mit allem Komfort ausgestattet und hatte sogar eine Bar
an Bord.

Doch über dem angenehmen Leben im Dienste Duprés verlor

Beryl ihre ehrgeizigen Ziele nicht aus den Augen. Eines Abends dinierte sie mit alten Freunden aus Kenia, den Carberrys. Beryl hoffte, der reiche John Carberry würde ihr eine Maschine für den Rekordflug nach Johannesburg zur Verfügung stellen. Aber bei Tisch merkte sie rasch, daß Johns Interesse einem ganz anderen Projekt galt.

John Carberry, ein Sproß des irischen Hochadels, hatte sich schon früh als Pilot einen Namen gemacht. Als erster Mann in Irland erlernte er 1912, im Alter von zwanzig Jahren, das Fliegen und diente im Ersten Weltkrieg als Oberleutnant in der Royal-Naval-Luftflotte. 1918 bereiste er die Vereinigten Staaten und war so fasziniert von dem weiten, vielfältigen Kontinent, daß er bereits ein Jahr später die amerikanische Staatsbürgerschaft annahm. 1920 erwarb er eine Farm in Kenia, die wegen ihres Standorts auf einem ehemaligen Schlachtfeld den Namen *Seremai*, »Ort des Todes«, trug. Der Baron legte seinen Titel ab und nannte sich fortan John Evans Carberry. Er sprach einen breiten, amerikanischen Akzent und gehörte zu den ersten Fliegern der jungen Kolonie. Bereits 1924 flog er mit einer DH 51 (Vorläufer der Gipsy Moth) von Kenia nach England. Seine zweite Frau Maria zählte Mitte der zwanziger Jahre zu der Handvoll weiblicher Piloten des Landes. 1928 kam sie bei einem Flugzeugunglück auf dem Wilson-Aerodrom ums Leben. Beryl erzählte mir, sie habe damals hilflos zugesehen, wie Maria abstürzte.

Aufgrund seines Reichtums, seiner gesellschaftlichen Stellung und nicht zuletzt dank seines Ruhms als Flieger hätte Carberry eigentlich ein allseits beliebter Mann sein können. Gewisse Frauen zeigten sich auch tatsächlich fasziniert von dem schlanken und drahtigen Mann mit den auffallend breiten Schultern. Doch die Faszination, die er ausstrahlte, erwies sich als äußerst gefährlich, denn Carberry war ein unangenehmer Zeitgenosse mit einem Hang zu sadistischer Grausamkeit, die sich vor allem gegen Tiere richtete. In annähernd hundert Interviews, die ich für dieses Buch führte, konnte ich nicht einem Zeugen ein gutes Wort über ihn entlocken. Der hochfahrende Carberry hatte alle Welt gegen sich aufgebracht, und Beryl haßte ihn noch mit dreiundachtzig. Aber damals, im

Jahre 1936, war sie froh, sich seiner Hilfe und seines Einflusses bedienen zu können. Seit Jahren schon hatte sie davon profitiert, daß Carberry auf Seremai einen Flugzeugmechaniker beschäftigte, von dem sie auch ihre Maschinen warten lassen durfte, während sie sich Carberrys verabscheute Klemm auslieh, um ihre Arbeit nicht unterbrechen zu müssen.

Bei jener Dinner-Party in London machte Carberry ihr einen erstaunlichen Vorschlag. Das Gespräch hatte sich um verschiedene Rekordflüge gedreht, und Beryl hielt mit ihrer Begeisterung nicht hinter dem Berg. Da erbot sich Carberry plötzlich, ihr die Maschine zu leihen, die er gerade für seine eigene Teilnahme am Kap-Wettbewerb bauen ließ – allerdings nur unter der Bedingung, daß Beryl sich zu einem Nonstopflug von England nach New York entschließen könne, eine Strecke, die bisher noch kein Pilot erfolgreich im Alleingang bewältigt hatte. Carberry verlangte ferner, daß Beryl spätestens Ende September nach London zurückkehren müsse, damit seine Teilnahme an dem Rekordflug zum Kap gewährleistet sei. In *Westwärts mit der Nacht* stellt Beryl es so dar, als sei der Vorschlag, sie solle den Atlantik überqueren, allein von Carberry ausgegangen, der sie damit zu einem Wagestück besonderer Art habe herausfordern wollen. Die Interviews, die sie damals den Presseleuten gewährte, deuten aber darauf hin, daß sie selbst sich schon geraume Zeit vor der Dinner-Party mit dem Gedanken an den Transatlantikflug getragen hatte. Alles, was ihr fehlte, um ihn in die Tat umzusetzen, waren ein Flugzeug und die nötigen Geldmittel.

1932 hatte Jim Mollison von Irland aus den Atlantik im Alleinflug überquert, freilich ohne New York nonstop zu erreichen. Im übrigen war er natürlich nicht der erste, der über den Atlantik flog, aber die Ost-West-Route war aufgrund der herrschenden Windverhältnisse sehr kritisch und galt folglich unter den Aspiranten als besonders begehrenswerte Trophäe. Mollison verscherzte sich das Ziel New York, als er nach über 30 Flugstunden in der Luft einen Riß in der dicken Nebeldecke, die seine Puss Moth einhüllte, seit er Land gesichtet hatte, ausnutzte, um in New Brunswick, Kanada, niederzugehen.[10] Von dort flog er später nach New York weiter.

Im nächsten Jahr unternahm er mit seiner Frau Amy Johnson abermals den Versuch, New York nonstop zu erreichen, aber auch diesmal konnte er den ersehnten Sieg nicht für sich verbuchen.

John Grierson, ein junger Engländer, hatte zwar die Ost-West-Route im Alleinflug bezwungen, allerdings ohne eine Nonstopüberquerung anzustreben. Er hatte sich vorgenommen, in mehreren Etappen um die Welt zu fliegen, und dazu gehörte auch die Atlantiküberquerung mit Zwischenlandung auf den Orkneys, den Färöer, auf Island und Grönland. Zu diesem Zweck ließ er seine Gipsy Moth mit Schwimmflossen ausrüsten. Doch das Unternehmen nahm ein jähes Ende, als die kleine Moth auf der Landebahn von Reykjavik von einer schweren Sturmböe erfaßt wurde und sich mehrmals überschlug. Grierson ließ sich jedoch nicht entmutigen und wagte 1934 in einer De Havilland Fox Moth eine zweite Atlantiküberquerung, wieder via Reykjavik, wo seiner Maschine diesmal eine Flosse und eine Tragfläche brachen. Da er auf Ersatzteile warten mußte, dauerte es sechs Wochen, ehe er New York erreichte, womit er vermutlich den Rekord für den längsten Transatlantikflug aller Zeiten aufgestellt haben dürfte.

Als Carberry 1936 Beryl sein verlockendes Angebot unterbreitete, hatte noch keine Frau den Atlantik von Ost nach West im Alleinflug überquert. Amelia Earhart war die einzige, der es zumindest in umgekehrter Richtung gelungen war, doch sie hatte sich für den »leichten Weg« entschieden und war nach einem relativ kurzen Flug von kaum mehr als fünfzehn Stunden in Irland niedergegangen. Einige Frauen hatten das ehrgeizige Wagnis bereits mit dem Leben bezahlt.

Beryl brauchte keine Bedenkzeit, um über Carberrys Vorschlag zu entscheiden, sondern sagte auf der Stelle zu. Die Vega Gull, die Carberry für sich in Auftrag gegeben hatte, sollte spätestens Anfang August fertig werden, und Beryl erklärte sich bereit, in der zweiten Augusthälfte zu starten. Den Rest des Abends beratschlagte man darüber, wer wohl als Geldgeber für die Kosten des Fluges in Frage käme.

Von nun an flog Beryl fast täglich hinaus zu den Percival-Aircraft-Werken in Gravesend, um den Bau »ihrer« Vega Gull zu verfolgen. Ende Juli gab sie »mit größtem Bedauern« ihren Posten bei Dupré auf, der sie auch seinerseits nur ungern verlor. »Sie war eine ausgezeichnete Pilotin«, versicherte er später, »praktisch die beste, die ich je unter Vertrag hatte.« Ein beeindruckendes Kompliment, wenn man bedenkt, daß Beryls Nachfolgerin Amy Johnson hieß. Beryl hatte gehofft, die Vega Gull Ende Juli oder Anfang August in Betrieb nehmen zu können, doch die Auslieferung verzögerte sich. Bei den Testflügen hatte man mehrere geringfügige Mängel festgestellt, die noch behoben werden mußten, und als Beryl am 15. August endlich zum erstenmal selbst für zehn Minuten das Steuer übernehmen durfte, fieberte sie vor Aufregung. Allen Flugzeugen, die zu Rekordflügen starteten, wurde ein besonderer Name verliehen – das diente der Publicity; Beryls Vega Gull, getauft auf den stolzen Namen *Messenger*, basierte auf einem Standard-Sportmodell, für das aber ein spezielles Fahrwerk entwickelt worden war, damit die Maschine das Gewicht der zusätzlichen Treibstofftanks aushalten konnte. Ferner verfügte sie über einen supermodernen Propeller mit veränderlicher Blattsteigung, ein französisches Patent. Die Benzintanks wurden zu je zweien an den Tragflächen, im Mittelteil und sogar in der Kanzel befestigt. Insgesamt hatte Beryl 255 Gallons (etwas mehr als 1000 Liter) Kraftstoff an Bord, wodurch sich die Reichweite ihrer Maschine von normalerweise eintausend auf sechstausend Kilometer erhöhte.

Die Vega Gull hatte kein Funkgerät, aber immerhin einige Instrumente für den Blindflug, gemessen an den ausgeklügelten Systemen heutiger Luftfahrt freilich eine recht dürftige Ausstattung: ein Anzeiger für Slip- und Wendemanöver, ein Kreiselkompaß und ein künstlicher Horizont sowie ein Höhenmesser, ferner einige Informationshilfen zum Motorstand und ein Treibstoffanzeiger, der allerdings nur für den Standardtank Gültigkeit hatte. Da die Tanks in Kabine und Kanzel keine Anzeiger hatten, würde Beryl jeweils einen Tank völlig leerlaufen lassen und mit dem Absperrhahn verschließen müssen, ehe sie den nächsten öffnete. Edgar Percival, der erfahrene Flugzeugbauer, arbeitete einen exakten Plan aus, nach dem sie den Benzinvorrat verbrauchen konnte, ohne das Gleichgewicht der Maschine zu gefährden. Er wies sie auch auf die Gefahr hin, daß der Motor zwischendurch kurzzeitig aussetzen könne, was sie jedoch bei diesem robusten Vogel nicht weiter zu beunruhigen brauche.

Während die Vega Gull für ein paar letzte Regulierungen in die Fabrik zurückkehrte, war Beryl nicht untätig. Tom hatte ein aufreibendes Trainingsprogramm für sie zusammengestellt. Alkohol und Zigaretten waren streng verboten. Zusammen mit Tom und dem Box-Champion Len Harvey absolvierte sie im Heatherdon Country Club täglich ihre vorgeschriebenen Übungen im Seilspringen, Dauerlauf, Schwimmen und Reiten.

Stundenlang brütete sie mit Tom und Jim Mollison über einschlägigen Karten, anhand derer sie die erfolgreichen, aber auch die mißlungenen Atlantik-Routen studierten. Jim Mollison, den Beryl sympathisch fand, obwohl Tom ihn nicht ausstehen konnte, erwies sich als besonders hilfreich. Seine eigene Strategie des Transatlantikfluges hatte sich aufs Schönste bewährt. In nur neunzehn Stunden hatte er den Ozean überflogen, und erst, als er bereits Land sichtete, machte die Maschine Schwierigkeiten. Beryl prägte sich all seine Ratschläge sorgsam ein. In den ersten Stunden war Mollison durch gute Sicht begünstigt gewesen, und da er relativ niedrig flog, hatte er seine Position anhand mehrerer Linienschiffe kontrollieren können, deren Kurs auf seiner Karte verzeichnet war. Bei Einbruch der Dunkelheit hielt er es für ratsam, auf 2000 Fuß zu steigen, und diese Höhe behielt er bei, bis Land in Sicht kam. Obgleich der Himmel bewölkt war, konnte er sich hin und wieder an Mond und Sternen orientieren. Beryls Erfahrungen mit Nachtflügen – sie war in Ostafrika aufgestiegen, wann immer man sie rief, gleichgültig ob bei Tage oder in der Nacht –, würden es ihr erlauben, nach gleichem Plan zu fliegen. Wenn es ihr gelang, der Müdigkeit zu trotzen, und wenn der Motor sie nicht im Stich ließ, gab es absolut keinen Grund, warum sie es nicht schaffen sollte.

Ende Juli erhielt Tom den lang erwarteten Anruf seines spanischen Kontaktmannes. Der angeblich geheime Flug nach Spanien, auf dem Tom den faschistischen Rebellenführer Marques Rivas de Linares zu Francos Hauptquartier in Burgos brachte, gewann rasch unliebsame Publicity. Tom und sein Passagier wurden bei einer Zwischenlandung in Frankreich erkannt, und die Sensationsmeldung eilte ihnen voraus. Als man Tom warnte, daß sein Leben in Gefahr sei, flüchtete er mit dem Wagen über die spanische Grenze. Er mußte zahlreiche Kontrollen über sich ergehen lassen, war jedoch kaltblütig genug, seine Theorie, daß die Wachen an den vielen Straßensperren gar nicht lesen könnten, zu überprüfen, indem er ihnen seine Papiere verkehrt herum präsentierte. Als er glücklich wieder in England gelandet war, brachte Tom seine abenteuerlichen Erlebnisse für *News of the World* zu Papier.[11] Dessie versprach er, wenigstens für eine Zeitlang ein ruhigeres Leben zu führen. Doch insgeheim hatte er bereits den Rekordflug nach Johannesburg im Visier, für den er auch bald einen Sponsor fand: Er würde eine Percival Mew Gull des Liverpooler Millionärs John Moores fliegen.

Ob Beryl eine Vorstellung davon hatte, welch ungeheures Aufsehen ihr Flug über den Atlantik erregen würde? Allem Anschein nach nicht; jedenfalls erklärte sie im nachhinein, sie habe sich »eigentlich still und heimlich davonstehlen« wollen. Aber irgendwie bekam die Presse doch Wind von ihrem Vorhaben, und am 18. August erschien im *Daily Express* ein reichbebilderter Artikel unter der Schlagzeile:

DAME DER GESELLSCHAFT PLANT ALLEINFLUG
ÜBER DEN ATLANTIK
Nonstop in einer leichten Maschine.

Mrs. Beryl Markham, die einunddreißigjährige [in Wirklichkeit war sie dreiunddreißig] englische Fliegerin und Schwägerin von Sir Charles Markham, dem »Kohlenbaron«, will versuchen, allein und nonstop von London nach New York zu fliegen. In etwa zwei Wochen wird sie in einem Leichtflugzeug britischen Fabrikats in London starten ... Mit stolzen 2000 Flugstunden im Logbuch zählt die sportliche Blondine keineswegs zu den Glücksrittern der Fliegerei. »Fliegen ist mein Beruf. Dieser Flug gehört dazu«, erklärte Mrs. Markham unserem Reporter. »Hier geht es nicht um ein romantisches Abenteuer, sondern um harte Knochenarbeit, und das möchte ich unter Beweis stellen. Ich glaube an die

Zukunft der Luftfahrt im Transatlantikverkehr, und ich möchte von Anfang an dabei sein. Ich habe hart trainiert für diesen Flug und mich gründlich darauf vorbereitet. Es wird ein schwieriger Flug, darüber bin ich mir durchaus im klaren – schon wenn ich mir die Karte anschaue, wird mir ganz mulmig: Da ist so unermeßlich viel Blau zwischen den freundlichen Landblöcken. Aber ich traue mir zu, den Rekord um ein paar Stunden zu unterbieten und meinen bescheidenen Teil zum Ruhme britischer Flugzeuge und Piloten beizutragen. Ich trage mich schon seit einiger Zeit mit dem Gedanken an den Transatlantikflug, und nun hat ein kenianisches Syndikat, das sich für die Luftfahrt interessiert, mir die Chance gegeben, meinen Traum zu verwirklichen. Diese Unternehmensgruppe trägt sämtliche Kosten.«

Am nächsten Tag folgten weitere Schlagzeilen – FRAU IM COCKPIT LÄSST SICH VOM ATLANTIK NICHT SCHRECKEN. Ein Schnappschuß, der Beryl zeigt, wie sie vor der Kamera Reißaus nimmt, trägt die Unterschrift: »Den Atlantik will sie bezwingen, doch sie flieht vor der Kamera.« Auf Toms Rat hin schrieb die pressescheue Beryl gegen ein bescheidenes Honorar schließlich selbst einen kleinen Artikel für den *Daily Express*.

Heute in zwei Wochen werde ich versuchen, über den Atlantik nach New York zu fliegen. Nicht als Dame der Gesellschaft. Nicht einmal als Frau. Und ganz gewiß nicht als Kunstfliegerin. Nein, ich trete an als Absolventin einer der härtesten Pilotenschulen, gerüstet mit einem Pensum von 2000 Flugstunden. Und ich habe ein genau definiertes Ziel. Es ist richtig, daß man mich aus High-Society-Kreisen kennt. Aber was spielt das für eine Rolle? Das einzig wirklich Entscheidende ist doch, ob einer fliegen kann. Ich besitze sowohl die A- als auch die B-Lizenz. Ich kann einen Motor auseinandernehmen und wieder zusammensetzen. Ich verstehe mich auf Navigation. Ich fühle mich körperlich fit und bin sicher, daß ich es mit ein wenig Glück bis New York schaffen kann. Ich betone noch einmal: Es handelt sich hier um keinen Kunstflug. Keinen Überlegenheitskampf Frau gegen Mann. Mir liegt nichts daran, mich den Männern überlegen zu zeigen. Ich habe einen Sohn. Wenn es mir gelingt, ihm eine gute Mutter und außerdem noch eine

*gute Pilotin zu sein, dann wäre ich der glücklichste Mensch unter
der Sonne.*[12]

Am 1. September war Beryl startbereit. Die *Messenger* hatte alle
Tests durchlaufen und war von ihrem gestrengen Konstrukteur
Edgar Percival für flugtüchtig erklärt worden. Beryl lenkte die
Vega Gull mit dem türkisblauen Rumpf und den Silberflügeln zum
Militärflugplatz der Royal Air Force bei Abingdon. »Ich bin vollauf zufrieden«, sagte sie. »Die Maschine ist fabelhaft. Wenn die
Messenger mich nicht rüberbringt, schafft es keine.« Ursprünglich
hatte sie von Gravesend aus fliegen wollen, doch auf Percivals Rat
hin ersuchte sie die Royal Air Force um Erlaubnis, die lange Piste
von Abingdon benutzen zu dürfen, weil es hier leichter sein würde, die enorme Treibstoffladung in die Luft zu befördern. Bereits
bei einem Testflug mit halber Benzinladung war die Strecke bis
zum Abheben weitaus länger gewesen, als Percival kalkuliert hatte.
Das Luftfahrtministerium war aus Prinzip gegen den Flug und gab
überdies zu bedenken, daß es um diese Jahreszeit nicht mehr möglich sei, eine verbindliche Wettervorhersage für den Atlantik-
raum zu erstellen. Tatsächlich sah es so aus, als sollten sich die
düsteren Prognosen der Skeptiker erfüllen, denn seit dem 28. August hieß es täglich: niedere Bewölkung und Regenböen. Hätte Beryl nur eine Woche früher starten können, wäre sie den größten
Teil ihrer Route von östlichen Winden begünstigt gewesen; aber
nach dem 28. August verschlechterte sich das Wetter.

Also wartete Beryl, einen langen Tag um den anderen. Alle Vorbereitungen waren getroffen. Bis auf das Betanken der Maschine,
womit Tom ihr bis zum letzten Moment zu warten riet, gab es
buchstäblich nichts weiter zu tun, als auf besseres Wetter zu hoffen. Die Verzögerung war deshalb besonders ärgerlich, weil Beryl
ihren Abflug eigentlich bei Vollmond geplant hatte, in der Hoffnung, so über dem Ozean nicht gänzlich ohne Sicht fliegen zu
müssen. Die Presse blieb ihr beharrlich auf den Fersen, und jeder
Morgen brachte eine neue Flut von Schlagzeilen. Eine las sich
praktisch wie die andere: »Junge Mutter kündigt für heute ihren
spektakulären Flug an«; »Tollkühne Gesellschaftsdame hebt heute
ab«; »Die schöne Mrs. Markham steigt heute in die Lüfte«. An-

Beryl Markham Juli 1936 (Beryl-Markham-Nachlaß)

Das Haus in Ashwell, Leicestershire, in dem Beryl 1902 geboren wurde.

Charles Clutterbuck in der Regimentsuniform der King's Own Scottish Borderers, um 1895. (Neil Potts)

Paddy (der Löwe, von dem Beryl als Zehnjährige angefallen wurde) mit seinen Besitzerinnen: Margaret und »Mrs. Jim« Elkington. (Elspeth Huxley)

Das Haus, das Clutterbuck 1915 für Beryl erbaute.

Beryls Bruder, Richard Clutterbuck, im großen Dienstanzug der Grenadiergarde. (Beryl-Markham-Nachlaß)

Beryls erste Hochzeit mit Jock Purves in Nairobi, Oktober 1919. Von links nach rechts: Jock, Beryl, Charles Clutterbuck, Captain Lavender, Eliza Milne.

Beryls Vorstellung bei Hofe, London 1928. (Viviane Markham)

Von links nach rechts: Bror Blixen; Eward, Prince of Wales;
Denys Finch Hatton.

Karen Blixens Haus am Stadtrand von Nairobi;
Beryl war häufig hier zu Gast.

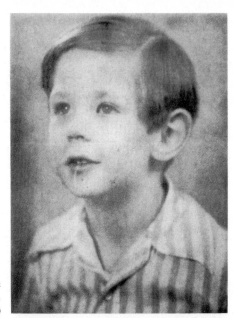

Gervase im Alter von
sechs Jahren.
(Beryl-Markham-Nachlaß)

Mansfield und
Gevase.
(Viviane Markham)

Tom Campbell Black (rechts) mit einem Passagier der Kenya Airways. (British Library)

Beryls Logbuch mit dem Eintrag ihres ersten Solofluges im Juni 1931 in einer Gipsy Moth.

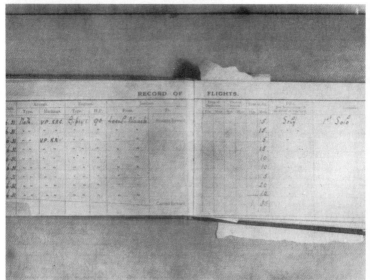

Beryl als frischgebackene Pilotin, 1931. (North Point Press)

Beryl Vega Gull »The Messenger« vor dem Hangar der Flugzeugwerke Percival in Gravesend, Kent, August 1936. (Beryl-Markham-Nachlaß)

Wenige Tage vor ihrem Flug entspannt Beryl sich beim Reiten im Park von Aldenham House. (Photosource)

Ankunft in Neuschottland: Tief hat sich die »Messenger« in den Sumpf von Balleine Cove eingegraben. (Beryl-Markham-Nachlaß)

Beryls eigener Text zu diesem Foto lautet: »In Louisburg, Neuschottland, wenige Stunden nach meiner Landung.«

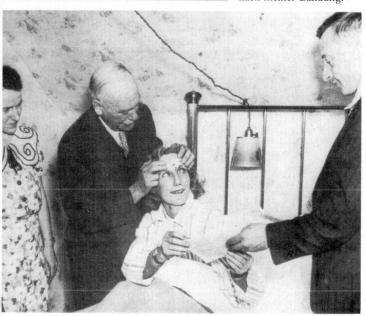

Eine jubelnde Menge begrüßte Beryl in Halifax. (Beryl-Markham-Nachlaß)

Beryls eigene Bildunterschrift: »... am Kapitänstisch der Queen Mary (Commander Sir Edgar Britain)«. (Beryl-Markham-Nachlaß)

Beryl mit ihrem weißen
Kabriolett, 1936.
(Topham)

San Diego 1927: Beryl
erkundigt sich nach
einer geeigneten
Maschine für einen
nicht näher bestimmten
Rekordflug. Von links
nach rechts: Beryl, Tex
Rankin, Al Monasco.
(Beryl-Markham-
Nachlaß)

Beryl mit ihrem Hund im Avocado-Garten der Santa-Barbara-Ranch, aufgenommen 1946 von Gervase.

Die Ranch bei Santa Barbara, vormals das Liebesnest von Greta Garbo und Stokowski.

»Daddy 1946« – dieses Bild ihres Vaters stand bis zu Beryls Tod neben ihrem Bett. (Beryl-Markham-Nachlaß)

1959 – Niagara gewinnt das Derby. (Beryl-Markham-Nachlaß)

Beryls Haus in
Naivasha, circa 1963.
(Beryl-Markham-
Nachlaß)

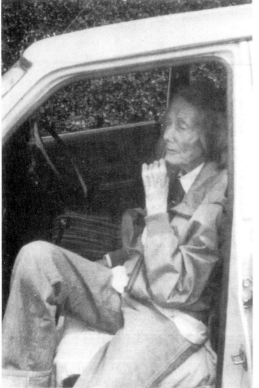

Derby Day auf der
Rennbahn von Nai-
robi, 1986, wenige
Monate vor Beryls
Tod.
(Autorin)

fangs amüsierten solche Formulierungen Beryl noch, doch mit der Zeit wurden sie ihr zum Ärgernis. Sie hatte das Gefühl, daß diese Art launiger Berichterstattung ihr Image untergraben und man sie womöglich bald nicht mehr ernst nehmen würde. Täglich wartete sie auf einen Anruf vom Ministerium und eine günstige Wettervorhersage; im übrigen versuchte sie sich vor den Reportern und ihren endlosen Fragen zu verstecken. »Wann werden Sie an den Start gehen?« »Was hält Ihr Gatte von dem Flug?« »Wie denkt Ihr kleiner Sohn über Ihr Vorhaben?« Es war wirklich zu arg! Doch die ehrgeizige Fliegerin ließ sich nicht unterkriegen; gewissenhaft absolvierte sie täglich ihre gymnastischen Übungen und entspannte sich bei langen Ausritten auf Lord Aldenhams Landsitz.

Beryl erhielt mehrere Anrufe aus New York: John Carberry erkundigte sich mit dem ihm eigenen makabren Humor, ob sie auch nicht »kneifen« werde. Ferner meldete sich Harry Bruno, ein New Yorker Agent, den Beryl auf Mollisons Rat hin engagiert hatte. Falls ihrem Unternehmen Erfolg beschieden sei, erklärte Mollinson, dann ließe sich daraus Kapital schlagen, vorausgesetzt, man packe die Sache richtig an. Die Gelegenheit, öffentliche Anerkennung in blanke Münze umzuwandeln, würde rasch verfliegen, aber Harry Bruno könne Rundfunkinterviews, Vortragsreisen und offizielle Empfänge für sie organisieren und würde, soweit das überhaupt möglich sei, die Presse in Schach halten. Beryl, die sich nie darum zu kümmern schien, ob sie Geld hatte oder nicht, sondern einfach immer gleichviel ausgab, ohne Rücksicht auf ihre jeweilige Finanzlage, stimmte Mollisons Vorschlag rückhaltlos zu. Zwar spielte Geld für sie keine entscheidende Rolle, aber wenn sich mit ihrem Flug welches verdienen ließ, so konnte ihr das nur recht sein.

Am 2. September war Beryl mit Freunden zum Essen im Mayfair verabredet. Es war eine Dinner-Party im kleinen Kreis: Rose Cartwright, Sir Philip Sassoon, Tom, Beryl und Freddie Guest. »Ich erinnere mich, wie erstaunt wir alle darüber waren, daß Beryl überhaupt keine Angst hatte«, sagte Rose Cartwright, die Beryl schon als Mrs. Purves gekannt hatte. »Sie war immer ein unerschrockenes Ding gewesen. Mein Leben lang habe ich nur zwei solche Personen gekannt, und eine davon war eben Beryl. Es gibt Menschen, die es verstehen, ihre Angst zu verbergen, aber Beryl kannte einfach keine Furcht. Weder wenn sie ein übermütiges Pferd ritt, noch damals, als sie über den Atlantik flog. Sie hatte vor überhaupt nichts Angst. Den Abend vor ihrem geplanten Start, als wir mit ihr dinierten, zitterten wir alle um sie ..., aber Beryl benahm sich, als stünde ihr etwas ganz Alltägliches bevor. Fast hätte man glauben können, sie würde gar nicht fliegen. Ich weiß noch, daß einer der Herren sie wegen ihrer Schönheitsoperation aufzog. Sie hatte sich nämlich kurz zuvor den kleinen Höcker an der Nase entfernen lassen, der von einem ein paar Jahre zurückliegenden Unfall herrührte. Beryl nahm diese Frotzelei ziemlich krumm. Aber das war auch schon alles, was wir an Reaktion aus ihr herausbekommen konnten.«[13]

Am 3. September lag fast ganz England im Nebel, aber der Wetterbericht versprach baldiges Aufklaren. Der *News Chronicle* brachte einen Leitartikel zum Thema »Atlantikflüge«.

Mrs. Beryl Markham ist gestern nicht, wie angekündigt, zu ihrem Soloflug über den Atlantik nach New York gestartet, und wir hoffen, daß sie diesen Plan auch in Zukunft nicht verwirklichen wird. Die Zeit solcher Einzelgänger und ihrer »Pionier«-Flüge in überladenen Maschinen und ohne Funkgerät ist vorüber. Die einzigen Transatlantikflüge, die heute noch ihren Sinn erfüllen, sind die, welche den Grundstein für einen regulären Postverkehr legen. Selbst wenn es Mrs. Markham tatsächlich gelingen sollte, New York zu erreichen, so hätte sie damit nichts bewiesen, was einen derart riskanten Einsatz ihres Lebens rechtfertigen würde. Müßte sie andererseits vor dem Ziel im Meer niedergehen, so würde sie damit ihre Freunde in Angst und Schrecken versetzen und überdies all den Schiffen, die dann nach ihr zu suchen hätten, beträchtliche Unannehmlichkeiten und Kosten aufbürden. Wir hoffen daher inständig, daß Mrs. Markham sich eines Besseren besinnen möge.

Beryl ging achselzuckend über diesen Artikel hinweg. Abends gab man ihr zu Ehren wieder eine Party; diesmal, so verkündete sie, sei es endgültig ein Abschiedsfest. Tom war geschäftlich im Norden unterwegs. Daher waren nur Mollison, Percival und Beryls Mechaniker Jock Cameron anwesend. »Vor dem Essen erkundigte sich Mollison, ob Beryl eine verläßliche Uhr habe oder ein Maskottchen. Sie verneinte beides. ›Dann nimm meine‹, sagte Mollison und band seine Uhr vom Handgelenk. ›Die war schon zweimal mit mir drüben, die läßt dich bestimmt nicht im Stich. Aber vergiß nicht, du kriegst sie bloß geliehen ... Ich will sie zurückhaben!‹«[14]

So lautet die Version, die Beryl und Mollison an die Presse weiterleiteten. In Wirklichkeit gab es einen weitaus handfesteren Grund für diese Transaktion. Beryl besaß natürlich eine Uhr, doch Mollison riet ihr, zwei zu tragen. Ihre eigene solle sie auf Greenwicher Zeit stellen und seine, Mollisons, auf Eastern Standard Time. Am Ende ihres Fluges würde sie unweigerlich sehr müde sein, und um nicht die Orientierung zu verlieren, empfahl er ihr, alle Berechnungen nach Greenwicher Zeit anzustellen und seine Uhr lediglich zur Überprüfung der Ortszeit zu verwenden.

Der Wetterbericht am Morgen des 4. September klang nicht gerade verheißungsvoll. Das Luftfahrtministerium rechnete zwar für den Nachmittag mit Aufklarungen, wollte sich jedoch nicht festlegen. Vorerst begann der Tag mit Gewitterschauern und tiefhängenden Wolkenschichten. Dahinter rückte eine Sturmfront nach, von der das Wetteramt vorerst nicht genau sagen konnte, wie weit sie entfernt war. Inzwischen hatte Beryl die Warterei gründlich satt. Sie rief Jim Mollison an und bat ihn, sie nach Abingdon zu fliegen. Sie würde »heute nachmittag starten, komme, was da wolle«. In einem Interview, das der *Daily Express* als Aufmacher druckte, erläuterte Beryl, warum sie den Start immer wieder hatte verschieben müssen, was sie an Proviant mitnehmen und wieviel Treibstoff sie an Bord haben würde. Zum Schluß sagte sie:

Ich werde immer wieder gefragt, mit welchen Gefühlen ich an diesen Atlantikflug herangehe. Mittlerweile bin ich entsetzlich nervös. Aber das ist nur natürlich. Ich bin schließlich noch jung, und obwohl ich größtes Vertrauen in meine Unternehmung habe, bin ich mir klar darüber, daß ich mein Leben aufs Spiel setze. Und ich lebe nun mal schrecklich gern. Aber wenn ich es schaffe ... dann hat sich der Einsatz gelohnt, denn ich glaube an die Zukunft des transatlantischen Luftverkehrs. Ich habe diesen Flug geplant, weil ich von Anfang an am Flugbetrieb zwischen Europa und Amerika beteiligt sein möchte. Wenn ich New York erreiche, dann habe ich mir, denke ich, meinen Platz verdient. Meinen Sie nicht auch?[15]

Kurz vor fünf Uhr nachmittags (britischer Sommerzeit) trafen Beryl und Jim Mollison in Abingdon ein. Beryl war warm angezogen: Zu bequemen grauen Flanellhosen trug sie eine blaue Bluse und ebensolchen Pullover, ferner einen gefütterten Burberry-Regenmantel und ihren Fliegerhelm. In Abingdon empfing man sie gleich mit dem unangenehmen Bescheid, daß sie warten müsse, weil ein Bomber sich auf der Startbahn überschlagen habe und diese noch nicht geräumt sei. »Das war das erste, was ich hörte, als ich hier ankam«, klagte Beryl, die sich vor lauter Nervosität eine Zigarette an der anderen anzündete. »Ich bin froh, daß ich das Unglück nicht mitangesehen habe, denn sonst wäre mir womöglich noch mulmiger, als ich mich ohnehin schon fühle. Anscheinend war der Wind an dem Unfall schuld. Das Dumme ist bloß, daß ich mit demselben Wind starten muß ... Ich wünschte, Feuerwehr- und Rettungswagen würden einem nicht gar so ins Auge springen.« Die Zeitungen berichteten, sie sei sehr blaß gewesen; das Gesicht angespannt und mit zusammengepreßten Lippen, so habe sie sich den Reportern gestellt. Ihre Freunde dagegen versicherten, Beryl sei ihnen so lässig erschienen wie an einem ganz gewöhnlichen Tag. Überall auf dem Gelände des Flugplatzes hatten sich Pfützen und Wasserlachen gebildet. Der neueste Wetterbericht wurde durchtelefoniert: Gegenwind mit vierzig bis fünfzig Meilen pro Stunde; niedere Wolkendecke über dem Meer; Sturmböen für die nächsten vierzehn Stunden zu erwarten. Sowohl Mollison als auch Percival versuchten Beryl den Start auszureden. Aber sie ließ sich nun nicht mehr beirren. »Jetzt geht's auf Biegen und Brechen«, sagte sie – ein altes Jägermotto, das von der Presse eilfertig aufgegriffen und in den nächsten Ausgaben vielfach zitiert wurde.[16] Auf Beryls ausdrücklichen Wunsch rollte man die *Messenger* aus dem Hangar und betankte sie.

Tom war nicht erschienen. Er hielt sich in Liverpool auf, wo er mit John Moores die Einzelheiten für seinen bevorstehenden Rekordflug nach Johannesburg durchsprechen wollte. Vielleicht nahm er aufgrund der ungünstigen Wettervorhersagen an, Beryl würde ihren Start verschieben und er wäre zurück, bevor sie wirklich losflöge.

Für Beryl war es ein schwerer Schlag, daß er nicht kam, um sie zu verabschieden. Ungeachtet ihrer Beteuerungen, sie unternehme den riskanten Flug, um sich einen Platz im prophezeiten Transatlantik-Flugverkehr zu erobern, hoffte sie in Wahrheit insgeheim darauf, Tom durch einen spektakulären Erfolg zurückzugewinnen. »Sie betete ihn an«, erzählte mir ihr treuer Freund aus späteren Jahren, Buster Parnell. »Ich glaube, sie ist bloß deshalb über den Atlantik geflogen, um es ihm heimzuzahlen, daß er sie wegen Florence Desmond hatte sitzenlassen. Ich habe sogar den Verdacht, sie hoffte, bei diesem Flug umzukommen, nur um ihm einen Denkzettel zu verpassen.«[17] Wenn Parnells Vermutung zutrifft, dann fehlte Beryls großer Abgangsszene der wichtigste Zuschauer.

Die einzigen Freunde, die sie verabschiedeten, waren Percival und einige seiner Flugzeugmechaniker. Jock Cameron gab ihr ein Sträußchen Heidekraut mit auf den Weg. Eine Schwimmweste lehnte Beryl ab – warme Kleidung sei ihr wichtiger, sagte sie. Beides zusammen ging nicht, weil sie das zu unförmig und unbeweglich gemacht hätte – also verzichtete sie auf die Weste. Mollison machte ein großes Getue wegen seiner Uhr. »Laß sie ja nicht naß werden«, schärfte er ihr ein. Beryl erkundigte sich nach dem Reporter vom *Daily Express* – er trat vor, und sie übergab ihm einen Brief an seinen Chefredakteur. Dann wurde ihr Verpflegungskorb verstaut, für den man freilich nur mit Mühe Platz fand, da der riesige, achtzig Gallonen fassende Treibstofftank fast allen Raum in der Kanzel beanspruchte. Beryl hatte Hühner-Sandwiches eingepackt, ferner eine »Kau«-Mischung aus Nüssen, Rosinen und getrockneten Bananen, fünf Thermosflaschen mit Tee und Kaffee, einen Flachmann, gefüllt mit Whisky, und eine Flasche Wasser. Nach ein paar letzten Instruktionen von Percival schwang sie sich auf die Tragfläche der *Messenger* und wandte sich an Mollison.

»Goodbye. Viel Glück!« rief sie ihm zu und lächelte ihr scheues, spitzbübisches Lächeln. »Alles Gute, Beryl«, antwortete er. »Du hast's weiß Gott verdient.«[18]

Die Länge der Startbahn betrug ziemlich genau eine Meile. Nach Percivals Berechnungen würde die *Messenger* sie fast bis zum äußersten Ende ausnutzen müssen, um mit den schweren Zusatztanks an Bord vom Boden abheben zu können. Percival brachte persönlich den Propeller in Schwung, als Beryl rief: »Maschine klar – fertig zum Start!« Der tadellos gewartete Motor gehorchte auf Anhieb und erwachte dröhnend zum Leben. Unverzüglich, denn sie wollte keinen einzigen Tropfen Benzin vergeuden, brachte Beryl die Maschine ins Rollen. Ein paar schwache Sonnenstrahlen lugten verstohlen durch einen Riß in der Wolkendecke. Die kleine Gruppe vor dem Flugplatzgelände – Beryls Freunde, die Journalisten und die Arbeiter von Abingdon – beobachteten gespannt, wie sie am Ende der Startbahn in Position ging und ihre Instrumente kontrollierte. Dann streckte sie die Hand durch das Schiebefenster an der Seite des Cockpits und winkte fröhlich. Ihr großes Abenteuer begann.

Eines der gefährlichsten Risiken stellte sich bereits am Start. Würde das Flugzeug trotz der enormen Treibstoffladung mit der vorhandenen Piste auskommen? Percival und Mollison waren die Startbahn mit Beryl abgeschritten und hatten alle hundert Meter eine Markierung aufgestellt; den neuralgischen Punkt bezeichnete eine rote Fahne. Ein einziger Fehler in der Bedienung der kleinen Maschine, die im Grunde fast schon ein fliegender Benzintank war, und nichts würde Beryl mehr retten können. Doch die *Messenger* benötigte nur 550 Meter der Startbahn. Als das Heck vom Boden abgehoben hatte, bemerkten die Zuschauer, daß Beryl die Maschine kaltblütig im Tiefflug hielt, um so rascher an Geschwindigkeit zu gewinnen. Die geschulte Pilotin hatte die nervöse Anspannung überwunden, unter der sie während der schrecklichen Wartezeit gelitten hatte, jener Frist, die alle Rekordbrecher vor und nach ihr als »das schlimmste am ganzen Unternehmen« bezeichnet haben.

»Sie brauste förmlich davon«, sagte Geschwaderchef St. John, der zusammen mit der Percival-Crew von Gravesend herübergekommen war, um Zeuge des großen Augenblicks zu sein. »Alle Piloten in Gravesend bewundern Mrs. Markham ungemein. Trotzdem sind wir auch besorgt um sie, weil sie eine Maschine fliegt, mit der sie sich eigentlich nicht lange genug vertraut machen konnte. Nur zwei kurze Testflüge hatte sie darin absolviert, als sie heute aufbrach.«[19]

Am nächsten Morgen veröffentlichte der *Daily Express* auf der Titelseite jenen Brief, den Beryl dem Reporter des Blattes vor ihrem Abflug übergeben hatte.

Sir,

da ich heute abend an der Schwelle zu einem, wie ich meine, höchst riskanten Unternehmen stehe, ersuche ich Sie um eine Gunst, die man gemeinhin jedem Verurteilten gewährt, nämlich einiges aus meiner Sicht darlegen zu dürfen. Die Presse hat mich mehrfach als »Society-Mutter«, »Fliegende Mutter«, »Bird Lady« usw. apostrophiert.

Die Anspielung auf meine gesellschaftliche Stellung widerstrebt mir in diesem Zusammenhang zutiefst. Alles Prätentiöse ist mir fremd, und ich sehe beim besten Willen keinen Zusammenhang zwischen meiner Herkunft und dem Flug über den Atlantik. Vielleicht bin ich nur eine »x-beliebige Blondine«; aber als berufsmäßige Pilotin, die gewohnt ist, sich ihren Lebensunterhalt zu verdienen, und weil ich diesen Flug selbst in kühnsten Träumen nicht als ein Vergnügen bezeichnen würde, nehme ich mir das Recht, ihn schlicht und einfach als Teil meiner Arbeit zu betrachten. Nach den Gründen für mein Unternehmen gefragt, gebe ich von Mal zu Mal unterschiedliche Erklärungen. Nicht der schlechteste Grund wäre der, daß ich, wie immer mein Versuch ausgehen mag, nicht umsonst angetreten bin, da ich wenigstens einem wahren und treuen Freund – keinem anderen als dem kühnen Bösewicht Jim Mollison – einen ausgezeichneten Vorwand zum Feiern gebe, oder für das Gegenteil – je nachdem.

Abschließend bitte ich Sie, mir bei der Berichterstattung über meine zwar noch nicht vollbrachte, aber zweifellos beachtliche Leistung das Verdienst zuzubilligen, ein gewöhnlicher Mensch ohne

allzu viele verstaubte Tugenden zu sein. Ich kann lachen, lieben,
hassen, und gelegentlich setze ich mich an eine Bar, um mir die
Ansichten meiner Mitmenschen anzuhören. Ich bin weder eine
Unschuld vom Lande, noch ein feiner Großstadtpinkel, sondern
eine Ozeanfliegerin – im Embryostadium. Wenn es mir gelingt,
dieses letzte Attribut streichen zu können, werde ich mehr als zu-
frieden sein. Ich verbleibe, etc. Beryl Markham.

Tom muß von Beryls Start erfahren haben, noch bevor er aus
Liverpool zurückkehrte. Jedenfalls erzählte er Dessie, als er heimkam, er habe von Percival gehört, daß »Beryl einfach losgeflogen
ist. Anscheinend ließ sie sich durch keine Warnung abschrecken.«
Jim Mollison hatte Percival gegenüber mit grimmiger Schnoddrig-
keit geäußert: »Tja. Nun haben wir Beryl vielleicht zum letztenmal
gesehen.« Alles, was ihre Freunde jetzt noch tun konnten, war
warten.[20]

Kapitel 9
(1936)

Für die in England Zurückgebliebenen wurde es eine lange Wartezeit. Die Zeitungen brachten am nächsten Morgen Schlagzeilen über Beryls Abflug. Die Rubriken für letzte, nach Redaktionsschluß eingelaufene Meldungen berichteten, daß ihr Flugzeug um 10 Uhr 25 über Castletown, Berehaven, County Cork, gesichtet worden sei. Weitere Eingänge lagen nicht vor. Und der Tag kroch langsam dahin.

Die Familie Markham, der die Belagerung seitens der Presse unerträglich wurde, flüchtete aufs Land. Bei einem Telefoninterview von seinem Gut in Sussex aus erklärte Mansfield, er sei »sehr besorgt. Ich wünsche meiner Frau alles Glück der Welt. Unser siebenjähriger Sohn ist hier bei mir. Doch ich denke, er ist noch zu klein, um zu begreifen, welches Wagnis seine Mutter eingegangen ist.« Später fügte er hinzu, er habe die Nacht nicht schlafen können und sei ruhelos im Zimmer auf und ab marschiert.[1]

Kurz nach vierzehn Uhr kam eine Rundfunkmeldung über den Atlantik. Die Radio Corporation of America hatte einen Funkspruch des Dampfers *Spaarndam* aufgefangen, eines holländischen Linienfrachters, der von Rotterdam nach New York unterwegs war: »FLUGZEUG, VERMUTLICH MRS. MARKHAMS, PASSIERTE SS SPAARNDAM HEUTE FRÜH 7 UHR, POSITION 47:54 N., 48:22 W., KURS NEUFUNDLAND.« Damit wäre Beryl morgens um sieben zwar immer noch 1500 Meilen von New York, aber immerhin nur noch wenige Flugstunden von der amerikanischen Küste entfernt gewesen.[2] Wenig später bestätigte die SS *Kungsholm* die Position der *Messenger* und berichtete, die Maschine halte aufs Festland zu.

Um 9.35 Uhr (19 Stunden und 40 Minuten nach Beryls Start) wurde die *Messenger* »in beträchtlicher Höhe« vor der Küste von Neufundland gesichtet, wo sie »über der Bucht kreiste, wahrscheinlich, um ihre Position zu bestimmen, und dann mit Kurs auf das fünfundzwanzig Meilen südwestlich gelegene Cape Race abdrehte.« Zehn Minuten später wurde die Maschine von Bewohnern aus Cape Race entdeckt; und kurz darauf erkannte man sie, mittlerweile bei Regen und tiefhängender Bewölkung, über Drook Point.[31] Dann aber herrschte plötzlich Funkstille. Kein Wort. Keine weitere Positionsmeldung. Nichts.

Auf dem Floyd Bennett Field, wo sich bereits 2000 Menschen eingefunden hatten, um Beryl, die man spätabends erwartete, zu begrüßen, sorgten die abenteuerlichsten Gerüchte für Aufregung. Man habe sie gesehen. Sie sei nur mehr fünf Stunden entfernt. Sie sei vor Neufundland im Meer niedergegangen.

Und dann, über einundzwanzig Stunden, nachdem Beryl in Abingdon gestartet war, kam per Telefon aus der kleinen Gemeinde Baleine Cove an der Ostspitze von Cape Breton, Neuschottland, die Nachricht, daß sie eine Bruchlandung gemacht habe, aber wohlauf sei. Gleich Mollison hatte auch Beryl ihr endgültiges Ziel zwar nicht erreicht, aber doch als erste Frau in der Geschichte den Atlantik von Ost nach West überquert.

Außerdem gelang ihr der erste Nonstopflug von England nach Amerika im Alleingang überhaupt. Auf Floyd Bennett Field atmete man erleichtert auf: Beryl war außer Gefahr, wenngleich müde bis zur Erschöpfung; an der Stirn hatte sie sich ein paar Schnittwunden davongetragen.

Auf einmal wollten sämtliche Zeitungen der Welt nur noch Beryl. Neuigkeiten über Beryl. Geschichten von Beryl. Zwei Fischer hatten sie in einem Sumpf entdeckt, in dem ihre Maschine niedergegangen war. Blut lief ihr über die Stirn. »Ich bin Mrs. Markham«, erklärte sie den verdutzten Inselbewohnern. »Ich bin von England herübergeflogen.« Die beiden brachten sie zur nächstgelegenen Farm, wo Beryl um eine Tasse Tee bat und um ein Telefon. Minuten später traute die Telefonistin im Fernsprechamt von Louisburg ihren Ohren nicht: »Ich bin Mrs. Markham«, sagte eine

Frauenstimme am anderen Ende der Leitung. »Ich hatte eben mit meinem Flugzeug eine Bruchlandung. Würden Sie bitte den Flugplatz verständigen und mir ein Taxi schicken?« Man brachte Beryl auf schnellstem Weg nach Louisburg, wo ein Dr. O'Neil ihre Stirnwunde nähte und verband, ehe er ihr strikte Bettruhe verordnete. Derselbe Arzt hatte auch Jim Mollison behandelt, als er im August 1932 unweit Sydney (Cape Breton Island) gelandet war.[4] Ehe sie sich schlafen legte, telefonierte Beryl noch mit Mansfield, Jim Mollison und Harry Bruno. Die Kosten für die Gespräche übernahm ein rühriger Lokalreporter, der gleich anschließend seinem Chefredakteur eine Story durchgab, die rund um die Welt verkauft wurde. Eine sorgsam gehütete Privatangelegenheit kam dabei auch ans Licht, denn bisher war der Öffentlichkeit noch nicht bekannt gewesen, daß Beryl und Mansfield getrennt lebten.

Harry Bruno, der sich über den Publicity-Wert seiner Klientin vollauf im klaren war, kündigte Beryl seinen Rückruf an und meldete sich wirklich bald darauf mit einem Stenographen an seiner Seite. Fast jede größere Zeitung in Europa und Amerika berichtete am 6. und 7. September auf der Titelseite über Beryls Erfolg. Ihre eigene (und entsprechend honorierte) Version erschien im *Daily Express*, den Text hatte der rührige Bruno der Redaktion telegrafiert:

Es war ein aufregendes Erlebnis. Aber ich bin heilfroh, daß es vorbei ist. Ich habe wirklich Schreckliches durchgemacht. Das ist das einzig richtige Wort dafür – schrecklich. Ich wußte, daß es mir an den Kragen ging, als ich erst eine halbe Stunde in der Luft war. Ich hatte eben meine Karte vom Atlantik herausgeholt, da riß ein Windstoß sie mir aus der Hand. Ich sah sie zur Erde niedersegeln. Auf dieser Karte war nichts weiter als Wasser ... Als die Karte davonflatterte, setzte ich mich zurück und wartete darauf, daß die Probleme anfingen. Und sie kamen reichlich. Von da an hatte ich eine ziemlich unangenehme Zeit durchzustehen. Es herrschte Gegenwind mit 30 Meilen die Stunde, die Wolken hingen dicht und niedrig, und es regnete. Am liebsten wäre ich umgekehrt, aber das konnte ich mir natürlich nicht erlauben.

Den ersten Schrecken hatte ich bereits in Abingdon bekommen, als ich die Bäume am anderen Ende des Flugplatzes sah. Ich dachte, ich würde meine schwerbeladene Maschine nie und nimmer darüber wegmanövrieren können. Als ich dann in der Gegend von Bristol übers Meer kam, verschlechterte sich das Wetter rapide, der Sturm heulte, und es wurde immer dunkler und dunkler. Ich mußte also blind fliegen, und das fast die ganze Strecke lang.

Als ich erst einmal über dem Atlantik war, konnte ich nichts mehr sehen außer Wasser, und auch davon nicht sonderlich viel. Dann geriet ich in eine Gewitterfront, doch mir kamen die Blitze beinahe gelegen; es war direkt eine Erleichterung, außer Wolken und Wasser noch etwas anderes zu sehen. Die Wolken türmten sich zu wahren Gebirgen auf, und die arme alte Messenger war so schwerfällig und träge. Ich flog auf einer Höhe von etwa 2000 Fuß (also ca. 600 Meter). Ich wäre gern tiefer gegangen, damit ich das Wasser hätte im Auge behalten können, aber das war wegen der auflebenden Winde zu gefährlich. Das Wetter verschlechterte sich zusehends. Seit meiner Ankunft hier habe ich erfahren, daß Sie alle lesen konnten, ich hätte den ersten Teil meines Fluges bei hellem Mondschein zurückgelegt. Darüber kann ich nur lachen. Ich habe den Mond auf der ganzen Strecke nur zweimal zu Gesicht bekommen, und da bot er einen traurigen Anblick. Einmal wurde die Maschine fürchterlich hin- und hergeworfen. Ich wußte nicht genau, was los war, aber die Messenger schien mir irgendwie seltsam zu reagieren. Als der nächste Blitz aufzuckte, spähte ich durchs Fenster. Die Messenger flog auf dem Kopf. Ich bekam einen tüchtigen Schrecken ... der Anblick der endlosen Wasserwüste unter mir war so trostlos, daß ich schließlich laut zu mir sagte: »Wenn du nicht bald was anderes zu sehen kriegst als dieses Wasser, dann drehst du noch durch.« Ich stellte mir alle möglichen Dinge vor – dachte vor allem an zu Hause und an Afrika, an Gervase, meinen kleinen Sohn, und meinen Vater in Durban. Um mir die Zeit zu vertreiben, machte ich Eintragungen in mein Logbuch und berechnete meine Position. Die Messenger sollte bei ruhigem Wetter eine Reisegeschwindigkeit von 250 km/h erreichen, aber jetzt schafften wir meiner Schätzung nach nicht mehr als 140 km/h. Daran war *nur dieser widerliche Gegenwind schuld ... Ich konnte nichts essen ... nur ein paar Nüsse und etwas Kaffee nahm ich zu mir ... ich wurde es so leid, gegen diesen eisigen Nordwind anzukämpfen, daß schon der bloße Gedanke daran, wieviel mir noch bevorstand, genügte, und ich hätte am liebsten aufgegeben. Ich verlor zwar nie gänzlich die Orientierung, aber es schien einfach unmöglich, mit all diesen Widrigkeiten fertig zu werden, zumal ich wußte, daß ich weit mehr Benzin verbrauchte, als vorgesehen war. Ich bin bestimmt mehr als einmal abgetrudelt. Aber ich flog einfach weiter – weiter – weiter, hoffte auf das Beste, ohne damit zu rechnen, während ich in meinem kleinen Cockpit ordentlich durchgeschüttelt wurde.*

Im Morgengrauen war Beryls Stimmung auf einem Tiefpunkt angelangt; sie war todmüde, verkrampft und fror erbärmlich. Zitternd griff sie nach ihrer letzten Thermosflasche. Doch plötzlich machte die Maschine einen heftigen Ruck, die offene Flasche stürzte um, und der Kaffee ergoß sich über den Boden. Beryl sagte später, dies sei der schlimmste Augenblick des ganzen Fluges gewesen; um ein Haar hätte sie angefangen zu weinen. Viele der Langstrecken-Piloten aus den dreißiger Jahren bestätigen ihre Beobachtung, daß die schwerste Anforderung eines solchen Alleinfluges in der völligen Einsamkeit besteht.[5]

Dann brach die Dämmerung an. Der Wind drehte sich, und ich schüttelte meine törichten Ängste ab. Ich hätte nicht gedacht, daß es auf der ganzen Welt soviel Trostlosigkeit geben könnte, wie sie von dieser Himmels- und Wasserwüste ausging, die seit meinem Abflug von Abingdon an mir vorüberglitt ... Stundenlang nichts als Nebel, Regen, Graupel. Wenn ich stieg, graupelte es, ging ich tiefer, kam ich in den Regen. Glitt ich noch weiter nach unten, dem Meer zu, dann schluckte der Nebel meine Maschine. Ich konnte kaum über die Enden meiner Tragflächen hinaussehen.

Um ein Haar wäre es zu einer Katastrophe gekommen, als nämlich einer der Benzintanks leer wurde und das Flugzeug auf unter hundert Meter absackte, ehe Beryl den nächsten anschließen konnte. Auf dem letzten Tank stand: »Ausreichend für 11 Stunden.« Das war zugleich der einzige mit Benzinuhr. Beklommen sah Beryl den Zeiger tiefer und tiefer sinken. Ein neuerlicher Schrecken erwartete sie, als der Motor plötzlich ohne erkennbaren Grund aussetzte. Ein Eisstück war in die Benzinleitung geraten – was Beryl freilich zu diesem Zeitpunkt nicht wußte. In panischer Angst brachte sie die Maschine in den Gleitflug, schon fürchtete sie, im nächsten Moment im Wasser zu landen, doch da sie rasch an Höhe verlor, schmolz das Eis, und der Motor sprang wieder an.

Vor lauter Aufregung hatte sie so krampfhaft die Steuersäule umklammert, daß ihre Hände jetzt völlig taub waren. Aber als sie nun ihre Instrumente kontrollierte und sah, daß alles in Ordnung schien, erholte Beryl sich wieder: Öldruck 42; UPM 2000; Eigengeschwindigkeit 234 km/h. Jetzt galt ihre Sorge nur noch der ungeheuren Müdigkeit und dem schwindenden Treibstoffvorrat.

Dieser Tank, auf den ich mich so fest verlassen hatte, reichte nicht für die versprochenen elf Stunden. Nach neun Stunden und fünf Minuten war er leer. Darum bin ich in diesem Sumpf niedergegangen. Ich sah zu, wie der Anzeiger tiefer und tiefer sank, während draußen immer noch nichts weiter zu erkennen war als Meer, Wolken und Nebel.

Schließlich zwang ich mich, meine Uhr zu Rate zu ziehen. Nach meiner Schätzung mußte ich jetzt irgendwo in der Nähe von Neufundland sein. Wieder warf ich einen prüfenden Blick auf den Benzinanzeiger. Mir lief ein Schauer über den Rücken. Der Tank war fast leer, und dabei hätte ich noch für gute zwei Stunden Vorrat haben müssen.

Ich überlegte eine Weile und griff dann nach meiner Whiskyflasche. In der Regel trinke ich kaum Alkohol – er ist für mich eine Art Medizin, mehr nicht. Aber jetzt nahm ich zweimal einen kräftigen Schluck aus der Flasche ... Ich sah keine Rettung mehr für mich. Der guten alten Messenger würde jeden Moment die Puste ausgehen, und ich sagte zu mir: »Wenn ich denn abtreten muß, dann ist's höchste Zeit, mich bereitzumachen.« Wann immer ich aus dem Fenster blickte, sah ich ringsum nichts als gewaltige Nebelbänke. Und dann erkannte ich die Küstenlinie. Diese herrliche Küste. Noch nie habe ich so einen schönen Landstrich gesehen. Ich riß mich zusammen, ich wollte bis Sydney durchhalten, dort

*zwischenlanden, auftanken und nach Halifax weiterfliegen. Seit ich
Land gesichtet hatte, ging es mir gleich besser. Vielleicht, dachte
ich, stimmte die Aufschrift auf dem Tank am Ende doch, und das
Benzin reichte wirklich für elf Stunden. Aber da fing der Motor an
zu stottern.*

*Ich wußte, ich würde so bald wie möglich landen müssen. Ich hielt
Ausschau nach Harbour Grace, dem ersten Flugplatz auf meiner
Route, doch würde ich ihn bei dem Nebel sehen können?*

*Ich spürte, daß keine Zeit mehr zu verlieren war, und nahm Kurs
auf den Strand. Allein, der war für eine Landung völlig ungeeignet;
überall riesige Felsbrocken, zwischen denen die Messenger und ich
unweigerlich zertrümmert worden wären. Also steuerte ich landeinwärts.*

*Mittlerweile schnaufte und ächzte der Motor nur noch. Es war die
reinste Qual, die Benzinuhr zu beobachten ... Ich suchte nach
einem freien Gelände, auf dem ich landen konnte. Ich war immer
noch auf der Suche, als der Motor gänzlich aussetzte.*

Beryl schaffte es gerade noch, die *Messenger* bis über das einzig
brauchbar erscheinende Landefeld weit und breit zu manövrieren
und eine perfekte Notlandung hinzulegen. Die Maschine landete
im Wind, die Geschwindigkeit war genau richtig bemessen. Un-
glücklicherweise war der »Landeplatz« jedoch ein Sumpf; der grüne Teppich, den Beryl aus der Luft gesehen hatte, war nicht Gras,
sondern Moos. Die *Messenger* schlingerte gut zehn Meter weit,
ehe ihr linkes Rad und die linke Tragfläche im Moor einbrachen
und das Flugzeug sich mit der Nase in den Sumpf bohrte. Beryl
prallte gegen die Windschutzscheibe und verlor das Bewußtsein.

*Ich weiß selbst nicht mehr, wie ich aus meiner Maschine herausge-
krochen bin. Nun, den Rest kennen Sie ja bereits. Wie ich schon
sagte: es war ein aufregendes Erlebnis. Jetzt, da alles vorbei ist, frage ich mich, ob ich es nicht eines Tages nochmal versuche – wer
weiß? Ich hätte es bestimmt bis New York geschafft, wenn wir uns
nicht mit dem Benzin verschätzt hätten. Als ich in dem Sumpf bei
Cape Breton niederging, waren alle Tanks bis auf den letzten
Tropfen leer. Ich war einundzwanzig Stunden geflogen und hatte
angenommen, daß der Treibstoff für achtundzwanzig Stunden*

reichen würde. Fünfzehn Sekunden länger, und ich glaube, mein
Flugzeug und ich wären über dem Wasser abgestürzt. Dann hätte
kein Mensch je erfahren, was mit uns geschah.[6]

Später erst erzählte man Beryl, daß sie den nur wenige Meilen entfernten Flugplatz von Sydney bestimmt hätte sehen und im Gleitflug erreichen können, wenn sie nur höher geflogen wäre.

Die Fotos von Beryls verunglückter Maschine legen beredtes
Zeugnis ab für das, was sie im letzten Satz ihres Artikels andeutet.
Das umgestülpte Flugzeug war keine hundert Meter vom Meer
entfernt im Moor eingebrochen. Zweifelsohne war der Flug weit
schwieriger gewesen, als Beryl erwartet hatte. Noch mit dreiundachtzig sagte sie, dies sei wohl das einzige Mal in ihrem Leben gewesen, daß sie wirklich Angst ausgestanden habe. Fortan waren ihr
Flüge über große Gewässer verhaßt.[7]

June und John Carberry riefen aus New York an, wo sie Beryls
Ankunft erwartet hatten. Nach dem Zustand der *Messenger* be-
fragt, erklärte Carberry später vor Reportern: »Die Mühle ist hin.
Der Motor ist aus der Befestigung gerissen, der Propeller zerbrochen, und das Fahrwerk ist ab.« Zu Beryl hatte er am Telefon gesagt: »Die Maschine laß, wo sie ist, mach dir um die keine Sorgen.«[8] Von allen Seiten zollte man Beryl Lob und Anerkennung:

Mansfield: Manch einer denkt gewiß, eine Frau würde sich davor
fürchten, ganz allein über den Atlantik zu fliegen. Nun, ich kenne
meine Frau und ihren Mut besser ... Ich bin ungemein stolz auf ih-
re phantastische Leistung. Ich finde, sie hat sich großartig gehalten
und kolossal viel Schneid bewiesen. Ich habe schon immer großes
Vertrauen in sie als Pilotin gesetzt. Sie hat ihre Sache sehr gut ge-
macht. Was sie getan hat, das hätte ich nicht einmal für eine Mil-
lion Pfund gewagt – ich hätte viel zuviel Schiß gehabt. Als ich un-
serem Sohn erzählte, was seine Mummy geschafft hat, klatschte er
vor Freude in die Hände, aber ich glaube nicht, daß er wirklich be-
griffen hat, was auf dem Spiel stand. Im Augenblick interessiert er
sich mehr für Eisenbahnen als für Flugzeuge. Inzwischen weiß die
ganze Welt, daß meine Frau und ich getrennt leben, aber wir sind
nach wie vor sehr gute Freunde. Bei ihrem Abflug von Elstree

war ich nur deshalb nicht dabei, weil sie selbst bis zur letzten Minute nicht wußte, ob sie würde starten können. Ich habe jedoch mit ihr telefoniert und ihr alles Glück gewünscht.[9]

Jim Mollison: Das ist eine erstklassige Leistung. Ich freue mich ganz besonders über Mrs. Markhams Erfolg, weil sie den Rekordflug auf meine Anregung hin unternahm. Ich weiß, daß ihr dieser Flug als wichtiger Schritt auf dem Wege zu ihrem Wunschziel erschien, am künftigen regulären Transatlantik-Flugverkehr von Anfang an beteiligt zu sein. In allen Punkten – in erster Linie Navigation, aber auch bei der Steuerung der Maschine und sämtlichen anderen Aufgaben – hat sie ihre Anwartschaft aufs hervorragendste gerechtfertigt.[10]

C. B. Clutterbuck: Beryl ist ein prächtiges Mädchen. Dies ist der glücklichste Tag meines Lebens. Ich wußte, sie würde Erfolg haben, aber obwohl ich fest an ihre Fähigkeiten glaubte, habe ich mich gestern geängstigt wie noch nie. Es ist eine Mordsleistung für eine Frau, sich ganz allein an so ein Abenteuer zu wagen. Ich saß den ganzen Tag wie auf glühenden Kohlen, und nun werde ich vor lauter Aufregung nicht schlafen können.[11]

Tom Campbell Black: Einfach toll! Ich hab zwar nicht dran gezweifelt, daß sie es schaffen würde, aber nicht gerade an so einem stürmischen Tag ... Eine Atlantiküberquerung ist immer eine kitzlige Sache, doch Beryl hatte zusätzlich noch mit scheußlichem Wetter zu kämpfen.[12]

Captain Percival: In Anbetracht der schlechten Wetterverhältnisse hat sie den Kurs einfach meisterhaft gehalten. Man muß schon ein sehr guter Pilot sein, um es überhaupt mit dem Atlantik aufzunehmen.[13]

Amelia Earhart: Sie hat eine glänzende Leistung vollbracht. Ich kann gar nicht sagen, wie sehr ich mich freue, daß Mrs. Markham es geschafft hat, den Atlantik zu bezwingen. Es war ein großartiger Flug.[14]

Eine rührende Fußnote zu all dem Siegestaumel meldete die Redaktion des *East African Standard* in Nairobi.

Eine der letzten, die Näheres über Mrs. Markhams spektakulären Flug erfuhr, war ihre Mutter, Mrs. Kirkpatrick, die während eines Ferienaufenthalts in Aberdare praktisch von allen Nachrichtenstationen abgeschnitten war.

Gestern kam Mrs. Kirkpatrick, Schwägerin von Sir Charles Kirkpatrick, nach Nairobi, um sich in allen Einzelheiten über die Bravourleistung ihrer Tochter zu informieren. »Ich finde, das hat meine Tochter einfach großartig gemacht«, sagte sie, »wenngleich ich nie daran gezweifelt habe, daß sie den Versuch wagen würde. Meine Tochter hatte immer schon ein ausgeprägtes Selbstbewußtsein und war bereits als kleiner Knirps sehr mutig.«[15]

Alle Zeitungen wiesen darauf hin, daß zu dem Zeitpunkt, da Beryl aufgebrochen war, zwei andere Transatlantikflieger ihren Rückflug von England wegen der ungünstigen Witterung verschoben hatten. Die beiden Amerikaner – Harry Richman, ein Broadway-Sänger, und Richard Merrill, ein Berufspilot – waren einige Tage zuvor von New York nach Großbritannien herübergeflogen. Da ihnen das Benzin ausging, mußten sie in der Nähe von Bristol landen, wo sie ihre Maschine auftanken ließen und nach kurzem Aufenthalt ihren Zielort Croydon ansteuerten. In Schlagzeilen berichteten die Gazetten von den vierzigtausend Tennisbällen, mit denen die beiden Amerikaner ihre Tragflächen bestückt hatten, in der Hoffnung, das Flugzeug damit über Wasser zu halten, sollten sie im Ozean niedergehen. Merrill erklärte der Presse, sie würden die Pingpongbälle nach ihrer Rückkehr in die USA signieren und als Souvenirs verkaufen. Jetzt warteten sie auf besseres Wetter für den Rückflug, den sie gegenwärtig noch nicht riskieren wollten. Dabei war ihr Flugzeug, die *Lady Peace*, eine weit größere und schwerere Maschine als Beryls *Messenger*: der Motor der *Lady Peace* verfügte über 1000 PS, die *Messenger* dagegen brachte es nur auf 200 PS. Während alle Welt ihre Leistung rühmte, machte sich Beryl, die nach nur viereinhalb Stunden Schlaf um halb fünf Uhr morgens aufgewacht war, bittere Vorwürfe, weil sie ihr eigentliches Ziel nicht erreicht hatte. »Ich war so wütend darüber, daß dieser dum-

me Benzintank nicht bis New York gereicht hatte.« Nach einem
leichten Frühstück fuhr man sie hinaus ins Sumpfgebiet, wo sie zusammen mit dem Leiter des Sydney Airport, Ray Goodwin, die
Messenger unter die Lupe nahm, um das Ausmaß des Schadens
festzustellen. In der ramponierten Maschine konnte sie ihren Flug
auf keinen Fall fortsetzen, doch Goodwin meinte, die *Messenger*
sei durchaus noch zu reparieren und wieder flugtüchtig zu machen. Betrübt stellte Beryl fest, daß der Himmel aufklarte. Es war
ein schöner Morgen mit vereinzelten, hohen Wolkenfeldern.
Wenn nur ...

Sie war deprimiert, litt noch unter den Folgen einer leichten Gehirnerschütterung sowie den Strapazen des langen Fluges und
grämte sich über den scheinbaren Fehlschlag ihres Unternehmens
trotz schier übermenschlicher Anstrengung. Noch hatte sie keine
Ahnung, daß ihr Flug in Fachkreisen als ungeheurer Erfolg gewer-
tet wurde. Doch sie sollte nicht lange im Ungewissen bleiben, denn
die Reporter schwärmten in hellen Scharen nach Cape Breton, um
die tollkühne Fliegerin zu interviewen.

Allmählich dämmerte es Beryl, daß man sie wie eine Heldin feierte. Als mehr und mehr Menschen – Zeitungsleute und Bewohner
des kleinen Städtchens – um ihretwillen ins Moor hinausgepilgert
kamen, begriff sie, daß die Welt sie doch nicht für eine Versagerin
hielt. Ganz besonders freute sie sich über ein Telegramm von Fio-
rello La Guardia, dem Bürgermeister von New York: ERLAUBEN
SIE MIR IHNEN MEINE GLÜCKWÜNSCHE FÜR IHRE EPOCHALE LEI-
STUNG ZU ÜBERMITTELN. ALS ERSTER FRAU IST ES IHNEN GELUN-
GEN DEN ATLANTIK VON OST NACH WEST ZU ÜBERQUEREN. ICH
TEILE MIT IHNEN IHRE ENTTÄUSCHUNG DARÜBER DASS SIE ZUR
LANDUNG GEZWUNGEN WURDEN EHE SIE IHR ENDGÜLTIGES ZIEL
FLOYD BENNETT FIELD ERREICHEN KONNTEN. ICH HOFFE ABER
SIE WERDEN GELEGENHEIT BEKOMMEN IHREN FLUG IN EINER AN-
DEREN MASCHINE FORTZUSETZEN. ES WIRD MIR EINE BESONDERE
EHRE UND FREUDE SEIN SIE IN NEW YORK BEGRÜSSEN ZU DÜR-
FEN.[16] Nachdem sie dies gelesen hatte, fand Beryl ihre gute Laune
wieder und begegnete den Fragen der Reporter fortan in kokettem
Ton. »Woran ich während des Fluges gedacht habe? Oh, an eine

Menge unerfreulicher Dinge – mir ist alles Gräßliche durch den Kopf gegangen, was ich je im Leben angestellt habe ...« – »Ich wußte nicht mal, ob ich über Neufundland oder über Lappland war.« »Sehen Sie diese Uhr? Die hat jetzt zum drittenmal den Atlantik überquert. Jim Mollison band sie mir um, ehe ich an den Start ging. Er hat sie beide Male getragen – zuerst als er allein nach Amerika flog und dann als er es zusammen mit Amy noch einmal versuchte ...«[17]

Als man ihr mitteilte, daß auf einem nahegelegenen Flugplatz eine Maschine bereitstehe, um sie nach New York zu bringen, warf Beryl einen letzten wehmütigen Blick auf die *Messenger* und bat Goodwin, dafür zu sorgen, daß nicht zu viele Teile von Souvenirjägern entwendet würden. Dann machte sie sich auf den Weg nach Halifax.

Dort erwartete sie eine US Coastguard Beechcraft 17, *The Staggerwing*, eines der schönsten Leichtflugzeuge, das je den Himmel zierte. Harry Bruno hatte seine Beziehungen spielen lassen, und Beryl durfte den herrlichen Doppeldecker als Kopilotin nach Floyd Bennett Field fliegen, wo sich von Minute zu Minute mehr Schaulustige einfanden, um die über Nacht berühmt gewordene Mrs. Markham zu begrüßen.

Gleich den meisten schönen Frauen genoß Beryl die Huldigungen und Schmeicheleien, mit denen man sie nun überhäufte. Zwar trug sie noch immer ein Pflaster auf der Stirn, aber sie dankte der Menge (schätzungsweise an die fünftausend Personen), die ihr, als sie aus der *Staggerwing* kletterte, Ovationen darbrachte, mit strahlendem Lächeln. »Zum Anziehen habe ich buchstäblich nichts weiter als die Sachen, die ich auf dem Leibe trage. Nicht einmal eine Zahnbürste habe ich dabei, auch keinen Kamm oder ein Paar Strümpfe zum Wechseln. Sie können sich denken, wie unangenehm das für eine Frau ist«, erklärte Beryl den Reportern, die sie gleich nach der Landung umringten. Binnen weniger Tage boten unzählige Bewunderer ihr leihweise Garderobe und Toilettenartikel an.[18]

Unter den ersten, die Beryl in der Neuen Welt willkommen hießen, waren die Carberrys. »Beryl hat etwas sehr Mutiges vollbracht«, sagte June. »Wir freuen uns riesig über ihren Erfolg. Es ist ein Jammer, daß sie New York nicht nonstop erreichen konnte, aber wir sind sehr glücklich, sie nach diesem denkwürdigen Flug wohlbehalten hier bei uns zu haben.« John Carberry stand nicht für Interviews zur Verfügung, aber es sprach sich doch herum, daß er Beryls Leistung als »eine rein sportliche Angelegenheit« abgetan habe.

Nachdem sie alle Fragen der Reporter beantwortet hatte, wurde Beryl im Triumphzug nach New York gebracht. Eskortiert von Polizisten auf Motorrädern und von Sirenengeheul begleitet, hielt der Autokorso schließlich vor dem Ritz-Carlton-Hotel, wo eine Suite für Beryl reserviert war. Auch hier wurde sie von einer begeistert applaudierenden Menge begrüßt. Im Foyer fragte der Empfangschef: »Wie wäre es mit einer kleinen Erfrischung, Mrs. Markham – vielleicht ein Orangensaft?« Beryl brach in schallendes Gelächter aus. »Oh, ich könnte wohl etwas Stärkeres vertragen«, sagte sie, sobald sie sich wieder in der Gewalt hatte. »Ich denke, ich nehme einen Champagner-Cocktail.«[19]

Nach einer kurzen Rast erschien sie auf der Bühne des Avon Theatre in der Fünfundvierzigsten Straße, wo Milton Berle sie für den Rundfunk interviewte. Beryl schien lustig und guter Dinge. Scherzhaft versicherte sie, daß sie lieber noch einmal über den Atlantik fliegen als im Radio auftreten würde. »Ich bin so unendlich froh, daß ich es bis hierher geschafft habe«, sagte sie, ernst werdend. »Ich wünschte bloß, es wäre mir in meiner eigenen Maschine gelungen.« Später präsentierte sie sich mit fest hinter dem Rücken verschränkten Händen vor den Kameras der Wochenschau; mit gesenktem Kopf beantwortete sie gehorsam alle Fragen, auf den Lippen ihr scheues, bezauberndes Lächeln. »... und haben Sie sich unterwegs einen Drink zur Stärkung genehmigt, Mrs. Markham?« »Ja, das kann ich nicht leugnen ... einen kleinen Whisky.« »Wirklich nur einen?« – »Nein«, antwortete Beryl, die sich das Lachen nicht länger verkneifen konnte, »ich muß gestehen, ich habe zweimal einen kräftigen Schluck genommen.«

Der nächste Tag, der erste Montag im September, war Labour Day, ein Feiertag in den Vereinigten Staaten. Beryl frühstückte geruhsam mit Freunden im Hotel. Doch bald gelang es einigen uner-

müdlichen Fans, sich Zutritt zu ihrer Suite zu verschaffen, um sie
um ein Autogramm zu bitten. Daraufhin ließ Bruno einen Wachtposten vor ihrer Tür aufstellen. Später chauffierte er sie im offenen
Wagen zu einer Landpartie nach Westchester. Abends gaben die
Carberrys ihr zu Ehren ein Bankett. Beryl erschien in einer eleganten (wenn auch geborgten) Toilette. »Ich warte sehnsüchtig darauf,
daß morgen früh die Geschäfte öffnen«, vertraute sie den Reportern an. »Ich möchte einmal wieder nach Herzenslust einkaufen.
Und dann freue ich mich natürlich darauf, New York kennenzulernen.«[20]

Die kommenden Tage vergingen wie im Flug – ein steter Reigen
von Interviews, Luncheons und Dinners. In Beryls Auftrag hatte
Bruno sich bei Goodwin in Neuschottland nach der *Messenger* erkundigt. Die Maschine, so erfuhr er, sei im wesentlichen intakt,
obgleich Souvenirjäger eine Tragfläche entwendet und die Zündkerzen gestohlen hätten.[21] Außerdem waren am Motor größere
Reparaturen notwendig, so daß Beryl auf keinen Fall mit der *Messenger* würde zurückfliegen können ... zumindest nicht in abseh-
barer Zeit. Dieses Vorhaben hatte sie der Presse angekündigt –
möglicherweise, weil Carberry darauf bestand, daß sie ihren Teil
der Abmachung erfülle und das Flugzeug rechtzeitig zum Start des
Johannesburg-Wettkampfs nach England zurückbringe. Nach der
Inspektion der *Messenger* lag nun freilich klar auf der Hand, daß
Carberry auf seine Teilnahme an dem Rekordflug würde verzichten müssen.

Auf einem Empfang der Stadt lernte Beryl Fiorello La Guardia,
New Yorks populären Bürgermeister, kennen. Die gertenschlanke
Blondine überragte den untersetzten, kleinen Mann fast um Haup-
teslänge. »Heiß heute, nicht?« fragte der Bürgermeister und wisch-
te sich die Stirn. Beryl, die sich strahlend und selbstbewußt in
neuer Garderobe präsentierte, stimmte höflich zu, wenngleich sie
denkbar kühl und gelassen wirkte. Die Fotografen forderten sie so
oft zu einem Händedruck mit dem Bürgermeister auf, daß sie
schließlich ärgerlich wurde: »Hört mal, Jungs, jetzt ist's aber
genug!«[22]

Bald schon regnete es Glückwunschschreiben und -telegramme

aus aller Welt. 1986 habe ich über vierzig davon durchgeackert, die Beryl in einer alten Blechschachtel aufbewahrte. Es war eine erstaunliche Auswahl. Als besonderes Kuriosum erschien mir ein Brief, den angeblich ein Hund verfaßt und mit »Jojo« unterschrieben hatte. Ein Mann namens Markham lieferte ihr die gesamte Familienchronik der Markhams, die angeblich bis zur Schlacht von Hastings zurückreicht. Beryls Sponsoren depeschierten und ebenso ihre Freunde: GROSSARTIG GEMACHT BERYL HERZLICHE GLÜCK-WÜNSCHE EVA VON BLIXEN; GOTT SEI DANK DASS DU MEINE UHR GERETTET HAST JIM MOLLISON. Aber es schrieben auch Leute, von denen Beryl noch nie im Leben gehört hatte: ICH HATTE VERGES-SEN WIE MAN BETET BIS ICH VON IHREM SENSATIONELLEN UNTER-NEHMEN HÖRTE. DA BETETE ICH ZU GOTT DASS ER IHNEN MUT VERLEIHEN UND IHRE INSTRUMENTE INTAKT HALTEN MÖGE AUF DASS SIE HEIL HIER ANKOMMEN WÜRDEN: GRATULIERE ZU IHREM PHANTASTISCHEN SIEG. DER SPORTSGEIST ENGLANDS LEBT IN IH-NEN FORT. HURRA DEN ENGLISCHEN FRAUEN: HARRY O'HEARN, 2746 HAMPDEN PORT, CHICAGO. Sogar ein Theaterproduzent aus England hatte sich gemeldet und Beryl 500 Pfund die Woche geboten, falls sie in seinem Stück *Broadway Rhythm* auftreten würde, dessen Eröffnungsszene die Ankunft des ersten Passagierflugzeugs in Croyden darstellen sollte.

Während der turbulenten, ereignisreichen Tage, die ihrer Ankunft in New York folgten, versuchte Bruno, für Beryl eine Vortragsreise durch die Staaten zu arrangieren. Sie könne von Stadt zu Stadt reisen und über ihren Atlantikflug berichten; das Publikum würde sich um sie reißen, versicherte er ihr. Doch Beryl wollte rechtzeitig zum Start des Johannesburg-Rennens wieder in London sein. Anschließend plante sie selbst nach Südafrika zu fliegen. Aber, so vertröstete sie Bruno, sie werde später in die USA zurückkommen und einige der Angebote wahrnehmen.

Am 14. September, eine Woche nach Beryls Ankunft, kam die Meldung, daß Merrill und Richman, ebenfalls wegen Treibstoffmangels, in einem Sumpfgebiet niedergegangen seien. Ihr Ziel New York–Croydon–New York hatten sie zwar verfehlt, aber immerhin mit einer Flugdauer von 17 Stunden und 44 Minuten den Ost-West-Rekord gebrochen. Die Zeitungen wiesen darauf hin, daß Beryl, obwohl sie eine kleinere Maschine mit wesentlich schwächerem Motor geflogen hatte, 400 Meilen weiter gekommen war als die beiden Männer. Angeblich war es während des Fluges zwischen Merrill und Richman zu »Unstimmigkeiten« gekommen, besonders darüber, ob man über dem Atlantik Ballast abwerfen solle oder nicht.[23]

Trotz zahlreicher Bemühungen und beachtlicher Teilerfolge stand der schlüssige Beweis dafür, ob die leichten Maschinen der dreißiger Jahre für einen sicheren Flug von England nach Amerika taugten, immer noch aus; bis der Traum vom kommerziellen Transatlantikverkehr mit Passagierflugzeugen wahr werden sollte, hatten die Pioniere noch einen weiten Weg vor sich. Aber Beryls Freunde ließen sich nicht entmutigen. Einer, der im dritten Anlauf den London–New York-Rekord zu erringen hoffte, war Jim Mollison. Er traf am 25. September in New York ein, um von dort nach London zurückzufliegen. Eigentlich war die Jahreszeit für Transatlantikflüge nicht mehr geeignet, doch der Rekord war mittlerweile in solch greifbare Nähe gerückt, daß die Anwärter sich keinen weiteren Aufschub leisten konnten. Ungünstige Witterungsverhältnisse zwangen Mollison, in Harbour Grace, Neufundland, niederzugehen und auf besseres Wetter zu warten. Von Neufundland aus erreichte er schließlich Croydon in der Rekordzeit von 13 Stunden und 17 Minuten. In England angekommen, mußte Mollison allerdings einsehen, daß der Rückflug nach New York angesichts der aufkommenden Herbststürme ein geradezu selbstmörderisches Risiko bedeuten würde, und so verzichtete er schweren Herzens auf den zweiten Teil seines Unternehmens.

Tom traf inzwischen letzte Vorbereitungen für den Johannesburg-Wettkampf. Am Freitag, den 18. September, flog er nach Liverpool, um der Taufe der Percival Mew Gull, mit der er ins Rennen gehen wollte, beizuwohnen. Tags darauf sollte er die *Miß Liverpool* seinem Sponsor John Moores und einem zahlreichen Publikum im Rahmen eines Demonstrationsfluges vorstellen. Moores erhoffte sich von dieser Aktion eine werbewirksame Publicity für die Stadt Liverpool, und Tom Campbell Black war zweifellos der richtige Mann für einen solchen Reklamefeldzug, denn er würde beim Johannesburg-Rennen als Favorit an den Start gehen.

Tom winkte der Menge zu und zwängte sich in die kleine schwarzweiße Maschine, die selbst am höchsten Punkt nicht mehr als einen Meter zwanzig Abstand zum Boden hatte. Es war ein schöner, sonniger Frühherbsttag; gutgelaunt ließ Tom die *Miß Liverpool* auf die Startbahn hinausrollen.

Moderne Flugzeuge sind mit einem Dreiradfahrwerk ausgestattet, das die Maschinen während der Fahrt auf dem Rollfeld waagrecht hält. Die Mew Gull dagegen war, gleich den meisten Flugzeugen ihres Baujahres, nur mit einem Spornrad versehen, und folglich mußte der Pilot mit stark begrenzter Sicht manövrieren, bis das Heck beim Start vom Boden abhob. Ein zusätzliches Hindernis bildete die hochgewölbte Motorhaube. Nach vorn zu konnte der Pilot die Piste praktisch nur überblicken, indem er durch abwechselnde Seitenruderbetätigung immer wieder abbremste, schwänzelte und dabei durch die Seitenfenster spähte.

Berücksichtigt man all diese Nachteile, so entsteht der Verdacht, daß Tom die Maschine, die ihm den Tod bringen sollte, gar nicht wahrgenommen hat. Es war eine Hawker Hart, ein »leichter Bomber« nach damaligem Sprachgebrauch. Der Pilot, ein junger Royal-Air-Force-Offizier, war im Landeanflug von der Sonne geblendet, sein Gesichtsfeld auf dreißig bis vierzig Meter vor und neben der Maschine beschränkt. Er beteuerte später, er habe vorschriftsmäßig eine Erkundungsschleife über dem Platz gedreht und sich vergewissert, daß die Rollbahn frei sei, ehe er zur Landung ansetzte. Tom muß im gleichen Augenblick auf die Piste hinausgesteuert sein. Bei der gerichtlichen Untersuchung gab eine Augenzeugin an, Tom habe unmittelbar vor dem Zusammenstoß ein Papier, vermutlich eine Karte, betrachtet, sei also vielleicht momentan abgelenkt gewesen. Zum Entsetzen der hilflosen Zuschauer prallte die Hawker Hart frontal auf die kleine Mew Gull, ein Propellerblatt schlitzte die Kabinenhaube auf, durchbohrte Toms linke Schulter und drang tief in die Lunge ein.«[24]

Mit aller gebotenen Vorsicht wurde der Schwerverletzte aus seinem Flugzeug geborgen und ins nächste Krankenhaus gebracht.

Doch jede Hilfe kam zu spät; bereits eine halbe Stunde später war Tom Campbell Black tot. Seine letzten Worte waren: »O Gott! Hilf mir, Darling! Darling, hilf mir!«[25]

Dessie war auf der Probe, als sie die Nachricht erhielt, Tom habe einen Unfall gehabt. Die beiden hatten sich am Abend zuvor wegen einer Lappalie gestritten, und Tom hatte in seinem Ankleidezimmer übernachtet, aber bevor er am Donnerstagmorgen nach Liverpool aufgebrochen war, hatten sie sich wieder versöhnt. Trotzdem mußte Dessie ständig an ihn denken. »Er war so empfindlich! Die kleinste Kleinigkeit konnte ihn auf die Palme bringen, und er war so rasch eingeschnappt! Er erinnerte mich oft an ein hypernervöses, reizbares Vollblutpferd. Wenn er sich über irgendwas ärgerte, sprühten seine Augen Feuer, und er warf den Kopf in den Nacken wie ein sich bäumender Hengst.« Nach nur achtzehnmonatiger Ehe war die junge Schauspielerin nun Witwe, und ihre Trauer wurde noch vertieft durch den quälenden Gedanken an ihren letzten Streit mit Tom.

Zusammen mit Toms Verwandten fuhr Dessie nach Liverpool, um die Leiche ihres Mannes heimzuholen.

Die gerichtliche Untersuchung kam zu dem Ergebnis: »Tod durch Unfall«. Alle, die Tom gekannt hatten, empfanden es als besonders tragisch, daß ausgerechnet dieser hervorragende Pilot bei einem Unglück sein Leben lassen mußte, wie es laut Statistik in einer Million Fällen höchstens einmal vorkommt und vor dem alle Fähigkeiten der Welt ihn nicht hätten bewahren können.

Die ahnungslose Beryl sonnte sich noch ganz beglückt in ihrem Erfolg, als Jim Mollison sie anrief und ihr mitteilte, daß Tom tödlich verunglückt sei. Obwohl sie ihn eigentlich schon längst an Dessie »verloren« hatte, war Tom immer noch der Mann ihres Lebens gewesen. Den ganzen Sommer hindurch und besonders während der Vorbereitung ihres Transatlantikfluges hatte Beryl bei ihm Hilfe und Beistand gesucht. Als Denys abstürzte, war Tom dagewesen, um sie zu trösten. Doch in ihrem jetzigen Schmerz gab es niemanden, zu dem sie sich hätte flüchten können, und mit dem Alleinsein kehrte all ihre frühere Unsicherheit zurück. Als ich sie nach ihren Empfindungen von damals fragte,

bekam ich zur Antwort: »Es schien mir einfach unmöglich. Er war
so gut, wissen Sie ... Ich konnte es kaum glauben.«[26]
Ihre Schiffspassage auf der *Queen Mary*, die am Donnerstag dieser
Woche nach Southampton auslaufen sollte, war bereits gebucht.
Beryl wies Bruno an, all ihre Verabredungen rückgängig zu machen. Für den Rest ihres Aufenthaltes in New York gab sie weder
Interviews, noch zeigte sie sich in der Öffentlichkeit. Einzig an
dem Empfang, den Bruno und seine Frau ihr zu Ehren am Vorabend ihrer Abreise veranstalteten, nahm sie teil.[27]
Auf der Fahrt nach England wurde sie unweigerlich zum beliebtesten Ziel der Fotografen. In einem eleganten Abendkleid aus
weißer Seide lächelte sie höflich in die Kameras, posierte vor dem
Toilettentisch in ihrer Kabine Erster Klasse oder am Kapitänstisch. Aber es war stets ein leeres, freudloses Lächeln.
Auf der Überfahrt machte sie die Bekanntschaft von Jack Cohen,
dem Vizepräsidenten der Columbia-Filmgesellschaft, eine Begeg-
nung, die nicht ohne Folgen blieb, denn noch ehe der Ozeandamp-
fer in Southampton vor Anker ging, konnte Cohen seinem New
Yorker Büro folgendes Kabel übermitteln: NACH MEHREREN AN-
LÄUFEN MRS. MARKHAM ENDLICH ZUR UNTERZEICHNUNG EINES
VERTRAGES ÜBERREDET. SIE IST BEREIT IN EINEM COLUMBIA-FILM
MITZUWIRKEN DER IHRE GROSSARTIGE LEISTUNG DOKUMENTIE-
REN WIRD.[28]
Später vertraute Beryl einer Freundin an, daß sie während der
Überfahrt vor allem nachts oft stundenlang an der Reling gestan-
den und einfach aufs Wasser hinausgeschaut habe. »Dabei dachte
ich, wenn ich den Atlantik zuerst vom Schiff aus kennengelernt
hätte, wäre ich nie so mutig gewesen, ihn zu überfliegen.«[29]
Kurz nachdem Beryl New York verlassen hatte, gab John Carberry Anweisung, die *Messenger* zu bergen. Unter Ray Goodwins
Leitung bauten dreizehn Fischer und zwei Mechaniker eine Plattform rings um das eingesunkene Flugzeug. Zwei Drehwinden waren vier Tage lang im Einsatz, bis die *Messenger* endlich aus dem
tiefen Sumpf gehievt werden konnte.
Ein Propellerblatt war abgeknickt, doch der Propeller selbst erwies
sich wunderbarerweise als unversehrt. Man beschloß, die *Messen-*

ger auf einer Schute nach Louisburg zu bringen. Sturmböen hätten den Transport um ein Haar vereitelt, doch dann legte sich der Wind, die See wurde ruhig, und die Schute konnte ihre Fahrt fortsetzen. In Louisburg hatten sich 750 Menschen versammelt, um die Ankunft des berühmten Flugzeugs mitzuerleben. »Und nur ein Polizist war zur Stelle, der natürlich keine Chance hatte, die Menge in Schach zu halten. Die Leute rissen die Bespannung von der rechten Tragfläche und von einem Benzintank ab.« Zum Glück hatte Ray Goodwin bereits vorsorglich alle wertvollen Instrumente entfernen lassen.[30]

William Fischer, der für den Transport der Maschine nach New York und weiter nach London verantwortlich war, berichtet: »Für die Fahrt nach Halifax luden wir die *Messenger* auf ein Kraftfahrzeug, doch nach knapp fünfundzwanzig Meilen kamen wir bereits mit der Verkehrspolizei in Konflikt. Obwohl wir die Tragflächen abmontiert hatten, bestand sie darauf, daß das Flugzeug zu breit sei für die Straße. Also ließen wir den Frachter *Ulva* aus Halifax kommen, der die *Messenger* in Sydney an Bord nahm und bis zur SS *Cold Harbour* beförderte. Alles in allem waren Bergung und Überführung der Maschine fast ebenso schwierig wie Mrs. Markhams Flug. Wir arbeiteten drei Wochen daran, und der ganze Spaß kostete an die 3000 Dollar.«[31]

Kapitel 10
(1936–1937)

Bei ihrer Ankunft in Southampton bereitete man Beryl einen triumphalen Empfang. Sie freilich empfand die Zudringlichkeit der Reporter wie einen »Strafprozeß«. Trotzdem lächelte sie für die Kameras, posierte gehorsam an der Reling, drückte dem Bürgermeister unzählige Male die Hand, wie sie es schon für die Fotografen in New York getan hatte, beantwortete die gleichen Fragen, die man ihr seit Wochen stellte, und benahm sich überhaupt ganz so, wie man es von ihr erwartete. Die Stadt hatte ein Galaessen für sie ausgerichtet, und anschließend führte man sie im offenen Wagen durch die Stadt, aber Beryl war nicht mit dem Herzen bei der Sache.

Percival kam, um ihr über Toms Unfall zu berichten. Bisher war sie nur bruchstückhaft durch Telegramme und schlechte Telefonverbindungen informiert gewesen, doch Beryl wollte unbedingt verstehen, wie es möglich gewesen war, daß ausgerechnet Tom, der sich wie kein anderer mit Flugzeugen auskannte, der so gewissenhaft, so ruhig und überlegt gearbeitet hatte, einem solchen Unfall zum Opfer fallen konnte. »Auf sentimentalen Gefühlen kann man nicht fliegen. Merk dir das, wenn du eine brauchbare Pilotin werden willst. Die verrückten Teufelskerle am Steuerknüppel sind schuld, daß vielen Leuten die Fliegerei suspekt ist, diese jungen Himmelsstürmer, denen noch die Flausen aus dem letzten Krieg im Kopf rumspuken ...«[1] So hatte Tom einst als Fluglehrer zu ihr gesprochen.

Allein, der Bericht Percivals würde warten müssen, bis sie alle Reporterneugier befriedigt und alle offiziellen Verpflichtungen erfüllt hatte.

»Werden Sie den Nonstopflug nach New York noch einmal versuchen?« – »Ich weiß, daß ich gesagt habe, ich möchte den Atlantik kein zweites Mal überqueren, doch das war kurz nach meiner Ankunft in den Vereinigten Staaten, und Sie können sich wohl vorstellen, wie erschöpft und durcheinander ich da war. Aber ich hoffe sehr, daß ich kommenden Mai an einem Wettkampf New York–Frankreich teilnehmen kann, den die französische Regierung sponsert. Vielleicht trete ich allein an, doch es ist wahrscheinlicher, daß ich als Kopilotin mitfliegen werde.« – »Sie waren mit Mr. Campbell Black befreundet. Was sagen Sie zu seinem tragischen Unfall?« – »Mr. Blacks Tod hat mich sehr getroffen. Es ist ein großer Verlust für mich.« – »Werden Sie dem Start des Johannesburg-Rennens beiwohnen?« – »Ja, ich habe vor, noch heute nacht nach Portsmouth hinunterzufahren, damit ich rechtzeitig vor dem Abflug dort bin.« – »Wir haben erfahren, Sie hätten mit Ihrem Flug hunderttausend Pfund verdient, Mrs. Markham. Ist das richtig?« Dazu konnte Beryl nur lachen. »Ganz soviel ist es wohl nicht. Aber ich habe einen hübschen, lukrativen Vertrag für einen Hollywood-Film unterschrieben – Thema ist die Fliegerei. Es besteht eine beiderseitige Option.« – »Heißt das, Sie werden nach Amerika zurückkehren?« – »Nicht, bevor ich meinen Vater in Südafrika besucht habe.« – »Reisen Sie gleich anschließend nach Südafrika?« – »Zuerst will ich noch meinen kleinen Sohn Gervase wiedersehen – ich habe ihm ein Bild von meinem Flugzeug mitgebracht, das in New York gemalt wurde. Danach werde ich wohl bald nach Südafrika aufbrechen, denn ich möchte die Britisch-Empire-Ausstellung in Johannesburg nicht versäumen. Aber ich werde den Flug geruhsam und etappenweise angehen.« – »Macht Ihnen die Wunde an der Stirn noch zu schaffen?« – »Oh, die ist doch schon fast weg – oder? Übriggeblieben ist nur noch eine kleine Beule.«

Endlose Fragen, Fragen, Fragen.

Als die Zeitungen mit ihrem Interview erschienen, stellte sich heraus, daß man Beryl mehrfach falsch zitiert hatte. Aus ihrem Sohn Gervase war seltsamerweise ein »Gerald« geworden, und angeblich hatte sie den Reportern erklärt, sie werde nie mehr über den Atlantik fliegen.[2]

Erst als sie spätnachmittags nach Portsmouth aufbrachen, hatte Beryl endlich Gelegenheit, Percival unter vier Augen zu sprechen und den ganzen traurigen Hergang des Unfalls zu erfahren. Wer beschreibt ihren Schmerz, als sie hörte, daß »ein halber Meter weiter vor oder zurück« Tom das Leben gerettet hätte. Percival sprach auch über Dessie. Sie war auf der Hauptprobe zu einer zwei Tage später angesetzten Premiere gewesen, als man ihr die Unglücksbotschaft brachte. Die Premiere wurde verschoben, aber am Tag nach der Beerdigung rief der Theaterdirektor Dessie an. »Was soll aus unserem Stück werden, Dessie? Ich brauche Ihre Entscheidung.« Obwohl sie noch jung an Jahren war, zählte Dessie doch zu den gewissenhaften Schauspielern alter Schule. Sie bat den Direktor, die Premiere für den kommenden Montag anzukündigen. »Nur keine Angst, Sir. Ich werd's schon packen.«[3]

»Heute ist der große Abend«, sagte Percival zu Beryl.

Beryl war nicht die einzige, die Dessie an jenem Abend ein Telegramm schickte, um ihr Glück zu wünschen. Besonders gerührt war die junge Schauspielerin über eine Depesche der Piloten, mit denen Tom früh am nächsten Morgen zum großen Johannesburg-Rennen hätte aufbrechen sollen. Toms Freunde schrieben:

FLORENCE DESMOND VICTORIA PALACE LONDON. WIR VERSICHERN SIE UNSERES AUFRICHTIGEN MITGEFÜHLS UND MÖCHTEN IHNEN UNSERE BEWUNDERUNG FÜR IHRE TAPFERKEIT AUSSPRECHEN. TOMMY ROSE, CHARLES SCOTT, KEN WALLER, MAX FINLAY, DAVID LLEWELLYN, CHARLES HUGHESDON, ALLISTER MILLER, STANLEY HALSE, VICTOR SMITH, CLOUSTON AND ALLINGTON.[4]

Dessie war mit ihrem Spiel an diesem Abend nicht sehr zufrieden. Nur mühsam konnte sie sich gegen die Wogen des Mitleids wappnen, die ihr über die Rampe entgegenschlugen. Ihre eigene Stimme erschien ihr zu schwach, so als käme sie von weit her. Doch das Publikum tobte vor Begeisterung.

»Viel Prominenz aus der Theater- und Filmlandschaft befand sich unter dem Publikum, das Miß Florence Desmond gestern abend im Victoria Palace einen enthusiastischen Empfang bereitete, als die Künstlerin kaum mehr als eine Woche nach dem tragischen

Tode ihres Gatten, Captain Tom Campbell Black, wieder auf die
Bühne trat ... Miß Desmond gab der vielumjubelten Premiere von
Let's Raise the Curtain erst die rechte Würze, als sie aus dem
Stegreif Marlene Dietrich imitierte, die mit Noël Coward in einer
Loge saß.«[5]

»Ist es nicht merkwürdig«, sagte Dessie hinter den Kulissen zu
einer Kollegin, »daß all dies in einer einzigen Woche geschehen
konnte – daß Tom ums Leben kam und begraben wurde und ich
jetzt wieder hier oben stehe und das gleiche mache wie letzten
Samstag?« Und einem Reporter diktierte sie in die Feder: »Ich führe einfach meine Arbeit fort, so wie Tom es gewollt hätte.«[6]

Am Donnerstag, den 29. September, war Beryl in aller Frühe am
Portsmouth-Flugplatz, um den Start des großen Rennens mitzu-
erleben. Der südafrikanische Minenkönig und vielfache Millionär
I. W. Schlesinger hatte für die Sieger dieses Langstreckenfluges
Preise in Höhe von insgesamt 10000 Pfund ausgesetzt. Er ver-
sprach sich davon ein regeres Interesse am Luftverkehr in Süd-
afrika und außerdem eine förderliche Reklame für die kommende
British-Empire-Ausstellung.

Nach Toms tragischem Unfall hatte Amy Johnson ihre Bereitschaft signalisiert, seinen Platz einzunehmen und die *Miß Liverpool* nach Johannesburg zu fliegen, falls die Maschine rechtzeitig
repariert werden könne. Wie nicht anders zu erwarten, erregte dieses Angebot großes Aufsehen, doch Dessie war sehr unglücklich
darüber, und außerdem konnte Percival sich in der kurzen Zeit
nicht für die Instandsetzung des Flugzeugs verbürgen. Amy Johnson glaubte fälschlicherweise, sie würde Toms Andenken ehren,
indem sie seinen Platz einnahm. Doch viele hatten sie in Verdacht,
nur aus der Tragödie Kapital schlagen oder auch der Publicity ent-
gegenarbeiten zu wollen, die derzeit Jim Mollison einheimste, der
sich in New York auf den Transatlantikflug nach Croydon vorbereitete. Amy hatte vor kurzem die Scheidung von Jim eingereicht;
als Grund wurde seelische Grausamkeit angeführt.

Da Toms Mew Gull nicht flugtüchtig war, Carberrys *Messenger*
sich noch auf dem Transport nach New York befand und einige
weitere Maschinen nicht rechtzeitig hatten fertiggestellt werden

können, gingen nur neun Flugzeuge an den Start. Diese neun verließen Portsmouth in einminütigem Abstand auf dem Weg nach
Johannesburg über die Kontrollpunkte Belgrad und Kairo. Wegen
des Konfliktes zwischen Italien und Abessinien war die Route an
Italien, gegen das England Sanktionen verhängt hatte, vorbeige-
lenkt worden. Ab Kairo durften die Teilnehmer ihre Fluglinie
selbst bestimmen.

Das mit soviel Spannung erwartete Rennen wurde zum Desaster.
Toms früherer Partner Charles Scott und sein Kopilot Giles
Guthrie konnten als einzige ihr Ziel innerhalb der angesetzten
Frist erreichen. Mehrere Maschinen stürzten ab, zwei der Piloten
fanden den Tod.

Nachdem das Rennen in Portsmouth gestartet war, kehrte Beryl
nach London zurück, wo sie sich als erstes mit Dessie in Verbindung setzte. Beryl hatte bisher noch keine Unterkunft und war,
wie gewöhnlich, in Geldnöten, denn der Vorschuß für ihren Film-
vertrag betrug nur ein paar hundert Dollar. Dessie, die inzwischen
von Beryls früherer Liaison mit Tom erfahren hatte, lud sie spontan ein, bei ihr zu wohnen. Einige Monate vor Toms tödlichem
Unfall hatten die Campbell Blacks ein großes Haus in St. John's
Wood gekauft. Jetzt fand Dessie es bedrückend, allein durch das
geräumige Anwesen irren zu müssen. »Ich war sehr froh über Beryls Gesellschaft«, erinnert sie sich.

Es war ein hübsches Haus, weiß mit blauen Fensterrahmen und einem mächtigen alten Baum vor dem Haupteingang. Im Wohnzimmer hingen an den Wänden alte Landkarten, die Tom gesammelt
hatte, und auf einem niederen Tischchen neben einem großen Bü-
cherschrank thronte ein silbernes Modell der Comet *Grosvenor
House*, mit der ihm sein erster Rekordflug gelungen war. Ein Foto
der leuchtendroten Comet hing über dem Kamin, auf dessen Sims
Trophäen und Pokale aufgereiht waren, die Tom zumeist auf dem
Turf in Kenia gewonnen hatte. Die Erinnerung an Tom beherrschte diesen Raum so stark, daß Dessie und Beryl nur selten
den Mut fanden, ihn zu betreten.[7]

Beryl stand seit ihrem Transatlantikflug im Mittelpunkt des gesellschaftlichen Interesses; Dessie stürzte sich mit Hingabe in ihre Ar-

beit am Theater, und so gelang es den beiden Frauen allmählich, jede auf ihre Weise mit dem schmerzlichen Verlust fertigzuwerden. Zwar hatte Beryl den geliebten Mann schon lange vor seinem Tod an Dessie verloren, aber er war ihr Freund und »Beistand« geblieben, und es war vermutlich der Verlust dieses Beistands, der Beryl so kurz nach ihrem Pyrrhussieg am härtesten traf. In den nächsten paar Jahren berichtete die Presse immer wieder, sie habe sich abermals zu einem Wettkampf gemeldet oder sammele Kapital für einen neuerlichen Rekordflug, aber keines dieser Vorhaben kam je zur Ausführung. Denn seit Tom nicht mehr da war, fehlte ihr die Motivation, hatte sie nicht mehr das Bedürfnis, sich beweisen zu müssen.

Beryls Transatlantikflug wurde auch in London mit zahlreichen Luncheons und Dinners gefeiert. Man überschüttete sie mit Anerkennungen. In einer launigen Tischrede sagte einer ihrer Sponsoren: »Wer wollte es unserem Ehrengast verdenken, wenn sie sich insgeheim einiges darauf zugute hielte, daß sie in ihrer kleinen 200-PS-Maschine weiter nach Kanada vordringen konnte als die beiden aufgeweckten jungen Amerikaner, die ihr im übrigen erst gefolgt sind, als das Wetter sich wieder von einer freundlicheren Seite zeigte. Dabei flogen die zwei ein schnelleres und leistungsfähigeres Flugzeug und hatten Funk an Bord – ganz zu schweigen von den vielzitierten 40 000 Pingpongbällen … Dank Mrs. Markham wird man von nun an der Wendung ›das flatterhafte Geschlecht‹ einen völlig neuen Sinn beilegen … Ich bin wohl nicht der einzige, der glaubt, daß Beryl Markham als eine der großen Frauen unseres Jahrhunderts in die Geschichte eingehen wird. Uns alle aber erfüllt es mit Stolz und Freude, daß die siegreiche Maschine, gleich ihrer Pilotin, aus England stammt …«[8]

Percival, der mittlerweile zu Beryls engsten Freunden zählte, überreichte ihr zum Andenken an ihre große Leistung ein Modell der *Messenger*, in Silber gegossen und mit Türkisen eingelegt, das die Inschrift trug: »Von E. W. Percival. 2656 Meilen in 21 Stunden und 25 Minuten.« Beryl bedankte sich bei ihrem Vorredner mit einer kurzen, pointierten Ansprache. »Es war sehr stürmisch, als ich aufbrach, und zwar in mehr als einer Beziehung«, begann sie augenzwinkernd.[9] Dann schilderte sie den Dinnergästen, daß sie mit einem Treibstoffvorrat für 28 Stunden gerechnet habe und folglich bitter enttäuscht gewesen sei, als ihre Tanks bereits nach knapp 22 Stunden keinen Tropfen mehr hergaben. Was sie freilich nicht erwähnte, war eine Entdeckung, die bei den jüngsten Bergungsarbeiten in Neufundland gemacht worden war: Demnach hatte die *Messenger* bei der Bruchlandung im Sumpf noch für rund 300 Meilen Kraftstoff an Bord gehabt.[10] Die Mechaniker mutmaßten, daß sich in der Luftzufuhr des letzten vollen Tanks Eis gebildet und die Leitung blockiert habe. Als daraufhin der Motor aussetzte, mußte Beryl annehmen, der Tank sei leer.

Beryl war besonders stolz auf ein Telegramm des East African Aero Club, der sie darin zum Mitglied auf Lebenszeit ernannte.[11]

Am 18. September traf die *Messenger* mit der SS *Cold Harbour* in London ein, und Beryl fuhr hinunter zu den Docks, um »ihr« Flugzeug wiederzusehen, von dem sie freilich wußte, daß es für sie verloren war. Carberry hatte ihr mitgeteilt, er wolle die *Messenger* nach Kenia verschiffen und sie dort gründlich überholen lassen. Davon, daß Beryl die Maschine nach Ostafrika zurückfliegen könne, wollte er ebenso wenig hören wie von ihrem Vorschlag, die *Messenger* gegen Eintrittsgeld zur Besichtigung freizugeben. Vielleicht war Carberry verärgert, weil er das Johannesburg-Rennen versäumt hatte, doch wahrscheinlich war seine Unnachgiebigkeit nur ein weiteres Beispiel für sein hinlänglich bekanntes Steckenpferd – anderen den Spaß zu verderben. Finanziell hätte es ihm nicht das geringste ausgemacht, Beryl das Flugzeug zu überlassen, oder es ihr zumindest leihweise zur Verfügung zu stellen.

Statt dessen ließ Carberry die *Messenger* per Schiff nach Ostafrika transportieren, wo sie für eine vermutlich geringe Summe verkauft wurde. Ein Freund Beryls entdeckte sie einige Zeit später in Daressalam, wo sie verlassen vor einem Hangar stand. Die einst so stolze Vega Gull war nur mehr ein Wrack. Wahrscheinlich hatte sie jemand gekauft, um auf ihr fliegen zu lernen: »Ich glaube, die *Messenger* eignete sich nicht für den Nahverkehr, schließlich war sie als Langstreckenflugzeug konstruiert worden. Ich stelle mir vor, der Besitzer, wer immer das war, verlor einfach das Interesse an

ihr, weil er sie eben nicht fliegen konnte und vielleicht auch nicht
ordentlich zu warten verstand. Jedenfalls war's bloß noch eine
verrostete Kiste, als ich damals auf sie stieß. Ich versuchte, ins
Cockpit zu klettern, aber als ich auf die Tragfläche steigen wollte,
brach die unter mir zusammen, und unversehens kam ich Afrika
ein bißchen näher.«[12]

Abends, wenn Dessie auf der Bühne stand, dinierte Beryl in vornehmen Restaurants und tanzte anschließend in exklusiven Nacht-
clubs bis in die frühen Morgenstunden. »Ich tanzte für mein Leben
gern«, erzählte sie mir. »Und ich war eine sehr gute Tänzerin.«
Mollison, mit dem sie eine flüchtige Affäre hatte, war häufig ihr
Begleiter. Doch Dessie war mit dieser Freundschaft nicht einverstanden. Mollison war ein starker Trinker, was ihm den treffenden
Spitznamen »Brandy Jim« eingetragen hatte. »Er trank wirklich
ziemlich viel«, gab Beryl zu. »Deshalb ging ich ihm auch nach einer Weile aus dem Weg. Ich selbst machte mir damals nicht viel aus
Alkohol.«[13]

»Mollison war ein ungehobelter, arroganter Kerl«, versichert Dessie, und dieses Urteil bestätigt Jim selbst mit seiner Autobiographie *Playboy of the Air*, einem Buch, das an Dünkel und Selbst-
gefälligkeit kaum zu überbieten ist. »Vor dem Rekordflug London–Melbourne«, berichtet Dessie, »bekam Tom ein Sandkorn
ins Auge. Als er sah, daß Mollison ein frischgebügeltes Taschentuch in der Brusttasche trug, bat er Jim, es ihm zu leihen. Mollison
nahm das Tuch, schneuzte sich hinein und hielt es Tom hin. Mein
Mann ließ es einfach zu Boden fallen, und seither war Jim Luft für
ihn.« Dessie erinnert sich auch eines Anrufs vom Manager des
Grosvenor House Hotels, mit dem sie befreundet war. »Heute
nacht hat sich hier eine entsetzliche Szene abgespielt. Jim Mollison
und Amy Johnson haben sich furchtbar gestritten, und er hat die
arme Frau verprügelt. Im Badezimmer sieht es aus wie auf dem
Schlachthof …« Andere Zeugen wissen von ähnlich unerfreulichen
Auftritten Mollisons zu berichten, doch er war zweifellos ein guter
Pilot und ein brillanter Navigator.

Dessie kam eines Abends aus dem Theater heim und fand Beryl
mit Mollison im Wohnzimmer. »Mollison war so betrunken, daß

er nicht mehr gerade stehen konnte, aber als ich hereinkam, sagte
Beryl, er solle jetzt besser gehen. Sie wußte, daß ich ihn nicht leiden konnte. Obwohl ich sehr verärgert darüber war, daß sie ihn
in mein Haus gebracht hatte, fragte ich sie: ›Wie kannst du ihn
denn in dem Zustand fortschicken – er kann sich doch nicht einmal
mehr auf den Beinen halten?‹ Beryl zuckte bloß mit den Achseln
und hob die Brauen. Ich ließ Mollison in Toms Ankleidezimmer
ein Bett zurechtmachen, und er schlief die ganze Nacht dort. Aber
ich war sehr böse auf Beryl, weil sie mich in so eine peinliche Lage
gebracht hatte.«[14]

Kurz nach diesem Zwischenfall bot Dessie ihr Haus zum Verkauf
an. Die ständige Erinnerung an Tom war zu schmerzlich, außerdem erschien ihr das Haus viel zu groß. Die beiden Frauen zogen
von St. John's Wood in eine Wohnung in Stockleigh Hall. Manchmal rief Beryl nach der Vorstellung im Theater an und lud Dessie
zu einer Party ein. »Es waren immer sehr lustige und fröhliche
Gesellschaften, und ich war Beryl dankbar, denn sie brachte mich
dazu, unter Leute zu gehen.«

Eines Abends war Dessie in ihrer Garderobe, als man sie ans Telefon holte. Eine Männerstimme sagte: »Sie kennen mich nicht.
Mein Name ist Charles Hughesdon. Ich rufe im Auftrag von Mrs.
Markham an. Wir essen im Restaurant Hungaria – ein ganz zwang-
loser Kreis, und Beryl läßt fragen, ob Sie uns nach der Vorstellung
nicht Gesellschaft leisten möchten.« Es war derselbe Charles Hughesdon, der an dem unglückseligen Johannesburg-Rennen teilgenommen hatte. Dessie folgte der Einladung, und nach dem Dinner
forderte Charles sie zum Tanzen auf. Die beiden tanzten so lange
und so eng miteinander, daß selbst fremde Gäste auf sie aufmerksam wurden.[15]

Am nächsten Abend soupierten Beryl und Dessie mit Freunden im
Savoy. Charles, der nicht eingeladen war, drohte, sich trotzdem
unter die Gäste zu mischen, und Dessie warf den ganzen Abend
ängstliche Blicke über die Schulter. Am Sonntag darauf kam Charles zum Lunch in Dessies Wohnung. Die beiden hatten sich Hals
über Kopf ineinander verliebt, wovon Beryl freilich keine Ahnung
hatte, als sie sich nach dem Essen zu den beiden gesellte. Man plau-

derte, und nach einer Weile stand Beryl auf, trat an den Schreibtisch und warf ein paar Worte auf ein Blatt Papier, das sie Charles im Hinausgehen unauffällig zusteckte. Sobald sie wieder allein waren, sagte Charles zu Dessie: »Da hast du ja eine feine Freundin!«, und zeigte ihr den Zettel. Beryl hatte ihn gebeten, sich unter einem Vorwand von seiner Gastgeberin loszumachen und den Abend mit ihr zu verbringen.[16]

Nach diesem Vorfall kühlte das Verhältnis der beiden Frauen sich merklich ab, und als Beryl im Frühjahr 1937 nicht mehr in der Lage war, ihre ständig steigenden Rechnungen zu bezahlen, machte Dessie ihr ernste Vorhaltungen. Aber um mit dem eleganten Lebensstil, dem steten Reigen von Parties, Diners und Soupers Schritt zu halten, brauchte Beryl eine aufwendige Garderobe. Modisten, Putzmacher und Schneider arbeiteten auch nur zu gern für die prominente Fliegerin, denn sie sah gut aus und brachte jedes Modell trefflich zur Geltung. Ihre Vitalität, ihr Geschmack und ihre Anmut sicherten ihr die Aufmerksamkeit der Menge, wo immer sie sich zeigte. Dessie hatte Beryl bei ihrem eigenen Schneider und Hutmacher eingeführt. Doch als die Geschäfte ihre Rechnungen präsentierten, konnte Beryl nicht zahlen. In die Enge getrieben, gestand sie ihren Gläubigern, sie müsse sich leider bankrott erklären. Dessie schämte sich, weil so viele der Geprellten Beryl auf *ihre* Empfehlung als Kundin angenommen hatten. Es kam zu einer heftigen Auseinandersetzung, und Beryl zog aus der gemeinsamen Wohnung aus.[17]

Die Gläubiger sahen von einer gerichtlichen Verfolgung ab, da Beryl sich verpflichtete, ihre Schulden zu begleichen, sobald das »Große Rennen« ihr wieder zu Geld verhelfen würde (ein Versprechen, das sie nie einlösen sollte). Bei diesem Wettstreit, für den man ihr bereits eine Maschine angeboten hatte, sollte zur Feier des zehnten Jahrestages von Lindberghs Soloflug ein neuer Rekord auf der Strecke New York – Paris aufgestellt werden. Für den Sieger hatte die französische Regierung einen Preis in Höhe von 30000 Pfund ausgesetzt. Die Prämien für die schnellsten Etappensiege hinzugerechnet, winkten dem glücklichen Gewinner annähernd 50000 Pfund. Ursprünglich war ein Massenstart vorgesehen, doch aus Sicherheitsgründen nahm man davon Abstand und verfügte, daß jeder Teilnehmer sich einen beliebigen Tag im August für seinen Start wählen könne.

Diese einmalige Chance, sich zu profilieren, wollte sich keiner der namhaften Piloten entgehen lassen. Zu den britischen Anwärtern gehörten Jim Mollison, Amy Johnson und Beryl. Howard Hughes, Roscoe Turner und Amelia Earhart meldeten sich für die USA, und Mussolinis Sohn Bruno war Mitglied des italienischen Teams. »Jedes Land, das über eine eigene Luftflotte verfügt, ist darauf bedacht, um des Prestiges willen den Sieger aus den eigenen Reihen zu küren«, verkündete der *Daily Express*.[18]

Zunächst war Beryl mit einem ungewöhnlichen Partner auf Sponsorensuche gegangen: Der Boxer Jack Doyle war kürzlich ins Showbusiness übergewechselt, hatte in einem Film mitgewirkt und war mehrfach als Sänger in Cabarets aufgetreten. Doyle verliebte sich in Beryl, und ein paar Wochen war das Paar unzertrennlich. Beryl erteilte Jack sogar Flugunterricht. »Ich hoffe bloß, er hat als Liebhaber mehr getaugt denn als Sänger«, meinte eine Freundin Beryls sarkastisch. Doyles Manager war überzeugt, er könne dem prominenten Paar einen Sponsor für das Große Rennen verschaffen, aber noch bevor er seine Fühler ausgestreckt hatte, ging die Romanze zu Ende, und Doyle verschwand ebenso rasch aus Beryls Leben, wie er gekommen war.

Beryl mietete eine Wohnung in einem vornehmen Viertel der Stadt und lebte weiter wie bisher. Stets war sie nach der neuesten Mode gekleidet und stand immer und überall im Mittelpunkt. Doch mit ihrer ruhigen, lässigen Art machte sie oft den Eindruck einer stillen Beobachterin, die das Geschehen ringsum eher taxierte, als daß sie selbst daran teilnahm. Ein Bekannter aus dieser Zeit erinnert sich, daß sie damals eine Art inneren Glanz ausgestrahlt habe. Sie trug fast ausschließlich Weiß, und mit ihrem hellen, zarten Teint, den blauen Augen und dem blonden Haar fiel sie selbst in einer großen Gesellschaft unweigerlich auf. »Irgendwie zog sie die Blicke aller Leute auf sich. Sie war wie ein ruhender Pol, und wenn man mit ihr sprach, blickte sie einem fest in die Augen und hörte zu, so als

sei das, was man zu erzählen habe, die wichtigste Sache von der
Welt.«

Ihren Sohn Gervase sah Beryl nur sehr selten. Dahinter steckte
möglicherweise eine private Absprache zwischen ihr und Mansfield. Dessie jedenfalls erinnert sich nicht, daß Beryl ihren Sohn
während der Zeit, da die beiden Frauen zusammen wohnten, auch
nur ein einziges Mal besucht hätte.

Der Rekordflug New York–Paris sollte im August stattfinden,
aber Ende April baten die Amerikaner um Aufschub, da sie mehr
Zeit bräuchten, um die Maschinen für ein so riskantes Unternehmen auszurüsten. Beryl, der es trotz aller Versprechungen nicht
gelungen war, einen englischen Sponsor zu finden, war inzwischen
auf ein französisches Flugzeug umgestiegen. Der Streit über die
Gefährlichkeit des Unternehmens dauerte fort, und die Unkenrufe
mehrten sich, bis der Transatlantikflug schließlich abgesagt wurde.
Statt dessen bot man nun einen 4000-Meilen-Rundflug an, der von
Marseille an der Mittelmeerküste entlang über Italien und Grie-
chenland nach Damaskus führen sollte. Von dort war der Rückflug
übers europäische Festland direkt nach Paris vorgesehen. Die Prämien sanken mit dem Risiko, und der Hauptgewinn betrug
schließlich nur noch 15 000 Pfund. Mit der geänderten Strecken-
führung reduzierte sich der Wettkampf fast auf eine militärische
Demonstration der europäischen Länder, von denen jedes darauf
brannte, den anderen seine Überlegenheit in der Luft zu beweisen.
Am Ende belegten die Italiener die ersten drei Plätze. Nach dem
Rennen ging Mussolini auf den Sieger los und beschimpfte ihn,
weil der seinen Sohn Bruno (der dritter geworden war) nicht als ersten hatte durchs Ziel gehen lassen.[19]

Beryl hatte bei dieser Kursänderung das Nachsehen. Ihr französischer Geldgeber machte einen Rückzieher, da er für die neue Route auch einen französischen Piloten finden konnte und diesem natürlich den Vorzug gab. Es gelang Beryl zwar, ein reiches südafri-
kanisches Konsortium, dem auch I. W. Schlesinger angehörte, als
Sponsor zu gewinnen, doch mit der Zeit verlor auch diese Gruppe
das Interesse an dem innereuropäischen Rennen. Immerhin unterbreitete man Beryl einen neuen Vorschlag, und im Juni bestieg sie

ein Schiff nach New York, um sich dort nach einem Flugzeug mit einer Reisegeschwindigkeit von mindestens 300 km/h umzusehen. Unbestätigten Gerüchten zufolge wollte sie damit rund um den Erdball fliegen. Aber für eine Pionierleistung kam sie mit diesem Plan zu spät, denn als Beryl in den Vereinigten Staaten eintraf, war Amelia Earhart bereits mit Captain Fred Noonan zu einem Flug um den Äquator gestartet. Das war ihr zweiter Versuch; im März, als sie den Rekord zum erstenmal anstrebte, war ihre Maschine über der Landebahn von Honolulu abgestürzt.

Anfang Juli meldeten die Zeitungen die traurige Nachricht, daß Earhart und Noonan im Pazifik verschollen seien. Weder die Leichen noch das Flugzeug konnten je geborgen werden.

Beryl hielt sich fünf Monate in den USA auf. Sie schloß zahlreiche Freundschaften und unternahm ausgedehnte Reisen in den Westen des Landes. Da das Angebot der Columbia-Filmgesellschaft immer noch offen stand, besuchte sie deren Studios in Hollywood und knüpfte Kontakte zu einflußreichen Leuten aus der Filmbranche. Die prominente Drehbuchautorin Anita Loos machte sie mit Greta Garbo bekannt, deren Affäre mit dem Dirigenten Leopold Stokowski damals gerade für Schlagzeilen sorgte. Stokowski und Beryl wurden später enge Freunde. Beryl widersprach der Ansicht, die Publicity-Scheu der Garbo sei nur eine ihrer Starallüren. »Sie ist sehr schüchtern, und es macht ihr wirklich Angst, sich unter vielen fremden Menschen bewegen zu müssen.«[20]

Beryl informierte sich in ihrer Freizeit gründlich über die leistungsstarken neuen Flugzeugmotore, die von der Al Monasco Incorporated im Auftrag der Ryan Aircraft Company speziell für Wettflüge entwickelt worden waren. Sie erwog sogar den Kauf einer Ryan STA, aber die Verhandlungen blieben in der Schwebe, da sie zuerst mit ihren Geldgebern Rücksprache nehmen mußte. Außerdem war sie in erster Linie daran interessiert, das Angebot der Columbia wahrzunehmen, die einen Film über ihren Transatlantikflug mit Beryl in der Hauptrolle drehen wollte. Doch nach einigen Wochen erklärte Beryl einer Reporterin, das Geschäft mit der Columbia habe sich zerschlagen.[21] Eine Weile ließ sie die Presse im Glauben, die Studios hätten das Interesse an dem Stoff verloren, da inzwischen soviel Zeit verstrichen sei, daß sich mit einem Film über ihre Atlantiküberquerung vermutlich kein großes Geschäft mehr an den Kinokassen machen ließe. Sehr viel später erst gestand sie Freunden den wahren Grund. Sie hatte bei den Probeaufnahmen schlecht abgeschnitten.[22] Beryl war bitter enttäuscht. Im Dezember reiste sie heim nach Afrika.

Kapitel 11
(1937–1941)[1]

Beryl verbrachte das Weihnachtsfest auf dem Schiff, das sie in San Diego bestiegen hatte. Am 27. Dezember traf sie zu einem einwöchigen Aufenthalt in Sydney, New South Wales, ein, von wo sie ihre Reise auf der *Mariposa* fortsetzte. Bei der Landung in Melbourne wurde sie von der *Truth* interviewt, die den prominenten Gast überschwenglich herausstellte: »Schön wie ein Filmstar und ungemein feminin – von der Strahlenkrone ihres Goldhaars bis hinab zu den lackierten Zehennägeln. Ihre porzellanblauen Augen harmonieren phantastisch mit dem makellosen Teint; Mrs. Markham ist schlank wie eine Weidenrute.« Beryl zeigte sich überrascht von dem großen Empfang, den man ihr im Hafen von Balmain bereitete.

Mrs. Markham trug Hosen – der untrügliche Test für die Figur einer Frau – aus königsblauem Leinen mit tadellosen Bügelfalten und Reißverschlüssen an den Hüften. Ihre Füße steckten in zierlichen roten Sandaletten; um ihren Hals schmiegte sich ein rot-weiß-blau gepunkteter Schal, locker gehalten von einer kleinen Brosche in Form eines Flugzeugs – ein Meisterwerk aus jenem weichen Gold, das man nur in Kenia findet. An ihrem Handgelenk funkelte ein zweireihiges Armband mit winzigen Fähnchen aus Emaille, auf denen im Morsealphabet ihr Name stand. Als Gegenstück trug sie einen breiten Silberreif aus Arizona mit einer großen, von zwei Türkisen flankierten Uhr in der Mitte ...

Die Leser erfuhren ferner, daß Beryls Lieblingsfarbe Blau sei und daß sie Grün verabscheue. Daß sie nicht abergläubisch sei und auch keine Abstinenzlerin, obschon sie für Cocktail-Parties nichts übrig habe. Daß sie sich nie mit Glücksspielen abgebe und am Bridgetisch nur Platz nehme, wenn es sich gar nicht vermeiden ließe. »Tee ist ihr Lieblingsgetränk.« Offenbar gefiel Beryl sich darin, der Reporterin einen Bären aufzubinden. Ferner enthüllte der Artikel, daß Beryls ganze Liebe den Pferden gehöre:

Nächst edlen Vollblütern stehen Hunde in ihrer Gunst. Katzen dagegen mag sie überhaupt nicht. Für Kinder in hellen Scharen kann sie sich nicht begeistern, sie widmet sich lieber hier und da einem einzelnen Buben oder Mädchen ... Viel Sorgfalt und Pflege verwendet sie auf ihren Teint ... Sie ist einszweiundachtzig groß, wiegt 57 kg, hat Schuhgröße 38 und Handschuhgröße 6½. Ihre Mutter ist Irin, der Vater Engländer. Er hat viel Verständnis für ihre Liebe zum Fliegen, obwohl er seine Tochter bat, sich künftig nicht mehr allein über einen Ozean zu wagen.[2]

Am 17. Februar kehrte Beryl auf einem Interocean-Lines-Frachter, der drei Wochen zuvor von Perth ausgelaufen war, nach Afrika zurück. Endlich war sie wieder mit ihrem geliebten Vater vereint, der zu dieser Zeit eine Pferdezucht in Durban betrieb. Doch von den drei Monaten, die sie in Südafrika blieb, verbrachte sie nur einen Teil bei ihm, denn sie verstand sich nach wie vor nicht gut mit ihrer Stiefmutter und sah sich außerstande, längere Zeit mit ihr zusammenzuwohnen, egal wie glücklich Vater und Tochter über das langersehnte Wiedersehen waren. Für ein paar Wochen aber genoß Beryl den täglichen Umgang mit Pferden und fühlte sich in die glücklichen Tage ihrer Kindheit zurückversetzt. Sie war freilich nicht nur nach Südafrika gekommen, um ihren Vater wiederzusehen, sondern führte auch Gespräche mit potentiellen Geldgebern, allen voran Schlesingers Konsortium.

Nach wie vor war es Beryls Herzenswunsch, einen ganz besonderen Rekord aufzustellen, und sie konnte vor Schlesinger mit Details über die jüngsten Entwicklungen der Zivilluftfahrt in den USA aufwarten. Über ihre Verhandlungen mit dem Magnaten erfuhr die Presse nur soviel, daß es dabei »um den einzigen bisher noch nicht bewältigten Langstreckenflug« ginge. Obwohl die Meldungen nie bestätigt wurden, darf man als sicher annehmen, daß die Berichterstatter recht hatten mit ihrer Vermutung, Beryl strebe eine »Erdumkreisung« an oder vielleicht auch einen Stratosphärenflug.[3]

Im Mai bestieg Beryl ein Schnellboot der Imperial Airways, das über Kenia Kurs auf England nahm. Ihre Gespräche mit den Sponsoren waren ergebnislos verlaufen, und in Mombasa, wo sie ihre Reise unterbrach, teilte Beryl der Presse mit: »Meine Zukunftspläne, soweit sie die Fliegerei betreffen, liegen im Schoße der Götter. Derzeit habe ich keine konkreten Ziele. Aber ich freue mich auf Kenia, denn mit diesem Land verbinden sich meine glücklichsten Erinnerungen.« Der *East African Standard* ließ durchblicken, daß Mrs. Markhams Reise nach England mit einem neuerlichen Rekordflug in Verbindung stehe.[4]

Bei ihrer Ankunft in London stellte Beryl fest, daß die Stadt sich während ihrer einjährigen Abwesenheit sehr verändert hatte. Jetzt sprach man überall von Krieg, obgleich eine kurze Atempause eintrat, als Chamberlain im September aus München zurückkehrte und dem britischen Volk die Friedenszusicherungen Hitlers überbrachte. Etwa einen Monat lang tauchte die Metropole fast wieder in ihr früheres sorgloses Leben ein, aber bald schon sickerten die ersten Berichte über Hitlers Judenverfolgung durch, und das furchtsame Raunen vom Kontinent ließ auch in Großbritannien die Angst aufflammen. Es dauerte nicht lange, und die Bevölkerung bangte erneut vor einer kriegerischen Auseinandersetzung. In der Londoner Gesellschaft versuchte man, sich den langen Winter durch Parties und Festlichkeiten zu verkürzen, doch die Fröhlichkeit wirkte meist recht gezwungen und aufgesetzt. Beryl spürte die knisternde Spannung, die in der Luft lag, und reagierte darauf mit Depressionen und Rastlosigkeit. Mit Reiten und Jagen versuchte sie sich abzulenken, so gut es ging; sie frischte alte Freundschaften auf und verkehrte viel in Fliegerkreisen. Als sehr bedrückend empfand sie es, daß sie ausgerechnet in diesem Stadium in den Zeitungen als Beklagte in einem Scheidungsprozeß genannt wurde.

Mansfield hatte Beryl schon seit einigen Jahren mit allem Nachdruck um die Scheidung gebeten, weil er sich wieder verheiraten wollte, aber Beryl hatte stets abgelehnt. Da er keinen anderen Ausweg sah, reichte Mansfield im Februar 1939 die Scheidungsklage ein; als Grund nannte er dem Gericht ein ehebrecherisches Verhältnis seiner Frau mit einem gewissen Captain Hubert S. Broad. Mrs. Broad klagte ihrerseits, und auch sie benannte Beryl als Scheidungsgrund.[5]

Hubert Broad, den Beryl vor vielen Jahren durch Tom kennengelernt hatte, war längere Zeit Chefpilot der De-Havilland-Werke gewesen und galt als einer der führenden Männer der britischen Luftfahrt. 1925 hatte er beim Schneider Trophy den zweiten Platz errungen und 1926 in einer der ersten Gipsy Moths das King's Cup Air Race gewonnen. Die Klage gegen Hubert und Beryl stützte sich auf Zeugenaussagen, wonach das Paar im vergangenen Winter sehr oft zusammen gesehen worden war, doch die beiden Beschuldigten bestritten energisch jeden intimen Kontakt, und das Gericht setzte die Scheidung aus.

Als sie den Prozeß zu ihren Gunsten entschieden hatte, faßte Beryl erneut Mut. Aber in London hielt es sie jetzt nicht länger. Ihre Freunde kannten nur mehr ein Gesprächsthema: Würde es zum Krieg kommen oder nicht? Alles kreiste um diese Frage. Rekordflüge gehörten bereits der Vergangenheit an, ja wurden angesichts der ernsthaften militärischen Aufrüstung als leichtfertiger Zeitvertreib abgetan. Beryl konnte niemanden für ihre Pläne interessieren. Viele ihrer Freunde, die bestrebt waren, sich in dem bevorstehenden Kampf ihre Position zu sichern, trugen bereits die blaue Uniform der Royal Air Force. Nach einem Jahr war Beryl immer noch ohne eine Aufgabe, in der sie hätte Erfüllung finden können, ihre Gläubiger wollten sich nicht länger vertrösten lassen, und die ihr von Prinz Henry ausgesetzte Leibrente reichte längst nicht mehr, um ihren aufwendigen Lebensstil zu decken. Der Nationalstolz, in dem ganz England sich verband, war ihr fremd, und sie verabscheute den bloßen Gedanken an Krieg. Sobald sie einen Platz auf einem Schiff ergattern konnte, buchte sie eine einfache Passage nach New York. Kurz vor dem Auslaufen der SS Manhattan erklärte sie den Reportern immer noch, daß sie in die Vereinigten Staaten reise, um sich dort nach einer geeigneten Maschine für eine der großen Rekordflugstrecken umzusehen.

Bei ihrer Ankunft in New York am 23. Juni freilich verkündete sie der Presse unbekümmert, sie sei nach Amerika zurückgekehrt »einfach weil es mir nirgends so gut gefällt wie hier«. Weiter gab sie ihre Absicht bekannt, sich zum Jahresende von Mansfield scheiden zu lassen und die amerikanische Staatsbürgerschaft anzunehmen. Sie tat schließlich keins von beidem. Bei ihrer Ankunft in New York erfuhren die Leser ferner, daß Mrs. Markham im Gegensatz zu ihrem ersten USA-Besuch nach einer Bruchlandung in Neuschottland, als sie sich von einer Freundin ein Kleid hatte borgen müssen, diesmal mit großem Gepäck angereist war: »Zehn Tageskleider und mehrere mondäne Abendroben zählen zu ihrer Ausstattung.«[6] Sie kam zwar zu spät, um aus ihrem nun drei Jahre zurückliegenden Transatlantikflug noch Kapital zu schlagen, aber Beryl befand sich finanziell derart in Bedrängnis, daß sie bereit war, jede sich bietende Gelegenheit wahrzunehmen.

Von New York reiste sie unverzüglich nach Kalifornien weiter, wo die Paramount Studios ihr ein Angebot machten. Sie sollte als technische Beraterin einen Spielfilm mit dem Titel *Safari* betreuen, dessen Held in seinem kleinen Doppeldecker über dem Dschungel Großwild aufspürt. Die Hauptrollen spielten Madeleine Carroll und Douglas Fairbanks Jr. Zufällig hatte Mansfield Anfang der dreißiger Jahre Madeleine Carrolls ersten Film in England finanziert; der Schauspielerin gelang damit auf Anhieb der Durchbruch, während Mansfield um ein Haar sein ganzes Vermögen eingebüßt hätte.

Fairbanks spielte in *Safari* den weißen Jäger Jim Logan, der sich in die vom Leben enttäuschte Gattin eines versnobten Barons, seines Auftraggebers, verliebt. Die junge Frau (Madeleine Carroll) versucht vergeblich, an der Seite ihres reichen Mannes die große Liebe ihres Lebens zu vergessen, einen Flieger, der im spanischen Bürgerkrieg gefallen ist. Doch auf der Safari gelingt es Logan, die Schöne aus ihrer Apathie zu erwecken. Er erzählt ihr, daß er früher selbst für die chinesische Armee geflogen sei: »Ich ließ mich anwerben, weil ein Mann kämpfen muß, wenn es gilt, die Freiheit zu verteidigen.«[7] Natürlich hatte der Film ein Happy-End: Die Schöne verläßt den skrupellosen Baron und fängt mit dem mutigen Abenteurer ein neues Leben an. Es war ein solides Drehbuch –

keine Schockeffekte, dafür aber viel Unterhaltung, Realitätsflucht und Phantasiewelt; genau das, was das Publikum damals in die Kinos lockte!

Beryl war begeistert. Sie sollte nicht nur die Flugszenen überwachen, sondern hatte auch die Aufgabe, das Suaheli der Eingeborenen dahingehend zu korrigieren, daß es möglichst authentisch klang. Außerdem sorgte sie dafür, daß Madeleine Carrolls Garderobe auf afrikanische Verhältnisse statt auf die Strände von Hollywood zugeschnitten war. »Authentizität, darauf kommt es an«, erklärten ihr die Studiobosse. Beryl meinte, die Dreharbeiten würden ein großer Spaß werden. Und sie sollte recht behalten.

Das Studio hatte für die Außenaufnahmen zwei geeignete Drehorte gefunden. Der eine, am Baldwin Lake, war eine der dschungelähnlichen Waldlandschaften, wie sie im kalifornischen Klima so üppig gedeihen. Für *Safari* wurde am Seeufer eigens eine afrikanische Handelsniederlassung errichtet, komplett mit Kai und Lagerhäusern (worüber Beryl sich köstlich amüsierte, weil sie dergleichen in Afrika nie gesehen hatte).[8]

Weitere Szenen entstanden im Sherwood Forest, westlich von Hollywood in den Santa Monica Hills. Auf den Lichtungen wurden mehrere Sets aufgebaut, darunter ein afrikanisches Dorf, ein Safari Camp und ein Flugplatz.

Beryl war freilich nicht die einzige Sachverständige, die der Paramount für *Safari* zur Verfügung stand. Der vor allem um Authentizität bemühte Regisseur hatte außerdem den Häuptlingssohn eines afrikanischen Stammes hinzugezogen; er sollte den Komparsen Suaheli beibringen und sie in die Geheimnisse der Trommelriten einweihen. Auch der Ausstatter war mit den Originalschauplätzen bestens vertraut, da er vor dem Ersten Weltkrieg lange Zeit als Architekt des Deutschen Kaiserreiches in Westafrika gearbeitet hatte. Als wäre dies alles noch nicht genug, hatte die Paramount eine kleine Elefantenherde in die Santa Monica Hills schaffen lassen und sogar einen zahmen Leoparden aufgetrieben, der nur die eine Schwäche hatte, daß er sich weigerte, mit den Schauspielern zu arbeiten, wenn sie nicht meilenweit nach Gardenien-Parfum rochen.[9]

Die Dreharbeiten begannen im August, und am 22. Dezember fiel die letzte Klappe, rechtzeitig vor den Weihnachtsfeiertagen.

Während der Außenaufnahmen zu *Safari* kam die britische Journalistin Molly Castle (bekannt als »Spion von Hollywood«) aufs Set, und nachdem sie sich lange mit Beryl unterhalten hatte, schrieb sie ein Porträt über »die fliegende Lady« für den *Daily Mirror*.

Ich kenne Beryl Markham nun schon seit vielen Jahren, aber in all der Zeit habe ich sie nie über sich selbst sprechen hören. Sie ist eine der bescheidensten und zurückhaltendsten Frauen, die mir je begegnet sind. Diese ebenso löblichen wie seltenen Eigenschaften können einem in Hollywood freilich eher zum Verhängnis werden. Keine der hiesigen Zeitungen hat die Story gewittert, die Mrs. Markham erzählen könnte – wenn sie nur wollte. Das Auffallendste an der hochgewachsenen, schlanken Beryl ist ihr langes, goldblondes Haar, das ich nie bedeckt gesehen habe, außer von einem Fliegerhelm. Dank ihrer überlangen Beine gehört sie zu den wenigen Frauen, denen Hosen wirklich gut stehen; Mrs. Markham trägt sie denn auch mit Vorliebe. Sie spricht ebenso gut Suaheli wie Englisch, was ich erst neulich herausfand, als der Regisseur von Safari *sie in meinem Beisein nach der korrekten Aussprache eines Wortes fragte. Beryl ist eine fabelhafte Reiterin ... Früher einmal verdiente sie sich ihren Lebensunterhalt damit, daß sie echte Safaris als Elefantenfliegerin begleitete ... Im übrigen bin ich der Meinung, daß der Film, dem Mrs. Markham als technische Beraterin zur Seite steht, trotz zahlreicher Spannungsmomente längst nicht so aufregend ist wie einige der Abenteuer, die Beryl selbst erlebt hat.*

Auf die Frage der Reporterin, warum sie ihre Erlebnisse nicht zu Papier bringe, antwortete Beryl, das traue sie sich nicht zu, aber vielleicht würde sie ihre Erfahrungen eines Tages jemandem erzählen, der imstande sei, daraus ein Filmdrehbuch zu machen.[10] Dieser letzte Absatz von Molly Castles Artikel scheint, wenngleich unbeabsichtigt, denen das Wort zu reden, die – viele Jahre später – behaupten sollten, Beryl habe *Westwärts mit der Nacht* gar nicht selbst geschrieben. In Wahrheit aber stand Beryl bei Molly Castles

Interview unter dem Einfluß eines großen Erfolges, der sie zeitweilig aller finanziellen Sorgen enthob und dementsprechend leichtsinnig machte. Als sie jedoch nach *Safari* fast ein Jahr lang ohne Arbeit blieb, besann sie sich eines Besseren und griff selbst zur Feder.

Inzwischen war in Europa der Krieg ausgebrochen. Anfangs machte man in Hollywood wenig Aufhebens davon. Die Arbeit in den Studios ging weiter ihren gewohnten Gang, nur wies man die Drehbuchautoren an, Kriegsthemen in ihre Plots einzubauen. Es dauerte jedoch nicht lange, und auch Hollywood wurde in den Sog des Hexenkessels hineingezogen, als nämlich Stars englischer Abstammung wie David Niven und Douglas Fairbanks Jr. die Studios verließen und sich nach Europa einschifften, »um die Freiheit zu verteidigen«.[11] Jetzt wurde es brenzlig!

Beryl schwärmte für Kalifornien, sie liebte den eleganten, luxuriösen Lebensstil, den man dort pflegte, und das ausgewogene Klima behagte ihr. Sie hatte bald einen großen Freundeskreis, vor allem die Männer fühlten sich zu ihr hingezogen, und zumindest einer von ihnen nannte sie bei ihrem Kosenamen »Toots«, Schätzchen.[12] Anita Loos, die Autorin des Bestsellers »Blondinen bevorzugt«, machte sie mit einer Reihe von Prominenten bekannt, durch die Beryl sich neuerlich Aufträge aus der Filmbranche erhoffte; doch in der Zwischenzeit gönnte sie sich eine wohlverdiente Verschnaufpause. Die Paramount hatte sie für ihre Mitwirkung in *Safari* reichlich entlohnt, sie wurde mit Einladungen überhäuft und stand in Hollywood bald ebenso im Mittelpunkt wie früher in London. Sie vergnügte sich auf Parties in Malibu – das damals noch frei war von den barackenähnlichen Bauten, die heute den Pacific Coast Highway verschandeln – und bei Ausritten über die Ranchs ihrer Freunde. Sie faulenzte am Swimming-pool und fuhr im offenen Cadillac über palmengesäumte Boulevards, während Glenn-Miller-Rhythmen aus dem Autoradio erklangen. Abends tanzte sie auf endlosen Parties im Kreise gefeierter Leinwandstars. Von Zeit zu Zeit tauchte ihr Name in den Klatschspalten auf, wo sie gewöhnlich unter den Gästen eines illustren Festes genannt wurde. Aber als Woche um Woche verstrich, ohne daß ein neues

Filmangebot kam oder sich eine ernstzunehmende persönliche Beziehung anbahnte, kehrten Beryls Ängste zurück. Nach einigem Zögern wandte sie sich mit ihren Sorgen an einen guten Freund, den französischen Schriftsteller Antoine de Saint-Exupéry.

Beryl und Saint-Exupéry hatten vieles gemeinsam. Er wurde 1900 in Lyon als Marie Roger Graf von Saint-Exupéry geboren. Schon früh verlor der Abkömmling einer der ältesten französischen Adelsfamilien den Vater, mit umso größerer Liebe hing er sein Leben lang an seiner Mutter, die den Jungen zunächst von Jesuiten erziehen ließ. Doch schon nach wenigen Jahren wurde er wegen ungebührlichen Betragens von der Anstalt verwiesen. Dann schickte die Mutter ihn in die Schweiz, wo er eine gründliche Ausbildung nach klassischem Muster erhielt. In der Nähe seines Elternhauses befand sich ein Flugplatz, und als der junge Graf heranwuchs, zeigte er sich so fasziniert von den »Himmelstürmern«, daß er seiner entsetzten Familie eröffnete, er wolle Flieger werden. Gegen den erbitterten Widerstand der Verwandten setzte Saint-Exupéry seinen Willen durch und ging nach Straßburg, wo er seinen Militärdienst in einem Fliegerregiment ableistete.

1926 übernahm Saint-Ex (wie seine Freunde ihn nannten) als Pilot einer Privatgesellschaft die Strecke Toulouse–Casablanca. Bereits zwei Jahre später begründete er die erste Luftpostlinie Südamerikas von Brasilien nach Patagonien, und von 1932 bis 1935 flog er Postmaschinen von Frankreich in die Sahara. 1935 stürzte er während eines Langstreckenfluges über der ägyptischen Wüste ab; drei Tage waren er und seine Begleiter verschollen, ehe ein Suchkommando sie vor dem Verdursten rettete. 1939 ging Saint-Exupéry zum Militär und flog als Captain in einem Aufklärungsgeschwader. Bei der Besetzung Frankreichs wurde er von den Deutschen gefangengenommen. Danach fehlte eine Weile jede Spur von ihm. Schon fürchtete man, die Deutschen hätten ihn hingerichtet, als er plötzlich in Portugal wieder auftauchte. Anfang der vierziger Jahre emigrierte der inzwischen für den Roman »Wind, Sand und Sterne« mit dem Großen Preis der Académie Française ausgezeichnete Schriftsteller in die USA; hier entstand neben »Flug nach Arras« sein berühmtes Märchen »Der kleine Prinz«. Als die Alliierten in

Nordafrika landeten, schloß Saint-Ex sich der Armee General de Gaulles an. Am 31. Juli 1944 startete sein Fernaufklärer von der Insel Korsika zum letzten Flug: Der Pilot und Dichter kam unter mysteriösen Umständen ums Leben.[13]

Beryl war Saint-Ex zum erstenmal im Sommer 1932 beim King's Cup Air Race begegnet, wo er den vierten Platz belegte. Sie hatte damals gerade ihren Soloflug nach England absolviert und war an der Seite von Tom Campbell Black auf dem glanzvollen Turnier erschienen. Freunden in Amerika vertraute Beryl an, daß Saint-Exupéry, den sie nun in Hollywood wiedertraf, sie dazu ermuntert habe, ein Resümee ihrer Erinnerungen stichpunktartig zu Papier zu bringen.[14] Auf seine Empfehlung schickte sie diesen Rohentwurf an die New Yorker Agentin Ann Watkins und machte sich unverzüglich daran, die ersten Kapitel auszuarbeiten. Nach meinem Dafürhalten ließ Saint-Exupéry es freilich nicht bei Ermunterungen und unverbindlichen Ratschlägen bewenden; ich habe vielmehr den Eindruck, daß er Gliederung und Aufbau des Buches überwachte und Beryl half, ihren eigenen Stil zu entwickeln.

Gewisse Ähnlichkeiten zwischen Saint-Exupérys Schriften und Beryls autobiographischem Werk sind nicht von der Hand zu weisen. Es ist nicht Aufgabe dieses Buches, eine detaillierte literarische Bewertung der stilistischen Qualitäten und Eigenarten beider Autoren vorzunehmen, doch genügt schon ein kurzer Vergleich, um analoge Wendungen, ja selbst eine gewisse Entsprechung des Erzähltempos nachzuweisen – Parallelen, die an vielen Stellen wiederkehren. Im folgenden Zitat aus »Wind, Sand und Sterne«, das erschienen war, kurz bevor Beryl mit der Niederschrift ihrer Memoiren begann, beschreibt Saint-Exupéry einen Raum und eine Person:

Zur gegebenen Stunde wohnte ich dem Erwachen des Unteroffiziers bei. Er schlief auf einem Eisenbett im Schutt eines Kellers … zur Kugel gerollt, ohne menschliche Form. Als wir kamen, um ihn aufzuwecken, konnte ich im Licht der rasch entzündeten Kerze auf dem Flaschenhals, der als Leuchter diente, nichts sehen als die Stiefel, genagelte, beschlagene Stiefel, Schuhwerk eines Tagelöhners oder Hafenarbeiters.

Mit Arbeitsstiefeln war er beschuht, und mit Arbeitszeug war sein Körper behängt: Patronentasche, Revolver, Schulterriemen, Koppel – Joch und Kummet wie ein Pflugtier. In den Kellern von Marokko sieht man manchmal von blinden Pferden gedrehte Mühlen. Hier, im Schein der rotflackernden Kerze, wurde auch ein blindes Pferd geweckt, das seine Mühle schleppen sollte. »Hallo, Unteroffizier!«[15]

Im zweiundzwanzigsten Kapitel von *Westwärts mit der Nacht* schildert Beryl, wie sie und Blixen 1936 bei einer Zwischenlandung in Bengasi mangels anderer Unterkünfte in einem Bordell Quartier nehmen mußten:

Eine Tür öffnete sich, und eine Frau trat auf uns zu. Sie hatte eine brennende Kerze in der Hand, die sie dicht zu unseren Gesichtern hob. Ihr eigenes Gesicht bestand aus einer Mischung verschiedenster rassischer Merkmale, von denen jedoch keines dominierte. Es war nur eine Hülle mit Augen. Sie sagte etwas, aber wir verstanden nichts. Es war eine Sprache, die weder Blix noch ich je gehört hatten. ... Sie zeigte uns zwei Zimmer, die nicht einmal durch eine Tür voneinander getrennt waren. In jedem Raum stand ein Eisenbett mit einer fleckigen Decke und einem unbezogenen Kopfkissen ... Alles war von dicken Staubschichten überzogen. »Hier hausen alle Krankheiten, die man sich denken kann«, sagte ich zu Blix.[16]

Schon diese knappen Auszüge bezeugen mehr als nur zufällige Verwandtschaft. In beiden Fällen ist der Autor betroffen über die ärmliche Kargheit des Raums, der bezeichnenderweise hier wie dort ein Eisenbett enthält. Das Elend sehen, es aufdecken und darstellen, aber ohne Bitterkeit, nur als mitfühlender, verständnisvoller Chronist – das hatte Beryl von Saint-Ex gelernt. Sie fuhr fort, in diesem Tenor zu schreiben, ja behielt ihn auch nach Saint-Exupérys Tod bei, und man darf als sicher annehmen, daß er es war, der ihre literarische Ader weckte.

Im Dezember 1940 nahmen Beryls finanzielle Probleme bedrohliche Ausmaße an, da der Krieg die Devisenausfuhr drastisch beschränkt hatte und ihre Leibrente nur innerhalb des Sterlingblocks ausbezahlt werden durfte. Beryls Anwälte schlugen vor, sie solle sich nach Kanada begeben oder auf die Bahamas, wo sie ihren Monatswechsel ohne Schwierigkeiten würde in Empfang nehmen können; nur in die USA dürfe sie das Geld nicht einführen. Der Zufall kam Beryl zu Hilfe und erleichterte ihr die Entscheidung: der Herzog von Windsor war kürzlich zum Gouverneur der Bahamas ernannt worden, und Freunde von Beryl, die in Nassau Ferien machen wollten, luden sie zu sich ein, sobald sie von ihren guten Kontakten zu dem abgedankten König erfuhren.

Ehe sie der Einladung auf die Bahamas folgte, reiste Beryl zunächst einmal nach New York, um mit dem Verleger Lee Barker von Houghton Mifflin zu verhandeln. Barker versicherte ihr, er sei ungemein interessiert am Entwurf ihrer Aufzeichnungen, den die Agentin Ann Watkins ihm vorgelegt habe, doch ehe er ihr einen Vertrag anbieten könne, wolle er erst einmal ein oder zwei ausgearbeitete Kapitel sehen. Beryl hatte Ann Watkins bereits die ersten beiden Kapitel zur Beurteilung geschickt und veranlaßte nun vor ihrer Abreise nach Nassau, daß diese an Houghton Mifflin weitergeleitet wurden.

Beryls Freunde hatten in Nassau eine Villa mit dem Namen *The Retreat* gemietet. Hier verbrachte man die Tage mit Sonnenbaden und Schwimmen; die erholsame Ruhe wurde nur unterbrochen vom emsigen Klappern der kleinen Reiseschreibmaschine, auf der Beryl im Schatten einer Veranda Seite um Seite heruntertippte.[17]

Während ihres Aufenthaltes auf der Insel erneuerte Beryl den Kontakt zum Herzog von Windsor, war mehrfach Gast im Gouverneurspalast und erinnert sich auch, daß sie mit dem Herzog und der Herzogin dinierte.[18] Es ist anzunehmen, daß der Herzog sich durch sie wohltuend an glücklichere Tage erinnert fühlte, und um ihm eine Freude zu machen, hieß auch Wallis, die stets auf sein Wohlergehen bedacht war, Beryl im Gouverneurspalast willkommen.

Ende Juni hatte Beryl vier Manuskriptstöße von insgesamt 110 Seiten an ihren Verleger gesandt. Am 26. Juni 1941 schickte Paul Brooks, Vorstand von Houghton Mifflin in Boston, folgende interne Aktennotiz an seinen New Yorker Partner:

Mr. Le Baron R. Barker
New York Office
Lieber Lee,
*Bob und ich, wir sind hellauf begeistert von Beryl Markhams Pro-
jekt. Er meint:* »*Der Stoff ist erstklassig, und ich finde, wir sollten
das Buch auf jeden Fall drucken.*« *Wie ich Ihrem letzten Schreiben
entnehme, eilt es mit dem Vertrag im Augenblick nicht, aber ich
denke, Sie können der Autorin guten Gewissens jede notwendige
Unterstützung zukommen lassen. Inzwischen freue ich mich auf
die neuen Kapitel, die Sie mir angekündigt haben. Dürfen wir das
Manuskript vorläufig behalten?*   *Ihr*
                                                         PB

Die Antwort hierauf lautete:

Lieber Paul,
*anbei übersende ich Ihnen einen Brief von Beryl Markham, der uns
das Manuskript praktisch sichert. Trotzdem bin ich der Meinung,
Sie sollten möglichst rasch eine Entscheidung treffen. Was das Honorar angeht, so würde ich raten: eine Anzahlung bei Unterzeichnung des Vertrages, den Rest nach Ablieferung des gesamten Manuskripts – jeweils $ 250 erschiene mir angemessen. Beachten Sie
den Hinweis auf 110 abgelieferte Seiten nebst Entwurf. Liegt Ihnen das Material in Boston vor?*   *Mit herzlichen Grüßen*
                                                         Lee

Dieses Memorandum enthielt in der Anlage folgenden Brief von
Beryl:

                                              »*The Retreat*«
                                              Nassau, Bahamas
                                              29. Juni 1941

Lee Barker Esq.
Houghton Mifflin Co.
New York City

Lieber Lee,
*Ihren Brief habe ich mit großer Freude erhalten. Es war nicht
leicht, trotz ständigen Ortswechsels fleißig bei der Arbeit zu*

bleiben; daher freut es mich ganz besonders zu hören, daß Ihnen die ersten Lieferungen meines Manuskripts gefallen haben.

Nicht der zweite, sondern der vierte Stapel ist vor einiger Zeit an Ann Watkins abgegangen – insgesamt müßten ihr jetzt 110 Seiten vorliegen. Haben Sie diesen letzten Teil gelesen?

Sie fragen, wo ich mein Buch abschließen werde. Nun, am liebsten wäre es mir irgendwo im Staate New York oder in Connecticut. Hierher bin ich nur wegen des Sterlingblocks gekommen – in den Staaten würde ich von meinen dürftigen Einkünften (die Kriegssteuern ziehen jetzt noch einen gehörigen Teil ab) keinen Penny bekommen. Daher bin ich gezwungen, den bestmöglichen Vertrag für mein Buch abzuschließen (je früher, desto besser), aber es versteht sich natürlich von selbst, daß Ihnen die erste Chance gehört! Sie sind bisher so hilfsbereit gewesen, und glauben Sie mir, ich weiß das zu schätzen. Ich verspreche Ihnen, kein anderes Angebot zu akzeptieren, ohne zuvor mit Ihnen Rücksprache zu nehmen.

Noch zwei Wochen, und das Wetter hier wird unerträglich sein; all meine Freunde rüsten bereits zur Abreise, und so kann ich nur hoffen, daß eine mitfühlende Seele mir einen Vertrag gibt, ehe die Hitzewelle ausbricht! Zum Glück habe ich eine gültige Einreiseerlaubnis für die Staaten und stehe auch noch auf der Einwanderungsliste.

In der Zwischenzeit schreitet meine Arbeit Tag für Tag fort, und ich werde das Manuskript kapitelweise nach New York schicken, solange das Geld fürs Porto reicht!

Mit freundlichen Grüßen
Beryl Markham

Nachdem der Vertrag zustande gekommen war, schrieb Beryl an ihren Verleger:

»The Retreat«
Nassau, Bahamas
23. Juli 1941

Lieber Lee,
haben Sie herzlichen Dank für Ihre aufmunternden Zeilen. Der Vertrag ist pünktlich angekommen; ich habe sogleich unterschrie-

ben und ihn meinem Anwalt in New York zur Durchsicht ge-
schickt, mit der Bitte, ihn an Ann Watkins weiterzuleiten; sie
müßte ihn inzwischen erhalten haben. Mein Anwalt Eddie Eagon
nimmt meine geschäftlichen Interessen in den Staaten wahr. Was
den Anteil Ihres Hauses betrifft, so hatte ich keinerlei Bedenken
hinsichtlich des Vertrages. Aber da ich noch nie mit Ann Wat-
kins zusammengearbeitet habe, hielt ich es für ratsam, daß Eagon
einen Blick auf die Provisions-Klausel wirft, obgleich ich weiß,
daß der übliche Satz zehn Prozent beträgt.
Die Arbeit geht gut voran. Ich melde mich, sobald ich wieder
in den Staaten bin – aus Kostengründen werde ich allerdings
auf einen Besuch in New York noch eine Weile verzichten müs-
sen ...

Die Touristensaison auf den Bahamas ging zu Ende, und Beryls
Arbeit litt zusehends unter der feucht-schwülen Hitze. Ihre Gastgeber hatten die Insel bereits Mitte Juni verlassen, aber Beryl zö-
gerte noch, nicht zuletzt deshalb, weil sie ein Verhältnis mit einem
skandinavischen Journalisten angeknüpft hatte.[19] Als jedoch Ende
Juli der Herzog von Windsor mit seiner Begleitung zu einem Besuch der Nachbarinseln aufbrach, schloß sich auch ihr Freund, der
Journalist, dem Troß an; Nassau war plötzlich wie ausgestorben.
Nun hielt Beryl nichts mehr in ihrem Feriendomizil, und sie kehrte in die Vereinigten Staaten zurück.

Kapitel 12
(1941–1944)

Beryls erklärte Vorliebe für den Staat New York oder Connecticut war vielleicht durch Saint-Exupérys Rückkehr an die Ostküste diktiert; doch änderte sie offenbar ihre Meinung, denn von den Bahamas führte ihr Weg direkt nach Kalifornien. Ein paar Wochen wohnte sie bei Freunden in Los Angeles, während sie sich nach einer neuen Bleibe umsah; ihre frühere Wohnung hatte sie vor der Reise auf die Bahamas aufgegeben. Beryl war noch nicht lange wieder in Kalifornien, als man sie auf einer Party mit Raoul Schumacher bekanntmachte.

Der Autor Scott O'Dell hatte einige Zeit für die Paramount Studios geschrieben und war mit Beryl während ihrer Arbeit an *Safari* zusammengetroffen. Er erzählte mir: »Ich lud Raoul damals ein, weil ich dachte, er könne Beryl gefallen. Er war ein guter Gesellschafter und sah phantastisch aus – kein Foto, das ich je von ihm zu sehen kriegte, konnte ihm gerecht werden.«[1] Ein anderer Freund wußte zu berichten: »Raoul war sehr belesen und erinnerte sich an alles, was irgendwer irgendwann geschrieben hatte. Er war eine Art wandelndes Lexikon.«[2]

Schumacher war damals fünfunddreißig Jahre alt, fünf Jahre jünger als Beryl (die freilich seit einigen Jahren ihr wirkliches Alter selbst in amtlichen Dokumenten verschleierte).[3] Schumacher hatte in seiner Jugend eine kleine Erbschaft gemacht und sich mit dem Geld eine Ranch in New Mexico gekauft. Nach einer ausgedehnten Europareise kehrte er 1936 in die USA zurück, wo er zunächst einige Monate als freier Journalist in New York arbeitete. Doch er konnte in dem Beruf nicht recht Fuß fassen und zog sich für zwei

Jahre auf seine Ranch in New Mexico zurück. 1939 ging er nach
Santa Barbara, Kalifornien, von wo er 1941 nach Los Angeles
übersiedelte.

Als er und Beryl sich im August 1941 kennenlernten, wohnte
Raoul in Beverly Hills. Mehrere Zeitungen erinnern sich an Raouls
Behauptung, er habe damals in Hollywood einem der anonymen
Autorenteams angehört, die für die großen Studios arbeiteten, es
liegen jedoch keine Unterlagen über eine solche Anstellung vor.
Ein Artikel in der *Santa Barbara News Press* erwähnte eben-
falls, daß Raoul »einige Jahre damit befaßt war, in Hollywood
Drehbücher zu schreiben«[4], aber sein Name erscheint auf keiner
Gehaltsliste der Studios. Er war weder als Drehbuchautor
registriert, noch gehörte er der Literatengewerkschaft an. Scott
O'Dell versichert, er habe nie gehört, daß Raoul für die Studios
gearbeitet hätte.

Einem anderen häufig kolportierten Gerücht zufolge war Raoul als
Ghostwriter tätig. Auch hierfür gibt es keine Belege vor seiner Begegnung mit Beryl, wenngleich er 1945 einem Illustriertenreporter
erzählte: »Ich habe einmal einen ausgewachsenen Westernroman
in nur einer Woche aufs Tonband diktiert.« Und mit entwaffnen-
der Offenheit setzte er hinzu: »Verkauft hat sich der Schinken
allerdings lausig.«[5]

Raouls größter Vorzug war sein Charme, auf den auch Beryl gleich
bei der ersten Begegnung flog. Scott O'Dell schilderte mir dieses
Zusammentreffen: »Sie fühlten sich spontan zueinander hingezogen – so als wäre gleich der berühmte Funke übergesprungen. Es
muß auf Beryls Seite eine rein körperliche Faszination gewesen
sein, denn sie wußte gar nichts über ihn. Ehe ich mich's versah,
waren die beiden verschwunden, und es dauerte gut vier Monate,
bevor sie wieder auftauchten.«[6]

Während dieser Zeit fungierte Raoul als Beryls Lektor. Die wenigen erhaltenen Manuskriptseiten von *Westwärts mit der Nacht*
tragen Korrekturen und Anmerkungen in Raouls Handschrift, die
dem Text zweifellos mehr Schliff verleihen, Beryls Aufzeichnungen inhaltlich jedoch nicht beeinflussen. Allerdings änderte sie
auf seine Anregung hin Konzept und Aufbau des Buches dahin-

gehend, daß eine lose Folge von Erinnerungen und Erlebnissen anstelle einer starren, chronologischen Ordnung trat. Seiten wurden umgestellt und Kapitelüberschriften revidiert. Hier und da wurde eine nebensächliche Episode gestrichen und das gesamte Manuskript »gestrafft«. »Schule in Nairobi streichen – ersetze durch Balmy-Story«, notierte Raoul beispielsweise am Rand einer Seite.

Man kann gar nicht genug betonen, wie sehr Beryl von dieser praktischen Unterstützung profitierte. Eine enge Freundin urteilt: »Hilfe und Bestätigung sind für Beryl von jeher sehr wichtig gewesen. Sie war immer in der Lage, ihr Leben selbst in die Hand zu nehmen, aber sie brauchte die Gewißheit, daß jemand hinter ihr stand, auf dessen Rat und Leitung sie sich verlassen konnte.«[7] Dieses Bedürfnis, das einer grundsätzlichen Unsicherheit und mangelndem Vertrauen in ihre eigenen Fähigkeiten entsprang, hatte ursprünglich ihr Vater gestillt und später *Arap* Ruta, dann Denys Finch Hatton und Tom Campbell Black. Seit Toms Tod hatte es keinen Mann mehr in Beryls Leben gegeben, der diese wichtige Rolle eines Beistands erfüllte, bis ihr Raoul begegnete.

Der Verlag Houghton Mifflin war begeistert von den Kapiteln, die Beryl bisher vorgelegt hatte:

19. September 1941

Sehr verehrte Mrs. Markham,
man hat mir soeben mitgeteilt, ... daß Sie wieder in Kalifornien sind. Auch höre ich, daß Sie Ihr Buch bald abschließen werden. Beides sind sehr erfreuliche Neuigkeiten. Wie Sie wissen, sind wir einfach begeistert von Ihrem bisherigen Manuskript. Der letzte Stapel, der uns durch Ann Watkins' Büro zugestellt wurde, umfaßt die Seiten 110–132, die wir am 16. Juli erhielten. Sind weitere Kapitel unterwegs?
... Wann dürfen wir hoffen, das vollständige Manuskript in Empfang zu nehmen? Um eine gezielte Werbekampagne starten zu können, wäre es uns lieb, das fertige Manuskript sechs Monate vor der Veröffentlichung in Händen zu haben. Sie sehen also, es bleibt keine Zeit zu verlieren.   *Mit besten Empfehlungen*
Paul Brooks

12340 Emelita Street
North Hollywood,
Kalifornien
23. September 1941

Paul Brooks
Houghton Mifflin
2 Park Street
Boston

Sehr geehrter Mr. Brooks,
haben Sie vielen Dank für Ihren Brief, der mir bei meiner Planung
sehr weitergeholfen hat. Ich hoffe, ich kann Ihre Begeisterung für
mein Manuskript auch mit den folgenden Kapiteln aufrechterhal-
ten.
Meine Übersiedelung von Nassau hat einige Zeit in Anspruch ge-
nommen, aber es ist mir trotzdem gelungen, seit meiner Ankunft
in Kalifornien an die 15000 Worte zu Papier zu bringen. Ein
Großteil davon liegt seit einiger Zeit bei Ann Watkins, den Rest
wird sie in Kürze erhalten. Ich schicke ihr natürlich immer zwei
Kopien – eine für Ihren Verlag und die andere für ihren eigenen
Gebrauch. Margot Johnson meinte, ich solle das Manuskript in
größeren Schüben schicken und nicht kapitelweise. Sollte es Ihnen
allerdings so lieber sein, dann würde ich es Ihnen auch abschnitts-
weise, je nach Fertigstellung, zukommen lassen. Natürlich liegt mir
viel daran, Ihre Meinung zu jedem Stadium des Buches zu hören.
Ihre Erklärung betreffs der Publikationsdaten war für mich sehr
aufschlußreich. Ich hatte noch sehr wenig Ahnung von diesen Din-
gen, als ich neulich an Lee schrieb, und ich sehe jetzt ein, daß die
Zeit drängt.
Sie fragen nach dem endgültigen Ablieferungstermin. Ich hoffe, Sie
werden das komplette Manuskript am 1. November in Händen ha-
ben – auf jeden Fall nicht später als bis zum 15. Das war ungefähr
das Datum, das ich mit meiner Agentin bei Vertragsabschluß ver-
einbart habe.
Übrigens habe ich mich bei Lee erkundigt, ob mein Buch eine
Chance hätte, für eines Ihrer Stipendien berücksichtigt zu werden,

erhielt aber bisher noch keine Antwort – oder kommt diese Art Literatur dafür nicht in Frage?

> *Ich verbleibe mit den*
> *besten Grüßen*
> *Beryl Markham*

Brooks antwortete, er hätte das Manuskript lieber in »großen Blöcken … oder komplett, statt Kapitel für Kapitel« und teilte ihr ferner mit, es sei zu spät, das Buch für ein Stipendium einzureichen. »Stipendienprojekte müssen von Anfang an als solche anerkannt werden. Im übrigen bezweifle ich, daß es sich hier um genau den Typus eines literarischen Werks handelt, der unter diesen Plan fallen würde.«

Im Oktober hatte Beryl in North Hollywood eine neue Bleibe gefunden. Es war ein einstöckiges Haus, nicht eben groß, aber geräumig genug für sie und ihre Freundin Dorothy Rogers, mit der sie zusammenzog. Die Umzugskosten veranlaßten sie, ihren Verleger um einen weiteren Vorschuß zu bitten, ein Wunsch, dem Paul Brooks prompt entsprach.

> *23. Oktober 1941*

Sehr verehrte Mrs. Markham,
da Lee mir mitteilte, daß Sie umgehend einen weiteren Vorschuß benötigen, habe ich gestern einen Scheck über $ 100 an Margot Johnson, Büro Ann Watkins, abgeschickt. Ihr Manuskript gefällt uns von Lieferung zu Lieferung besser. Wann dürfen wir hoffen, das fertige Buch zur Drucklegung hier zu haben?

> *Ich verbleibe wie immer*
> *Ihr Paul Brooks*

P. S. Wir sind alle der Meinung, daß der gegenwärtige Titel FLÜGEL ÜBER DEM DSCHUNGEL dem Buch nicht ganz gerecht wird. Er bezieht sich nur auf einen kleinen Teil Ihrer Arbeit und klingt im übrigen wenig originell. Wollen Sie sich noch einmal darüber Gedanken machen und mir in ein, zwei Tagen Bescheid geben? Wir möchten gern ein Leseexemplar herausbringen, doch solange die Titelfrage nicht entschieden ist, sind uns die Hände gebunden.

Wahrscheinlich stammte dieser erste Titelvorschlag aus dem Büro
von Ann Watkins, Beryls literarischer Agentin. Man spürt fast, wie
Beryl, die nicht informiert worden war, die Stirn runzelte, wenn
man den zweiten Absatz ihrer Antwort liest.

25. Oktober 1941

Lieber Mr. Brooks,
haben Sie vielen Dank für Ihren Brief und das freundliche Entge-
genkommen; Margot Johnson hat den Scheck bereits an mich wei-
tergeleitet. Ich hätte nie gewagt, Sie zu bemühen, wäre ich nicht in
den letzten paar Wochen ernsthaft in Bedrängnis geraten.
Wo in aller Welt haben Sie den Titel FLÜGEL ÜBER DEM DSCHUN-
GEL her? Von mir stammt er ganz gewiß nicht, und er wurde mir
auch von niemandem vorgeschlagen – klingt wie der Slogan eines
Protégés von Osa Johnson! (Nicht böse gemeint).[8] Der Titel, den
ich ausgesucht habe, lautet: DORT FIEL MEIN SCHATTEN; ein Zitat,
das ich einem Buch entnommen habe. Er scheint mir in vieler Hin-
sicht angemessen, aber wenn er Ihnen nicht zusagt, lassen Sie es
mich wissen, und ich werde mir etwas anderes überlegen.

Mit herzlichen Grüßen
Beryl Markham

27. Oktober 1941

Liebe Mrs. Markham,
ich weiß auch nicht, wer den Titel aufgebracht hat, und ich bin fest
entschlossen, ihn zu ändern. DORT FIEL MEIN SCHATTEN ist zwei-
fellos besser, obwohl auch das mir noch nicht als die ideale Lösung
erscheint. Könnten Sie sich Ihre Denkerkappe überstülpen und ein
paar Alternativvorschläge fabrizieren?

31. Oktober 1941

Lieber Mr. Brooks,
ich bin immer noch auf der Suche nach dem perfekten Titel, der
Ihren Ansprüchen gerecht wird, was beileibe keine leichte Aufgabe
ist. Wenn ich es recht verstehe, müßte er zu dem Buch passen und
gleichzeitig auch die Käufer ansprechen. Ich habe mein Gehirn
ordentlich auf Touren gebracht und eine Reihe neuer Vorschläge

ausgebrütet. Sollte Ihnen jedoch keiner davon gefallen, dann lassen Sie es mich bitte wissen und auch, auf welchen Aspekt ich bei künftigen Überlegungen zielen sollte.

1. STUFEN ZUM HIMMEL
2. SPIEL DER WINDE
3. AUF DEN FLÜGELN DER ZEIT
4. KWAHERI HEISST LEBEWOHL
5. KWAHERI! KWAHERI!
6. KUNDSCHAFTER IN AFRIKA
7. DIE STERNE SIND TREU
8. MEIN STERN GEHT NICHT UNTER

> Mit freundlichen Grüßen
> Beryl Markham

> 4. November 1941

Liebe Mrs. Markham,
da Paul Brooks verhindert ist, schreibe ich an seiner Stelle ... was den Titel angeht, so sind wir hier im Hause für »Dort fiel mein Schatten«. Als Alternative rangiert an zweiter Stelle »Spiel der Winde«.

> Hochachtungsvoll
> R. N. Linscott

> 12. November 1941

Lieber Mr. Linscott,
ich danke für Ihren Brief und freue mich, daß wir, was den Titel meines Buches betrifft, offenbar den gleichen Geschmack haben. Nach Paul Brooks' letztem Schreiben hatte ich allerdings den Eindruck, daß er meint, es ließe sich noch ein besserer Titel finden. Zur Zeit habe ich jedoch keine weiteren Vorschläge auf Lager. DORT FIEL MEIN SCHATTEN scheint mir zutreffend für das ganze Buch – außerdem kehrt der Titel im Fließtext eines der letzten Kapitel wieder, was meines Erachtens die Authentizität unterstreicht. Ich bin weiterhin fleißig bei der Arbeit und hoffe, Ihnen in Kürze die restlichen Kapitel schicken zu können.

> Mit freundlichen Grüßen
> Beryl Markham

18. November 1941

Liebe Mrs. Markham,
Sie haben recht – ich habe mich immer noch nicht mit DORT FIEL
MEIN SCHATTEN *abgefunden. Mir scheint dieser Titel ein wenig zu*
hochgestochen, und die Doppeldeutigkeit wird erst klar, wenn
man Näheres über das Buch weiß. Mir schwebt ein Titel vor, der
verdeutlicht, daß Sie über Afrika schreiben, und zwar nicht als
Forschungsreisende, sondern als jemand, der dort gelebt hat und
aufgewachsen ist. Aus unserem Hause kam der Vorschlag, daß
MEINE HEIMAT AFRIKA, *was zwar sehr schlicht klingen mag, diese*
Intention recht schön zum Ausdruck bringt. Was meinen Sie da-
zu? ... Wir müssen möglichst rasch zu einer Entscheidung kom-
men. Am liebsten wäre mir, Sie würden uns ein Brieftelegramm
(auf unsere Kosten) schicken und uns Ihre Ansicht zu oben ge-
nanntem Titel mitteilen respektive Alternativvorschläge unterbrei-
ten, die unseren Vorstellungen entsprechen ...

> *Mit herzlichen Grüßen*
> *Paul Brooks*

BRIEFTELEGRAMM PER NACHNAHME 22. NOVEMBER 1941 NORTH
HOLLYWOOD
PAUL BROOKS. MÖCHTE MICH IHREM WUNSCH LIEBEND GERN
ANSCHLIESSEN HABE ABER DAS GEFÜHL VORGESCHLAGENER
TITEL IST ZU PAUSCHAL UND FARBLOS KLINGT AUSSERDEM
NACH MISSIONSTAGEBUCH, SCHLAGE FOLGENDE ALTERNATIVEN
VOR:
START IM MORGENGRAUEN. AUCH DAS IST AFRIKA. AFRIKANI-
SCHES MOSAIK. LEBENSBLÄTTER. WERDE MICH WEITERBEMÜHEN
SOLLTE IHNEN HIERVON NICHTS ZUSAGEN. BERYL MARKHAM.

Brooks antwortete, daß AUCH DAS IST AFRIKA ihm bislang am
besten gefalle, Beryl aber wenn möglich weitere Vorschläge ein-
reichen solle. Im übrigen wartete er ungeduldig auf das restliche
Manuskript und bat Beryl, ihm den endgültigen Ablieferungstermin zu telegrafieren.

NORTH HOLLYWOOD 29. NOVEMBER
PAUL BROOKS. SCHICKE MORGEN WEITERE 15 000 WORTE AB STOP
VORAUSSICHTLICHER FERTIGSTELLUNGSTERMIN 15. DEZEMBER
BEMÜHE MICH ABER NACH KRÄFTEN FRÜHER ABZUSCHLIESSEN
STOP DENKE WEITER ÜBER TITEL NACH STOP BITTE INZWISCHEN
DEN FOLGENDEN ZU ÜBERDENKEN: UNVERWECHSELBARES
AFRIKA
BERYL MARKHAM

BOSTON 5. DEZEMBER 1941
BERYL MARKHAM. BIN SICHER WIR HABEN ENDLICH OPTIMALEN
TITEL GEFUNDEN ZITAT VON AFRIKA RED ICH UND GOLDNER
LUST ZITATENDE STAMMT AUS SHAKESPEARES HEINRICH IV.
BITTE TELEGRAFIEREN SIE UNS IHR OKAY. LESEEXEMPLARE IN
VORBEREITUNG.
GRUSS PAUL BROOKS

NORTH HOLLYWOOD 5. DEZEMBER
PAUL BROOKS. VON IHREM TITELVORSCHLAG BEGEISTERT EIN
DREIFACH HOCH AUF SIE UND WILLIAM SHAKESPEARE
GRUSS BERYL MARKHAM

22. DEZEMBER 1941
BERYL MARKHAM. DANK FÜR VIER WEITERE KAPITEL SIND BEGIE-
RIG AUF DEN REST WANN DÜRFEN WIR GESAMTMANUSKRIPT ER-
WARTEN
PAUL BROOKS

NORTH HOLLYWOOD 23. DEZEMBER 1941
PAUL BROOKS. HATTE SCHWERE GRIPPE ABER WEITERE LIEFERUNG
UNTERWEGS UND ZWEI SCHLUSSKAPITEL IN ARBEIT FROHE WEIH-
NACHTEN BERYL MARKHAM

Die letzten Manuskriptseiten wurden Ende Januar 1942 abgelie-
fert, und im Juni desselben Jahres erschien das langerwartete Buch,
dem man schließlich den Titel WESTWÄRTS MIT DER NACHT gege-

ben hatte. Wer ihn aussuchte, konnte ich nicht mehr recherchieren; Aufzeichnungen darüber existieren nicht, und Beryl erinnerte sich nur, daß sie DEM MORGEN ENTGEGEN vorgeschlagen habe, woraus sich dann der endgültige Titel entwickelte. Das Zitat: »Von Afrika red ich und goldner Lust«, Heinrich IV./Zweiter Teil, Fünfter Aufzug, 3. Szene, erschien ebenfalls auf dem Titelblatt, und Beryl widmete das Buch »Meinem Vater«.

Dem Text vorangestellt war folgende Danksagung: »Für seine stete Ermunterung und Hilfe bei der Entstehung dieses Buches möchte ich Raoul Schumacher meine tiefempfundene Dankbarkeit aussprechen.« Beryl hätte sich damals gewiß nicht träumen lassen, welchen Meinungsstreit diese kurze Widmung gut vierzig Jahre später hervorrufen würde.

Während sie auf das Erscheinen ihres Buches wartete, entschloß sich Beryl überraschend, ihre Kenntnisse als Fliegerin in den Dienst des Krieges zu stellen, der sich seit Pearl Harbor dramatisch zugespitzt hatte. 1986 erzählte sie mir, da Raoul zu dieser Zeit bei der US-Marine in Übersee diente, sei sie sehr einsam gewesen und habe daher dem kalifornischen Geschwader der Civil Air Patrol in einem Schreiben, dem sie einen Abriß über ihre Arbeit als Pilotin beifügte, ihre Hilfe angeboten.

3. März 1942

Sehr verehrte Mrs. Markham,
Ihren Brief vom 27. Februar haben wir dankend erhalten, und ich darf Ihnen versichern, daß wir Ihr hochherziges Angebot, sich in den Dienst der Civil Air Patrol zu stellen, sehr zu schätzen wissen. Sie können versichert sein, daß wir uns über Ihren Besuch aufrichtig freuen würden. Darf ich Sie bitten, meine Sekretärin anzurufen ... und eine Verabredung für einen Ihnen genehmen Termin zu treffen.

> *Mit vorzüglicher Hochachtung*
> *Bertrand Rhine*
> *Geschwaderkommodore für Kalifornien*
> *Civil Air Patrol*[9]

Zu diesem Zeitpunkt gab es in den Reihen der Civil Air Patrol noch keine einzige Frau, und obwohl Beryl eine Unterredung mit Geschwaderkommodore Rhine hatte, bei der über ihre mögliche Verwendung diskutiert wurde, verlief die Sache schließlich im Sande.[10] Jahre später erzählte sie Freunden, sie habe während des Krieges einige Zeit Piloten ausgebildet, aber keinen Gefallen an dieser Arbeit gefunden. Anderen Quellen zufolge absolvierte sie Aufklärungsflüge entlang der Pazifikküste, wofür es jedoch keinerlei offizielle Belege gibt. Wenn sie überhaupt solche Aufgaben wahrnahm, dann nur für sehr kurze Zeit, denn ab Anfang Juni war sie vollauf mit anderen Dingen beschäftigt.

Als *Westwärts mit der Nacht* erschien, zollten die Kritiker dem Buch überschwengliches Lob, und eine Zeitlang wurde Beryl in literarischen Kreisen wie eine Berühmtheit gefeiert. Die folgende Auswahl der Rezensionen möge dem Leser einen Eindruck von der enthusiastischen Aufnahme des Buches vermitteln:

Wenn ihm ein Buch wie Beryl Markhams Westwärts mit der Nacht *in die Hände gerät, kann der Kritiker sich nur in aller Bescheidenheit davor verneigen. Worte des Lobes, wie man sie anderen Werken zu spenden gewohnt war, wirken plötzlich abgedroschen und banal. Denn* Westwärts mit der Nacht *ist mehr als eine Autobiographie; hier spiegelt sich die Liebe eines Dichters für sein Land; der Zugriff eines Abenteurers aufs Leben; das Urteil eines Philosophen über Menschenwesen und Menschenschicksal. Zu sagen, daß Beryl Markham den Geist Afrikas eingefangen hat, wäre ebenso anmaßend wie lächerlich; Afrika hält vielmehr ihren Geist gefangen, und die beredte Ausdruckskraft, mit der sie dieses Land und alles, was es ihr bedeutet, zu schildern weiß, schlägt den Leser unweigerlich in ihren Bann.*
Rose Field, Books, 5. Juli 1942

[Beryl] Markham hat die Literatur über Fliegerei und Luftfahrt um einen beachtlichen Beitrag bereichert. Der Hintergrund, vor dem sie schreibt, ist romantischer als bei Ann Lindbergh, der sie indes an Vorstellungskraft und Einfühlungsvermögen in nichts nachsteht. Hier wird die aufregende Dschungelwelt Osa Johnsons

*lebendig ... Zu einer Zeit, da all unsere Gedanken um Gefahren
und um die drohende Vernichtung kreisen, die wie ein Damokles-
schwert über uns schwebt, tut es wohl, von der Poesie des Fliegens
zu lesen und zumindest aus zweiter Hand die Weite und pastorale
Abgeschiedenheit des Himmels zu erleben.*
E. M., Boston Globe, *17. Juni 1942*

*Ein Buch, wie es noch nie über Afrika, seine Eingeborenen, die
Großwildjagd und die Zukunft des schwarzen Kontinents ge-
schrieben wurde – schon gar nicht von einer Frau. Es entstand, wie
es bei einem Buch über ein solches Thema die Regel sein sollte, aus
ureigener Erfahrung. ... Stilistisch zeichnet sich* Westwärts mit der
Nacht *durch eine schlichte Schönheit aus, die zwar nicht nach
Ruhm trachtet, ihn aber zweifellos verdient.*
U. S. Southron, New York Times, *21. Juni 1942*

*Die Kapitel über die Fliegerei in Afrika sind ungemein spannend
... Einfühlsam und lebendig schildert die Autorin ihre Reisen
durch dieses uns so ferne und fremde Land ... verzückt fängt sie
die »Stimmung« Afrikas ein.*
Clifton Fadiman, New Yorker, *20. Juni 1942*

*Beryl Markham erzählt nicht nur von Afrika. Mit bewunderns-
werter Bescheidenheit führt sie uns eine ebenso spannende wie
rührende Geschichte vor, die Geschichte einer sehr tapferen und
sehr menschlichen Frau, die mit philosophischer Gelassenheit und
gestärkt durch grenzenloses Selbstvertrauen ihr Können gegen die
unbarmherzige Natur in all ihren mannigfaltigen Verkleidungen
zum Einsatz bringt und dem dumpfigen Dschungel ebenso trotzt
wie den öden Wüsteneien und dem weiten Himmelsrund.*
Linton Wells, Saturday Review of Literature, *27. Juni 1942.*

Einer der renommiertesten Autoren von Houghton Mifflin war
damals Stuart Cloete, ein Südafrikaner, der gelegentlich auch als
Kritiker zu den Werken anderer Stellung nahm. Er und seine Frau
(die Erzählerin und Illustratorin Tiny Cloete) wurden Freunde
von Beryl und Raoul, die in denselben literarischen Zirkeln

verkehrten wie sie. Als Beryls Buch auf den Markt kam, hatte Cloete sie noch nicht persönlich kennengelernt, doch Dale Warren, Werbeagent bei Houghton Mifflin, schickte ihm ein Rezensionsexemplar. Cloete war begeistert, und Houghton Mifflin zitierte seine wohlformulierte, lobende Besprechung in den eigenen Werbetexten.

Das Buch hätte allem Anschein nach ein großer Erfolg werden müssen. Allein, im Verlagsgeschäft kommt alles aufs richtige Timing an. Seit die Vereinigten Staaten aktiv ins Kriegsgeschehen eingegriffen hatten, zeigte das Publikum kaum mehr Interesse für rein poetische Werke. Etwa ein Jahr lang sicherten die Tantiemen Beryl ein bescheidenes Einkommen, doch dann verschwand ihr Buch aus den Regalen der Händler, ohne daß es auch nur eine zweite Auflage erlebt hätte.[12] Zwar erschien eine separate Ausgabe in England, aber der Verkauf war schleppend, und binnen kurzem geriet der Titel auch hier in Vergessenheit.

Ermutigt durch den anfänglichen Erfolg ihres Buches siedelte Beryl nach New York über. Raoul kam einige Zeit später nach. Die Beziehung der beiden hatte sich inzwischen vertieft, und sie beschlossen zu heiraten. Beryl setzte sich mit Mansfield in Verbindung und willigte endlich in die Scheidung ein, die sie ihm fast ein Jahrzehnt lang verweigert hatte. Es fällt schwer nachzuvollziehen, warum sie sich bisher so hartnäckig dagegen gewehrt hatte, die Trennung von Mansfield rechtskräftig werden zu lassen. Vielleicht geschah es aus Groll über seine Weigerung, sie zu unterstützen, vielleicht aber gab es ihr auch einfach eine gewisse Sicherheit, zumindest dem Namen nach weiterhin der Aristokratenfamilie Markham anzugehören. Im August mietete Beryl für zehn Wochen ein Haus in Wyoming, genau die Frist, die erforderlich war, um ihre nur noch auf dem Papier bestehende Ehe möglichst rasch zu lösen.[13]

Am 5. Oktober reichte sie die Klage ein, in der Mansfield bezichtigt wurde, seine Frau »unerträglichen Demütigungen« ausgesetzt zu haben. Das Gericht gab ihrem Antrag statt, und am 14. Oktober wurde die Scheidung ausgesprochen. Raoul und Beryl wurden am darauffolgenden Samstag in Laramie getraut; gleich nach der

Hochzeit verließen sie Wyoming und reisten nach Virginia, wo sie ihre Flitterwochen im Hause von Freunden verbrachten.

Im November, kurz nach der Rückkehr des Paares nach New York, schrieb Stuart Cloete an Dale Warren: »Gestern traf ich Beryl und Raoul. Was für ein ulkiger Zufall, daß sie in Virginia ausgerechnet bei einer Cousine von mir wohnten – der Enkelin von Lady Northey, einer geborenen Evangeline Cloete und, nebenbei bemerkt, einer der schönsten Frauen, die mir je begegnet sind …«[14] Von Beryl hatte Cloete zuvor erfahren, daß sie »in Kenia mehr oder weniger von [meiner Cousine] Lady Northey aufgezogen worden sei, deren Gatte, Generalmajor Sir Edward Northey, dort Gouverneur war.«[15] Mit dieser Behauptung hatte Beryl offensichtlich übertrieben. Zwar verkehrte sie seinerzeit gesellschaftlich mit Lady Northey, doch war sie bereits mit Jock verheiratet, als die Northeys in Kenia stationiert waren (1919-1922). Falls Lady Northey damals Einfluß auf die Jungvermählten nahm, so erschöpfte der sich gewiß auf Ratschläge in Fragen der Etikette.

Unterdessen hatte Mansfield in London große Mühe, die Gültigkeit von Beryls Scheidungspapieren nachzuweisen. Schließlich mußte er ein Verfahren der englischen Gerichte über sich ergehen lassen, da diese das amerikanische Urteil nicht anerkennen wollten. Es dauerte ein volles Jahr, bis man die Scheidung auch in Großbritannien für rechtskräftig erklärte; das geschah erst, nachdem Mansfield den »Nachweis des Ehebruchs« erbracht hatte, und zwar in Form eines Briefes von Raoul, der bestätigte, daß er regelmäßig mit seiner eigenen Frau schlafe.[16] Nun endlich war Mansfield in der Lage, sich wieder zu verheiraten, und seine zweite Frau Mary wurde die Stiefmutter von Gervase, der inzwischen in Eton zur Schule ging.

Den Winter 1942–43 verbrachte Beryl allein in New York, wo sie häufig mit den Cloetes zusammentraf. »Was ist nur aus dem Cowboy geworden, den unsere Beryl geheiratet hat?« fragte Cloete im Postskriptum eines Briefes an Dale Warren.[17] Raoul kehrte im Frühjahr 1943 nach New York zurück, und kurze Zeit später begab sich das Paar auf seine kleine Ranch in New Mexico, die nicht mehr war, als ein Stück unfruchtbaren Landes mit einer rohgezim-

merten Holzhütte. Trotzdem blieben die beiden sechs Monate
dort. Beryl hatte den kalten New Yorker Winter als trostlos und
öde empfunden und freute sich auf den sonnigen Süden. Traurig
schrieb ihr Freund Stuart Cloete an Dale Warren bei Houghton
Mifflin:

Lieber Dale,

*... Ich habe keine Lieblingsblondine mehr, nun da Beryl dem
Flickschuster gen Westen gefolgt ist ... so ungefähr das Albernste,
was mir je vorgekommen ist, denn soviel ich höre, gibt es dort weder vernünftig zu essen noch Dienstboten, und anständige Wohnungen sollen verdammt knapp sein ...*   *Es grüßt Sie*

Ihr Stuart

(Cloete)[18]

Ungeachtet Cloetes hochnäsigem Spott entsprang der Umzug der
Schumachers keiner bloßen Laune. Beryl und Raoul hatten nämlich bereits mit den ersten finanziellen Schwierigkeiten zu kämpfen, die ihnen bald zum ständigen Begleiter werden sollten, und
konnten den aufwendigen Lebensstil, den Beryl sich in Erwartung
ihres Bucherfolges in New York angewöhnt hatte, nicht länger
aufrechterhalten. Die Tantiemen aus dem rasch sinkenden Verkauf
von *Westwärts mit der Nacht* sowie der Pachtzins, den sie für ihre
Farm Melela in Kenia erhielt, reichten kaum für die Getränkerech-
nungen des Paares. Zusätzlich blieb ihr zwar noch die Leibrente,
die Prinz Henry ihr ausgesetzt hatte, doch solange der Krieg
dauerte, war es weiterhin schwierig, diese in den USA ausgezahlt
zu bekommen, da die Einfuhr englischer Währung streng begrenzt
blieb. Raouls Beitrag zum Unterhalt des Paares ist unklar, was freilich nicht bedeuten muß, daß er gar nichts zum gemeinsamen
Haushalt beisteuerte.

Melela war verpachtet, seit Beryl 1936 Kenia verlassen hatte, und
nun schrieb sie an ihre Anwälte in Nairobi, um sich zu erkundigen,
ob sie den Besitz verkaufen solle oder nicht. Damals schien es sehr
unwahrscheinlich, daß sie je wieder auf Dauer nach Kenia zurückkehren würde; überdies war zu dem Zeitpunkt ihres Schreibens
durchaus noch nicht abzusehen, wer den Krieg gewinnen würde.
Die Anwälte rieten Beryl, zu verkaufen, solange es noch Zeit sei.

Beryl stimmte zu, und ihre Sachverwalter veräußerten Melela für
400 Pfund. Zehn Jahre später, als Beryl, inzwischen praktisch mittellos, wieder nach Kenia kam, wurde die Farm abermals verkauft,
diesmal zum stolzen Preis von 40000 Pfund.[19] Im Sommer des Jahres 1943 widmete Beryl sich fast ausschließlich der Bewirtschaf-
tung der Ranch und der kleinen, von ihr begründeten Truthahn-
zucht. Ihr beachtliches Talent im Umgang mit Tieren aller Art ermöglichte es ihr, die Küken selbst über eine außergewöhnlich lang-
anhaltende Kältephase hinwegzuretten, wogegen sie von Natur aus
sehr anfällig sind.[20] Als ich sie 1986 interviewte, wiederholte Beryl,
was sie früher schon anderen gegenüber geäußert hatte, nämlich
daß Raoul oft fortgewesen sei und sie sich Langeweile und Einsamkeit durch Schreiben vertrieben habe.[21]
Für dieses häufige Verschwinden Raouls gibt es kaum eine plausi-
ble Erklärung. Trotz fast einjähriger Recherchen mit Unterstützung der amerikanischen Militärbehörden gelang es mir nicht,
einen Nachweis für seinen angeblichen Wehrdienst bei der Marine
zu erbringen. Es ist allerdings richtig, daß er zu einem späteren
Zeitpunkt kurzfristig bei den US Coast Guards stationiert war.
Auch Scott O'Dell reagierte verdutzt, als ich ihn danach fragte:
»Ich habe nie gehört, daß Raoul in der Navy war.«[22]
Beryls erste Kurzgeschichte, »Rivalen der Wüste«, erschien 1943
in der Augustnummer des *Ladies' Home Journal*. Diese Zeitschrift hatte unter dem Titel »Wise Child – ein geflügeltes Pferd«
zuvor schon ein Kapitel aus *Westwärts mit der Nacht* abgedruckt,
das bei den Lesern gut ankam, weshalb Beryl nun keinerlei
Schwierigkeiten hatte, ihre Story im selben Magazin unterzubrin-
gen. Interessanterweise hatten den Stoff zu »Rivalen der Wüste«
mehrere ausrangierte Kapitel aus *Westwärts mit der Nacht* geliefert, wenn auch folgender Brief ihres Freundes Stuart Cloete nahe-
legt, daß Beryl sich die Idee von ihm geborgt habe:

An Dale Warren   *7. September 1943*
c/o Houghton Mifflin

Lieber Dale,
vielen Dank für Ihre Zeilen. Freut mich, daß Ihnen der Hustensaft

den Kater vertreibt. Ich habe zwar bisher noch nie gehört, daß je-
mand ihn für solche Zwecke benutzt hätte, aber Sie sind eben ein
großer Erfinder!
Ja, ich habe Beryls grandiose Pferdegeschichte gelesen, und Sie
werden meine ebenso grandiose Pferdegeschichte in einer der
nächsten Nummern von Collier's [Weekly]²³ finden. Meine war
schon geschrieben, als Beryl ihre zu Papier brachte, und ich habe
sie ihr vorgelesen, als sie in New York war.
Honi soit qui mal y pense ...   *Es grüßt Sie*
                                                         Stuart

Im September fragte der Verlag Houghton Mifflin an, ob Beryl bereit sei, auf einer bevorstehenden Buchmesse »im Osten« zu lesen.
Die Schumachers waren inzwischen von New Mexico nach Kalifornien übergesiedelt, wo sie am Elsinore-See eine kleine Ranch
bewohnten. Hier entstand »Ein Funke der Erinnerung«, Beryls
zweite Kurzgeschichte mit autobiographischen Zügen. Houghton
Mifflin äußerte ferner den Wunsch, zukünftige Projekte mit der
Autorin zu besprechen.

»Ein Funke der Erinnerung« und »Der Triumph des Verfemten«,
die beide im Winter 1943/44 entstanden, sind im gleichen Stil verfaßt wie *Westwärts mit der Nacht* und stützen sich auf tatsächli-
che Erlebnisse aus Beryls Jugendtagen. Die Veröffentlichung dieser und weiterer Kurzgeschichten erschloß den Schumachers eine
willkommene zusätzliche Einkommensquelle, und Raoul erkannte
rasch, welch lukrative Marktchancen Beryls Name bot. Daher ließ
er zwei Short Stories aus der eigenen Feder ebenfalls unter dem
Namen Beryl Markham erscheinen. Zwar stützt sich die Handlung
sowohl in »Frag nur dein Herz« als auch in »Khartum kann nicht
warten« sehr stark auf Beryls Flugerfahrungen in Afrika, aber der
romantische Tenor sowie stilistische Eigenheiten weichen erheblich von Beryls Buch und ihren früheren Erzählungen ab. Dagegen
findet sich genau dieser Stil in der Short Story »Die Peitschenhand« wieder, die im Juni 1944 unter Raoul Schumachers Namen
in *Collier's Weekly* erschien.

Obwohl Raoul Freunden gegenüber später behauptete, er habe
sich Anfang der vierziger Jahre sein Geld als Schriftsteller verdient,

erschien sein Name mit »Die Peitschenhand« zum erstenmal gedruckt. Er schrieb flott und schwungvoll und lieferte seinen Lesern
genau die leicht konsumierbare Unterhaltung, nach der das kriegs-
geschüttelte Publikum so gierig verlangte. Gemessen an seiner
Fabuliertechnik wirkt Beryls Art zu schreiben poetischer und sen-
sibler; dennoch ist bekannt, daß sie an seinen Short Stories insofern mitwirkte, als sie Raoul ihre Erlebnisse schilderte und die nötigen Hintergrundinformationen über Afrika beisteuerte. Wie es
scheint, war sie entweder nicht in der Lage oder nicht gewillt, gän-
gige Erzählkost als Auftragsarbeit zu fabrizieren.

Die Short Story »Wir sind Brüder«, die 1944 entstand und unter
Beryls Namen im Februar 1945 in *Collier's Weekly* gedruckt wurde, stammt mit ziemlicher Sicherheit ebenfalls aus Raouls Feder,
obgleich Beryl wiederum einen Großteil des detailliert ausgebreite-
ten Materials über die Massai und den afrikanischen Busch geliefert haben dürfte. Raoul behauptete allerdings, ihre Informationen
seien nicht ausreichend gewesen; beispielsweise habe er sich in
einer Nachschlagebibliothek mit den Stammesriten der Massai vertraut machen müssen, da Beryl darüber nicht genügend Bescheid
wußte.[24] Trotzdem ist Beryls Einfluß in dieser Erzählung deutlicher spürbar als in den beiden vorangegangenen, und die Schumachers glaubten, nun ihr Erfolgsrezept gefunden zu haben. Raoul,
bisher eher ein verhinderter Schriftsteller, verstand es meisterhaft,
Beryls Abenteuer in spannende Geschichten umzumünzen, während sie gelegentlich eine kleine autobiographische Episode zu Papier brachte. In diesem Zusammenhang wirkt Raouls spätere Behauptung, er habe als Ghostwriter gearbeitet, durchaus glaubhaft,
wenngleich diese Tätigkeit sich wohl in der Hauptsache darauf be-
schränkte, daß er unter Beryls Namen Erzählungen niederschrieb,
zu denen sie die Handlung lieferte.[25]

Scott O'Dell besuchte das Paar in Elsinore, wo die beiden ihr Ar-
beitszimmer im Keller aufgeschlagen hatten, dem kühlsten Raum
des Hauses während der sommerlichen Hitzewelle. In einem Beitrag für *Vanity Fair* vom März 1987 erinnert sich Scott: »Raoul
schrieb nach Beryls Diktat; sie arbeiteten an einer Kurzgeschichte
und waren trotz der sengenden Hitze eifrig bei der Sache. Auf

ihrer Türschwelle saß ein New Yorker Verleger.« Das dürfte Kyle Crighton von *Collier's Weekly* gewesen sein, der damals in regelmäßigem Kontakt zu Beryl stand. In einem Interview für *Collier's* gestand Beryl, sie wisse nicht recht, ob ihr früheres abenteuerliches Leben ihr als Schriftstellerin hinderlich oder hilfreich sei. »Das alte Sprichwort ›Das Leben ist merkwürdiger als jeder Roman‹ trifft hundertprozentig auf mich zu«, erklärte sie Crighton. »Nur leider wird dadurch alle Erfindungsgabe, die ich von Natur aus besitzen mag, unterdrückt.«[26]

O'Dells Aussage, er habe gesehen, wie Beryl Raoul diktierte, ist wichtig, obwohl er mir gegenüber seine Angaben dahingehend revidierte, daß Beryl »ihrem Mann lediglich Geschichten erzählte, die er dann in lesbare Prosa umsetzte«. Leider konnte O'Dell sich nicht mehr an den Inhalt der Story erinnern, an der die beiden während seines Besuchs arbeiteten. Aber er wußte noch gut, wie Beryl und Raoul damals, gut ein Jahr nach ihrer Hochzeit, zueinander standen: »Sie waren wahnsinnig glücklich und hielten dauernd Händchen. Beide waren gleich gekleidet: Zu Levis-Jeans trugen sie Koncha-Gürtel, Kaliko-Hemden und passende Hüte. Sie kamen mir vor wie ein Liebespaar aus vergangenen Zeiten. Beryl hatte ein Pferd, eine Katze und zwei nubische Ziegen, Erinnerungen an ihre Jugend in Afrika. Wie ich sie um ihr idyllisches Leben beneidete.«[27]

Auch Beryl erinnerte sich gut an diese Zeit, denn sie hatte mir bereits erzählt, daß sie und Raoul »wie Cowboys gekleidet« auszureiten pflegten, doch weitere Details vermochte sie nicht beizusteuern. Man bot ihr eine Vortragsreihe an, und Raoul, dessen »Peitschenhand« inzwischen gedruckt worden war, fühlte sich nun in der Lage, weiter unter seinem eigenen Namen zu schreiben. Allem Anschein nach stand dem Paar eine erfolgreiche Zukunft als Autorenteam bevor, und im Sommer 1944 mieteten Beryl und Raoul ein wesentlich größeres Haus in Pasadena, nordöstlich von Los Angeles.

Im Winter dieses Jahres bemerkte Scott O'Dell die ersten Unstimmigkeiten in der anfangs so glücklichen Ehe der Schumachers. Das Paar war bekannt für seine zahlreichen Parties. Auf einer die-

ser Gesellschaften saß O'Dell neben Beryl auf dem Sofa, als Raoul
ein Tablett mit Martinis hereinbrachte. Dabei verschüttete er einen
Drink, worauf Beryl ihrem Nachbarn bedeutungsvoll zuflüsterte,
solche Ungeschicklichkeiten würden bei ihrem Mann allmählich
zur Gewohnheit. Dies war ein deutlicher Hinweis auf Raouls starken Alkoholkonsum, der sich später zu einem ernsten Problem
auswachsen sollte, doch O'Dell war entsetzt über das Glitzern in
Beryls Augen, als sie ihn auf Raouls Mißgeschick hinwies. Später
unterhielt er sich allein mit Raoul, der ihm bei dieser Gelegenheit
ein verblüffendes Geständnis machte.

*Ich erkundigte mich, woran er und Beryl gerade arbeiteten ... Er
sagte, er schreibe an einem Roman über Afrika. Ich fragte: »Warum denn gerade Afrika? Du bist doch nie dort gewesen.« Und er
antwortete: »Das ist wohl nicht dein Ernst? Ich kenne das Land
durch Beryl und all ihre Geschichten so gut, als ob ich selbst dort
gelebt hätte.« Er dachte einen Augenblick nach und fuhr dann fort:
»Du bist mein bester Freund, und ich möchte dir ein Geheimnis
anvertrauen. Du sollst wissen, daß Beryl Westwärts mit der Nacht
nicht selbst geschrieben hat und auch keine von ihren Short Stories. Nicht ein einziges Wort hat sie zu Papier gebracht.«*

Aber behauptete Raoul auch, daß in Wirklichkeit *er* der Autor aller unter Beryls Namen veröffentlichten Werke sei? »O ja, da bin
ich mir ganz sicher. Das hat alles Raoul geschrieben«, versicherte
O'Dell. »Doch davon mal ganz abgesehen – das war die Zeit, als es
bei den beiden zu kriseln anfing, damals, als sie in Pasadena
wohnten.«[28]

Einige Jahre später behauptete Raoul einem anderen Freund gegenüber ebenfalls, daß in Wahrheit er der Autor von Beryls Werken sei, doch beweisen konnte er seine Urheberschaft nicht. Ich
hege keinen Zweifel daran, daß Raoul drei oder vier der Short Stories verfaßt hat, die unter Beryls Namen erschienen. Dennoch
gründen sich auch diese offensichtlich auf Beryls Erlebnisse, und
es liegt auf der Hand, daß sie die Hintergrundinformationen dazu
geliefert haben muß – wahrscheinlich in genau der Weise, wie
Scott O'Dell es bei seinem Besuch in Elsinore beobachten konnte.
Raouls Behauptung, er habe *Westwärts mit der Nacht* geschrie-

ben, halte ich für einen schwachen Versuch, sein Ego aufzuwerten, als er bei seiner Frau erste Anzeichen eisiger Ablehnung spürte.

Gewiß, er hatte das Manuskript lektoriert, war vielleicht auch an der Abfassung der letzten sechs Kapitel beteiligt, und dies mag in ihm den Eindruck erweckt haben, mehr Anteil an dem Buch zu besitzen, als ihm in Wirklichkeit zukam. Vielleicht hatte er das Gefühl, sein Beitrag berechtige ihn zu einem gewissen Recht auf die Urheberschaft. Doch es gibt nichts, was seine Behauptung bestätigen würde, Beryl habe »kein einziges Wort« selbst geschrieben. Im Gegenteil, alle erhaltenen Zeugnisse weisen darauf hin, daß Beryl die Autorin des Buches ist. Aus der Korrespondenz zwischen Beryl und ihrem Verleger geht hervor, daß Houghton Mifflin bereits im Juli 1941 einhundertzweiunddreißig Seiten des Manuskripts erhalten hatte; weitere siebenundsechzig Seiten wurden an Ann Watkins geschickt, ehe Beryl von Nassau nach Kalifornien übersiedelte. Und obwohl sie die letzten sechs Kapitel (von insgesamt vierundzwanzig) schrieb, nachdem sie Raoul kennengelernt hatte, finden sich in *Westwärts mit der Nacht* nicht die leisesten Anzeichen für einen Stilwandel.

Wenige Wochen, bevor Scott O'Dell das Paar in Pasadena besuchte, hatten die Zeitungen Saint-Exupérys tragischen Tod gemeldet. Wäre es möglich, daß Raoul angesichts dieser Nachricht glaubte, sein überraschendes »Geständnis« könne nun nicht mehr widerlegt werden?

Die ersten Spannungen in der Ehe, die so glücklich begonnen hatte, brachten auch einen neuen Zug in Beryl zum Vorschein. Ihr vormals fast kindlicher Charme machte einer herben, ja, abweisenden Sprödigkeit Platz, wie nur eine große Enttäuschung sie verursachen kann. Ihre Stimme wurde scharf und herrisch, und wenn sie Raoul beobachtete, lag in ihren Augen nicht mehr die frühere Bewunderung, sondern unverhohlene Feindseligkeit. Was war geschehen, seit O'Dell das Paar zuletzt in Elsinore besucht hatte? Entfremdete Beryl sich von Raoul, weil er sich immer stärker dem Alkohol hingab, oder hatte sie zu diesem Zeitpunkt bereits entdeckt, daß ihr Mann homosexuellen Neigungen frönte?

O'Dell kannte den wahren Grund nicht, der sich hinter den ersten Anzeichen der nahenden Katastrophe verbarg. »Ich sah die Schumachers zu selten«, meint er, »um auch nur eine Vermutung wagen zu können« (obgleich Raouls Versicherung: »Du bist mein bester Freund« unter diesem Aspekt einen unangenehmen Beigeschmack erhält). Doch O'Dell bemerkte keine Symptome von Homosexualität an Raoul. »Im Gegenteil, ich dachte, in der Beziehung sei er genau wie ich – ganz auf Frauen fixiert, und ich wußte, daß er früher in New Mexico und Arizona mehrere Affären mit sehr anspruchsvollen Damen hatte«, fügt O'Dell hinzu.

Aber in Beryls Augen hatte Raoul irgendwo versagt, daran besteht kein Zweifel. Ihr Abgott stand auf tönernen Füßen. Er genügte ihren Ansprüchen nicht mehr. Vielleicht war es in diesem Stadium ihrer Beziehung nur Raouls Unvermögen, für sie zu sorgen, was Beryl zwang, die enttäuschende Realität hinter seiner großspurigen Pose zu erkennen. Das Jahr 1944 war die fruchtbarste Zeit für die Autorengemeinschaft der beiden, doch selbst da brachten sie zusammen nicht mehr als fünf Kurzgeschichten zustande. Beryls Vortragsreihe hatte dem Einkommen des Paares eine dringend benötigte Aufbesserung beschert, und nach Scott O'Dells Meinung war ihr außerdem ein großzügiger Vorschuß für ein Buch über Tod Sloane, den berühmten Jockey, gezahlt worden. Falls das stimmt, so kam das Geld allerdings nicht von Houghton Mifflin, und auch Beryls Agentin Ann Watkins wußte nichts von einem solchen Vertrag.[29]

Vielleicht war es auch wieder einmal Beryls eigene Promiskuität, die ihre Eheprobleme verschuldete. Kaum ein Mann hätte die flüchtigen Abenteuer, die sie sich in naivem Leichtsinn gönnte, stillschweigend geduldet. Als alleiniger Grund für ihre Schwierigkeiten mit Raoul kommen diese Affären freilich kaum in Betracht; Beryl übernahm von nun an fast unmerklich die dominierende Rolle in der Beziehung. Raoul war der Unterlegene (was darauf hindeutet, daß er auch der Schuldige war), und nichts hätte den Fortbestand der Ehe stärker gefährden können. Denn Beryl brauchte einen starken Partner, jemanden, auf den sie sich in Streßsituationen stützen konnte und der in der Lage war, sie von ihrer

tiefverwurzelten Unsicherheit zu befreien. Offensichtlich war
Raoul nicht der Mann, an dem sie sich hätte aufrichten können;
ein Schwächling aber mußte unter Garantie mit ihrer wachsenden
Verachtung rechnen.

Kapitel 13
(1944–1948)

Im April 1945 wurde Raoul dem Reservekorps der US Coast Guards überstellt und »aus dem aktiven Dienst entlassen« (wobei es freilich bis auf Beryls Aussage keinen Nachweis dafür gibt, daß er je aktiv war).[1] Nun, da der Krieg praktisch entschieden war, sahen Beryl und Raoul sich nach einem festen Wohnsitz um. Beide wollten in Kalifornien bleiben, am liebsten auf einer kleinen Ranch in ruhiger Lage, wo sie schreiben konnten, ohne jedoch vom gesellschaftlichen Leben abgeschnitten zu sein. Milly Kelleher, eine Freundin Raouls aus Santa Barbara, wußte Rat.

Milly leitete ein Maklerbüro in Santa Barbara, und zu den Mietangeboten ihrer Firma zählte eine kleine »Avocado-Ranch«, der frühere Landsitz des Dirigenten Leopold Stokowski. Beryl hatte Stokowski 1937 während ihres Aufenthalts an der Westküste kennengelernt, als man dort gerade über seine Affäre mit Greta Garbo zu tuscheln begann. Inzwischen war der Maestro in zweiter Ehe mit der um zweiundvierzig Jahre jüngeren Gloria Vanderbilt verheiratet. Sie brachte ihn dazu, die Ranch zu verpachten, da der Ort ihr zu viele Erinnerungen an Stokowskis erste Frau Evangeline, vor allem aber an die Garbo barg.

Als die Schumachers im Frühjahr 1945 dank Milly Kellehers Vermittlung auf dem Besitz im Toro Canyon Einzug hielten, brauchten sie keinen Pfennig Miete zu zahlen; Milly hatte sie als eine Art Verwalter auf der Ranch einquartiert, und Stokowski nutzte nach wie vor jeden Aufenthalt an der Westküste zu einem Besuch seines geliebten Schlupfwinkels.

Wie der Maestro, so war auch Beryl bald vernarrt in die Ranch.

Noch 1986 erzählte sie mir, es sei das schönste Heim der Welt gewesen. »Schöner als Njoro?« »Hmmm ... anders«, versetzte sie
ausweichend. Tatsächlich erinnerte die »Avocado-Ranch« schon
ihrer Lage nach sehr an Njoro. Das rustikale Holzhaus in den Ausläufern der Santa-Ynez-Berge, denen Santa Barbara sein maleri-
sches Ambiente verdankt, thronte über lehmroten, sonnendurch-
glühten Obsthainen. Auch das Klima ließ sich mit dem Njoros
vergleichen; hier wie dort glaubte man sich ins Land des ewigen
Sommers versetzt. Doch während in Njoro der Blick über das
sagenumwobene Rift Valley von der gigantischen Mauer des Aber-
dare-Gebirges begrenzt wurde, reichte im Toro Canyon die Aussicht über die welligen Hügelketten bis hin zu palmengesäumten
Stränden und den blauglitzernden Fluten des Pazifiks.

Die Gesellschaft von Santa Barbara nahm die Schumachers mit offenen Armen auf. Beryl – inzwischen vierundvierzig Jahre alt – sah
immer noch phantastisch aus, und ihr Erfolg als Schriftstellerin
hatte ihr ein ganz neues Selbstvertrauen beschert. Ihre Pionierlei-
stungen als Fliegerin garantierten ihr nach wie vor eine gewisse
Popularität, und Raoul machte sich überall durch seinen Charme
beliebt. »Damals wurde in den sogenannten feinen Kreisen jeder,
der einen Smoking besaß und mit Messer und Gabel umgehen
konnte, willkommen geheißen«, erklärte ein Freund lakonisch.
»Raoul war ein sehr unterhaltsamer Gast – jedenfalls solange er
nüchtern war ...«[2] Beryl kannte einige Leute in der Stadt von
früher her, darunter Thelma Furness und Gabriel und Rhoda
Prud'homme, die vor dem Krieg in Kenia eine große Farm geleitet
hatten. Rhoda und Beryl waren in einer Woche die dicksten
Freundinnen und lagen sich die nächste in den Haaren. Rhoda
war an der Pazifikküste berühmt für ihre opulenten Parties, bei
denen Beryl mitunter im Reitdreß erschien, sehr zum Ärger ihrer
Gastgeberin.[3]

Wie gewöhnlich hatte Beryl auch in Santa Barbara nur wenige
Freundinnen. »Die anderen Frauen nahmen ihre Männer fest an
die Kandare, sobald Beryl auftauchte«, sagt Warren Austin. »Männer dagegen waren gern mit ihr zusammen, und auch sie fühlte sich
in männlicher Gesellschaft besonders wohl. Ohne daß sie es darauf

angelegt hätte, nur durch ihre Ausstrahlungskraft, zog sie alle in ihren Bann. Beryl konnte nichts dafür, daß sie in jedem Kreis zum Mittelpunkt wurde, aber natürlich gefiel es den anderen Frauen nicht, in ihrem Schatten zu stehen.«[4]

Ein typischer Tag begann für Beryl und Raoul noch vor dem Frühstück mit einem Ritt durch die Hügel. Den Vormittag über arbeitete jeder für sich; beide hatten ihre eigene Schreibmaschine, und Beryl zog es vor, auf ihrem Zimmer zu arbeiten.[5] Mehrmals die Woche besuchte sie einen Schönheitssalon im nahegelegenen Santa Barbara mit seinen rotgedeckten Häusern im spanischen Stil. Kühle Innenhöfe mit plätschernden Springbrunnen boten angenehme Treffpunkte für einen geruhsamen Lunch mit Freunden. Die Nachmittage verbrachte das Paar am Swimming-pool der Ranch, und abends gingen sie oft in ein Restaurant oder ins Kasino. In der kühleren Jahreszeit schmökerten sie im Wohnzimmer vor dem Kaminfeuer oder luden Freunde zum Bridge ein, ein Spiel, das Beryl zwar nicht mochte, aber einigermaßen gut beherrschte. Stokowski hatte in einer Ecke des großen Vorderzimmers einen Flügel aufstellen lassen, um auch während seiner Mußestunden hin und wieder komponieren zu können. Beryl erinnerte sich, daß sie auf diesem Flügel gespielt habe, doch wie gut sie als Pianistin war, läßt sich nicht mehr feststellen.

Maddie de Mott, die damals in etwa denselben Kreisen verkehrte wie die Schumachers, lernte das Paar 1946 auf einer Cocktailparty kennen.

Es hat mir sehr imponiert, wie elegant alle waren – gut angezogen und so vergnügt. Was Beryl betrifft, so erinnere ich mich vor allem, daß sie sehr groß war und wirklich hinreißend aussah mit ihrem blonden Haar. Raoul schien mir irgendwie nicht ganz unter die Salonlöwen zu passen. Er war nicht so schick gekleidet wie die anderen – überhaupt war er ein eher schlichter Mensch, dafür aber sehr zuvorkommend. Die Schumachers verkehrten in einer Clique, mit der auch ich gut bekannt war. Sie waren unabhängig, verdienten ihr Geld selber ... Beide schrieben Kurzgeschichten, was ihnen wohl ein schönes Stück Geld einbrachte. Ich glaube, zwischendurch kümmerten sie sich auch um das Vieh auf einer Ranch in

den Hügeln hinter Santa Barbara ... und sie hatten eine besondere
Vorliebe für Picknicks. Ich erinnere mich an eines, zu dem ich ein-
geladen war ... Beryl fuhr in einem roten Cabrio, und ihr blondes
Haar flatterte im Wind. Sie hatte ein paar flotte junge Männer bei
sich – und natürlich Raoul. Manchmal setzte sie sich auch selbst
ans Steuer. Raoul war ein Bonvivant, der das Leben genoß. Er
pflegte zu sagen, die Arbeit sei der Fluch der »trinkenden Klasse«,
und man munkelte, er verbringe mehr Zeit mit der Flasche als am
Schreibtisch. Er wurde aber nie unangenehm, wenn er getrunken
hatte, und seine größten Vorzüge waren seine Offenheit und sein
geistreicher Humor.[6]

Etwa um die gleiche Zeit wie Maddie de Mott machte auch Warren
Austin die Bekanntschaft der Schumachers. Dr. Austin war einige
Jahre der persönliche Leibarzt des Herzogs von Windsor gewesen,
während der als Gouverneur auf den Bahamas residierte. In Nassau hatte der Arzt Beryl zwar nicht persönlich kennengelernt,
da er erst einige Zeit nach deren Aufenthalt dort eintraf, aber
man hatte ihm viel über sie erzählt. Als Dr. Austin, gegen Ende
seines Dienstes auf den Bahamas, mit dem Herzog und seinem
Adjutanten Major Phillips dinierte, kam man wieder auf Beryl zu
sprechen.

Sobald ich erwähnte, daß ich nach Kalifornien wolle, sagten beide:
»Dann müssen Sie aber unbedingt unsere liebe Freundin Beryl auf-
suchen und ihr Grüße von uns bestellen.« Das war der Haupt-
grund für meinen Abstecher nach Santa Barbara. Ich besuchte Be-
ryl und Raoul in ihrem Haus im Toro Canyon und wohnte eine
Weile bei ihnen. Das war zwar nicht meine Absicht gewesen, aber
sie bestanden darauf, daß ich bliebe, und wollten einfach nichts da-
von hören, daß ich mir anderswo ein Quartier suchte. Sie führten
ein recht beschauliches Leben; in der Stadt waren beide sehr be-
liebt, und wir hatten viel Spaß miteinander. Ich fand Beryl eine
ganz phantastische Frau, aber sie konnte einfach nicht begreifen,
warum ich jeden Tag weg mußte, um mir meinen Lebensunterhalt
zu verdienen.[7]

1946 kam Beryls Sohn Gervase, der mittlerweile sechzehn Jahre alt
war, aus England herüber, um sechs Monate bei seiner Mutter zu

verbringen. Mansfield hatte die Reisekosten übernommen, um dem Jungen den natürlichen Wunsch zu erfüllen, seine Mutter wiederzusehen, die er zwar kaum kannte, auf die er aber ungemein stolz war. Gervases Alter setzte Beryl anscheinend in Verlegenheit. »Sie war völlig außer sich«, erinnert sich Warren Austin. »Es war ihr peinlich zuzugeben, daß sie alt genug war, einen fast erwachsenen Sohn zu haben ...«[8]

Als Gervase in Santa Barbara ankam, erwies sich seine Garderobe als ungeeignet für das kalifornische Klima, und Dr. Austin wurde losgeschickt, um den Neuankömmling einzukleiden – Beryl wollte sich in Santa Barbara nicht mit ihm sehen lassen. »Sie benahm sich dem Jungen gegenüber gar nicht wie eine Mutter und überließ es mir, darauf zu achten, daß er ordentlich zu essen bekam ... Ich erinnere mich, daß der arme Kerl eine Erkältung nach der anderen kriegte ... Ich glaube, Beryl sah darin eine Art Charakterschwäche. Sie hielt ihn mehr oder weniger oben auf der Ranch versteckt.« Trotzdem genoß Gervase den Besuch bei seiner Mutter. Er bewunderte ihren Lebensstil, der ihm nach den trostlosen Kriegsjahren in England so abwechslungsreich erschien, und vor allem beeindruckte ihn ihre Freundschaft mit Stokowski, der während Gervases Aufenthalt mehrmals auf die Ranch kam.[9]

Gervase scheint seiner Mutter ihre spröde Zurückhaltung ihm gegenüber nie angekreidet zu haben, und wenn er in späteren Jahren mit seiner Frau Viviane über Beryl sprach, so erinnerte er sich ihrer stets mit herzlichen Worten. Vor seinen Kindern erwähnte er sie allerdings niemals.[10]

Stokowski fand Beryl, die man äußerlich oft mit der Garbo verglichen hat, überaus attraktiv. Die »Fliegende Lady» und der Maestro hatten sogar eine kurze Liebesaffäre, die jedoch bald in eine reife und abgeklärte Freundschaft mündete, wenngleich das Feuer zwischen ihnen in den kommenden Jahren noch ein paarmal aufflammen sollte.

Dr. Austin fand bald heraus, daß die Ehe der Schumachers nur dem Schein nach harmonisch verlief. »Ich war noch nicht lange auf der Ranch, als mir klar wurde, daß es sehr schlimm um Beryl und Raoul stand. Für mich war das eine heikle Situation, denn ich mochte beide sehr gern. Es war alles sehr traurig, und sie hatten eine Menge persönlicher Probleme, die sie offenbar nicht lösen konnten.«[11]

Raouls Trinkgelage waren zunächst der Hauptgrund für die Auseinandersetzungen des Paares, aber bald wurde auch Beryls Promiskuität zum Streitpunkt, als nämlich Raoul eines Tages unerwartet nach Hause kam und seine Frau in flagranti mit einem gemeinsamen Freund erwischte.[12] Beryl hatte mittlerweile herausgefunden, daß Raoul bisexuellen Neigungen frönte. Sie war anfangs durchaus bereit, diese Schwäche zu tolerieren, allerdings nur, solange auch Raoul keinen Anstoß an ihren Seitensprüngen nahm. Zu ihrem großen Freundeskreis in Santa Barbara gehörten eine ganze Reihe von Homosexuellen, und Beryl war frei von Vorurteilen gegen die damals noch von vielen als abartig Gebrandmarkten. Dr. Austin meint, daß Beryl zwar gewiß nicht erfreut gewesen sei über Raouls gelegentliche homosexuellen Abenteuer, diese aber ursprünglich keine gravierende Rolle in ihrem Konflikt gespielt hätten. Weit mehr beunruhigte sie Raouls Abhängigkeit vom Alkohol; sie klagte darüber, daß er immer dicker würde, und fürchtete wohl auch, das Trinken könne ihn am Schreiben hindern. Das Paar zermürbte sich gegenseitig mit bissigen und gehässigen Anschuldigungen.

Scott O'Dell berichtete mir von einem Vorfall, den er auch in seinem Beitrag für *Vanity Fair* vom März 1987 schildert. Seit die Schumachers nach Santa Barbara gezogen waren, hatte er sie nur ein einziges Mal getroffen, und bei dieser Begegnung war Beryl sehr grob zu ihm gewesen. Er ließ sich nicht näher darüber aus, und wahrscheinlich war ihm der Grund für Beryls Benehmen auch nicht klar, aber sie hegte inzwischen tiefes Mißtrauen gegen alle männlichen Freunde Raouls. Ein paar Monate nach diesem Zusammenstoß bekam O'Dell einen Anruf von Beryl, die ihm aufgeregt mitteilte, sie habe den Eindruck, Raoul liege im Sterben. »Sie verlangte, daß ich hinkäme und ihn abholte.« Warum sie sich in einer solchen Situation ausgerechnet an O'Dell wandte, ist einigermaßen rätselhaft, denn er hatte die Schumachers in den letzten vier oder fünf Jahren nur ein paarmal gesehen. Er wohnte zudem drei

Autostunden von der Ranch entfernt, während es in Santa Barbara eine ganze Reihe von Leuten gab – und noch gibt –, die Raoul sehr schätzten. Aber O'Dell ließ sich überreden, Beryl auf halber Strecke zu treffen. »Ich erwartete sie vor dem Beverly Wilshire Hotel. Als sie kam, sah sie mich nur wortlos an. Dann stieg sie aus dem Wagen, öffnete die Tür zum Fond, und was von Raoul noch übrig war, rollte aufs Pflaster. Beryl stieg wieder ein und fuhr weg, ohne daß sie ein Wort zu mir gesprochen hätte. Raoul ließ sie einfach neben der belebten Fahrbahn liegen. Als ich ihn zuletzt gesehen hatte, war er mir an Größe und Körperbau ungefähr gleich gewesen; er dürfte so an die achtzig Kilo gewogen haben, doch als ich ihn nun ins Krankenhaus brachte, war er bloß noch 90 Pfund schwer.«[13] In ihrem Buch gesteht Beryl ihre »pathologische« Furcht vor Krankheiten. Zwar ist das keine Entschuldigung für jenen gefühllosen Auftritt, aber vor dem Hintergrund der massiven Probleme des Paares kann es vielleicht als Erklärung dienen.

O'Dell behauptet, Raouls Krankheit, die neben dem krassen Gewichtsverlust auch andere unangenehme Begleiterscheinungen hatte, sei psychosomatischen Ursprungs gewesen, wenn man das auch nicht gleich erkannt habe. Drei Blutwäschen wurden vorgenommen, ehe sich erste Anzeichen einer Besserung einstellten. Erst als Raoul ihm gestand, wie sehr sich sein Verhältnis zu Beryl verschlechtert habe, ahnte O'Dell den wahren Grund für den Zustand seines Freundes. Nachdem sie auf die Ranch gezogen waren, so erzählte ihm Raoul, habe er zu Beryl gesagt, sie solle gefälligst endlich anfangen zu schreiben, wenn sie sich schon als Schriftstellerin ausgebe. Darauf habe Beryl einen Wutanfall bekommen und sich einen Monat lang in ihrem Zimmer eingeschlossen, um an einem Buch über Tod Sloane zu arbeiten. Doch als sie Houghton Mifflin das Manuskript vorlegte, schickte der Verlag es angeblich mit der Bemerkung zurück: »Die Geschichte klingt nicht im entferntesten wie *Westwärts mit der Nacht*, man hat fast den Eindruck, als sei sie von jemand ganz anderem geschrieben worden.«

Diese verhängnisvollen Behauptungen lassen sich mit den Dokumenten im Verlagsarchiv nicht belegen. Dort findet sich kein Hinweis darauf, daß Beryl je beauftragt worden wäre, ein Buch über Tod Sloane zu schreiben (obwohl zur fraglichen Zeit ein anderer Auftrag an Beryl und Raoul als Autorenteam erteilt wurde). Wenn man berücksichtigt, wie lange O'Dells Gespräch mit Raoul zurückliegt, so ist durchaus denkbar, daß in seiner Erinnerung mehrere Vorfälle miteinander verschmolzen sind.

O'Dell berichtete mir ferner, daß Raoul ihm auf dem Krankenbett anvertraut habe, wie Beryl »ihn mit allen Mitteln fertigmachte, bis ich ihn schließlich von der Straße auflas«. Nachts schloß sie sich ein. Auf Parties stellte sie ihn als »werdenden« Schriftsteller vor: »Raoul schreibt für Schundblätter, und zwar recht erfolgreich, wissen Sie.« Es ist schwer zu verstehen, warum Raoul an solchen Frotzeleien Anstoß nahm, die doch genau der Wahrheit entsprachen, aber er behauptete steif und fest, Beryls ständige Bevormundung und ihre gehässigen Sticheleien seien schuld an seiner Krankheit. Angesichts dieser Behauptung wirkt es befremdlich, daß er, sobald sich einigermaßen erholt hatte, auf die Ranch zurückkehrte, obwohl O'Dell ihm dringend davon abriet.[14]

Zwei weitere Kurzgeschichten erschienen unter Raouls Namen, beides Western Stories im Stil der »Peitschenhand«. Eine dritte Erzählung mit dem Titel »Die Verwandlung« wurde unter Beryls Namen gedruckt, doch stilistische Eigenheiten verraten, daß Raoul als Ghostwriter dahintersteckte. Obwohl die Schumachers für die Ranch keine Miete zu zahlen brauchten, können sie in den Jahren 1945 und 1946 durch ihre schriftstellerische Tätigkeit nur ein minimales Einkommen erzielt haben. Ganze fünf Erzählungen wurden in diesem Zeitraum veröffentlicht, und als es ihr nicht gelang, Raoul zur Arbeit anzuspornen, setzte Beryl sich hin und versuchte ernsthaft, allein eine Kurzgeschichte zu schreiben. Sie wurde abgelehnt.

»Einmal war Beryl schrecklich in Sorge, weil Raoul sich nach einem Streit weigerte, ihr beim Lektorieren ihrer Arbeit zu helfen«, erinnert sich Warren Austin. »Die Geschichte, die sie geschrieben hatte, wollte ihr Verlag so nicht drucken, aber sie überredete ihren Freund Stuart [Cloete], ihr zu helfen, und nachdem er den Text redigiert hatte, wurde die Story angenommen.«[15] Die Erzählung, bei der Cloete ihr behilflich war, erschien 1946 unter dem Titel »Der Drückeberger«; das Honorar dafür war alles, was die Schumachers in fast zwölf Monaten verdienten. Ohne Zweifel ist »Der Drückeberger« die Story, von der O'Dell sprach, denn das Sujet dieser Geschichte ist der Pferdesport; Tod Sloane kommt allerdings nicht darin vor.

[Kent] erinnerte sich an jenen längst vergangenen Tag, als ein aufgebrachter Hengst Sheila in seiner Box gefangengehalten hatte. Es war ein Hengst, den das Mädchen mit dem lohfarbenen Haar leidenschaftlich und beherzt liebte – freilich ohne ihn zu verstehen.

Sie liebte seine geschmeidige, kraftvolle Schönheit, doch ihre Liebe war nicht frei von Furcht. Gegen die kämpfte sie zwar um seinetwillen an, aber sie verstand es nicht, sein inneres Feuer zu bändigen. In jenen Tagen glaubte sie noch, daß Liebe und Bewunderung genügten, und beides gab sie rückhaltlos. Eines Morgens trat sie kühn zu dem Hengst in die Box und schloß die Tür hinter sich.

Das war eigentlich nichts Neues; sie hatte es früher schon gewagt – anfangs zaghaft, dann immer ungezwungener. Aber an diesem Morgen hatte der Hengst eben erst sein Futter bekommen, und als sie leise zu ihm trat, fuhr er verstört herum. Im Nu verwandelte sich sein Schrecken in lodernden Zorn. Er bäumte sich auf und versuchte, sie mit Zähnen und Hufen anzugreifen.

Endlos lange, angsterfüllte Minuten kauerte sie unter der Futterkrippe, den Hengst mit ihrer zierlichen Reitkappe abwehrend, und weinte – teils aus Furcht, teils über seinen Treuebruch.[16]

Die Erzählung »Der Drückeberger« verdient in mehrfacher Hinsicht unser Interesse. Es ist die letzte von Beryl selbst geschriebene Geschichte, die auch veröffentlicht wurde, mithin ein Zeugnis dafür, daß sie durchaus imstande war, eine Fabel zu erfinden und auszugestalten, wenn auch vielleicht nicht in vollendeter Form. Cloetes Lektorat macht sich vor allem stilistisch bemerkbar; Tenor und Sprache dieser Story sind weniger salopp als bei Raoul, dafür aber sachlicher als in Beryls Autobiographie. Es ist anzunehmen, daß »Der Drückeberger« eher aus finanzieller Not denn aus

Freude am Schreiben entstand. Der hilfsbereite Cloete empfahl
die Story persönlich dem Herausgeber des *Cosmopolitan*, eines
Magazins, für das er regelmäßig schrieb. Und wirklich erschien
Beryls Erzählung in derselben Ausgabe wie Cloetes »Der Sohn des
Condors«.[17]

Lange Zeit ungeklärt blieb das Schicksal eines »Afrikaromans«, für
den Houghton Mifflin den Schumachers im Januar 1944 $ 2500,–
Vorschuß zahlte, ohne freilich je eine Zeile zu Gesicht zu bekommen. Erst die Journalisten Barry Schlachter und James Fox, die Beryl 1984 in Nairobi besuchten, kamen dem Rätsel auf die Spur. Beryl zeigte ihnen ein unvollständiges Manuskript, das in Somalia
spielt und in dem Schlachter einen Teil jenes verschollenen Ro-
mans vermutet.[18]

Falls Barry Schlachters Theorie zutrifft, so wurde einiges an Arbeit
für diesen Roman geleistet, der freilich nie vollendet worden ist.
Ungeachtet ihrer finanziellen Probleme trieb Beryl 1947 das Geld
für eine Reise nach Kenia auf, wo sie Material für ihr Buch sammeln wollte. In Mombasa erzählte sie einem Reporter, sie habe das
Fliegen aufgegeben und widme sich nun ganz der Schriftstellerei.
*In Amerika hat sich die Autorin mit ihren Kurzgeschichten einiges
Ansehen erworben; nun will sie ihren ersten Roman in Angriff
nehmen. Ihr Aufenthalt in Kenia ist begrenzt, da sie bis Mitte
März in die Staaten zurückkehren muß, um ihr Visum nicht verfallen zu lassen. »Natürlich bin ich in erster Linie hergekommen, um
meine Mutter und meinen Bruder wiederzusehen, gleichzeitig aber
möchte ich gern das nötige ›Lokalkolorit‹ für meinen Roman einfangen. Ich bin so lange fortgewesen, daß es mir wichtig erscheint,
die Atmosphäre Afrikas wieder einmal aus erster Hand zu er-
gründen.« Ihre Mutter, die in Limuru wohnt, ist Mrs. [Clara]
Kirkpatrick, und ihr Bruder ist der in Nairobi stationierte Sir
James Alexander Kirkpatrick, Baronet und Fliegermajor in der
RAFVR.*[19]

Entgegenkommend ergänzte der Reporter, daß Beryl in Kenia aufgewachsen und in der Hauptsache von Gouvernanten erzogen worden sei, aber auch drei Jahre eine Schule in Nairobi besucht habe.
Auf die Frage, ob sie mit dem Gedanken spiele, für immer nach

Kenia zurückzukehren, antwortete Beryl, mittlerweile betrachte
sie Amerika als ihre Heimat, denn sie habe dort viele Freunde gefunden und könne sich ein Leben außerhalb der USA auf Dauer
gar nicht mehr vorstellen. Beryl blieb schließlich drei Monate
in Afrika, sah jedoch ihre Mutter und ihren Stiefbruder Alex
nur selten, da sie die meiste Zeit in Somalia verbrachte. Kenia erschien ihr betörend schön, aber auch voller Gespenster, denn viele
ihrer engsten Freunde waren inzwischen verstorben (erst kürzlich
hatte sie erfahren, daß Bror Blixen 1946 in Schweden bei einem
Autounfall ums Leben gekommen war) oder hatten das Land verlassen.

Leider kam das Romanmanuskript, das die Journalisten Fox und
Schlachter eingesehen hatten, später abhanden und konnte auch
nach Beryls Tod nicht mehr aufgefunden werden. Unter ihren persönlichen Papieren, die ich im Frühjahr 1986 einsehen durfte, fand
sich kein Hinweis darauf. Beryls Reise nach Ostafrika hatte zwei
Gründe; zum einen wollte sie vor Ort Recherchen betreiben, und
zum anderen erhofften sie und Raoul sich von der Trennung eine
»Verschnaufpause«, nach der sie vielleicht wieder zueinander finden würden. Raoul hatte versprochen, während Beryls Abwesenheit an neuen Short Stories zu arbeiten, doch als sie nach Kalifornien zurückkehrte, hatte sich die Lage dort nicht gebessert.
Raoul war nach wie vor dem Alkohol verfallen, und von der versprochenen Arbeit konnte er nichts vorweisen. Besonders ärgerlich reagierte er, als Beryl, die versuchte, ihm beim Abnehmen zu
helfen, ein Trainingsprogramm für ihn zusammenstellte. »Sie verlangt sogar, daß ich Seil hüpfe«, beklagte er sich empört bei einer
Freundin.[20]

Schließlich verließ Raoul das gemeinsame Haus, und damit war die
Trennung des Paares unwiderruflich besiegelt. Beryl erzählte
Doreen Bathurst Norman, daß Raoul sie völlig aus seinem Leben
verbannt und all ihre späteren Briefe an ihn ignoriert habe. Eine
Weile blieb sie noch allein im Toro Canyon wohnen, dann zog
auch sie weg. Warren Austin hatte die Ranch schon vorher verlassen und widmete sich ganz dem Aufbau seiner Praxis, aber gelegentlich traf er Beryl noch bei gesellschaftlichen Anlässen.

Gegen Ende war sie sehr froh über jede Einladung, denn sie hatte
wirklich nicht genug Geld, um ihren Lebensunterhalt zu bestrei-
ten, und war dankbar, wenn Freunde sie durchfütterten. Aber sie
war immer noch dieselbe herrische Beryl. Ich erinnere mich an
einen Abend, an dem ich sie zu einer Dinnerparty begleitete. Die
Gastgeber waren sehr nett – vielleicht ein bißchen neureich, aber
trotzdem sehr nett. Mitten auf dem Tisch thronte ein riesiges Blu-
menarrangement, in dessen Mitte eine Art Springbrunnen verbor-
gen war. Ein bißchen protzig, aber ganz hübsch anzuschauen.
Nach dem Essen fühlte einer der Gäste sich bemüßigt, diesen
Tafelaufsatz zu rühmen, und unser Gastgeber, der offenbar schon
auf ein solches Stichwort gewartet hatte, verkündete stolz, er habe
den Tisch selbst konstruiert und in der Mitte den Mechanismus ei-
nes Friseursessels eingebaut.
Er drückte auf einen Knopf, der Tafelaufsatz hob sich, der Spring-
brunnen fing an zu plätschern, und die Blumen drehten sich auf
dem kreisenden Sockel. Nach einem Blick auf dieses Schauspiel
sagte Beryl: »O mein Gott, das ist ja nicht zum Aushalten! Ich
gehe ...«, stand auf und verschwand.

Dr. Austin blieb nichts anderes übrig, als eine Entschuldigung zu
murmeln und ihr zu folgen.

Wie in früheren Streßsituationen reagierte Beryl auch jetzt, da ihre
Ehe zerbrach und sie einer unsicheren Zukunft entgegensah, mit
Depressionen, war verwirrt und schien ihre Lage nicht meistern zu
können. Sie hatte allerdings nicht nur emotionale Probleme. Dr.
Austin erinnert sich, daß Beryl bei ihrer letzten Begegnung in Santa Barbara in Sorge war, ob angesichts der drohenden Scheidung
ihre Aufenthaltsgenehmigung für die Vereinigten Staaten im kommenden Jahr verlängert werden würde. Zusätzlich plagten sie wieder einmal erdrückende Geldsorgen, sie war seelisch so aus dem
Gleichgewicht, daß sie nicht schreiben konnte, und hatte daher
außer ihrer Leibrente keinerlei Einkommen. Weder Beryl noch
Raoul veröffentlichten nach der Trennung noch etwas, doch für
Beryl war der drastische Einschnitt, der ihre Karriere als Schriftstellerin beendete, geradezu typisch. Als sie sich 1931 entschlossen
hatte, fliegen zu lernen, gab sie ihre erfolgreiche Trainerlaufbahn

ohne Zögern auf. Sobald das Schreiben ihr Interesse am Fliegen
verdrängte, hängte sie ihren Pilotenberuf so gleichmütig an den
Nagel, als habe er ihr nie wirklich etwas bedeutet. Und ab 1947
gehörte auch das Schreiben der Vergangenheit an. »Blick nie zurück!« schärfte Beryl mir ein. Das war die Devise, nach der sie ihr
Leben ausrichtete.

Nachdem sie von Santa Barbara weggezogen war, wohnte sie eine
Weile bei ihrem alten Freund Sir Charles Mendl, der damals in Beverly Hills lebte. Die beiden hatten sich 1928 kennengelernt, als
Mansfield seine junge Frau während der Flitterwochen nach Paris
führte. Sir Charles war damals Presseattaché der Botschaft,
ein Freund und Kollege Mansfields. Nach seiner Pensionierung
ließ er sich 1939 in Kalifornien nieder, und als Beryl gegen Ende
ihrer Ehe mit Raoul in finanzielle Bedrängnis geriet, nahm er sich
ihrer hilfreich an. Auch Sir Charles hatte zu dieser Zeit mit privaten Problemen zu kämpfen. Seine erste Frau (eine amerikanische
Schriftstellerin) legte ihren Titel ab, nahm wieder die amerikanische Staatsbürgerschaft an, und das Paar lebte bereits getrennt, als
Beryl in Mendls Haus am Benedic Canyon einzog. Sie scheint ihn
als eine Art Vaterfigur betrachtet zu haben; sein signiertes Foto bewahrte sie bis zu ihrem Tode auf.

Während der Zeit, die sie noch in den Staaten verbrachte, hatte
Beryl eine heimliche Romanze mit einem bekannten Folksänger.
Die beiden versteckten sich in einem Holzhaus in einem kleinen
Dorf an der Südküste Kaliforniens, wo Beryl ihre Tage mit Faulen-
zen verbrachte, während ihr Geliebter eine Reihe von Schlagern
komponierte, die weltberühmt werden sollten. Es war eine lau-
schig-träge, entspannte Episode, eben ein typisches »Zwischen-
spiel«.[21] Den Kontakt zu ihren zahlreichen Freunden hielt Beryl
auch weiterhin aufrecht, und unter ihren Papieren fand ich mehrere Briefe aus dieser Zeit, darunter ein freundliches und auf-
munterndes Schreiben von Frank Sinatra und eines von Joseph
Kennedy, der Beryl in finanziellen Fragen beriet.

Nachdem Beryl die Ranch im Toro Canyon verlassen hatte, kehrte
Raoul dorthin zurück. Ein Freund, der ihm beim Einzug half,
erinnert sich, daß Beryl, soviel Wert sie auch auf die Pflege ihrer

Person legte, »gehaust hatte wie ein Tier. Der Fußboden ihres Schlafzimmers war dick mit Staub bedeckt, und vom Bett führten Fußspuren zum Bad und zu ihrer Frisierkommode. Hausarbeit war schon lange keine mehr gemacht worden, und wir hatten alle Hände voll zu tun, um erst einmal aufzuräumen. Ihre Schreibmaschine war ganz verstaubt und offenbar seit Monaten nicht mehr benutzt worden.«[22]

Raoul gab sich weiterhin als Schriftsteller aus. Eine Weile bemühte er sich auch wirklich, wieder Tritt zu fassen. Der Schauspieler Joseph Cotton und seine Frau Lenore waren seit einigen Jahren sowohl mit Beryl als auch mit Raoul befreundet, und um Raoul zu helfen, verschaffte Cotton ihm nun einen Vertrag über zwölf Kurzhörspiele, die Raoul schreiben sollte. Doch nur zwei davon wurden je fertig. Raoul war bald wieder Stammgast bei allen großen Trinkgelagen in Santa Barbara, und obwohl er sich täglich an die Schreibmaschine setzte, wurde nie mehr etwas von ihm veröffentlicht.[23] Er war ein sympathischer Mensch, stets hilfsbereit und folglich in der Stadt sehr beliebt. Darum war man auch allseits erleichtert, als Raoul 1952 ein neues Leben anzufangen schien. Eine Freundin half ihm, von der Flasche wegzukommen, und gemeinsam gründeten die beiden eine Gesellschaft zur Herstellung von Lebensmittelautomaten, die auch eine Weile prosperierte, aber um die Firma längerfristig in Gang zu halten, mangelte es Raoul an Fleiß und Ausdauer.[24]

1960 wurden Raoul und Beryl geschieden, und im Juli dieses Jahres heiratete er Gertrude Chase Greene. Das Paar ließ sich auf Gertrudes Familienranch bei Santa Barbara nieder. Dort sah auch Scott O'Dell den Freund zum letztenmal. »Ich war da, um mein neuestes Buch zu signieren, und Raoul kam zufällig in den Laden. Er war frisch verheiratet und sah recht gut aus, aber er hatte auch wieder ganz schön zugenommen. Er erzählte mir, er hätte für eine Weile eine Bar in Mexiko betrieben, aber weiter kriegte ich nichts aus ihm raus. Er war einer von denen, die lieber zuhören als von sich reden.«[25] Raouls Stiefsohn, John B. Greene Jr., der mit den Neuvermählten zusammenwohnte, weiß nur Gutes über ihn zu berichten. »Er war immer freundlich zu allen und lachte gern. Zu

Hause saß er stundenlang in seinem Zimmer und hämmerte auf die Schreibmaschine ein ...«[26] Johns Schwester dagegen sagt: »Ich mochte ihn nicht. Soviel ich weiß, hat er keine Zeile mehr veröffentlicht, als er erst einmal mit meiner Mutter verheiratet war – er hatte es ja auch nicht mehr nötig.«[27] Gertrude war sehr wohlhabend und scheint rührend um Raoul besorgt gewesen zu sein.

Vom Butler der Familie erfuhr ich: »Schumacher hatte genau die Art, die bei den Leuten ankommt. Er konnte hingehen, wo immer er wollte, alle mochten ihn gern. Geld hatte er nie, und ich glaube auch nicht, daß er irgendwo ein eigenes Zuhause besaß, aber die Leute nahmen ihn gern bei sich auf. In Santa Barbara war er bei jedermann beliebt. Er war arm wie eine Kirchenmaus, bis er Gertrude Chase heiratete, doch er war genau der Richtige für sie, und die beiden waren sehr glücklich zusammen.«[28]

Raoul war schon bei der Hochzeit kränklich und litt an starkem Übergewicht. Zwei Jahre später erlag er, fünfundfünfzigjährig, den Folgen eines Herzinfarkts.[29] All seine Aufzeichnungen wurden vernichtet, als einige Jahre später auch seine Witwe starb und deren Kinder den Haushalt auflösten.

Schon lange vor Raouls Hochzeit mit Gertrude hatte Beryl wieder den Namen Markham angenommen. Die Familie Markham protestierte zwar vehement dagegen, doch Beryl hielt dagegen, alles, was sie berühmt gemacht habe – ihr Transatlantikflug und ihr Buch – sei unter diesem Namen entstanden, und außerdem hieße schließlich auch ihr Sohn Markham. Sie selbst sah in ihrem Entschluß einen logischen und moralisch einwandfreien Schritt.

Im Frühjahr 1949 beendete Gervase seinen zweijährigen Wehrdienst, und Beryl fuhr nach England, um dabeizusein, als ihr Sohn in feierlicher Parade aus dem Life Guard Regiment verabschiedet wurde. Die Vereinigten Staaten sollte sie nie wiedersehen, auch wenn sie für den Rest ihres Lebens immer wieder von einer Rückkehr nach Amerika sprach.

Kapitel 14
(1949–1960)[1]

Beryl begründete ihre Reise nach England damit, daß sie ihrem Sohn bei seinem entscheidenden Schritt hinaus ins Leben zur Seite stehen wolle. In Wahrheit aber steckte mehr dahinter. In Kalifornien sah sie für sich keine Zukunft mehr. Sie war siebenundvierzig Jahre alt, und zum erstenmal ließ ihre bisher so unverwüstliche Natur sie im Stich. Das Schreiben wollte ihr nicht mehr von der Hand gehen, die Fliegerei hatte sie längst aufgegeben. Sie sehnte sich zurück nach Afrika, ihrer geistigen Heimat. Wie üblich fehlte es ihr an Geld, aber ein alter Freund, Tom Lord Delamere, nahm sich ihrer an und bezahlte ihr die Passage nach Südafrika.[2]

Nach mehrmonatigem Aufenthalt in London reiste Beryl nach Kapstadt, wo sie als erstes Stuart und Tiny Cloete aufsuchte. Die beiden waren erst kürzlich aus den Staaten zurückgekehrt und machten große Augen, als Beryl eines Tages »einfach vor der Tür stand. Sie schien nicht recht zu wissen, was sie mit sich anfangen solle, und blieb an die zwei Monate bei uns«, erinnert sich Tiny. Die Cloetes nahmen Beryl zunächst mit offenen Armen auf. Denn sie fühlten sich ihr »innig verbunden«, weil sie, gleich bei der ersten Begegnung in Kalifornien, auf Beryls Schwindel, »ihre Mutter sei gestorben, als sie noch klein war, und Lady Northey, eine Cousine von Stuart, habe sie aufgezogen«[3] hereingefallen waren.

Beryl hatte keinen Pfennig Geld, war also ganz auf das Wohlwollen der Cloetes angewiesen und verließ sich im übrigen – wie immer, wenn sie in eine ausweglose Lage geriet – auf ihr Improvisationstalent, ohne sich um ihre ungesicherte Stellung zu kümmern. Einer Freundin erzählte sie, Cloete »schreibe nach den Mond-

phasen, so wie manche Leute sich bei der Gartenarbeit nach dem
Mond richten«, und verbringe oft ganze Nächte am Schreibtisch.
Manchmal, so behauptete Beryl, tippe sie auch nachts für ihn.[4]
Aber sie verschwieg wohlweislich, daß sie, um rasch zu Geld zu
kommen, ein paar von Cloetes Kurzgeschichten unter eigenem
Namen an ihren gemeinsamen Agenten geschickt hatte. Als Stuart
kurz darauf Kopien derselben Erzählung vorlegte, »kam es zu
einem peinlichen Eklat«. Daraufhin verließ Beryl die Cloetes
und sah sie nie wieder, doch nach ihrer Abreise stellte Tiny fest,
daß eine ganze Reihe von Stuarts seidenen Hemden und Schals
verschwunden waren und daß Beryl überdies Kosmetika, teure
französische Parfums und Kleider ihren Kreditkonten hatte in
Rechnung stellen lassen. »Sie hatte viel Charme, aber keinerlei Wärme, und ihr fehlte jegliche Moral«, urteilte ihre Gastgeberin.[5]
Beryl hatte schon früher oft die Gutmütigkeit ihrer Freunde ausgenutzt und sich unter deren Namen Kredit erschlichen. Viele
Freunde verlor sie durch ihren völligen Mangel an Integrität in
finanziellen Dingen; Darlehen zahlte sie nur selten zurück. Doch
bei aller Unverfrorenheit konnte selbst sie nicht hoffen, mit ihrem
dreisten Plagiatsversuch durchzukommen, warum also hatte sie
diesen Betrug überhaupt erst inszeniert? Als einzige Erklärung
kommt ihre angegriffene Gesundheit in Betracht, unter der auch
ihr Urteilsvermögen ernstlich litt – ebenso wie seit geraumer Zeit
schon ihre schriftstellerische Arbeit. Ich glaube im übrigen, daß ihr
das Schreiben nie »leicht« gefallen ist; zwar konnte sie persönliche
Erlebnisse zu Papier bringen (so wie viele Leute imstande sind,
ihre Autobiographie zu verfassen, ohne sich je an andere Werke
heranzuwagen), aber es gelang ihr nicht, auf Bestellung zu schreiben. Sie hatte nicht die Einbildungskraft, um eine lebendige Handlung zu erfinden; Rose Cartwright – eine Freundin aus der Jugendzeit in Kenia – sprach diesen Mangel offen aus: »Sie war völlig
phantasielos, als Kind hatte sie einfach keine Vorstellungsgabe entwickelt, und ich glaube, daß sie gerade darum oft mutig bis zur
Verwegenheit sein konnte.«
Nach ihrem Weggang von den Cloetes verbrachte Beryl einige Zeit

in Durban bei ihrem Vater, der sich inzwischen auch in Südafrika
als Trainer einen Namen gemacht hatte – ein Triumph, auf den er
stolz sein durfte, denn der Pferdesport Südafrikas war mit dem
in Kenia nicht zu vergleichen. Die Rennställe in Kapstadt hatten
internationales Format, und um die hohen Preisgelder tobte ein er-
bitterter Wettkampf. Es war eine Sache, sich im Vorkriegskenia
unter Trainern zu behaupten, die meist nur Amateure waren, aber
es gehörte weit mehr dazu, die gleichen Erfolge auf den Turfs der
Kapprovinz zu erringen.

Beryls größter Wunsch war es freilich, nach Kenia zurückzukehren. Sie war an einem Scheideweg ihres Lebens angelangt und
wußte nicht, wo ihre Zukunft lag. Bei ihrem Vater konnte sie nicht
bleiben, denn das hätte bedeutet, ihn mit Ada teilen zu müssen, ihrer Stiefmutter, mit der sie sich nach wie vor nicht vertrug. Beryl
war übellaunig, ja ausfallend Ada gegenüber und brachte Unfrie-
den in den Haushalt der Clutterbucks. Schließlich verärgerten ihre
boshaften Sticheleien Clutterbuck so sehr, daß er seine Tochter aus
dem Haus wies. Wieder hat es den Anschein, als sei ihr erschrek-
kendes Benehmen zum Teil auf ihren Gesundheitszustand zurückzuführen. Ihr Vater gab Beryl das Geld für einen Gebrauchtwagen,
einen Sunbeam-Talbot-Tourenwagen, in dem sie sich ganz allein
über Rhodesien auf den Weg nach Kenia machte. Als sie im April
1952 in Nairobi eintraf, war sie völlig mittellos und auf die Großmut ihrer alten Freunde angewiesen. Aber auf ihre gewohnte Weise schaffte sie es auch diesmal, sich mit Krediten über Wasser zu
halten; oft sah man sie in eleganten Nachtlokalen wie dem New
Stanley Grill, stets faszinierend anzuschauen und in kostspieliger
Toilette.

Unterkunft fand sie zunächst bei Freunden in Nairobi und später
auf einer Farm im Hochland, doch dies waren Behelfslösungen,
hinter denen langfristig immer das Problem stand, eine dauerhafte
Bleibe zu finden. Die Zeiten waren für solch ein unstetes Wander-
leben nicht günstig. In Kenia bahnte sich eine dramatische Wende
an, die ihren Ursprung im wachsenden Nationalgefühl der Afrikaner und in deren Wunsch nach Selbstbestimmung hatte. Extreme
Ausmaße erreichte diese Entwicklung in den Terroraktionen der

Mau-Mau, jenes Geheimbundes der Kikuju, der es sich zum Ziel gesetzt hatte, die weißen Farmer zu vertreiben, um eine Neuaufteilung des Bodens unter seine landlosen Stammesbrüder sowie die nationale Unabhängigkeit zu erzwingen.[6] Bei den Einweihungszeremonien des Bundes mußten die Neulinge (oft gegen ihren Willen) schwören, die Europäer und deren Anhänger zu töten. Die grauenhaften Rituale, bei denen in der Folgezeit nicht nur Männer, sondern auch Frauen und Kinder ermordet wurden, versetzten die weiße Bevölkerung in Angst und Schrecken. Um des Aufruhrs Herr zu werden, verhängte Großbritannien den Ausnahmezustand über die Kolonie und verurteilte den Anführer der nationalistischen Bewegung, Jomo Kenyatta, zu lebenslanger Freiheitsstrafe. Es dauerte fünf Jahre, bis die britischen Truppen die Situation unter Kontrolle hatten, und weitere fünf Jahre, ehe die Afrikaner Kenias, unter Kenyatta als ihrem ersten Präsidenten, in die Unabhängigkeit entlassen wurden. Solange aber lebten die Farmer im Hochland in ständiger Furcht, und Diener, die man früher als Freunde betrachtet hatte, wurden nun mißtrauisch beobachtet. Kenia war nicht mehr das Land, welches Beryl in Erinnerung hatte.

Für sie kam die große Wende an einem Abend in Nairobi, als sie Charles und Doreen Bathurst Norman kennenlernte: »... bei irgendeiner offiziellen Veranstaltung. Sie war sehr gut angezogen und sah phantastisch aus – ich hatte natürlich schon von ihr gehört, denn sie hatte großen Anteil an der Legende des alten Kenia«, erinnert sich Doreen. Als Beryl dem Paar erzählte, welch große Sorgen sie sich mache, da sie keine eigene Wohnung habe und auch kein Geld, zögerten die beiden nicht lange. »Unser Gäste-Cottage steht zur Zeit leer, das können Sie gerne haben!« versicherten sie ihr. Anfangs bedauerte Doreen diese übereilte Einladung ein wenig und fragte sich, wie es wohl sein werde, diese »blonde Sexbombe« dauernd um sich zu haben, doch am nächsten Tag erschien Beryl auf der Farm in Naro Moru in einem alten Mackintosh und Wellington-Stiefeln. Im Nu schlossen die beiden Frauen Freundschaft. Die Bathurst Normans waren eine ungewöhnlich eng verbundene Familie, und eine der beglückendsten Erfahrungen in dieser Zeit wurde für Beryl der Umgang mit den Bathurst-Norman-Kindern, George und Victoria, die damals zehn und zwölf Jahre alt waren. Die unternehmungslustigen und selbstbewußten Geschwister schlossen sich rasch an Beryl an, die nicht wenig überrascht war, als sie merkte, wie sehr die Kinder sie mochten und an ihrer Gesellschaft Gefallen fanden. Nicht minder erstaunt stellte sie, die nie viel mit Kindern zu tun gehabt hatte, fest, daß sie die Zuneigung der beiden erwiderte. »Früh am Morgen steckte Victoria vorsichtig den Kopf zur Tür des Gästehauses herein, und wenn sie willkommengeheißen wurde, kuschelte sie sich neben Beryl ins Bett.«

In den kommenden Jahren verbrachten die Kinder manchen Abend bei Beryl, hörten sich ihre Burl-Ives-Platten an, deren Lieder sie bald mitsingen konnten, und ließen sich von ihr Poker und Backgammon beibringen, Spiele, die Beryl als Kind von ihrem Vater gelernt hatte; anders als einst in Njoro dienten auf Forest Farm nur Streichhölzer als Einsatz.[7] Fasziniert lauschten die Geschwister Beryls Geschichten über eigenwillige Pferde, berühmte Pioniere und ferne Länder, zeigten sich beeindruckt von ihren Reitkünsten und wunderten sich erst Jahre später darüber, daß Beryl nie über ihre großen Leistungen gesprochen hatte. Auch andere Interviewpartner, die Beryl gut kannten, bestätigten mir, daß Beryl, die ihrem Wesen nach sehr bescheiden war, sich niemals ihrer Erfolge und Abenteuer gerühmt habe. Möglicherweise kannten jedoch gerade diese beiden Kinder die »wahre« Beryl besser als irgend jemand sonst, denn in ihrer Gegenwart war sie locker und entspannt und gab sich ganz natürlich.

Forest Farm, der Besitz der Bathurst Normans in Naro Moru, lag im Grasland, das von Waldgürteln durchzogen war, an den Ausläufern des Mount Kenya, überragt vom ewig glitzernden Diamond-Gletscher. Parkähnlicher Wiesengrund grenzte an undurchdringliche Zedernwälder, von deren Baumkronen Flechten und Lianen wie Girlanden herabhingen. Lichtgrüne Steineiben, süßduftende, immergrüne Zaubernußsträucher und Zederngehölze belebten die Steppe; an ihren Ausläufern bezauberte der üppig wuchernde Limuria-Strauch, übersät mit wunderschönen, jasmingleichen Blüten, deren Duft sie nicht nachstanden. Die wilde

Beerenfrucht mundete köstlich, sobald sie voll ausgereift war. Im Gras blühte eine Vielzahl von Blumen, darunter die wilde Gladiole und die liebliche *Acidanthera candida,* die von den Siedlern ihres Duftes wegen den Freesien zugeordnet wurde. Die Luft roch frisch und würzig wie Thymian – »ganz wie in den Hügeln von Sussex«, pflegte Charles Bathurst Norman zu sagen.

Durch den Wald sprudelte ein munterer Bergbach, der aus dem Gletscher entsprang und sich seinen Weg durchs Hochmoor bahnte, ehe er die Baumgrenze erreichte. Gefiltert durch harten, schwarzen Basaltstein, den das letzte Erdbeben aufgeworfen hatte, bot er einen unerschöpflichen Quell herrlich klaren, unverseuchten Trinkwassers. Dieser Bach speiste als Seitenarm den Naro Moru River (Naro Moru bedeutet auf Massai »schwarzer Stein«), den man mit Forellen besetzt hatte; dort, wo das Sonnenlicht aufs Wasser fiel, konnte man mit bloßem Auge verfolgen, wie die schmackhaften Räuber unter überhängenden Blumen und Farnen hin und her schnellten.

Die Bathurst Normans hatten ein Teilstück dieses Paradieses erworben, um ihre Kinder von der Küste fortzubringen, wo Charles als Distriktkommissar in Mombasa akkreditiert war und wo ihr Sohn George »alle Anstalten gemacht hatte, sich von der Malaria dahinraffen zu lassen«. Ihr neuer Wohnsitz sollte mindestens 7000 Fuß hoch liegen, in einer Region, wo es garantiert keine Malariamücken mehr gab.

»Damals war Krieg, und keiner von uns wagte vorauszusagen, wer ihn gewinnen würde. Charles konnte seinen Posten unmöglich verlassen, doch mir eilte es mit dem Umzug«, berichtet Doreen. Eine Freundin schlug vor, sie solle sich doch einmal an den Westhängen des Mount Kenya umsehen, und empfahl ihr auch gleich einen Makler, der sie hinbrachte. Doreen verliebte sich auf den ersten Blick in diese Zauberlandschaft, und ihrem – ansonsten eher vorsichtig-zurückhaltenden – Gatten erging es bald darauf ebenso. Die beiden kauften ein gänzlich unerschlossenes Stück Land, das der Vorbesitzer nur selten als Weidegrund für eine trockene Herde benutzt hatte. Der Würfel war gefallen, und damit änderte sich das Leben einiger Menschen – darunter auch Beryls.

Noch stand auf dem Gelände keinerlei Behausung, und die Zu-
fahrtsstraße war nichts weiter als ein holpriger Feldweg, bisweilen
genutzt vom Forstwart, der weiter oben ein Camp aufgeschlagen
hatte. Leider fand sich auch niemand, der bereit gewesen wäre,
den Bathurst Normans ihr Haus zu bauen, und eines Tages sagte
Charles zu Doreen: »Ich glaube, du wirst rauffahren und die Sache
selbst in Angriff nehmen müssen.« Worauf sie wie selbstverständlich entgegnete: »Wird gemacht.«

Mit Hilfe eines afrikanischen Arbeitstrupps – lauter sorgfältig aus-
gewählte Vertrauensleute ihres Mannes – errichtete Doreen das
Haus in nur fünf Monaten. Nun konnte sie die Kinder nachkommen lassen, und George war fortan frei von Malariaanfällen.

Man hatte den Bathurst Normans eingeredet, daß Jersey-Kühe auf
ihrer Farm prächtig gedeihen würden (ein Urteil, das sich später als
folgenschwerer Irrtum herausstellen sollte), und so verlegten sie
sich in der Hauptsache auf die Milchviehwirtschaft. Nebenher
wurde Futtergetreide angebaut, Mais für die Arbeiter sowie Ge-
müse und Obst für den Eigenbedarf der Familie. Die Milch schickte Doreen in die Molkerei, wo sie zu Butter verarbeitet wurde. Sie
selbst stellte aus Buttermilch Sodabrot her. So stand es auf der
Farm, als Beryl dort eintraf.

Zu Beginn ihres Aufenthaltes in Naro Moru war Beryl oft unpäß-
lich, ein für sie ganz ungewohnter Zustand. Anfangs weigerte sie
sich, einen Arzt zu konsultieren, da Krankenhäuser ihr von jeher
ein Greuel waren. Bisweilen machte ihr Zustand sie aggressiv und
streitsüchtig, und besonders Doreen spürte, daß Beryl sich »völlig
unsicher« fühlte. Charles, der von Haus aus Jurist war, hatte eine
florierende Kanzlei im Hochland mit Büros in Nanyuki. Als ihre
Gastgeber herausfanden, daß Beryl ausnehmend gut Schreibmaschine schrieb, kam ihnen der Gedanke, hier böte sich eine Lösung
für einige von Beryls Problemen. Charles machte sie zu seiner Sekretärin, und Beryl konnte sich so ein stattliches Taschengeld verdienen. »Sie tippte schnell und fehlerlos, und ihre Orthographie
war einwandfrei«, berichtet Doreen und fügt hinzu, sie habe die
Gerüchte um Beryls Analphabetentum stets als blanken Unsinn
abgetan und sei gemeinsam mit Beryl der Devise gefolgt: »Gegen

törichte Anschuldigungen soll man sich weder rechtfertigen noch Erklärungen dazu abgeben.« Die Arbeit half Beryl wirklich, sich geistig rege zu erhalten, aber ihr Gesundheitszustand verschlechterte sich zusehends.

Als das Leiden (fibröse Tumoren in der Gebärmutter) sich verschlimmerte, wurde Beryl zunehmend launisch und gereizt, vermutlich bedingt durch eine Störung im hormonalen Gleichgewicht, die durch das nahende Klimakterium noch verstärkt wurde. Manchmal schien sie völlig die Beherrschung zu verlieren, dann schlug sie mit den Türen und brach absichtlich etwas entzwei, erinnert sich Doreen. »Es kam vor, daß sie, wenn wir nach dem Abendessen zusammen saßen und uns unterhielten, plötzlich die Stimme um einen Ton hob und sich dann stundenlang über völlig harmlose Dinge ereiferte und uns angiftete.« Einmal, als die Bathurst Normans schon zu Bett gegangen waren, hörten sie draußen Lärm; Charles ging nachsehen und fand Beryl vor den Scherben des Wohnzimmerfensters stehen. Sie hatte die Scheibe eingeschlagen und das Fenster aus den Angeln gehoben, um zu ihren Gastgebern hineinzukommen; trotz ihrer Krankheit verfügte sie für eine Frau immer noch über erstaunliche Körperkräfte. Ein andermal, nach einem Streit über etwas ganz Belangloses, verpaßte sie Charles eine Ohrfeige. Er aber schlug prompt zurück und erklärte ihr, falls sie sich fortan nicht zusammenreiße, müsse sie die Farm verlassen. Beryl drohte mit Selbstmord, und einmal verschwand sie, ohne den Bathurst Normans Bescheid zu geben, wo sie hin wolle. Schließlich tauchte sie im Hause einer Nachbarfamilie auf und überschüttete ihre verdutzten Gastgeber mit einer mehrstündigen Schimpfkanonade. Dies alles war sehr schmerzlich und beunruhigend für Charles und Doreen, die Beryl mehr oder weniger adoptiert hatten und sich große Sorgen um sie machten.

Endlich gelang es Doreen, Beryl klarzumachen, daß sie dringend ärztlicher Hilfe bedürfe. Eine erste Untersuchung ergab den Verdacht auf Gebärmutterkrebs, und Beryl wurde sofort ins Krankenhaus eingeliefert. Bei der Operation stellte sich jedoch heraus, daß der Tumor zum Glück gutartig war. Trotzdem erschien den Ärzten Beryls Zustand so bedenklich (woran wahrscheinlich auch einige in jungen Jahren vorgenommene und unsachgemäß ausgeführte Abtreibungen schuld waren), daß sie sich zur Hysterektomie entschlossen, ein Eingriff, der Anfang der fünfziger Jahre noch als schwerwiegend galt. »Beryl klagte uns, wie sehr sie Krankenhäuser hasse, und weigerte sich, dort zu bleiben, bis sie wieder gesund war. Also nahmen wir sie gleich am nächsten Tag mit heim und brachten sie im Cottage zu Bett«, erinnert sich Doreen. »Nach Ansicht der Ärzte war sie natürlich noch längst nicht transportfähig, und sie sah auch wirklich furchtbar elend aus. Am nächsten Morgen hörte ich einen schrecklichen Radau im Hof, und als ich aus dem Fenster schaute, sah ich meinen Hund mit einem fremden Köter kämpfen. Ehe ich noch eingreifen konnte, stürzte sich auch schon Beryls Boxer Caesar in die Rauferei. Ich wollte eben hinaus, um dem Gebalge ein Ende zu machen, als die Tür von Beryls Cottage aufsprang und sie im Schlafanzug auf den Hof stürzte. Sie marschierte auf die Hunde los, als ob ihr nicht das geringste fehle, packte einen nach dem anderen im Genick und riß sie auseinander. Dann schnitt sie mir eine Grimasse, rieb sich die Hände, als wolle sie sagen: ›So, das hätten wir!‹, machte kehrt und ging wortlos zurück ins Bett.«

Zum Kummer der Bathurst Normans kehrten Beryls Aggressivität und Unberechenbarkeit zurück, sobald sie sich halbwegs von der Operation erholt hatte. Schließlich weigerte sich Charles, die ständigen Auseinandersetzungen in seinem Hause weiter hinzunehmen, und wollte Beryl fortschicken; aber Doreen duldete das nicht, denn Beryl, die anderswo keine Bleibe hatte und im übrigen völlig mittellos war, tat ihr leid. Beryls Probleme waren nicht dadurch zu lösen, daß sie Naro Moru verließ. Dann aber wurde Charles selbst krank und mußte sich nach langwierigen Untersuchungen einer Gallenoperation unterziehen. Bisweilen fühlte er sich sehr elend und konnte Beryls Wutanfälle kaum ertragen, doch da sie inzwischen praktisch zur Familie gehörte, kamen die Eheleute überein, ihre Launen weiterhin zu tolerieren.

Bald danach wurden George und Victoria nach England ins Internat geschickt, da die Anschläge der Mau-Mau immer gewalttätiger wurden und Charles um die Sicherheit seiner Kinder fürchtete.

Eines Tages besuchten Charles und Beryl eine benachbarte Farm, deren Besitzer, der weiße Jäger Eric Rundgren,[8] im Begriff stand, seinen Besitz zu verkaufen. Bathurst Norman war gekommen, um dem jungen Dänen Jørgen Thrane, der die Farm leitete, während Rundgren und seine Frau auf Safari waren, ein paar Küken abzukaufen.

Man kam ins Gespräch, und Jørgen erläuterte, wieviel Gewinn seiner Meinung nach in dieser Gegend mit Weizenanbau zu erwirtschaften sei; traurig setzte er hinzu, daß seine Zeit in Afrika um sei, sobald Rundgren die Farm verkauft habe. Charles fragte: »Hätten Sie nicht Lust, zu mir zu kommen und Ihren Weizen auf meiner Farm anzubauen?« »Aber ja!« erwiderte Jørgen ohne zu zögern. Auf der Heimfahrt erkundigte sich Beryl: »Charles, dir ist doch klar, daß der Junge nicht bloß zum Spaß ›ja‹ gesagt hat? Der meint es ganz ernst!« Beryl zufolge starrte Charles sie daraufhin ganz verdutzt an, faßte jedoch gleich den Entschluß, sich noch einmal mit Thrane zu treffen. In einem Brief an Doreen, die ihre Kinder nach England begleitet hatte, erwähnte Charles seinen neuen Bekannten nur in geheimnisvollen Andeutungen: »Alles Nähere erzähle ich Dir, wenn Du wieder zurück bist. Ich nenne unser Arrangement ›letzte Chance in Afrika‹ ...« schrieb er. Als Doreen heimkam, hatte Jørgen Thrane sich bereits auf der Farm einquartiert; Charles bat seine Frau, sich näher mit ihm bekanntzumachen und ihn, Charles, wissen zu lassen, was sie von ihm halte. Nach ihrem damaligen Eindruck gefragt, berichtet Doreen:

Wie soll man jemanden beschreiben, der einem nach dreißig Jahren als einer der besten Freunde erscheint, die man jemals hatte? Aber ich will's versuchen. Als Jørgen in Kenia ankam, sprach er gerade zwei Worte Englisch, nämlich ›Yes‹ und ›No‹, und hatte ganze zehn Shilling[9] in der Tasche. In seiner Heimat Dänemark hatte er Landwirtschaft studiert und auch sein Diplom gemacht. Er war ein ausgezeichneter Ruderer, außerdem ein glänzender Reiter; in Dänemark hatte er ein sehr schönes Jagdpferd besessen.

Man konnte prächtig mit ihm auskommen, denn er war stets guter Dinge, und wir mochten ihn alle von Herzen gern. Nicht lange, nachdem er auf unsere Farm gekommen war, bot Charles ihm die

Teilhaberschaft an. Jørgen hatte sich bei den Rundgrens und auf
seinen früheren Arbeitsstellen ein wenig Geld gespart, das er nun
in die Farm einbrachte. Charles stand für das Restrisiko gerade,
und der Besitz wurde als Norman & Thrane Ltd. in ein Gemein-
schaftsunternehmen umgewandelt. Jørgen schloß rasch Freund-
schaft mit Charles, den er halb als Vater, halb als älteren Bruder
ansah. Meiner Schätzung nach ist er eher pfiffig und gerieben als
klug, aber er scheut keine Mühe, um sich die nötigen Kenntnisse
anzueignen, wenn es gilt, ein neues Projekt erfolgreich in Angriff
zu nehmen. Er ist sehr groß und schlank, hat blondes Haar und
blaue Augen mit einem Kranz von Lachfältchen drumherum. Jør-
gen und Beryl freundeten sich sehr bald an. Irgendwie gelang es
ihm, ihr die Kraft und den Beistand zu geben, die Beryl zu allen
Zeiten brauchte, und sobald er zu uns gezogen war, schaffte sie es
auch, ihr Leben wieder in den Griff zu bekommen und der Zu-
kunft ins Auge zu schauen.

Das allermerkwürdigste an Beryl war, daß sie, die doch jedes Pferd
reiten konnte, die den Atlantik überflogen und furchtlos Elefan-
tenscouting aus der Luft betrieben hatte, vor sachlich-nüchternen
Alltagsfragen kapitulierte und – bildlich gesprochen – ständig je-
manden brauchte, der ihr die Hand hielt.

Doreen Bathurst Norman ist der Ansicht, nach Clutterbucks
Übersiedelung nach Peru, Anfang der zwanziger Jahre, habe zunächst Ruta diese Beschützerrolle übernommen, gefolgt von Denys Finch Hatton (den Doreen für die ganz große Liebe in Beryls
Leben hält; vermutlich weil seine distanzierte Art ihn gewissermaßen unerreichbar und damit um so begehrenswerter machte).
Wenn Beryl einen Beistand hatte – und der Betreffende mußte
durchaus nicht ihr Liebhaber sein, sondern nur jemand, dem sie
vertrauen, auf den sie sich verlassen konnte und den sie von Grund
auf respektierte –, dann »nahm ihre Unsicherheit Reißaus«. Jørgen
trat in die Fußstapfen von Clutterbuck, Ruta und Finch Hatton,
von Campbell Black und Schumacher, den bisherigen Hauptfiguren in Beryls Leben.
Obgleich Beryls Verhalten sich nach Jørgens Ankunft in Naro
Moru besserte, war sie nach wie vor rastlos und gereizt. Die Sekre-

tariatsarbeit erfüllte zwar ihren Zweck als Beschäftigungstherapie, aber eigentlich sehnte Beryl sich wieder nach dem Umgang mit Pferden. Während ihrer Genesung stellte eine Freundin ihr ein heruntergekommenes Rennpferd zur Verfügung, damit sie an schönen Tagen ausreiten und sich ein wenig Bewegung verschaffen könne. Das Tier »sah aus wie ein Kleiderständer, als es zu uns auf die Farm kam. Man hatte es mit viel zu stark dosierten Medikamenten gegen Würmer behandelt und damit nicht nur für die Rennbahn ruiniert, sondern überhaupt ziemlich zuschanden gemacht.« Beryl hätte nichts Besseres passieren können. Sie entschloß sich, mit dem Pferd zu arbeiten, und nach einiger Zeit war es wieder so fit, daß seine Besitzerin es erneut an den Start schicken konnte. »Gewonnen hat es zwar nie, aber ich glaube, es landete ein paarmal auf Platz«, erinnert sich Doreen. Die Begegnung mit diesem Pferd wurde zu einem Wendepunkt in Beryls Leben. Sie nahm sich vor, wieder als Trainerin zu arbeiten, und eine Zeitlang war die Rede davon, daß sie für Tom Delamere trainieren solle, dessen Stall damals nicht besonders reüssierte. Beryl fuhr auch nach Soysambu, um Toms Angebot mit ihm durchzusprechen, aber das Projekt zerschlug sich, und so beschloß sie, ermutigt durch Jørgens Begeisterung für diesen Plan, ihre Dienste öffentlich anzubieten.

Enorme Probleme stellten sich ihr in den Weg. Zunächst hatte Beryl kein Geld, um Pferde zu kaufen, und niemand wollte sie als Trainerin engagieren. Außerdem war sie seit dreißig Jahren aus der Übung und ohne jegliche Verbindungen. Schließlich ging sie auf Mitte fünfzig zu, ein Alter, in dem kaum eine Frau auf den Gedanken käme, sich einer neuen und anstrengenden Karriere zuzuwenden, schon gar nicht nach einer schwerwiegenden Operation. Wie nicht anders zu erwarten, ließ Beryl sich von keinem dieser Probleme beirren – falls ihr die Risiken überhaupt bewußt wurden, schlug sie sie in den Wind. Es gelang ihr, Kredite in Höhe von insgesamt 1500 Pfund aufzunehmen (höchstwahrscheinlich bürgten dafür Mansfield, der ihr mehrmals finanziell unter die Arme griff, und ihr Vater).

An den Besitz der Bathurst Normans grenzte ein kleines Stück

Land mit einem Haus, das durch eine glückliche Fügung genau um diese Zeit zum Verkauf stand. Beryl investierte ihr Kapital, die Bathurst Normans bürgten für ein Bankdarlehen, und die kleine, mit hohen Hypotheken belastete Farm wurde Beryl zugesprochen. Normalerweise hätten die sechzig Hektar, über die sie nun gebot, niemals ausgereicht, um ein Unternehmen aufzubauen, wie es Beryl vorschwebte, doch die Bathurst Normans überließen ihr gern einen Teil ihres Landes und stellten ihr auch Maschinen und Arbeitskräfte zur Pflege von Galoppbahn und Sattelplatz zur Verfügung. Nicht minder wichtig war der persönliche Beistand, den sie von Doreen, Charles und Jørgen empfing:

Jørgen war ungemein engagiert bei der Sache. Sie wäre nie wieder auf die Füße gekommen, wenn er nicht so hart mitgearbeitet hätte, er war ihr eine unschätzbare Hilfe. Der örtliche »Sicherheitsverband« wies Jørgen an, bei Beryl auf der Farm zu wohnen. Der Mau-Mau-Aufstand hatte seinen Höhepunkt erreicht, und man wollte nicht dulden, daß eine Frau ganz allein in der Einöde lebte. Kurz vor Beryls Umzug kam ein afrikanischer Besucher auf unsere Farm. Er zeigte mir ein Schreiben, das ihn als kommunizierendes Mitglied der schottischen Staatskirche auswies und berechtigte, auf den Farmen Gottesdienste abzuhalten. Ich sagte ihm, ich würde mich erkundigen, ob unsere Arbeiter seine Predigt hören wollten; die Leute strichen mit finsteren Mienen um unseren Gast herum und schienen sich vor ihm zu ängstigen. Er kritisierte mich heftig ... Gewiß wolle ich die Arbeiter nicht daran hindern, Gottes Wort zu hören und so weiter. Ich sprach mit den Leuten und hatte deutlich den Eindruck, daß dieser Prediger ihnen nicht erwünscht sei, aber da es schon fast dunkel war, erlaubte ich ihm widerstrebend, die Nacht über zu bleiben. Doch statt eines Gottesdienstes hielt er eine Mau-Mau-Einweihungszeremonie ab.

Wir lebten damals in ständiger Furcht und achteten darauf, daß unter unseren Hausdienern keine Kikuju waren. Eines Nachts wurde unser ganzes Vieh fortgetrieben. Nachdem er sich vergewissert hatte, daß mit Beryl alles in Ordnung war, schickte mein Mann Jørgen nach Naro Moru zur Polizei. Ob Sie's glauben oder nicht, aber wir hatten bis kurz vor Ende des Ausnahmezustandes kein Telefon! Die Polizei konnte die Bande gerade noch rechtzeitig aufspüren – sie saßen um ein Lagerfeuer, an dem sie ihre Kleider trockneten, und waren eben dabei, eine unserer Kühe zu schlachten. Die Polizisten schossen auf die Diebe, töteten einen und verwundeten einen anderen, die übrigen entkamen im Schutz der Dunkelheit. Bis auf sieben fanden all unsere Kühe wieder zurück, und wir bekamen noch eine fremde hinzu – wer weiß, woher die stammte, vermutlich auch von einer überfallenen Farm.

Später erfuhren wir, daß die Mau-Mau überzeugt waren, Charles, den sie Mzee nannten (eine Chiffre sowohl für Respekt als auch für hohes Alter), wisse alles über sie. Daher trauten sie sich nicht an uns heran, denn sie glaubten, daß man sie dann bestimmt schnappen würde. Nach dem Viehdiebstahl ließen sie sich nie mehr bei uns blicken. Trotzdem gingen wir die ganze Zeit bewaffnet ...

Beryl holte sich *Arap* Ruta als Hilfe auf die Farm. Bei ihrem Besuch in Kenia, kurz nach dem Kriege, hatte sie ihn wiedergefunden und seitdem nicht mehr aus den Augen verloren. Schon bald nach ihrer Ankunft in Naro Moru bat sie die Bathurst Normans, ihm Arbeit zu geben. Er sei sehr tüchtig, versicherte sie. »Das war er auch, obwohl er inzwischen angefangen hatte zu trinken und deshalb mitunter eine ziemliche Plage war«, erinnert sich Doreen. Während ihrer Krankheit hatte auch Beryl sich das Trinken angewöhnt, aber sie schaffte es, nach ihrer Genesung kürzerzutreten, und verachtete Leute, die dem Alkohol verfallen waren.

Nicht lange nach ihrem Umzug auf die eigene Farm erhielt Beryl Besuch von ihrem Sohn Gervase und dessen hochschwangerer Frau Viviane. Das junge Paar, das sein erstes Ehejahr in Indien verbracht hatte, befand sich auf dem Heimweg nach Europa und machte in Naro Moru Station.

»Beryl war ganz reizend zu uns«, erinnert sich Viviane. »Sie war ganz anders, als ich sie mir vorgestellt hatte – sie wirkte sehr ruhig und bescheiden, gar nicht wie jemand, der ein so aufregendes Leben geführt hatte wie sie.« Auch Thrane gefiel dem jungen Paar gut, und die beiden genossen die entspannte Atmosphäre, die auf der Farm herrschte. Der Besuch war alles in allem ein großer Erfolg. Beryl benahm sich nicht »wie eine Mutter«, aber das hatte sie schließlich nie getan. Ihre Beziehung zu ihrem Sohn ist ein interessantes Kapitel, denn sie liebte ihn zweifellos auf ihre Weise, auch wenn sie nicht das starke mütterliche Bedürfnis hatte, ihn oft zu sehen oder um sich zu haben. Manchmal sprach sie mit engen Freunden über Gervase, hielt es jedoch nicht für notwendig, den Kontakt mit ihm oder seiner Familie weiter zu pflegen. Als ich sie 1986 für die vorliegende Biographie interviewte, sprach sie oft von »meinem Kleinen«, und das in einem Ton, der einem Fremden den Eindruck vermittelt hätte, sie habe eine sehr enge Bindung zu ihrem Sohn. In Wahrheit aber war dieser kurze Besuch im Jahre 1955 die letzte Begegnung zwischen Beryl und Gervase, und ihre beiden Enkelinnen lernte sie nie persönlich kennen.

Bezeichnenderweise sprach Gervase über seine Mutter mit niemandem außer seiner Frau. »Er war ungeheuer stolz auf ihre Leistungen, aber als Mutter hatte er sie natürlich nie richtig gekannt.« Seine beiden Töchter, Fleur und Valery, wuchsen mit einem sehr verschwommenen, unklaren Bild von ihrer Großmutter väterlicherseits heran.[10]

Mitte der fünfziger Jahre hatte Beryl den Verlust zweier ihr sehr nahestehender Menschen zu beklagen. Zunächst kam ihr Halbbruder Sir James »Alex« Kirkpatrick bei einem Jagdunfall ums Leben. Beryl hatte ihn sehr gemocht, wenn auch ihre Gefühle für ihn stets ein wenig durch die Abneigung gegen die gemeinsame Mutter getrübt wurden und sie seine Trinkerei mißbilligte. Doreen Bathurst Norman erinnert sich, daß die beiden einander mit jener »kritischen Haltung gegenüberstanden, die man zwischen Bruder und Schwester häufig antrifft«.

Dann, 1957, starb Clutterbuck in Südafrika. Sein Tod erfüllte Beryl mit tiefer Trauer, und sie war lange Zeit untröstlich, denn obwohl sie ihren Vater während der letzten zwanzig Jahre nicht oft gesehen hatte, verehrte sie in ihm noch immer den Helden ihrer Kinderzeit.[11] Clutterbuck hatte bis kurz vor seinem Tode erfolgreich als Pferdetrainer gearbeitet und seine Tochter wissen lassen, daß er zwar seinen Besitz seiner Frau Ada vermache, Beryl aber sein »bestes Pferd« hinterlassen wolle. Das tat er auch, und Beryl hätte dieses Pferd liebend gern übernommen, durfte es jedoch nicht von Südafrika nach Kenia importieren, und da es ihr an den nötigen Mitteln fehlte, ihren Anspruch juristisch durchzufechten, mußte sie schweren Herzens auf das Erbe verzichten.

Dank Beryls Elan und Einfallsreichtum, unterstützt durch Jørgens nimmermüde Anstrengungen, nahm das neue Unternehmen rasch Gestalt an. Pferdeboxen, Futterspeicher, Sattelkammern, Übungsplätze und Galoppbahnen mußten gebaut werden, und 1956 konnte Beryl ihre ersten Schützlinge in Empfang nehmen. Ihr erstes »eigenes« Pferd war Ulysses, ein besonders schönes Tier. Doch da Beryl wieder einmal so gut wie kein Geld hatte, »überließen die Besitzer ihr das Pferd auf Abzahlung«, erinnert sich Doreen Bathurst Norman.

Ulysses war nicht nur ein Rennpferd, sondern hatte auch auf Ausstellungen und Dressurshows Preise gewonnen – er war der perfekte Alleskönner, den man so selten findet. Neben ihm trainierte Beryl Title Deed, einen phantastischen kleinen Braunen mit großem Herzen, der mit gespitzten Ohren am Zielpfosten vorbeipreschte. Er bewährte sich besonders auf Mittelstrecken und brachte Beryl ihren ersten Sieg ein, den Pokal für Zweijährige im September 1958. Title Deed war kräftig und zuverlässig; in sechs Jahren gewann er dreizehn Rennen und siegte neunzehnmal auf Platz.

Beryls Farben blau und gold waren längst neu zugeteilt worden, und so übernahm sie die alten Clutterbuck-Farben; bald war man es gewohnt, ihre schwarz-gelbe Schärpe bei namhaften Rennen am Zielpfosten flattern zu sehen.

Eines Tages wurde Beryl ein Pferd namens Little Dancer angeboten. Sie erkannte sofort, daß diesem Tier eine glänzende Zukunft bevorstand, und hätte es gar zu gern gekauft. Doch der Preis überstieg ihre Mittel, und so wandte sie sich wieder einmal an Charles Bathurst Norman. »Schau her«, sagte sie, »ich habe dieses Pferd gekauft, aber ich kann's nicht bezahlen.« Wie immer zeigten die Bathurst Normans sich großzügig und streckten Beryl die Summe vor. Am Neujahrstag 1959, dreiunddreißig Jahre nachdem sie das gleiche Turnier mit Wise Child gewonnen hatte, siegte sie mit

Little Dancer im Kenia St. Leger.[12] Ihre zweite große Karriere als Trainerin war gesichert.

Ihre nächsten Pferde waren Niagara und Snow Goose, die sie beide als Einjährige erwarb. Niagara hatte es Beryl besonders angetan, und sie ruhte nicht, bis das Stutenfohlen ihr gehörte. Neugierig auf dieses Pferd, von dem Beryl soviel Aufhebens machte, kamen die Bathurst Normans zu ihr auf die Farm, um es sich anzuschauen. »Es war ein graues kleines Ding und hatte noch das flaumweiche Fell des Fohlens«, erinnert sich Doreen. »Wir konnten nichts Besonderes an ihm finden.« Sie und Charles hatten ihre Zweifel an Beryls zuversichtlicher Prophezeiung: »Dieses Pferd wird für mich das Derby gewinnen.« Doch als Beryl mit dem Stutenfohlen zu trainieren begann, wußte sie, daß sie die richtige Entscheidung getroffen hatte. Niagara war schnell wie der Wind.

Die Saison 1959–60 wurde zu einem Triumph für Beryl. Sie war sehr wählerisch mit ihren Pferden und den Rennen, in denen sie an den Start gingen. Die führenden Trainer und Eigentümer rangierten nicht nach der Zahl der gewonnenen Rennen, sondern nach dem Wert der Dotierungen. Beryl wagte es, mit ihrem kleinen Stall die großen Trainer herauszufordern, und Niagara enttäuschte sie nicht; sie wurde Siegerin im Kenia Guineas, dem ersten Rennen der Kenia-Triple-Crown-Serie. Das East African Derby war Beryls nächstes Ziel.

Zwischen Beryls Stallburschen und denen der führenden Trainerin jener Tage, Gladys Graham, deren Farm und Trainingsgelände an den Besitz der Bathurst Normans grenzte, herrschte erbitterte Rivalität. Und als Beryls Erfolge sich mehrten, kam es bisweilen gar zu offener Konfrontation. Beryls Angestellte waren fest davon überzeugt, daß Mrs. Grahams Reitknechte es darauf abgesehen hätten, Niagara, der für das Derby gemeldet war, zu sabotieren, und sie gingen kein Risiko ein. Das Pferd wurde rund um die Uhr bewacht.

»Natürlich hätte Gladys so etwas nie zugelassen, aber die Jungs hatten es sich nun mal in den Kopf gesetzt, und nichts konnte sie davon abbringen. Ein paar Tage vor dem Derby schickte Beryl Niagara mit der Bahn nach Nairobi, begleitet von Arthur Or-

chardson, Beryls Freund aus Kindertagen, der für alle Fälle einen
Revolver bei sich trug und darauf bestand, mit dem Pferd in der
Box zu schlafen«, erinnert sich Doreen. Die Angst der Stallburschen war ansteckend! Arthur ritt mehrfach für Beryl, und obwohl
seine glänzende Karriere als Jockey sich allmählich ihrem Ende zu-
neigte, war er immer noch großartig in Form. Nachdem Niagara
verladen und der Zug abgefahren war, erkundigte Doreen sich
beiläufig: »Ich nehme doch an, du bist versichert?« Sie war entsetzt, als Beryl antwortete: »Nein, daran hab ich nicht gedacht ...«
Doreen rief unverzüglich die Versicherungsgesellschaft an und
veranlaßte das Nötige.
Diese Unachtsamkeit in bürokratischen Fragen war typisch für
Beryl. In späteren Jahren erwuchsen fast all ihre Probleme aus
mangelndem Interesse für den leidigen Papierkram, der nun einmal
zur Arbeit eines jeden Trainers gehört, doch solange sie Jørgen
hatte, der ihr diese unliebsamen Aufgaben abnahm, ging alles glatt.
Wie Ruta räumte auch Jørgen ihr alle Unannehmlichkeiten aus
dem Weg, so daß sie sich voll und ganz auf die Pferde konzentrieren konnte. Beryls Abneigung gegen Verbindlichkeiten jeder Art
ging sogar so weit, daß sie die Anmeldung eines Pferdes zum Rennen bis zum letzten Augenblick hinauszögerte. Desgleichen weigerte sie sich meist bis zum allerletzten Moment, den Jockey zu
bestimmen.
Am Vorabend des Derbys fuhren Beryl und Doreen nach Nairobi
und gingen als erstes zur Rennbahn hinaus. »Alle waren in heller
Aufregung. Niagara hatte ein Hufeisen abgestoßen und war so
nervös und reizbar, daß niemand an sie heran konnte, um es wieder zu befestigen«, erzählte mir Doreen. Ungläubig und wütend
zugleich hörte Beryl sich die Klagen an, mit denen ihre Stallburschen sie empfingen. Ohne ein Wort zu erwidern marschierte sie in
die Box und hob den Fuß des Pferdes hoch. Dann drehte sie sich
um und sagte zu den Männern, die plötzlich verstummt waren:
»Na, was ist? Worauf wartet ihr? Nun aber ran an die Arbeit!«
Beryl hatte die Gabe, selbst ein überdrehtes Pferd durch bloßes
Handauflegen zu beruhigen.
Am 3. August 1959 berichtete der Sportkorrespondent des *East*

African Standard: »Unter den Dreijährigen ist diesmal nur ein einziges Stutenfohlen, das bisher Herausragendes geleistet hat – Niagara, die Siegerin im Kenia Guineas über eine Meile. Ich bin zwar nicht sicher, ob und wie sie morgen die zusätzliche halbe Meile bewältigen wird, aber ich entdecke unter ihren Gegnern nur sehr wenige, denen ich es zutrauen würde, Niagara zu schlagen.«

Tony Thomas, der Niagara im Derby ritt, war ein zurückhaltender, sanfter und gänzlich unverbildeter Jockey. »Er führte Niagara hart an die Außenbande, nahm in Kauf, daß die anderen zunächst einige Längen Vorsprung bekamen, aber dann hatte er freie Bahn und ließ Niagara laufen«, erzählt Doreen Bathurst Norman. »Sie brauchte man nicht anzutreiben – im Gegenteil, sie blieb stehen, wenn sie die Peitsche spürte –, und nun schoß sie dahin wie ein Pfeil. Tony war ein geschmeidiger Reiter mit wundervollen Händen, und er verstand sich ausgezeichnet auf problematische Pferde.«

Am nächsten Tag schrieb der *East African Standard*:

Niagara errang in Rekordzeit einen leichten Sieg. Mrs. Beryl Markham hatte das Pferd glänzend in Form gebracht, was nicht Wunder nimmt, wenn man bedenkt, daß sie die Tochter des verstorbenen C. B. Clutterbuck ist, des besten Trainers, den Kenia in früheren Jahren hatte ... Eine halbe Meile vor dem Ziel brachte Tony Thomas Niagara in Führung, und das Stutenfohlen ließ das restliche Feld so mühelos hinter sich, als stünden seine Rivalen plötzlich still. Unangefochten gewann Niagara mit acht Längen Vorsprung ... in der Rekordzeit von zwei Minuten und 38,6 Sekunden.

Dieses Derby war das bislang ertragreichste in der Geschichte Kenias und brachte dem Eigentümer des Siegers 835 Pfund ein. Beryl war außer sich vor Freude. Allerdings hatte sie keinen Augenblick an Niagaras Chancen gezweifelt, und sie sah sehr wohl, daß das Stutenfohlen ohne Drängen des Jockeys am Zielpfosten vorbeischoß.

Dank dieser Bravourleistung startete Niagara als Favorit im Kenia St. Leger, das Beryl, sofern sie es gewann, den begehrten Silver-Plate-Preis einbringen würde, der jährlich an den führenden Trainer verliehen wurde. Niagaras Sieg in diesem klassischen Rennen wurde später als »Spaziergang« bezeichnet. Es war der fünfte Sieg des Stutenfohlens in ununterbrochener Folge, und Niagara errang damit als erste Kenias *Triple Crown*, bestehend aus dem Derby, dem St. Leger und dem Guineas.[13]

Der *East African Standard* berichtete im Januar 1960:

In Fortsetzung ihrer siegreichen Karriere in Kenia gewann Mrs. Beryl Markham gestern mit ihrem grauen Stutenfohlen Niagara das Kenia St. Leger. Damit gelang Mrs. Markham nicht nur ein klassischer Doppelsieg, sondern sie durfte gleichzeitig einen Triumph feiern, der zuletzt vor etwa einem Vierteljahrhundert ihrem Vater gelungen war: Wie damals der inzwischen verstorbene C. B. Clutterbuck konnte nun auch seine Tochter das St. Leger in zwei aufeinanderfolgenden Jahren für sich entscheiden. Niagara, von Anfang an klarer Favorit, siegte unter straffer Zügelführung weitaus müheloser, als das offizielle Ergebnis von zweieinhalb Längen Vorsprung deutlich macht. Wer dagegen das Rennen von der Tribüne aus verfolgen konnte, für den schlug Niagara ihre Rivalen aus dem Feld, als hätte sie es mit lauter ausgedienten Kleppern zu tun.

Einen Monat später heimste Niagara auch noch die Delamere Gold Vase ein; Beryls ehrgeiziger Traum, sich an die Spitze der Trainerliste aufzuschwingen, war damit erfüllt. Nur zwei Jahre hatte sie dazu gebraucht, und sie behauptete ihren Platz für weitere sechs Jahre, ehe sie freiwillig darauf verzichtete, als sie Kenia verließ. Später versicherte sie, in ihrer ganzen Karriere habe sie sich über nichts so gefreut wie über Niagaras Siege in jener Saison 1959/60.[14]

Niagara litt an einer angeborenen Schwäche der Kniegelenke, und es war nicht leicht, sie fit zu halten. Als Vierjährige ging sie nur zweimal ins Rennen, und bei einem dieser Turniere holte sie sich den Civil Service Cup. Hätte sie öfter antreten können, wäre ihre Karriere gewiß noch glänzender ausgefallen, aber ihre leicht errungenen Siege brachten es mit sich, daß man ihr immer mehr zusätzliches Gewicht aufbürdete, bis die tapfere kleine Stute schließlich durch Überbelastung vom Turf gedrängt wurde.

Erfolg hat bekanntlich viele Kinder. Bald standen die Eigentümer
vor Beryls Tür Schlange, und sie konnte unter den besten Pferden
Kenias sowie unter den vermögendsten Besitzern ihre Wahl treffen. Dank ihrer Zielstrebigkeit, ihres Fleißes und ihrer Begabung
stand sie wieder an der Spitze. Beryl gab sich nie mit etwas zufrieden, solange es nicht vollkommen war. Sie war selbst eine Per-
fektionistin und »verschwendete keine Zeit mit zweitklassigen
Anwärtern. Wenn ihr etwas nicht in den Kram paßte, konnte sie
hyperkritisch werden«, berichtet ein Freund.[15]

Ihr Unternehmen florierte, doch ungeachtet seines Wachstums
verließ Beryl sich auch weiterhin auf ihr altbewährtes Team –
Arap Ruta und Arthur Orchardson gehörten ebenso dazu wie Jørgen, ihre Hauptstütze. Er spielte eine nahezu heldenhafte Rolle,
denn er ließ sich Beryls herrisches Wesen lachend gefallen und
nahm all ihre Befehle mit feierlichem Respekt entgegen. »Ihre
Galoppbahnen wurden tadellos in Ordnung gehalten«, erzählte
mir einer von Beryls ehemaligen Jockeys, »und wenn Beryl sagte: ›Ich möchte eine Galoppbahn, die genau hier entlangführt‹,
dann war das für die Männer wie eins der zehn Gebote. Am
nächsten Morgen rollten die Maschinen an, und ein paar Tage später war die neue Bahn fertig. Verlangte Beryl: ›Sei so gut und
streich diese Tür blau‹, dann wurde sie blau gestrichen, selbst auf
die Gefahr hin, daß Beryl kurze Zeit später daran herumkritteln
würde: ›O Gott! Doch nicht dieser Blauton – siehst du denn
nicht, daß der nicht paßt, du Esel?‹« Jørgen ertrug ihre Tyrannei
mit belustigtem Achselzucken, und er war die ideale Folie für
Beryls lebhaften Verstand. Auch Charles und Doreen Norman
standen ihr weiterhin hilfreich zur Seite – ebenso wie ihre verdienten Jockeys, die über die Jahre an der Legende Beryl Markhams
mitwirkten.[16]

Im Juli 1960 machte Jørgen Ferien im heimatlichen Dänemark. In
Kopenhagen hatte er Gelegenheit, den irischen Jockey Ryan Parnell – überall bekannt als »Buster« – reiten zu sehen. Der damals
sechsundzwanzigjährige Buster hatte bereits 280 Siege errungen,
war 1957 zum Champion-Jockey von Dänemark und 1959 von
Skandinavien gekürt worden. Am Mittwochnachmittag der letzten

Juliwoche rief Jørgen Buster an und fragte ihn, ob er nach Nairobi fliegen und am nächsten Wochenende für Beryl reiten wolle. »Das kommt ein bißchen ungelegen«, meinte Buster. »Ich soll nämlich am Samstag heiraten ...«

»Sonntag reicht auch!« antwortete Jørgen entgegenkommend.

Kapitel 15
(1960–1964)[1]

Als Buster Parnell nach Kenia kam, ahnte er wohl kaum, daß er damit in eine Partnerschaft eintrat, die man später als »unschlagbar« bezeichnen sollte.[2] Er war ohne seine Braut gekommen, die ihm in einigen Wochen nachfolgen sollte, und zweifelte zunächst, ob es klug gewesen war, Kopenhagen zu verlassen, wo seine Karriere und sein Ruf bereits gesichert waren.

»Ich werde meine erste Begegnung mit Beryl nie vergessen«, berichtet Buster. »Sie kam ins Zimmer, und ihre Ausstrahlung überwältigte mich gleich im ersten Moment. Sie war von einem Hauch umgeben – einem Duft, wie man ihn beim Betreten einer frischgemähten Wiese spürt.« Nach der Begrüßung sagte sie: »Ich habe acht Pferde für das Rennen am Wochenende gemeldet. Zwei davon sollen Sie reiten.«

Buster war zunächst verdutzt, fing sich jedoch rasch wieder und erklärte mit Nachdruck: »Entweder ich reite alle acht, oder ich kehre noch heute abend nach Dänemark zurück!«

Sie zuckte nicht mit der Wimper, als sie entgegnete: »Sicher, mein Lieber ... das habe ich ja gesagt. Sie reiten alle acht.« Buster ritt die acht Pferde, siegte in sechs Rennen und ging zweimal als zweiter durchs Ziel.[3]

Nach dem Rennen nahm Beryl ihren neuen Jockey mit zum Muthaiga Club. Dort angekommen, erklärte sie: »Sie müssen auf der Terrasse bleiben – Berufssportler haben keinen Zutritt zu den Clubräumen.« Wieder hielt Buster mit seiner Meinung nicht hinter dem Berg: »Dieses eine Mal«, sagte er, »werde ich auf Sie warten, Mrs. Markham. Aber bringen Sie mich *nie* wieder hierher.« Beryl

beherzigte seinen Wunsch. Später an jenem Abend fuhren sie nach
Naro Moru hinaus.

»Es war ein sehr abgeschiedener Ort im Hochland, wo sich nicht
einmal mehr Fuchs und Hase Gutenacht sagten – es war einfach
nichts da, absolut gar nichts, bis auf Beryls Farm. Ich weiß noch,
daß ich dachte: Und dafür habe ich meine Braut am Tag nach der
Hochzeit verlassen?« erzählte mir Buster.

»Wir sind es gewohnt, zum Dinner Toilette zu machen«, erklärte
Beryl, bevor sie Buster in einem der Gäste-Cottages allein ließ. Buster duschte, warf sich in Schale und ging zum Haupthaus hinüber.
Als Beryl ins Zimmer rauschte, merkte er, daß er einen Fehler gemacht hatte. Er hatte nie von der alten kenianischen Sitte gehört,
zum Abendessen in Pyjama und Bademantel zu erscheinen – ein
Überbleibsel aus den Pioniertagen.[4] Beryl trug einen weißen Sei-
den-Pyjama und darüber einen fließenden Morgenrock. »Oh,
mein Lieber«, sagte sie reumütig, »was Sie da anhaben, muß ja
schrecklich unbequem sein …« Buster besorgte sich eilends einen
teuren Pyjama und einen Bademantel, um der landesüblichen
Abendkleidung zu genügen.

Am nächsten Wochenende fand das East African Derby statt. Buster ritt neun Pferde für Beryl, siegte in acht Rennen und stellte
damit einen neuen Rekord in Kenia auf.

Beryl selbst beaufsichtigte jeden Tag in aller Frühe den Trainingslauf. Buster erinnert sich, daß sie morgens im Hof erschien, als sei
sie geradewegs einer Titelseite der *Vogue* entstiegen. Sie trug eine
Seidenbluse, tadellos geschnittene Reithosen, Glacéhandschuhe
und breitkrempigen Hut und hatte eine Lederpeitsche unter den
Arm geklemmt. Auch Buster kleidete sich stets korrekt – glänzende Stiefel, blütenweißes Hemd, Krawatte, Hut und Reitgerte –
»genau als ob wir in Newmarket gewesen wären. Blue Jeans und
staubige Stiefel gab es in Naro Moru nicht, Beryl wollte alles erstklassig haben, sie duldete nichts anderes«, berichtet er.

»Sagen Sie den Jungs, sie sollen die Pferde vorführen, ja mein Lieber?« bat Beryl, sobald sie fertig war.

Die Koppel von Vollblütern, die auf diesen frühmorgendlichen
Ritten mitgeführt wurden, zählte bis zu vierzig Pferde. Beryl

brachte sie meistens auf die Hänge des Mount Kenya, ihrer Meinung nach »die beste Galoppbahn, die man sich nur wünschen kann«. Unterwegs sichteten sie fast immer Elefanten, Stummelaffen und Büffel. Beryl ritt stets am Kopf der Koppel, und Buster machte die Nachhut. Er denkt heute noch gern an diese Morgenritte zurück.

»Es war einfach atemberaubend dort oben in über 2000 Meter Höhe. Wenn die Koppel nach einem scharfen Galopp zum Stehen kam, waren Pferde und Reiter schweißgebadet und außer Atem – alle bis auf Beryl. Sie saß heiter und gelassen im Sattel und fächelte sich das Gesicht mit einem winzigen Taschentuch. Die Aussicht von dort oben war einfach phantastisch. Zweimal im Jahr – in Kenia brachten wir nämlich zwei Ernten ein – war es, wenn man auf Cole's Plains hinunterblickte, als lägen unter uns tausend Morgen pures Gold. Wenn die Sonne den Weizen beschien, kam es mir vor, als schaute ich hinunter auf ein breites Band geschmolzenen Goldes, das sich bis hin zum Aberdare-Gebirge erstreckte. Die Luft roch wie Champagner. Sie war klarer in der Erntezeit, fast durchsichtig, und sie hatte einen ganz eigentümlichen Duft. Das Wasser der Flüsse war eiskalt, doch so weich, daß man nur seine Hände hineinzutauchen und aneinander zu reiben brauchte, um Schaum zu erzeugen, allein durch den Fettgehalt der Haut.

Sowas wie Beryl gibt's heute einfach nicht mehr. Sie ließ mich schuften wie einen Kuli, aber ich bekam etwas von ihr, das nicht mit Gold zu bezahlen ist. Vertrauen, Erkenntnis und eine neue Einstellung zum Leben. Alles, was ich seitdem erreicht habe, mein ganzer persönlicher Erfolg, wurzelt in dem, was ich von ihr lernte. Wenn es galt, ein Problem zu lösen, fragte sie sich stets: »Was hätte mein Vater jetzt gemacht?« Und dann vergrub sie den Kopf in den Händen und grübelte darüber nach, bis sie die Antwort gefunden hatte. Sie liebte ihren Vater nicht nur – sie vergötterte ihn. Er war *die* große Liebe ihres Lebens. Kein anderer Mann konnte ihm das Wasser reichen. Ich glaube, Tom Black kam diesem Idol noch am nächsten, jedenfalls hat sie auch ihn abgöttisch verehrt.

Ich bin für die besten Trainer der Welt geritten, aber ich sage

Ihnen, sie war die größte. Sie hätte die ganze Welt in die Schranken fordern können und wäre Siegerin geblieben. Stellen Sie sich vor, wir hatten für jedes Pferd zwei Stallburschen! Verdient hat sie nichts an all ihren Erfolgen, denn sowie sie tausend Pfund einnahm, gab sie prompt zwölfhundert für die Pferde aus. Das Geld rann ihr durch die Finger wie Wasser, aber sie hielt es ein bißchen wie die Königin von England und trug nie welches bei sich ...«

Statt dessen wandte Beryl sich mit einer eleganten Geste ihrer langen, schmalen Hand an ihren jeweiligen Begleiter und sagte: »Sei so gut und bezahl den Mann, Darling!« Oder sie wies ihre Gläubiger an: »Setzen Sie's auf meine Rechnung.« Persönliche Konten wie das beim Muthaiga Club waren jahrelang hoffnungslos überzogen, aber Beryl behielt in all den Jahren ihres Erfolges nichts für sich. Ihr gesamter Verdienst kam den Pferden zugute.

»Die Boxen waren der reinste Luxus, nichts war zu gut für die Pferde. Jede Box war fünfeinhalb Meter lang und ebenso breit. Sie waren mit Teakholz verkleidet und mit Bananenblättern gedeckt. Sie standen nicht in Reihen oder Blöcken wie herkömmliche Stallungen, sondern waren kreisförmig angeordnet wie ein afrikanisches Dorf. Beryl war der Meinung, Pferde seien gesellige Tiere, deren Herdeninstinkt es verlange, daß sie einander anschauen könnten. Nach dem morgendlichen Training frühstückten wir zusammen und besprachen die Tagesarbeit. Das Frühstück auf Naro Moru war sehr stilvoll; es gab Avocados, Schellfisch oder Forelle, verschiedene Müslis, Kedgeree (ein Reisgericht mit Fisch und harten Eiern), Hummereier, Kaviar, frisches Brot und Marmelade. Der Tisch war stets mit Silber und feinstem Porzellan gedeckt.«

Beryls Küche hatte immer das Beste zu bieten, aber alles auf Kredit. »Wer weiß, ob wir morgen noch leben«, war einer ihrer Wahlsprüche, und sie hatte überall in Nairobi hohe Schulden. Einmal bekam sie von irgend jemandem eine Kiste Champagner geschenkt. Aber es war keine der Marken, die sie gewohnt war, Dom Perignon oder Krug, sondern eine billige Sorte. »Mein Lieber«, wandte sie sich nachdenklich an Buster, »wer ist uns so unsympathisch, daß wir ihm dieses Dschungelgesöff zu Weihnachten schenken könnten?« Überhaupt war Beryls spitze Zunge gefürchtet. »Sie konnte einen mit drei Worten erledigen«, erinnert sich Buster Parnell und berichtet, wie Beryl einmal einen anderen Jockey, der zugegebenermaßen nicht sehr gescheit war, demütigte. Dieser Tony Thomas war ein großartiger Angler. Als er eines Morgens strahlend mit vier prächtigen Forellen fürs Frühstück erschien, sagte Beryl zu ihm: »Tony, ich glaube, ich weiß, warum Sie beim Angeln soviel Glück haben. Es liegt daran, daß Sie die Fische verstehen – kein Wunder, die haben genauso viel Hirn wie Sie!«

»Nach dem Frühstück machten wir unsere Runde durch die Ställe. Zu tun gab es da für uns zwar nicht viel, denn die Stallburschen erledigten die ganze Arbeit, aber Beryl machte bei jedem Pferd halt und sah es sich genau an. Dem einen gab sie eine Mohrrübe, einem anderen ein Büschel Luzerne, und dann erteilte sie den Grooms ihre Anweisungen. Gegen elf waren wir fertig und gingen ins Haus zurück, wo wir den ersten Drink des Tages nahmen. Beryl trank damals eine ganze Menge, doch man merkte ihr den Alkohol nie an.«

Buster Parnell gestand mir freimütig, daß er Beryl geliebt habe. »Aber«, betonte er (offenbar weil ihm klar war, daß mir Beryls Ruf zu Ohren gekommen sein müsse), »es war eine rein platonische Liebesgeschichte. Ich habe sie nur ein einziges Mal auf den Mund geküßt, und das war an dem Tag, als Lone Eagle das Derby gewann. Eigentlich hatten wir eine ziemlich verrückte Beziehung; es gab Zeiten, da haßte ich sie wie die Pest, aber ich habe sie weiß Gott immer respektiert. Unsere gemeinsame Zeit liegt nun schon über zwanzig Jahre zurück, aber obwohl ich sie seit langem nicht mehr gesehen habe, empfinde ich für sie immer noch wie ein Liebender.

Manchmal war sie ein richtiges Miststück, kümmerte sich kein Jota um andere, sondern dachte nur an sich. Sie war ungemein selbstsüchtig, aber wahnsinnig talentiert und konnte arbeiten, wie Sie sich's gar nicht vorstellen können. Sie hielt nichts von dem alten englischen Motto: Dabeisein ist alles. O nein! Für sie zählte nur der Sieg. Egal, wie sie ihn erreichte; sie trieb uns an wie Sklaven, aber sie selbst schuftete mehr als wir alle zusammen. Sie war die Verkörperung Afrikas. Hart wie Stahl! Aber sie hatte *Klasse* – nach Art eines Derby-Siegers – das ist eine Frage der Ausstrahlung. Ihr Erfolg beruhte darauf, daß sie mehr Talent besaß als all ihre Rivalen miteinander, und dann fütterte sie ihre Pferde auch besser als die anderen. Das war ihr »Geheimnis«: gutes Futter und harte Arbeit. Viele haben ihr angedichtet, sie hätte ein Zaubermittel benutzt, das ihr als Kind die Nandis verraten hätten – das ist alles Unsinn. Sie mischte nie irgendein Zauberkraut unters Futter – das hatte sie gar nicht nötig – dazu war sie zu gut.«

Busters erster Eindruck von Naro Moru war bald vergessen, und er und seine junge Frau Anna fühlten sich auf der Farm »wie im Paradies«. Sie blieben die ganze Saison, reisten im Sommer heim nach Dänemark, kehrten aber im Herbst rechtzeitig für die nächste Saison nach Naro Moru zurück. Hier hatte sich nichts verändert. Jeden Abend kleidete man sich zum Essen um und dinierte so vornehm »als wären wir im Buckingham Palast«. Im Kamin brannte stets ein großes Holzfeuer, denn die Nächte in Naro Moru sind sehr kalt. Nach dem Essen setzte man sich ans Feuer und plauderte. Gegen zehn wandte Beryl sich unvermittelt an Anna und sagte: »Sie sehen sehr müde aus, meine Liebe. Warum gehen Sie nicht zu Bett?« Anna ärgerte sich oft darüber, daß ihre Gastgeberin sie einfach so fortschickte – besonders, da Beryl ihren Mann meist noch ein, zwei Stunden dabehielt. Dann sagte sie plötzlich zu Buster: »Ich denke, Sie sollten jetzt gehen und sich um Ihre reizende kleine Frau kümmern. Es ist wirklich nicht recht, daß Sie sie so viel allein lassen ...«

Wenn die Regenzeit kam, war Naro Moru völlig abgeschnitten, denn die Wassermassen weichten den Boden auf und machten die Wege für gewöhnliche Fahrzeuge unpassierbar.

»Jørgen hatte einen Wagen mit Vierradantrieb, und auch nachdem er 1962 von Beryls Farm fortgezogen war, kam er noch regelmäßig zu Besuch; in der Regenzeit war er unser einziger Kontakt zur Außenwelt. Wenn Beryl irgendeine Leibspeise ausgegangen war, wartete sie zwei Tage und schickte dann nach Jørgen. Es kam vor, daß wir mit allem versorgt waren, aber sie hatte vielleicht keinen Beluga-Kaviar mehr; schon hängte sie sich ans Telefon: ›Jørgen, mein Lieber, ich brauche dringend ein paar Sachen. Kannst du mir helfen?‹ Ihr Koch war sehr geschickt und konnte so gut wie jedes Gericht zaubern – und das, obwohl er sich mit einem altmodischen, kleinen schwarzen Herd behelfen mußte. Die Küche war so schmutzig, daß man freiwillig keinen Fuß reinsetzte. Als ich sie zum erstenmal gesehen hatte, rührte ich drei Tage lang keinen Bissen an, aus Angst, ich könnte mir eine Lebensmittelvergiftung holen. Später dann machte ich immer einen großen Bogen um die Küche.«

1962 flogen Beryl und Buster nach Rhodesien, um am Castle-Tankard-Rennen teilzunehmen. Beryl hatte sich mit dem Gedanken getragen, nach Salisbury zu übersiedeln, aber nun behagte ihr die Atmosphäre der Stadt nicht. Buster, der alles ganz himmlisch fand, wunderte sich darüber. »Das bleibt hier nicht mehr lange so«, prophezeite Beryl. »Wir werden nicht herziehen.« Sie sollte recht behalten. »Sowas hatte sie manchmal – nicht, daß sie hellsehen konnte, aber es war schon unheimlich, wie sie Dinge vorausahnte, die später wirklich eintrafen«, erinnert sich Buster.

Kurz bevor Kenia in die Unabhängigkeit entlassen wurde,⁵ verkaufte Beryl ihre Farm an die Regierung, die in Naro Moru ein erstes afrikanisches Besiedelungsprojekt plante. Einer der Eigentümer, für die sie trainierte, hatte ihr ein neues Gelände in Aussicht gestellt. E. R. »Tubby« Block, Besitzer einer renommierten Hotelkette, verfügte über ein Grundstück am Naivasha-See und bot Beryl an, ihr Trainingscamp dorthin zu verlegen. »Ich hatte ein Stück Land, aber keine Unterkünfte für sie oder ihre Pferde. Doch das Nachbargrundstück samt Haus stand zum Verkauf, und ich schlug Beryl vor, sich darum zu bewerben.« Dieses Gelände grenzte zum großen Teil an den See und bestand aus weichem Vulkansand, eignete sich also nicht für die Landwirtschaft (auch wenn man dort gerade mit Spargelanbau experimentierte) und war folglich auch nicht vom afrikanischen Besiedelungsprogramm betroffen. Beryl zeigte Interesse, denn sie hatte schon seit längerem den Wunsch, näher nach Nairobi zu ziehen. Sie erkundigte sich nach dem Preis.

»Dreieinhalbtausend«, sagte Block. »Ich werd's mir überlegen«, versprach Beryl. Der Preis war sehr günstig, und Block rechnete fest damit, daß Beryl zugreifen würde. Kurz darauf trat er eine zweimonatige Europareise an, doch bei seiner Rückkehr fand er auf seinem Grund und Boden ein neues Haus und Stallungen im Rohbau vor.

*Beryl hatte ihre Überredungskünste an meinem Verwalter praktiziert und ihm weisgemacht, ich sei damit einverstanden, daß sie ihr Haus auf meinem Besitz errichte. Meinen Vorschlag, das Nachbargrundstück zu kaufen, hatte sie verworfen und es mit List und Tücke geschafft, sich auf meiner Farm einzunisten. Nun, ich ließ sie weiterbauen. Zum Einschreiten war es ohnehin zu spät, denn das Nachbargrundstück hatte inzwischen einen Käufer gefunden – kein Wunder, bei dem günstigen Preis! Beryls Neubau war bald fertiggestellt, und sie hielt mit ihren Pferden Einzug.*⁶

Beryls Haus in Naivasha lag am Ufer des Sees, unweit der bizarren Höllenpforte (Hell's Gate), im Grenzbezirk zum Massai-Reservat. Es war das schönste Heim, das sie je in Kenia hatte, und folglich ihr liebstes. Die üppige Vegetation lockt Scharen von Vögeln an, und das Revier ist mit Recht als artenreichstes Vogelschutzgebiet der Welt gerühmt worden. »Morgens weckte einen der Schrei des Seeadlers, und wenn man mit dem Boot auf den See hinausruderte, kam man sich vor wie in einem Disney-Film. Überall sah man die fremdartigsten Vögel«, erinnert sich Doreen Bathurst Norman. »Vom Riesenreiher über farbenprächtige Eisvögel bis zum Zwergtaucher waren alle nur erdenklichen Arten vertreten. Frühmorgens, wenn noch der Dunst über dem Wasser lagerte, fühlte ich mich immer an ein Gemälde von Turner erinnert – es war eine märchenhafte Landschaft.«

»Tubby« Block verdankte Beryls untrüglichem Spürsinn einige seiner besten Pferde. An die Favoriten erinnert sich Buster Parnell noch heute:

Der beste Hengst, den wir je trainierten, hieß Mountie. Beryl war beim Friseur, als sie den Kaufpreis erfuhr – 1000 Pfund. Das war damals ein Heidengeld. Aber sie sagte einfach, sie würde Mountie nehmen. »Tubby kann sich's leisten«, entschied sie leichthin.

*Mountie gewann elf Rennen und wurde niemals geschlagen. Geld
(vor allem das anderer Leute) war für Beryl nie ein Thema. Ich
weiß noch gut, wie wir loszogen, um Spike zu kaufen; auch ein
sehr gutes Pferd, das sie für Tubby entdeckte. Sie sah eine Weile
zu, wie es über die Koppel trabte, drehte sich dann zu seinem Besitzer um und sagte: »Ja, den nehme ich.«*

*»Moment mal«, wehrte der Mann ab, »Sie wissen doch noch gar
nicht, was ich für den Hengst verlange.«*

*»Ich sagte, wir kaufen ihn, mein Lieber«, versetzte Beryl. »Von be-
zahlen war nicht die Rede. Über den Preis müssen Sie sich mit
Tubby einigen.«*

Ein ständiges Ärgernis für Block war Beryls Angewohnheit, mehrere seiner Pferde im selben Rennen laufen zu lassen. Beryl bestand
darauf, weil sie nie mit Bestimmtheit voraussagen konnte, welches
Pferd gerade die beste Tagesform hatte. Prophezeite sie, heute
habe X die größten Chancen, dann konnte man fast damit rechnen,
daß Y den Sieg davontrug.

So sehr Tubby sich auch dagegen wehrte, Beryl schickte weiterhin
mehrere seiner Pferde gleichzeitig an den Start. Einmal, so berichtet Buster Parnell, kam es dadurch zu einem dramatischen Zwischenfall. Buster ritt in jenem Rennen den Favoriten, auf den die
Wetten vier zu eins standen. Tony Thomas, der zweite Jockey,
mußte sich mit einem fünfzehn zu eins Außenseiter begnügen.

»Hör zu«, wandte sich Buster vor dem Start an Tony, »dein Gaul
ist heute bloß dabei, um sich ein bißchen Bewegung zu verschaffen. Verdrück dich mit ihm nach hinten und dreh brav deine Runden. Wenn du meinst, es langt für eine Plazierung, schön, dann laß
ihn laufen, aber was auch passiert, mich darfst du auf keinen Fall
überholen!« Als das Rennen bereits in vollem Gange war und das
Feld eben die Cemetery Corner umrundete, merkte Buster plötzlich, daß Tony neben ihm war und wie wild am Zügel seines Pferdes zerrte.

»Was zum Teufel machst du denn hier?« fragte Buster ärgerlich.

»Ich kann ihn nicht halten.«

»Er darf auf keinen Fall erster werden, also mußt du ihn halten,
verdammt nochmal!«

»Was soll ich denn nur machen?«

»Fall runter, wenn's gar nicht anders geht!« zischte Buster und gab seinem Pferd die Peitsche, um endlich an Tony vorbeizukommen. Als Buster auf den Zielpfosten zupreschte, schoß ein herrenloses Pferd an ihm vorbei – Tonys Außenseiter. Buster schaute sich um und fragte die anderen Jockeys, ob sie Tony hätten stürzen sehen, aber niemand hatte etwas bemerkt. Trotzdem kam Buster nicht ungestraft davon, denn wenige Minuten später ertönte über den Lautsprecher die Weisung: »Buster Parnell – bitte melden Sie sich bei der Rennleitung!«

Zitternd wie Espenlaub betrat Buster das Büro, in dem die Stewarts ihn mit finsterer Miene erwarteten. In einer Ecke stand Tony, den Kopf merkwürdig verrenkt, und warf Buster flehende Blicke zu.

»Parnell, als Sie die Cemetery Corner nahmen, sollen Sie Thomas befohlen haben, vom Pferd zu fallen, weil es den Anschein hatte, daß er Sie überholen würde. Ist das wahr?«

Buster überlegte einen Moment, dann sagte er: »Ja, Mylord.«

Die Herren vor ihm rutschten gespannt auf ihren Stühlen hin und her. »Aha. Dürfen wir vielleicht auch erfahren, warum Sie das von Thomas verlangten?«

»Also das war so, Mylord ... Ich dachte mir, wenn der erste Jockey auf dem Favoriten, auf den die Wetten eins zu vier stehen, von einem Pferd aus dem eigenen Stall geschlagen wird, von einem Außenseiter, den obendrein der zweite Jockey reitet, dann würde das dem Publikum nicht sonderlich gefallen.«

Die Stewarts schwiegen. Dann sagte der Vorsitzende: »Warten Sie draußen, Parnell. Thomas, Sie brauchen wir nicht mehr.«

Zehn Minuten später kam der Vorsitzende heraus. »In Ordnung, Parnell, Sie dürfen gehen. Aber bestellen Sie Mrs. Markham, sie soll nicht wieder zwei Pferde ins selbe Rennen schicken, wenn die Gefahr besteht, daß ein Vorfall wie der von heute sich wiederholt!« Glücklicherweise reagierte Beryl amüsiert, als Buster ihr Bericht erstattete.

Beryls Herrschaft über den Turf blieb unangefochten, und Mitte der sechziger Jahre hatte sie viermal das Kenia St. Leger gewonnen

(ihren ersten Sieg aus dem Jahre 1926 mit Wise Child mitgerech-
net) und fünfmal den ersten Platz im East African Derby errungen.
Mit Parnell als erstem Jockey gab sie dem Rennsport in Kenia ein
neues Gesicht und wurde zum Maßstab für die Leistungen auf dem
kenianischen Turf. Parnell meint, sie hätte sich überall in der Welt
ebenso behauptet. »Gleichgültig wo man ist, man muß immer die
Konkurrenz aus dem Feld schlagen. Das war ihr Ziel, und sie hätte
es überall erreicht. Das hat sie auch bewiesen, als sie mit ihren in
Kenia aufgewachsenen Pferden nach Südafrika ging und dort erstklassige englische Vollblüter besiegte ... Die Eigentümer, die uns
ihre Pferde überließen, hätten sich keinen besseren Trainer wünschen können. Aber dafür zog Beryl ihnen auch kräftig das Geld
aus der Tasche. Ich sehe sie noch vor mir, wie sie vor dem Stanley
[eines von Blocks Hotels] im Thorn-Tree Café⁷ saß und zum Geschäftsführer sagte: ›Bestellen Sie der Kleinen, sie soll rüberkommen und mir die Nägel machen!‹ Und während sie dann vor den
Gästen Hof hielt wie die Königin von Saba, hockte eines der Mädchen aus dem Kosmetiksalon an ihrer Seite und manikürte sie. Sobald sie fertig war, stand Beryl auf und rief dem Geschäftsführer
im Gehen zu: ›Schicken Sie die Rechnung an Tubby, ja?‹«
»Auf der Höhe ihres Erfolges«, berichtet Buster weiter, »war Beryl wie ein Adler. Nichts und niemand konnte sie aufhalten, und
nach einem gelungenen Rennen war sie so high, als hätte sie sich
mit Drogen aufgeputscht. An dem Tag, als Lone Eagle das Derby
gewann, ging sie zum Dinner ins New Stanley Grill. Sie hatte genau den richtigen Zeitpunkt für ihren Auftritt gewählt – alle übrigen Gäste waren eben mit dem Fischgang fertig geworden. Als Beryl eintrat, erhoben sich die Damen und Herren von ihren Stühlen
und bereiteten ihr stehend eine Ovation. Wie eine Königin rauschte sie zu ihrem Tisch, während man ihr von allen Seiten zurief:
›Bravo, Beryl! Gut gemacht!‹ ›Oh, danke Darling!‹ erwiderte
sie lächelnd, warf hier eine Kußhand und winkte da jemandem
zu. ›Wie nett von Ihnen, mein Lieber‹, sagte sie zu einem Bewunderer und tätschelte ihm die Wange. Es war fast so, als hätte
sie eine Hundert-Watt-Birne im Kopf und wir anderen bloß
fünfundsiebzig.«

Wie immer war Beryl auch jetzt im gesellschaftlichen Umgang un-
zuverlässig. Sie nahm Einladungen an und blieb dann ohne Entschuldigung weg. »Der alberne Mensch muß sich geirrt haben«,
pflegte sie zu sagen, wenn ein versetzter Gastgeber sich beschwerte. Diese Unsitte war Florence Desmond schon fünfundzwanzig
Jahre früher aufgefallen. Wahrscheinlich ging sie auf Beryls Erziehung zurück; die Ostafrikaner setzen sich ebenso geringschätzig
über Verabredungen und Termine hinweg. Doch wenn es sich um
Pferde handelte, war Beryl stets pünktlich; ob es ums Füttern ging
oder darum, einem kranken Tier eine Packung aufzulegen, zu ihren Lieblingen kam Beryl nie zu spät.

In der Saison 1963/64 gewann Beryl in sechsundzwanzig Tagen
sechsundvierzig Rennen; ihr Stall siegte in diesem Jahr bei allen
Turnieren mit Ausnahme des St. Leger. »Die Pferde standen bei
ihr an erster, zweiter, dritter und vierter Stelle. Darum kamen wir
auch so gut miteinander aus«, meint Buster.

*»Einmal alle vierzehn Tage oder drei Wochen fuhren wir nach
Nairobi, quartierten uns im New Stanley ein oder im Norfolk
und ließen die Puppen tanzen. Tubby kam für sämtliche Kosten
auf, wir bewohnten in den Block Hotels stets die besten Zimmer.*

*Wenn am Wochenende ein Rennen bevorstand, brachten wir die
Pferde am Donnerstag zum Bahnhof – das waren immerhin acht
Meilen –, wo sie verladen wurden. Wir beide fuhren mit dem Wagen nach Nairobi. Die Pferde trafen am Freitagabend ein, und
dann veranstalteten wir eine feuchtfröhliche Party. Wenn ich mit
Beryl am Arm zum Dinner hinunterging, war ich ungemein stolz.
Obwohl sie dreißig Jahre älter war als ich, sah sie einfach umwer-
fend aus. Wenn sie sich zum Ausgehen herrichtete, gab es in ganz
Nairobi keine Frau, die ihr das Wasser reichen konnte ... Die Rennen fanden Samstag und Montag statt – sonntags waren damals
keine Wettkämpfe erlaubt. Montagabend wurde immer ganz groß
gefeiert. Am Dienstag besorgten wir alle Vorräte, die wir bis zum
nächsten Rennen brauchen würden, und dann fuhren wir zurück
nach Naro Moru. Unterwegs sangen wir aus voller Brust, denn
nun freuten wir uns schon wieder auf zu Hause. Dort oben führ-*

ten wir ein ganz anderes Leben. Naro Moru war das reinste Fantasia-Land.«

»Bankleute sind amtlich zugelassene Banditen«, murrte Beryl, wenn ihr Konto wieder einmal um mehrere tausend Pfund überzogen war. Ab Mitte der sechziger Jahre mußte sie all ihre Geschäfte selbst regeln, denn Jørgen hatte sich, zusammen mit dem Schwiegersohn der Bathurst Normans, in Nanyuki eine eigene Farm gekauft. Beryl hatte so wenig Ahnung von Verwaltung und Haushaltsplanung, daß sie manchmal, ungeachtet ihrer ansehnlichen Einnahmen, nicht einmal das Geld für die Futterrechnungen aufbringen konnte und Buster ihr aushelfen mußte. »Aber die Pferde bekamen trotzdem immer das Beste, auch wenn sie völlig pleite war. Ich erinnere mich noch, daß es an einem Abend Kartoffelsuppe zu essen gab und anschließend gebackene Kartoffeln; dazu tranken wir Pfefferminzlikör. Was anderes war nicht im Haus, aber dieses Gesöff kann einen auf die Dauer zur Verzweiflung treiben! In der Woche darauf hatten wir in einem zweitägigen Rennen acht Sieger und belegten zweimal den zweiten Platz. Da floß dann wieder der Champagner.«

Wenn der Markham-Stall zu einem Rennen gemeldet war, reisten Beryl und Buster oft mit zwanzig Pferden an: zwölf, die am Turnier teilnehmen sollten, und acht als Reserve, die freilich kaum je an den Start mußten. Einmal hatte der Thika-Fluß die Bahngleise überschwemmt und die Schienen fortgespült; die Pferde mußten die 42 Kilometer von Thika bis Nairobi laufen, und trotzdem gewann Beryl sechs Rennen dieses Turniers.

Beryl und Buster gerieten sich oft in die Haare. Unzählige Male drohte Buster ihr mit seiner Kündigung. »Jetzt reicht's! Ich gehe!« schrie er und stürzte zur Tür.

»Wann?«

»Sobald ich einen Flug nach Dänemark kriege.«

»Worauf warten Sie dann noch?«

Und Buster stapfte hinauf zu seinem Cottage und klagte Anna sein Leid. Zwei Tage später klopfte es unweigerlich an der Tür, und einer von Beryls Hausboys stand mit einem Päckchen auf der Schwelle. »Von der Memsahib. Sie läßt fragen, ob Sie nicht rüberkommen wollen ins Haus.« Das Päckchen enthielt in der Regel ein paar seidene Hemden oder eine hübsche Krawatte. »Inzwischen war mein Zorn ohnehin verraucht, und ich ging rauf zum Haus, wo Beryl nervös herumhantierte. Unseren Streit erwähnte sie mit keinem Wort – statt dessen sagte sie: ›Wie wär's mit einem Drink, mein Lieber?‹, und alles war wieder beim Alten.«

Eine dieser stürmischen Szenen spielte sich am Tag vor dem Oaks-Turnier ab. »Diesmal«, sagte Buster zu seiner Frau, »ist es mir ernst. Pack unsere Sachen, wir reisen ab. Ich mach das nicht mehr mit.« Ohne Buster ein Wort zu sagen, ging Anna unter einem Vorwand zum Haupthaus hinauf.

Sie fand Beryl in Tränen aufgelöst vor einer halb geleerten Flasche sitzen. »Bitte schicken Sie ihn her zu mir ... lassen Sie ihn nicht fort ...« Am nächsten Tag gewann Blue Streak das Oaks, und von Busters Abreise wurde nicht mehr gesprochen – bis zum nächsten Krach![8]

»Sie wußte mich einfach nicht zu nehmen. Anfangs sagte ich Madam zu ihr, wie die anderen Jockeys, aber später nannte ich sie beim Vornamen. Ich war der einzige, dem sie das erlaubte. Einmal sprach Tony Thomas sie versehentlich mit ihrem Vornamen an. Beryl schaute sich um, als wisse sie nicht, mit wem er rede ...«

Allwöchentlich am Zahltag hielt Beryl eine Art Gerichtssitzung für die Arbeiter ab, bei der kleinere Vergehen wie Nachlässigkeit und Trunksucht geahndet wurden. Beryl sprach fließend Kipsigi, Kikuju und – natürlich – Suaheli. Sie konnte auch Luo und ein wenig Massai, was sie aber gern verschwieg. »Wenn wir irgendwelchen Ärger hatten, mit dem ich nicht allein fertig wurde, knöpfte sie sich den Missetäter vor und fragte ihn stundenlang aus«, berichtet Buster. »Die Männer konnten ihr nichts verheimlichen, denn sie sprach ihre Sprache, und, was noch wichtiger war, sie kannte ihre Denkweise. Sie konnte ebenso verschlagen sein wie die Schwarzen, und an Intelligenz war sie ihnen überlegen. Am Ende brachte sie jedesmal die Wahrheit ans Licht. Wenn jemand des Diebstahls überführt wurde, mußte er die Farm verlassen, und wenn der Mann sich nicht schnell genug trollte, hetzte sie die Hunde auf ihn! Aber sowas kam nicht oft vor, und auch während des

Mau-Mau-Aufstandes hatte Beryl kaum Probleme, denn sie kannte ihre Leute. Wir hatten achtzig Bedienstete auf der Farm – Stallburschen, Reitknechte, Gärtner, Hauspersonal. Wenn sechzig Leute nötig waren, um den Betrieb in Gang zu halten, beschäftigte Beryl achtzig – das war so ihre Art.«

Gegen Ende unseres dreitägigen Interviews erzählte Buster mir stolz: »In all den Jahren, die ich bei ihr war, hat Beryl mir nie Vorschriften darüber gemacht, wie ich die Pferde im Rennen führen solle. Beim Training oder während des Essens diskutierten wir Taktik und Führungsstil, aber im Turnier ließ sie mir ganz freie Hand. Ging ich als erster durchs Ziel, sagte sie jedesmal: ›Gut gemacht, mein Lieber! Ich wußte, daß Sie gewinnen würden.‹ Wenn ich verlor, tröstete sie mich: ›Machen Sie sich nichts daraus, Darling. Sie haben Ihr Bestes gegeben.‹ Hatten wir mal Probleme mit einem Pferd, dann kümmerte Beryl sich natürlich als erste darum. Aber wenn sie nicht zurechtkam, durfte ich mein Glück versuchen.«

Beryl war noch nicht lange in Naivasha, da kehrte Gustaf »Romulus« Kleen, Bror Blixens Neffe, nach Kenia zurück und besuchte sie. Seit ihrer letzten Begegnung waren fast dreißig Jahre vergangen; damals hatten die beiden zusammen nach England fliegen wollen, mußten den Plan aber wegen Beryls Malariaerkrankung aufgeben. Eines Abends dinierte Romulus mit Beryl, Jørgen und Charles Norman. Nachdem die beiden anderen sich zurückgezogen hatten, erzählte Romulus Beryl eine Geschichte, die er all die Jahre für sich behalten hatte.

Als Romulus 1934 zum erstenmal nach Nairobi kam, nahm ein um vieles älterer Freund ihn beiseite. »Paß auf, mein Junge«, sagte er, »ich gebe dir jetzt einen väterlichen Rat. Du bist knapp bei Kasse, und darum laß dich um Himmels willen nicht auf ein Techtelmechtel mit Beryl ein. Andernfalls könntest du auf eurem Englandflug nämlich ganz schön in Bedrängnis geraten, falls unterwegs irgendwas schiefgehen sollte und ihr längere Hotelaufenthalte in Kauf nehmen müßtet. Ihr gehört beide nicht gerade zu den Abstinenzlern, und wenn du sie freihalten müßtest, könnte es dir – gelinde gesagt – die Schuhe ausziehen, sobald es ans Bezahlen geht.«

Romulus dankte dem wohlmeinenden Freund für seine Warnung und beherzigte sie. Wenn also Beryl – in der Zeit, da er ihr Gast war – abends an seiner Schlafzimmertür erschien, um ihm Gutenacht zu wünschen (was sie mitunter mehrmals wiederholte), antwortete er nur mit einem kühl-reservierten: »Gute Nacht, Beryl. Schlafen Sie gut.«

Beryl amüsierte sich köstlich über sein Geständnis und erwiderte: »Also ich muß zugeben, daß ich mich damals gefragt habe, ob du vielleicht schwul bist! O je, nun wirst du nie erfahren, was dir seinerzeit entgangen ist!« Doch damit war der Vorfall noch nicht abgetan. Romulus hatte Beryl während des Essens erzählt, daß er in der kommenden Woche bei einem Rennen in Nairobi gemeldet sei. Nun hatte er aber seit einem Monat auf keinem Pferd mehr gesessen. »Könnte ich morgen den Trainingsritt für dich übernehmen, um meine Muskeln wieder in Form zu bringen?« fragte Romulus und fügte hinzu, daß er sich für den ersten Versuch ein ruhiges und braves Tier wünsche. »Aber ja doch, kein Problem ...«, versicherte Beryl.

Am nächsten Morgen stieg Romulus nach dem Galopp mit wackligen Knien aus dem Sattel. Beryl empfing ihn sehr vergnügt. »Der Teufelskerl ist mit dir davongerannt, stimmt's?« fragte sie schelmisch. Romulus mußte zugeben, daß der Hengst weit schneller gelaufen sei, als ihm lieb war. Um ihrer offenkundigen Schadenfreude keine weitere Nahrung zu geben, verschwieg er, daß seine Schenkel bluteten und seine Glieder sich anfühlten, als seien sie eben durch den Fleischwolf gedreht worden. Buster Parnell klärte ihn später darüber auf, daß der Hengst, den Beryl ihm zugeteilt hatte, Speed Trial gewesen sei, der Derby-Sieger des Vorjahres und der gefürchtetste Puller in ganz Kenia.

Bisweilen, so erinnert sich Romulus, hatte Beryls Humor einen sadistischen Zug, was ihm bereits in den dreißiger Jahren aufgefallen war. Einmal, als sie ihn zu einem Rundflug in ihrer Gipsy Moth mitgenommen hatte, begann sie unvermittelt über zerklüftetem Gelände zu kreisen. Als das eine halbe Stunde so ging, konnte er sich die Frage nicht länger verkneifen, ob es Probleme gebe. Beryl erwiderte, alles sei in schönster Ordnung, sie müsse nur warten, bis die Wolken über der anvisierten Landebahn sich verzogen hätten. »Warum?« fragte sie scheinheilig, »hast du etwa Angst gekriegt?«[9]

Einen der glanzvollsten Augenblicke ihrer Trainerkarriere erlebte Beryl in der Saison 1963/64, als Lone Eagle das East African Derby gewann. Im Sommer 1964 jedoch schien das Glück sie plötzlich zu verlassen. Eine rätselhafte Krankheit hatte alle Pferde, bis auf die älteren Jahrgänge, befallen. Es war eine seltsame Lethargie, für die Beryl im nachhinein den übermäßigen Fluoridgehalt des Wassers verantwortlich machte. Die Pferde sahen immer noch fabelhaft aus, aber ihre Muskeln waren angegriffen, worunter ihre Leistungen beim Training erheblich litten; und für den Galopp waren sie ganz untauglich. Was Beryl auch versuchte, sie konnte das Problem nicht lösen, und ihre Favoriten – Lone Eagle, Mountie und Spike, waren von der »Fluor-Vergiftung«, wie Beryl es nannte, besonders stark betroffen.

Einer der renommiertesten Journalisten Kenias, der inzwischen verstorbene Mervyn Hill, stattete Beryl um diese Zeit eine Besuch ab und fragte sie im Laufe ihres Gespräches, ob sich die Faszination von Fliegen und Pferderennen miteinander vergleichen ließe. Beryl antwortete: »Beim Fliegen ist man ganz allein für die Maschine verantwortlich; keiner kann eingreifen – sei's zum Guten oder zum Schlechten. Beim Rennen dagegen kann man ein Pferd auf der Koppel so trainieren, daß man glaubt, es sei topfit. Aber dann kommt alles auf den Jockey an. In Minuten, ja sogar Sekunden können ganze Monate harter Arbeit und Vorbereitung zunichte gemacht werden.« Nachdrücklich betonte sie das größte Talent eines Trainers. »Unbegrenzte Wachsamkeit fürs Detail. Die Urteilskraft wächst mit den Jahren, aber man darf es sich nie erlauben, nachlässig zu werden. Mit Gespür allein gewinnt man kein Rennen.«[10]

Beryl ließ nie nach, nicht einen Augenblick. »Um einen Vergleich aus der Technik zu wählen – sie kam mit einem Kompressor zur Welt, aber ohne Überdruckventil«, sagt Doreen Bathurst Norman.[11]

Beryls unverzeihliches Benehmen gegenüber den Bathurst Normans im ersten Jahr nach ihrer Rückkehr nach Kenia erklärt sich nicht allein aus ihrer Krankheit (so real und gravierend diese auch war). Schuld daran trug auch ihre damalige Frustration, die sie manchmal bis an den Rand des Wahnsinns trieb. Nun aber, da der Erfolg ihr Selbstbestätigung gab, gewann sie Distanz zu ihren Problemen und konnte sie folglich auch bewältigen. Zwar machte die Büroarbeit ihr immer noch Kopfzerbrechen, aber Jørgen kam oft zum Wochenende nach Naivasha, um ihr dabei zu helfen, und die bloße Tatsache, daß er ihr zur Seite stand, genügte, um Beryls Vertrauen in ihre Fähigkeiten aufrechtzuerhalten.

Kapitel 16
(1965–1980)

Unter den Rennstallbesitzern, für die Beryl arbeitete, war Enid Gräfin Kenmare die reichste. Die beiden hatten sich bereits in den dreißiger Jahren kennengelernt, als die Gräfin mit Lord Furness verheiratet war und Tom Black dem Paar als Privatpilot diente. Einmal hatten die Furness Beryl mit Tom zusammen auf ihren Landsitz eingeladen, und an dem Tag sagte Enid zu ihrer damals neunjährigen Tochter Patricia: »Heute wirst du eine sehr schöne Lady kennenlernen.« »Und Mutter sollte recht behalten – ich werde diese erste Begegnung mit Beryl nie vergessen. Sie trug einen weißen Fliegeranzug und sah berückend aus – daran hat sich nichts geändert, solange ich sie kannte«, versicherte mir Patricia.[1]

Gräfin Kenmare war viermal verwitwet und hatte von jedem ihrer verstorbenen Gatten ein beträchtliches Vermögen geerbt. Ihr lebhaftes Interesse an Rennpferden stammte aus der Zeit ihrer Ehe mit »Duke« Furness, dem in England und Irland so berühmte Gestüte gehört hatten, daß sich nach dem Tode des Lords kein geringerer als Aga Khan als Käufer einstellte. Einige Jahre nach dem Krieg erwarb Lady Kenmare einen stattlichen Besitz in Kenia, wo sie fortan die Wintermonate verbrachte.

Als Kenia in die Unabhängigkeit entlassen wurde, herrschte unter den noch nicht lange im Land lebenden reichen Engländern allgemeine Bestürzung; man äußerte sich höchst skeptisch über die Zukunft Kenias als selbständige Republik. Einige zogen fort, meist nach Südafrika oder Rhodesien, doch die alteingesessenen Siedler harrten aus. Lady Kenmare hatte keine tiefen Wurzeln im Lande;

zudem bestürmte man sie ständig mit einander widersprechenden Prognosen über ihre finanzielle Zukunft in Kenia. Sie hatte einen Freund an einflußreicher Stelle in der neuen Regierung, der ihr dringend empfahl, ihr Geld außer Landes zu schaffen, solange dazu noch Gelegenheit sei.

Im Sommer 1964 erwog die besorgte Gräfin ernsthaft, Kenia zu verlassen – zur gleichen Zeit also, da Beryl mit der rätselhaften Krankheit ihrer Pferde zu kämpfen hatte. Beryl war überzeugt, daß diese Probleme auf das Wasser in Naivasha zurückzuführen seien, und glaubte, daß nur ein Ortswechsel Abhilfe schaffen könne. Lady Kenmares Tochter meint, Beryl, die den sehnlichen Wunsch hatte, in Südafrika zu trainieren, sei die treibende Kraft gewesen, die ihre Mutter schließlich zu einem gemeinsamen Arrangement überredete. »Sie bearbeitete meine Mutter gut ein halbes Jahr, um sie für ihren Plan zu gewinnen.«[2] Schließlich kamen Beryl und Lady Kenmare überein, gemeinsam nach Südafrika zu ziehen und dort ein Trainingszentrum aufzubauen. Zunächst aber galt es, ein geeignetes Gelände zu finden.

Beryl hatte von jeher leicht Freundschaft geschlossen. Da sie auf der ganzen Welt Verbindungen hatte, war sie überzeugt, daß irgend jemand ihr weiterhelfen würde, und sie sollte recht behalten. Sie schrieb an eine frühere Freundin, Doris Smart, die Anfang der sechziger Jahre mit ihrem inzwischen verstorbenen Mann des milden Klimas wegen nach Südafrika gezogen war, und teilte ihr mit, sie wolle gern in der Kapprovinz trainieren und sei auf der Suche nach einem geeigneten Grundstück. Geld, schrieb Beryl, spiele keine Rolle.

Doris setzte sich daraufhin mit verschiedenen Maklern in Verbindung und schickte Beryl Prospekte mit einer Reihe von Angeboten, darunter ein Gestüt mit Namen Broadlands. Lady Kenmare und Beryl sichteten die Angebote, zogen zwei davon in die engere Wahl und flogen bereits eine Woche später nach Südafrika, um diese beiden in Augenschein zu nehmen. Ohne Zögern entschieden sie, daß Broadlands für ihre Zwecke ideal sei. Der Handel wurde unverzüglich abgeschlossen.[3]

Im August gab Beryl bekannt, daß sie im kommenden Januar als

Privattrainerin der Gräfin in die Kapprovinz gehen werde. Sie hatte die Absicht, eine stattliche Anzahl erstklassiger Pferde mitzunehmen, und zu diesem Zweck kaufte Lady Kenmare von »Tubby« Block und seinem Kompagnon Aldo Soprani die Favoriten Spike, Speed Trial, Mountie und Battle Axe. Obwohl sie große Tankladungen mit Quellwasser einführen ließ, hatte Beryl weiterhin gegen die Fluorvergiftung ihrer Pferde zu kämpfen, und Spike wurde vorübergehend als untauglich zurückgestellt, wenngleich Beryl für das bevorstehende East African Derby immer noch große Hoffnungen auf ihn setzte. Am Ende errang sie einen beachtlichen Doppelsieg mit Athi, einem neuen Pferd, das vor der Abreise nach Südafrika sowohl das East African Derby als auch das St. Leger der Saison 1964/65 gewann. Das war Beryls fünfter Derby-Sieg und ihr vierter im St. Leger.

Nicht lange nach Neujahr erhielt Doreen Bathurst Norman einen Hilferuf von Beryl, die mitten beim Packen war und nicht allein zurechtkam.

Ich erklärte mich natürlich bereit, ihr zu helfen, stieg in den Wagen und fuhr nach Naivasha hinüber. An die Fahrt kann ich mich noch gut erinnern, denn als ich über das Escarpment kam, versagten plötzlich die Bremsen ...

Mit dem Packen waren wir zu zweit bald fertig, aber es gab eine Menge Aufregung und Ärger wegen der Ausreisegenehmigung für die Pferde. Die Bewilligung traf schließlich erst einen Tag nach der Einschiffung der Tiere ein. Jørgen war gekommen, um Beryl bei den Vorbereitungen zu helfen, und er behelligte sie nicht mit Details. Aber ich entsinne mich, daß die Ausfuhrerlaubnis noch nicht gekommen war, als die Pferde von Naivasha abtransportiert wurden.[4]

Wie viele andere in Kenia war auch Doreen skeptisch, ob es Beryl gelingen würde, sich mit ihren in Kenia aufgewachsenen Pferden gegen die edlen Vollblüter der Kapprovinz durchzusetzen. Beryl dagegen war sicher, daß sie Erfolg haben würde, und davon überzeugte sie auch Enid Kenmare, die »Geld hatte wie Heu und meinte, mit Beryl als ihrer Privattrainerin sei sie aller Welt überlegen«.[5]

Beryl hatte Jørgen überredet, sie nach Südafrika zu begleiten, und hoffte, er würde als Verwalter auf Broadlands bleiben. Die Absicht hatte Jørgen zwar nicht, denn er hatte erst kürzlich sehr viel Geld in den Ausbau seiner eigenen Farm investiert, aber er fuhr mit Beryl in deren neuem blauen Mercedes nach Broadlands, und sie war offensichtlich der Meinung, er richte sich gleich ihr auf einen Daueraufenthalt ein.[6] Beryl war daran gewöhnt, Jørgen am Wochenende bei sich zu haben, wo er dann all die Aufgaben erledigte, die ihr Kopfzerbrechen bereiteten. Seine Hilfe in all den Jahren kann nicht hoch genug bewertet werden. Beryl verließ sich bedingungslos auf ihn, und er hatte sie noch nie im Stich gelassen.

Die Pferde wurden auf dem Seeweg nach Durban gebracht, wo sie in erbarmungswürdigem Zustand eintrafen, denn während der Überfahrt waren die Temperaturen im Frachtraum bis auf 50 Grad Celsius gestiegen. Es dauerte lange, ehe Beryl die Tiere wieder in Form gebracht hatte.[7] Der Haushalt, zu dem neben neun verschiedenrassigen Hunden der Gräfin auch Beryls zwei Dänische Doggen gehörten, richtete sich in Broadlands ein, aber Jørgen blieb nur solange, bis er sich überzeugt hatte, daß alles reibungslos lief. Seine Abreise war ein schwerer Schlag für Beryl, wenngleich sie die einzige war, die sich darüber wunderte. Nachdem er fort war, wurde Beryl »unaussprechlich grob« zu Lady Kenmare.[8]

Broadlands, in der Nähe von Somerset West gelegen, war ein herrlicher Besitz. Von der Nationalstraße kommend, passierte man zunächst ein schwarzes, schmiedeeisernes Tor, flankiert von zwei imposanten weißen Säulen. Von dort führte eine Allee von einer halben Meile Länge hinauf zu dem weißgetünchten Herrenhaus im kapholländischen Stil. Umgeben von weiträumigen Stallungen thronte es inmitten grüner Koppeln, Obst- und Weingärten; zum Gut gehörten insgesamt 1000 Hektar Grund.[9] Das Haus war im Jahre 1780 erbaut worden und zählte zu den ältesten der Gegend. Noch bevor die neue Besitzerin eintraf, rückte eine Schar von Handwerkern an; die aufwendigen Renovierungsarbeiten sorgten unter den Nachbarn wochenlang für Gesprächsstoff.

Broadlands wurde das einzige Trainingszentrum der Kapprovinz, dessen Leitung ausschließlich in weiblicher Hand lag. Mit Beryl und Lady Kenmare waren deren Tochter Patricia sowie ihre Sekretärin, Julia Wharton, gekommen. »Die Damen sind allesamt leidenschaftliche Pferdeliebhaberinnen, und jede von ihnen weiß spannende Geschichten zu erzählen«, berichtete die *Cape Times*.[10] Die Tochter der Gräfin beispielsweise hatte den Reportern von einem Löwenjungen erzählt, das mit ihr in einem Bett schlief, bis es vier Jahre alt war. Dann mußte die längst ausgewachsene Löwendame zu Patricias großem Kummer in einem Wildreservat ausgesetzt werden.[11]

Sofern Erfahrung, Sachverstand und Großzügigkeit als Maßstab für Erfolg gelten können, hätte die Verbindung Beryl–Lady Kenmare unschlagbar sein müssen. Beryl erwarb eine Trainerlizenz für die Kapprovinz (außer ihr gelang das damals nur noch einer einzigen Frau), und die beiden neuen Partnerinnen blickten erwartungsvoll in die Zukunft. Broadlands prosperierte anfangs auch wirklich, und Beryl tauchte bald als siegreiche Trainerin in den Rennlisten auf. Im Durbanville Cup gewann sie gleich zwei Rennen, und weitere Siege folgten, von den Einheimischen mit Verwunderung quittiert, da man den Pferden aus Kenia zunächst keine große Chance eingeräumt hatte. Beryl dagegen meinte den geheiligten Fußstapfen ihres Vaters zu folgen. Auch er war ja nach Durban gegangen und dort ein berühmter Trainer geworden. »Was hätte mein Vater getan?« So lautete nach wie vor ihr großes *Aide-mémoire* angesichts seelischer Belastungen und Spannungen. Und die ließen nicht lange auf sich warten.

Unstimmigkeiten zwischen ihr und der Gräfin waren gewissermaßen vorprogrammiert. Beryl und Enid Kenmare waren beide schöne Frauen mit ausgeprägtem Charakter. Jede war daran gewöhnt, ihren eigenen Willen durchzusetzen. Die Verbindung von Beryls Talent und Enids Geld reichte auf Dauer nicht aus, um eine erfolgreiche und harmonische Partnerschaft zu gewährleisten. Beryl hatte nie sonderlich gern mit Frauen zusammengearbeitet; sie kam besser mit Männern zurecht und fühlte sich wohler in ihrer Gesellschaft. Dennoch hielten diese beiden willensstarken Frauen eine Zeitlang miteinander aus, da jede, trotz persönlicher Reibereien, von der Verbindung profitierte.

Es war nicht leicht, für Beryl zu arbeiten. Sie verlangte viel von den Leuten und faßte sie hart an. Eines Morgens wurde beim Trainingsritt ein Mädchen, das zu den Grooms gehörte, von seinem Pferd abgeworfen und brach sich beim Sturz den Arm. Schmerzverkrümmt lag die Kleine am Boden. Da kam Beryl angeritten und wollte wissen, was passiert sei. Sie warf einen Blick auf das arme Geschöpf, schimpfte wütend: »Dumme Gans!«, und machte kehrt, ohne sich weiter um die Verletzte zu kümmern. »So war sie nun einmal. Hart und unerbittlich. Aber wenn sie selbst gestürzt wäre und sich dabei den Arm gebrochen hätte, dann hätte sie sich genauso eine dumme Gans gescholten, wäre wieder aufgestanden und weitergeritten, Verletzung hin oder her. Darauf möchte ich wetten. Sie war ungemein tapfer und unterdrückte jeden Schmerz«, erinnert sich Lady Kenmares Tochter.[12]

Im Juni 1965 flog Buster Parnell von Irland nach Südafrika, um für Lady Kenmare zu reiten. Beryl war inzwischen die Taufpatin seines Sohnes David geworden. Sie hatte den Kleinen sehr gern und war auch seiner Schwester Tina herzlich zugetan. »Beryl erlaubte Tina, all ihre Kosmetika zu benutzen, wenn das Kind große Dame spielen und sich schminken wollte. Tina war damals erst drei, und ihr machte das einen Heidenspaß. Oft kam sie mit völlig verschmiertem Gesicht heim.« Beryl konnte aber auch ganz unvermittelt die Lust an den Spielen des Kindes verlieren. »Was für ein schreckliches Gör«, sagte sie dann, wenn sie Tina bei ihren Eltern ablieferte.[13]

Buster merkte gleich, daß Beryl unglücklich war. »Eins der Hauptprobleme schien mir, daß sie einfach nicht mit dem Verwalter von Broadlands zurechtkam«, meinte er. »Dieser Mann wußte zwar, wie er das Gestüt zu leiten hatte, aber von Pferdetraining hatte er keine Ahnung, und so lagen die beiden sich ständig in den Haaren. Dabei zog Beryl oft den kürzeren – als Privattrainerin konnte sie sich eben nicht mehr soviel erlauben wie früher, da sie auf eigene Rechnung arbeitete.« Besonders unzufrieden war sie mit der Wartung der Galoppbahnen. Der Verwalter pflegte sie bei weitem nicht so gut, wie Beryl das von Jørgen gewohnt war. So kam es zum Beispiel häufig vor, daß ein Pferd ausgerechnet beim letzten

Trainingslauf vor einem Rennen ausgesondert werden mußte,
weil es sich auf der Galoppbahn den Fuß an einem Stein gestoßen hatte. »Sowas wäre bei Jørgen undenkbar gewesen – er hätte
derlei Unachtsamkeit niemals geduldet. Beryl war an seine erstklassige Unterstützung gewöhnt. Die fehlte ihr nun in Broadlands.«[14]

Der Burgfrieden zwischen Lady Kenmare und Beryl geriet mitunter bedenklich ins Wanken:

*Die Gräfin gab gern Gesellschaften, und oft versammelten sich an
die zwanzig Gäste zum Essen bei ihr. Sie sorgte auch immer für
eine unterhaltsame Mischung – Herzöge, Erzbischöfe ..., man
wußte nie, wen man alles antreffen würde. Beryl kam immer als
letzte; wenn alle übrigen bereits Platz genommen hatten, rauschte
sie herein, gefolgt von ihren beiden Boxern Circe und Caesar. Sie
plante solche Auftritte nicht bewußt, es ergab sich einfach so. Enid
hatte die Gewohnheit, ihre beiden Möpse zum Essen mit ins Spei-
sezimmer zu bringen, und wenn alle vier Hunde zusammenkamen,
war im Handumdrehen die Hölle los. Anfangs ging noch alles gut,
aber nach einer Weile begann es unter dem Tisch zu rumoren und
zu knurren. Am Ende hielten die Gäste höflich ihre Weingläser
fest und gaben sich ebenso höflich den Anschein, als bemerkten sie
nicht, wie der ganze Tisch wackelte, während zu ihren Füßen die
Schlacht tobte. Schließlich sagte Beryl anklagend: »Enid, ich
wünschte, Sie würden besser auf Ihre Hunde aufpassen, meine Liebe.« Enid lächelte honigsüß und hob ihr Glas – das nie etwas Stärkeres enthielt als Wasser oder Coca Cola.*[15]

Anna Parnell erinnert sich an einen ähnlichen Vorfall: »Einmal,
vor einem besonders wichtigen Empfang, bat die Gräfin Beryl,
ihre Hunde nicht mit ins Eßzimmer zu bringen. Alles ging gut, bis
plötzlich ein furchtbares Getöse die Gäste erschreckte, und Caesar
und Circe durchs offene Fenster hereinsprangen. Das Gespräch
verstummte schlagartig. Nur Beryl saß ganz ruhig da und aß weiter
– ich hatte den Eindruck, als amüsiere sie sich königlich über den
Zwischenfall.«[16]

Die Lage auf Broadlands entspannte sich ein wenig, als der alte
Verwalter das Gestüt verließ und durch einen jüngeren Mann aus

Kenia ersetzt wurde. Doch der kam schon nach kurzer Zeit bei einem tragischen Autounfall ums Leben.

Schließlich ertrug Beryl die ständigen Streitereien mit der Gräfin nicht länger und verließ Broadlands zusammen mit den wenigen Pferden, die ihr gehörten – Niagara, Title Deed und Kara Prince. Schuld an dem Bruch hatten wohl beide Frauen. Beryl hatte jahrelang als freie Trainerin gearbeitet und war niemandem Rechenschaft schuldig gewesen, solange sie die Eigentümer durch die Leistungen ihrer Pferde überzeugen konnte. Nun aber unterstand sie unmittelbar der Gräfin, die sie ja bezahlte, und diese goldenen Fesseln drückten die freiheitsliebende Beryl schwer. Lady Kenmare war inzwischen hoch in den Siebzigern und hatte (so versicherte mir zumindest Beryl) das zänkische Wesen alter Leute angenommen. »Sie konnte sich nie entscheiden, was sie eigentlich mit ihrem Grund und Boden anfangen wollte. Heute befahl sie, Wein anzubauen, und tags darauf ließ sie die Stöcke ausreißen und etwas anderes pflanzen. Beryl fand diese Sprunghaftigkeit ziemlich alarmierend«, berichtet Anna Parnell.

»Enid war sehr alt geworden und schwierig. Sie konnte nicht begreifen, worauf es mir ankam. Darum bin ich gegangen«, erzählte mir Beryl.[17] Sie selbst war zwar nur zehn Jahre jünger als die Gräfin, doch jeder, der damals mit den beiden verkehrte, beteuert, Lady Kenmare habe weitaus älter ausgesehen und fast schon senil gewirkt.

Nach ihrem Weggang von Broadlands hoffte Beryl, sich ihren Lebensunterhalt wieder als freie Trainerin verdienen zu können. Wirklich fand sie Unterkunft für sich und ihre Pferde bei Bekannten, allerdings in einer sehr ärmlichen Gegend, wo sie auf ihren gewohnten Komfort verzichten mußte. Doch sie konnte sich nichts Besseres leisten, da sie trotz der erfolgreichen Jahre in Kenia keinerlei Ersparnisse besaß. Buster und Anna Parnell besuchten sie ein paarmal, ehe auch sie resignierten und nach Europa zurückkehrten. »Es war eine schauderhafte Unterkunft, die sie da hatte; sie hauste praktisch am Ende der Welt. Und natürlich war sie völlig mittellos. Eigentlich hatte sie von vornherein keine Chance, es dort zu was zu bringen. Merkwürdigerweise wurden wir in der

Zeit sehr gute Freundinnen. In Naro Moru hatte sie mich überhaupt nicht beachtet, aber nun war sie unglücklich und brauchte jemanden, bei dem sie sich aussprechen konnte. So lernte ich sie näher kennen und mochte sie bald sehr gern ...«, sagt Anna.[18]

Schließlich, nach einem Streit mit der Rennleitung in Kapstadt, brach Beryl ihre Zelte dort ab und zog nach Rhodesien. Für die Sechsundsechzigjährige war ein solcher Neuanfang keine Kleinigkeit, noch dazu in einem Land, wo man so gut wie nichts von ihrem früheren Ruhm gehört hatte. Allerdings hätten die wenigsten ihr wahres Alter erraten, denn sie war immer noch rank und schlank und sah gut zwanzig Jahre jünger aus. Sie kleidete sich in enganliegende Seidengewänder und trug stets hübsche Accessoires wie etwa einen seidenen Schal, um ihrer Garderobe eine aparte Note zu verleihen. Ihre Bewegungen waren ungemein leicht und geschmeidig, »als habe sie Flügel an den Füßen«, und das Alter schien spurlos an ihr vorüberzugehen. Beryl ließ sich in der Nähe von Salisbury nieder und war anfangs zuversichtlich, daß sie dort Erfolg haben würde, auch wenn ihr ein Beistand wie Jørgen fehlte. In einem Interview kurz nach ihrer Ankunft sagte sie: »Ich wünschte, ich wäre gleich von Kenia hierher gekommen ... dann hätte ich mir jetzt schon einen Namen gemacht. Ich bin sehr beeindruckt vom Niveau der Rennen in Ihrem Land ...« Auf ihre Karriere als Pilotin angesprochen meinte sie: »Ich kann mich nicht erinnern, wie viele Flugstunden ich absolviert habe – es müssen an die dreitausend sein –, aber meine große Liebe hat immer den Pferden gehört. Ich bin schon sehr gespannt auf mein erstes Rennen. Das ist doch jedesmal viel aufregender als Fliegen.«[19] Inzwischen waren fast dreißig Jahre vergangen, seit sie das letzte Mal am Steuer eines Flugzeugs gesessen hatte, aber noch immer verband sich mit ihrem Namen der Ruhm der großen Flugpionierin, und Beryl nutzte ihn, wann immer sich Gelegenheit bot, um ihrem Trainingsunternehmen Publicity zu verschaffen.

In Rhodesien traf Beryl einen alten Freund aus Naro Moru wieder. Er erinnert sich: »Sie ließ sich auf ein großes Wagnis ein, als sie damals nach Rhodesien kam. Sie hatte keinerlei Verbindungen, sie konnte niemanden dazu bewegen, ihr gute Pferde zum Trainieren zu überlassen, und sie hatte keine Jockeys, die für sie hätten reiten wollen. Ich fuhr öfters raus und half ihr, die Pferde zu bewegen. Finanziell war sie in einer hoffnungslosen Situation, und ein Freund von mir, ein Anwalt, versuchte ihr zu helfen. Aber ihre Chancen waren gleich Null. Trotzdem, sie war ein Original, und man mußte sie einfach gern haben. Aber sie hatte ein unberechenbares Temperament. Einmal übernahm ich das Morgentraining für sie. Als ich zu den Stallungen zurückkam und aus dem Sattel stieg, wandte ich mich Beryl zu, da ich erwartete, sie würde sich bei mir bedanken oder zumindest die Leistung des Pferdes mit mir besprechen. Statt dessen schüttete sie mir einen Eimer kaltes Wasser ins Gesicht. ›Du hast ihn viel zu langsam geritten!‹ herrschte sie mich an. Wie sich herausstellte, waren Interessenten dagewesen und hatten zugesehen. Aber sie hatten Beryl nicht den erhofften Auftrag erteilt. Daran gab sie nun mir die Schuld.«[20]

Müde, entmutigt und wieder einmal ohne einen Pfennig Geld entschloß sich Beryl 1970, nach Kenia zurückzukehren. Sie wußte, daß sie rasch Erfolg haben mußte, was freilich auf ihrem angestammten Territorium nicht so schwer war wie in Rhodesien. Hier in Kenia war sie bekannt, ja berühmt – fast eine Legende. Als man ihre Trainerlizenz nicht gleich erneuern wollte, wandte sie sich an den damaligen Vizepräsidenten des Rennsportverbandes, Daniel *Arap* Moi, der sich persönlich für sie einsetzte, und im Handumdrehen war die Angelegenheit geregelt. Tubby Block, der die ständigen Auseinandersetzungen mit Beryl in schlechter Erinnerung hatte, wollte ihr seine Pferde nicht wieder überlassen, aber sein Kompagnon Aldo Soprani nahm sie erneut unter Vertrag; einige weitere einflußreiche Eigentümer kamen hinzu, und Beryl richtete ihr Trainingscamp auf Sopranis Kaffeeplantage in Thika ein.

Ihr Haus lag am Hang inmitten der Pflanzung, gleich neben den eingezäunten Koppeln, und Beryl hatte gute Ställe zur Verfügung. Der Nachteil war, daß sich keine Unterkünfte für die Jockeys in der Nähe fanden. Die Jockeys mußten jeden Morgen mit dem Motorrad nach Thika hinausfahren; und das, obwohl die Straßen in schlechtem Zustand waren und bei Regen völlig unpassierbar wurden.

Sopranis Vertrauen in Beryl zahlte sich aus. Bereits wenige Wochen nach Eröffnung der Saison 1970/71 bescherte sie ihm die ersten Siegestrophäen. Wieder gelang es ihr, die begehrte Triple Crown, bestehend aus East African Derby, Kenia St. Leger und Kenia Guineas, zu erringen. Daneben gewann sie noch sechs weitere Rennen. Insgesamt trainierte sie in dieser Saison dreiundzwanzig Sieger und eroberte sich damit auf Anhieb ihren angestammten Platz an der Spitze der Trainerliga zurück.

1971 erreichte Beryl die Nachricht, Gervase sei bei einem Verkehrsunfall schwer verletzt worden. Er lebte seit 1967 mit seiner Familie in Frankreich, wo er zunächst als Reporter gearbeitet hatte und später für die Handelskammer tätig war. Sobald er von dem Unfall seines Sohnes erfuhr, flog Mansfield nach Frankreich, um Gervase nahe zu sein, der wochenlang um sein Leben kämpfte. »In der Zeit lernte ich ihn erst wirklich kennen«, sagt Viviane, Gervases Frau. »Er war so gut zu uns und so reizend mit den Kindern. Es war das erste Mal seit unserer Hochzeit, daß er sich benahm, wie ich es mir von einem Vater gewünscht hätte. Dabei war es eine furchtbare Zeit für uns alle. Gervase litt große Schmerzen, aber er war hart im Nehmen, genau wie Beryl – der tapferste Mensch, den ich in dieser Beziehung je kennengelernt habe.«[21]

Beryl konnte sich eine Reise nach Europa nicht leisten. Sie war untröstlich, als sie erfuhr, daß ihr Sohn im Krankenhaus gestorben sei, aber die beiden hatten sich nie sehr nahe gestanden. Viele ihrer damaligen Freunde wußten nicht einmal, daß sie einen Sohn hatte, und der sensible, introvertierte Gervase hatte keine Ansprüche an seine Mutter gestellt, die ihm von Kindheit an unerreichbar schien. Gervases Leiche wurde nach England überführt und in der Familiengruft der Markhams beigesetzt. Wenige Monate später starb auch Mansfield.[22]

In den Jahren 1972 bis 1978 gewann Beryl wieder zahlreiche Rennen. Aber ihre Koppel verkleinerte sich allmählich, und bei den klassischen Turnieren gehörte sie fortan nicht mehr zu den Siegern. Sie war jetzt über siebzig, sah jedoch immer noch phantastisch aus und hatte nach wie vor ihren geschmeidigen, federnden Gang. Obwohl sie sich 1972 ein Bein gebrochen hatte und monatelang einen Gipsverband tragen mußte, ritt sie weiterhin täglich aus. »Sie war auch damals noch eine tolle Frau«, erinnert sich Ulf Aschan, ein Freund aus Beryls späteren Jahren. »Sie hatte den Gang eines jungen Mädchens. Ihr aschblondes Haar trug sie lang, und ihre Figur war immer noch tadellos. Von hinten hätte man sie leicht für eine kesse Dreißigjährige halten können.«[23]

Robin Higgin, ein Experte der Geschichte des Pferderennsports in Kenia, der, während die letzten Kapitel dieses Buches geschrieben wurden, unerwartet verstarb, erzählte mir: »Beryl war ohne Frage die brillanteste Trainerin, die Kenia je hatte. Ich wüßte nur zu gern, worin ihr Geheimnis bestand. Ich erinnere mich, daß all ihre Pferde immer von einem ganz leichten Schweißglanz bedeckt waren, so zart wie ein Hauch … Ich hatte das vorher noch nie gesehen, und es ist mir auch später nirgends auf der Welt mehr begegnet. Ich weiß bis heute nicht, warum das bei Beryls Pferden so war. Ihre Pferde sahen immer ganz prächtig aus. Ich bin sicher, sie hat ihnen irgendwas gegeben, vielleicht ein Kraut, das sie von den Afrikanern her kannte und das den Tieren das gewisse Etwas gab … vielleicht hatte sie es auch von Clutterbuck. Der hatte sich ja auch als Trainer sehr hervorgetan, selbst unten in der Kapprovinz. Aber ich finde, Beryl war noch besser. Wenn es darum ging, die Jockeys zu bestimmen, war sie freilich eine Katastrophe. Es kam vor, daß sie noch am Morgen des Rennens die Nominierung änderte – auf sowas mußte man bei ihr dauernd gefaßt sein. Bis zur letzten Minute wußte man nicht, wer nun wirklich für sie reiten würde. In manchen Kreisen machte sie sich dadurch sehr unbeliebt.«[24]

In Kenia gibt es viele, die fest daran glauben, daß Beryl ein Geheimrezept benutzt habe. Falls das stimmt, hat Beryl ihren Zauber mit ins Grab genommen; ihre engsten Vertrauten aus der Zeit ihrer großen Erfolge können über diese Theorie freilich nur lachen. Buster Parnell, der Beryl unzählige Male auf ihrem abendlichen Rundgang durch die Stallungen begleitete, meinte lakonisch: »Sie brauchte keinen Hokuspokus … dafür war sie viel zu gut.« Einzig Doreen Bathurst Norman entsinnt sich einer Art Elixier, das Beryl ihren Pferden verabreichte.

Beryl hatte stets eine Mixtur vorrätig, die sie auf ihren Rundgängen regelmäßig bei sich trug. Es war nichts Ungewöhnliches, sondern enthielt nur die üblichen Zusätze, mit denen jeder Trainer seine Pferde aufbaut – Mineralien, Vitamine und dergleichen. Während sie auf ihrem Rundgang Box für Box inspizierte, pflegte sie etwas von dieser Mixtur ins Futter der Tiere zu streuen. Eines bekam eine Handvoll, ein anderes vielleicht dreimal soviel, und wieder ein anderes gar nichts. Sie schien genau zu wissen, was jedes ihrer Pferde brauchte, aber mit Hexerei hatte das nichts zu tun. Sie setzte nur ihr Können ein und ihre Erfahrung; darüber hinaus hatte sie noch einen einzigartigen Instinkt für die ganz speziellen Bedürfnisse eines jeden Pferdes.[25]

Die Schriftstellerin Martha Gellhorn, Exgattin Ernest Hemingways, lernte Beryl Anfang der siebziger Jahre bei einer Cocktailparty in deren gemietetem Haus kennen. Sie hatte noch nie von Beryl gehört und trat ihr daher völlig ahnungslos gegenüber. »Beryl empfing mich in einem typischen Salon im Kolonialstil – wuchtiges Mobiliar, ausladende, chintzbezogene Sessel, ein rustikaler Kastentisch zur Aufbewahrung von Getränken und Gläsern. Aber nirgends Bücher; es ist eine Berufskrankheit, daß ich in fremden Wohnungen immer zuerst nach Büchern Ausschau halte.«[26] Hier irrte Martha Gellhorn, denn Beryl besaß eine große und breitgefächerte Bibliothek, nur stellte sie ihre Bücher nicht zur Schau.

Beryl trug enganliegende schwarze Hosen und einen hochgeschlossenen Seidenpulli – ein geradezu exotischer Aufzug für das Hochland, wo Khaki dominierte. Sie sah hinreißend aus mit ihrem blonden Haar, dem sonnengebräunten Gesicht und ihrer gertenschlanken Figur. Sie wirkte so ganz anders, als ich mir eine Pferdenärrin vorgestellt hatte. Prompt zog ich aus ihrem Erscheinungsbild einen völlig falschen Schluß: dieser unverkennbare Liebling des Muthaiga Clubs, jenes langweilig-verstaubten Treffpunkts der Gesellschaft von Nairobi, trainierte Rennpferde, was immer das auch heißen mochte, zu ihrem Vergnügen. – Sie hatte zwei Verehrer zu Besuch, einen älteren und einen jüngeren, und es beeindruckte mich, wie beflissen sie miteinander wetteiferten, die Drinks zu servieren, während Beryl huldvoll darauf wartete, sich bedienen zu lassen ... ich hielt sie für eine ungemein attraktive Frau von vierzig.[28]

Beryl war immer noch von Verehrern umschwärmt – man munkelte sogar von Liebhabern. Allerdings ist bei Beryls angeblichen Liebesaffären Skepsis angebracht, denn wenn all die Geschichten, die man mir erzählte, wahr wären, hätte Beryl die Jahre zwischen vierzehn und vierundachtzig unausgesetzt in der Horizontale verbringen müssen. Diese Histörchen gehören einfach mit zu jenem Strom von Gerüchten, Klatsch und Spekulationen, aus dem Beryls Legende entstand. Sie war ohne Zweifel sehr freizügig in ihren sexuellen Beziehungen zu Männern, aber sie ließ sich nicht wahllos mit jedem Erstbesten ein, daran hinderte sie schon ihr angeborener Körperkult. Doreen Bathurst Norman, vermutlich Beryls engste Freundin, meint, Beryls Einstellung zur Sexualität sei eher die eines Mannes gewesen, als die einer Frau. »Ich glaube nicht, daß Beryl sich je Gedanken darüber gemacht hat, wie ihr Benehmen auf andere Leute wirkte. Und wenn sie doch daran gedacht hätte, dann wären ihr die Moralvorstellungen der anderen lächerlich erschienen und sie hätte sich keinen Deut darum geschert.«

1975 kam der irische Jockey Dennis Leatherby nach Kenia, um für Beryl zu reiten. Seiner Erinnerung nach war nicht gut Kirschen essen mit ihr, doch als Trainerin fand sie seine uneingeschränkte Bewunderung. Einmal, als die beiden zu den Ställen von Thika zurückritten, versuchte Dennis' Pferd, ein unbeschnittenes Füllen, Beryls Stute zu besteigen. Beryl fiel aus dem Sattel, und Leatherby wollte ihr zu Hilfe eilen. »Nein, nein, mein Lieber«, widersprach sie mit Nachdruck, »mir fehlt nichts. Danke, aber ich komme allein zurecht.« »Das war Beryl«, sagte Dennis, »sie ließ sich von niemandem helfen, und sie war unwahrscheinlich zäh.«[28]

Buster Parnell, der mit Beryl auf dem Höhepunkt ihres Erfolges jenes vielgerühmte »unschlagbare Gespann« gebildet hatte, kam Ende 1975 nach Kenia zurück, um für Beryl im Neujahrsrennen zu reiten. »Highlight des Turniers«, schrieb der *East African Standard*, »war die Rückkehr von Buster Parnell, der in fünf Rennen dreimal für Beryl Markham siegte.«[29]

Auch in den drei folgenden Jahren verbrachte Buster die Rennsaison in Kenia, doch 1979 wurde er ausgewiesen. Der temperamentvolle Jockey hatte sich mit der Frau eines einflußreichen Bürgers eingelassen. »Das war natürlich nicht der offizielle Grund für meine Ausweisung – aber der wahre«, erzählte Buster augenzwinkernd. Beryl hatte sich bei der Rennleitung stets für Buster eingesetzt, wenn er in Schwierigkeiten geriet, doch diesmal konnte auch ihre Fürsprache nichts ausrichten.

1977 feierte der Aeroclub von Ostafrika sein fünfzigjähriges Jubiläum mit einem Galadiner, zu dem Beryl als Ehrengast geladen war. Bei dieser Gelegenheit verehrte der Aeroclub ihr eine Autogrammtafel mit den Signaturen großer Piloten aus den letzten fünfzig Jahren, von denen viele zu Beryls Freunden zählten. Dieses Souvenir hing bis zu ihrem Tode in Beryls Wohnzimmer.

Die von Beryl trainierten Pferde brachten ihren Eigentümern zwar immer noch beachtliche Erfolge auf den Rennplätzen ein, aber mit den Jahren wanderten die reichen Auftraggeber doch einer nach dem anderen ab. Schließlich hatte sie nur noch vier Pferde. Zudem lag sie seit Jahren im Streit mit den Stewards des Jockey Clubs von Kenia, denen sie Schikanen vorwarf und Haarspalterei. Doch als sie im Juni 1980 einen Brief vom Vorstand des Clubs erhielt, in dem ihr mitgeteilt wurde, die Stewards seien »nicht bereit, Ihre Trainerlizenz für die Saison 1980/81 oder darüber hinaus zu verlängern«, war Beryl tief betroffen.

Sie nahm sich unverzüglich einen erstklassigen Anwalt, der den Fall seiner Mandantin mit Nachdruck vertrat und in einem geharnischten Schreiben an die Stewards appellierte, der verdienten Trainerin Gerechtigkeit widerfahren zu lassen.[30]

Beryl hatte zwar einige Feinde unter den Stewards, daneben aber auch viele Freunde. Auf Betreiben ihres Anwalts wurde ihre Lizenz bald verlängert, und sie hielt sich noch einige Jahre mit ihrem immer kleiner werdenden Unternehmen über Wasser. »Aber um die Zeit fiel es ihr schon sehr schwer, sich nicht unterkriegen zu lassen«, berichtete mir Buster Parnell, dem es 1982 gelang, sich für ein paar Stunden »nach Kenia hineinzuschmuggeln. Ich war unterwegs von London nach Indien und mußte in Nairobi das Flugzeug wechseln.« Buster hatte selbstverständlich keine Erlaubnis, das

Land zu betreten, doch war er nicht der Mann, sich von Verboten abschrecken zu lassen. Er nahm ein Taxi und fuhr hinaus zu Beryls Cottage nahe der Rennbahn. Er hatte Glück – Beryl war zu Hause. »Sie war ganz gerührt, nahm mich bei der Hand und sagte: ›Mein Lieber, setz dich und trink ein Gläschen. Ich muß nur schnell draußen ein paar Tränen zerdrücken, dann komme ich wieder, und wir werden uns ganz gemütlich unterhalten.‹ So war sie – natürlich hätte sie nie in meiner Gegenwart geweint. Als sie zurückkam, war sie frisch geschminkt, und wir setzten uns und redeten und redeten, bis es mir schließlich zu riskant wurde. Wenn ich jetzt nicht gehe, dachte ich, erwischt mich womöglich noch die Polizei.«[31]

Busters Vermutung war leider zutreffend. Beryl hatte inzwischen hart zu kämpfen – gegen die ständige Geldknappheit, ihr mangelndes administratives Geschick und, ungeachtet ihrer blendenden Erscheinung, auch gegen das Alter. Pferde wurden nicht angemeldet und verpaßten dadurch das Rennen, in denen Beryl sie hatte starten lassen wollen. Bis auf ihre Leibrente aus England und das wenige, was sie mit ihrem kleinen Trainingscamp noch verdiente, hatte sie praktisch keine Einkünfte und obwohl es ihren Pferden nach wie vor an nichts fehlte, war Beryl hochverschuldet und lebte in sehr einfachen Verhältnissen. An dieser Armut mußte ihre Karriere auf der Rennbahn zwangsläufig zerbrechen.

Beryls gesellschaftliches Leben war rege wie eh und je. Sie hatte immer noch die Gabe, sich leicht Freunde zu schaffen, und ihr persönlicher Charme sowie ihr legendärer Ruhm sorgten dafür, daß sie nach wie vor viele Einladungen erhielt, die sie freilich meist gleich wieder vergaß. Langfristige Verabredungen mit alten Freunden hielt sie dagegen immer ein. So sah man ihren blauen Mercedes jahrelang jeden Donnerstag auf dem Weg nach Muthaiga, wo sie regelmäßig bei ihren Freunden Lord und Lady Cavendish Bentinck zum Lunch erwartet wurde.

Sowie Beryl die Veranda der »CBs« betrat, streifte sie als erstes ihre Schuhe ab. Sie war ihr Leben lang am liebsten barfuß gegangen und war auch im hohen Alter noch stolz auf ihre zierlichen, wohlgeformten Füße. Lady CB (die jetzige Herzogin von Portland) kannte Beryl bereits seit Anfang der fünfziger Jahre. Doch obwohl die beiden einander mitunter zwei-, dreimal die Woche zum Lunch trafen, sagt Lady CB rückblickend:

Ich habe sie nie richtig gut gekannt, und ich glaube, es gibt überhaupt nicht viele, die wußten, wie sie wirklich war. Vielleicht lag das daran, daß Beryl niemals über sich sprach. Ohne es zu wissen, wäre man zum Beispiel nie darauf gekommen, daß sie etwas vom Fliegen verstand. Auch ihren Sohn oder ihre Enkelinnen erwähnte sie nie. Es dauerte lange, ehe ich überhaupt erfuhr, daß sie einen Sohn hatte. Irgendwie hatte man das Gefühl, sie sondere sich ab von den Menschen – nicht etwa, weil sie sie nicht gemocht hätte, nein, sie waren ihr einfach nicht wichtig. Mit Tieren war das ganz anders. Wenn man mit ihr die Runde durch ihre Ställe machte, entdeckte man staunend ihre unbegrenzte Liebe zu den Pferden. Für sie sorgte sie mit Zärtlichkeit und Hingabe – das galt auch für ihre Hunde. Mein Mann hatte Beryl schon als junges Mädchen gekannt und sie trainierte auch ein oder zwei Pferde für ihn. Ich erinnere mich, daß er einmal sagte, sie habe den Gang eines edlen Tieres.[32]

Bis in die späten siebziger Jahre war Beryl gesund und aktiv. Nach wie vor ritt sie täglich aus, und Freunden versicherte sie, auf dem Rücken eines Pferdes fühle sie sich jetzt wohler als auf ihren Füßen. Ihre Haltung war aufrecht und entspannt, und sie hatte immer noch den leichten, geschmeidigen Gang, den sie als Kind gelernt hatte – federnd fing sie jeden Schritt mit den Ballen ab, so als wolle sie im nächsten Moment vom Boden abheben. Ihre Art sich zu bewegen war Teil ihrer Legende. Wenn sie sonntags im Muthaiga Club lunchte, pflegten Fremde und Besucher interessiert aufzublicken und Beryl zu beobachten, während man ihnen ihre Geschichte zuflüsterte.

Man darf nicht annehmen, daß Beryl sich wegen ihrer Armut Sorgen machte. Sie hatte das Leben immer von seiner besten Seite genommen. Wenn Geld da war, gab sie es mit vollen Händen aus; wenn schlechte Zeiten anbrachen, lebte sie auf Kredit. Ihr Geschick, den Geschäftsleuten immer wieder Kredit abzuschmeicheln, brachte Jack Couldrey in ihr Leben.

Kapitel 17
(1980–1986)

»Persönlich kam ich erst vor ein paar Jahren mit Beryl in Kontakt«, sagt Jack Couldrey, Anwalt aus Nairobi. »Ich vertrat damals einen hiesigen Geschäftsmann, bei dem Beryl hochverschuldet war.« Jack suchte Beryl im Auftrag seines Mandanten auf, und als er sah, wie sehr sie sich einschränken mußte, faßte er spontan den Entschluß, ihr zu helfen. Als Patensohn von Jack Purves – Beryls erstem Mann – empfand Jack eine gewisse Verpflichtung ihr gegenüber. »Mein Vater und Beryls Vater hatten einander auch recht gut gekannt. Da konnte ich sie doch nicht einfach ihrem Schicksal überlassen.«[1]

Jack Couldrey setzte sich mit Ulf Aschan in Verbindung, einem Freund Beryls,[2] und gemeinsam gründeten die beiden einen Fonds, in den viele Pferdeliebhaber und Flieger monatlich eine gewisse Summe einzahlten, um Beryls Ausgaben zu decken. Von da an bis zu ihrem Tod im Jahre 1986 nahm Jack Beryls Interessen wahr. Bei der ersten Durchsicht ihrer Papiere hatte er noch keinen Einblick in ihr Privatleben und ging davon aus, daß sie überhaupt kein festes Einkommen habe. Daher überraschte ihn die Entdeckung, daß Beryl einmal ein Buch geschrieben hatte und daß sie regelmäßig eine, wenn auch bescheidene Leibrente aus London bezog, die, so vermutete er, von der Familie Markham stammte. Man kann Jack Couldrey keinesfalls nachsagen, er habe sich von Beryls Charme einfangen lassen, und doch wurde er das letzte Glied in jener Kette von Helfern, die Beryl ihr Leben lang beistanden. In Jack hatte sie endlich wieder jemanden gefunden, der ihr die leidige Verwaltungsarbeit abnahm und all den »lästigen Kleinkram«, der ihr so verhaßt war.

Anfang der achtziger Jahre bezog Beryl ein Cottage auf dem Gelände der Rennbahn von Nairobi. Ihr neues Heim gehörte dem Jockey Club, und Beryl lebte dort mietfrei bis zu ihrem Tode. Das Haus ist nicht nur hübsch gelegen, sondern hatte auch den Vorteil, daß Beryl ihr Training fortsetzen konnte, ohne täglich herumfahren zu müssen. Der schmale, gepflegte Weg vor ihrer Tür führte direkt zur Rennbahn und zu den Stallungen. Das Cottage war schlicht, aber modern eingerichtet, hatte ein helles Wohnzimmer, zwei Schlafräume, Bad und Toilette. Ursprünglich war es als Quartier für die Jockeys gebaut worden. Vom Wohnzimmerfenster aus konnte Beryl die Rennpferde auf der kleinen Koppel jenseits ihres Zauns weiden sehen.

Mit Hilfe ihrer Diener Odero und Adiambo hatte Beryl sich bald eingelebt. Jeden Morgen brachten die Grooms die Pferde zum Cottage und ließen sich von Beryl den Tagesplan geben. Später machte sie in ihrem Mercedes die Runde, sah den Pferden beim Training zu und inspizierte die Arbeit der Stallburschen.

Am Morgen des 19. August 1981 kamen die Grooms wie üblich zum Cottage und warteten vor dem Eingang. Beryl erschien nicht, aber die Männer warteten geduldig, da sie dachten, die Memsahib habe vielleicht verschlafen. Odero, der seit Naro Moru als Hausboy bei Beryl war und an diesem Morgen ihren Wagen wusch, bestätigte den Grooms, daß die Memsahib sich noch nicht habe blicken lassen. Odero hatte seine eigene Wohnung außerhalb des Hauses, und in der Regel öffnete Beryl in aller Frühe ihre Tür, damit er hinein konnte, um das Frühstück zu machen. Die Wartenden standen eine Weile unschlüssig herum, doch schließlich kamen ihnen Bedenken, und sie benachrichtigten Beryls Nachbarn, den Tierarzt V. J. Varma.

»Ich ging mit rüber zum Cottage und klopfte an die Tür«, erinnert sich VJ. »Aber es kam keine Antwort. Ich rief nach Beryl, doch drinnen blieb alles still. Inzwischen hatte ich es mit der Angst gekriegt, also ging ich ums Haus herum bis zu ihrem Schlafzimmerfenster und rief wieder ihren Namen. Diesmal antwortete Beryl, und ich verstand, sie brauche dringend Hilfe. Also lief ich wieder nach vorn und öffnete gewaltsam die Tür.«

*Als ich in ihr Schlafzimmer kam, war ich entsetzt über den An-
blick, der sich mir bot. Beryl war an Händen und Füßen mit einer
Telefonschnur gefesselt. Die Fesseln waren sehr straff gespannt,
und sie hatte wohl schon lange so gelegen, denn Hand- und Fußge-
lenke waren stark geschwollen. Sie war splitternackt und hatte
Schnittwunden und blaue Flecke im Gesicht und am Hals. Offensichtlich hatten die Täter sie übel zugerichtet. Wegen der stram-
men Fesseln stockte die Durchblutung, und ihre Glieder waren
wie abgestorben. Inzwischen war Mrs. Bowden, eine Freundin
von Beryl, eingetroffen, und zusammen befreiten wir die Ärmste
von ihren Fesseln.*[3]

Auch nachdem man sie losgebunden hatte, litt Beryl gewiß noch
große Schmerzen, und es dauerte Stunden, bis das Blut wieder
richtig zirkulierte, doch ihre erste Sorge galt ihren Hunden. Zusammen mit ihren Freunden durchsuchte sie das Haus nach ihren
Lieblingen, voller Angst, man habe womöglich auch sie gestohlen.
Schließlich entdeckte VJ die beiden unter Beryls Bett, wo sie sich
verängstigt in einer Ecke verkrochen hatten. Erst jetzt erlaubte Beryl ihren Freunden, ihr erste Hilfe zu leisten und sie ins Krankenhaus zu bringen.

Paddy Migdoll erzählte mir die Geschichte zu Ende: »Die Einbre-
cher hatten vor *nichts* haltgemacht. Alles war gestohlen – sogar Beryls Reisepaß und ihr Führerschein. Sie kann recht schwierig sein
im Umgang, weil sie so einen ausgeprägten Charakter hat, und sie
ist nicht bei allen beliebt, aber als wir damals bei den Leuten her-
umgingen und um Hilfe für sie baten, stellten wir fest, wie viele
Freunde sie dennoch hatte. Alle trugen ihr Teil bei und spendeten
Sachen für Beryl. Geld, Kleider, Mäntel, Decken, was sie eben am
nötigsten brauchte ...«[4]

Wenn Beryl sich den Einbrechern gefügt und stillgehalten hätte,
wäre sie vermutlich nur gefesselt worden und ansonsten ungescho-
ren geblieben, während die Diebe das Haus durchstöberten. Aber
das lag nicht in Beryls Natur. Ihre Angreifer hatten sie fesseln können, weil sie sie im Schlaf überraschten. Doch als sie dann wehrlos
auf ihrem Bett lag, beschimpfte sie die Männer solange auf Suaheli, bis die keine andere Möglichkeit mehr sahen, als sie gewalt-

sam zum Schweigen zu bringen. Obgleich bei dem Einbruch auch fast all ihre »liebsten Andenken«[5] gestohlen wurden, behielt sie zum Glück die beiden Kleinodien, an denen ihr Herz besonders hing: das Modell ihrer Vega Gull aus Silber und Türkisen, das Edgar Percival ihr nach ihrem Transatlantikflug überreicht hatte, und die silberne Zigarettendose mit eingravierter Widmung, die sie vor vielen Jahren Prinz Henry geschenkt und die er ihr später zurückgegeben hatte.

Sir Charles Markham, der in Karen wohnt (einem nach Karen Blixen benannten Vorort von Nairobi), urteilt: »Ich glaube, dieser Überfall war ein großer Schock für sie. Sie hätte nie gedacht, daß die Afrikaner sich je an ihr vergreifen würden, und nach diesem traumatischen Erlebnis schien sie plötzlich um Jahre gealtert. Kurze Zeit vor dem Einbruch war sie zur Taufe meines Enkelkindes hier bei uns gewesen, und da erschien sie noch allen als strahlender Mittelpunkt der Gesellschaft.«[6] Der Schock wirkte sich in erster Linie auf ihr Gehvermögen aus. Fortan bewegte sie sich steif und schleppend; ihren beschwingten Gang hatte sie für immer verloren.

Trotzdem gab sie das Training nicht auf. Soprani hatte sich zwar inzwischen zurückgezogen, aber David Sugden, der sie schon 1979 bei ihrem Trainingsprogramm unterstützt hatte, versorgte sie nun statt seiner mit ein paar Pferden.

Ich erinnerte mich daran, wieviel Urteilskraft und Erfahrung sie aufzuweisen hatte ... Als sich dann 1982 eine günstige Gelegenheit zum Kauf einiger Pferde bot, griff ich sofort zu und schickte die Tiere zu Beryl zum Training, weil ich sicher war, daß sie ihnen immer noch eine Menge geben konnte. Ihre Technik machte die Peitsche überflüssig, und sie zwang den Pferden auch nicht ihren Willen auf, sondern brachte sie auf ganz sanfte Weise dazu, ihr zu gehorchen. Ihre Verpflegung und die Übungsstunden waren individuell auf das jeweilige Pferd abgestimmt – sie behandelte nie eines wie das andere.

Einer meiner Hengste ist ein gutes Beispiel dafür. Er hatte sehr schwache Sehnen, war ansonsten aber ein unglaublich kräftiger Bursche. Beryl gelang es, ihm eine Schlankheitskur zu verpassen, die seine Statur nicht veränderte. Sie sorgte nur dafür, daß er leicht genug wurde für seine Sehnen und sie nicht länger überbelastete – und später gewann er mehrere Rennen.[7]

Mr. Sugden zählte Beryl auch in den achtziger Jahren noch zu den besten Trainern Kenias. Mit den richtigen Pferden und dem nötigen Kapital, meint er, wäre sie vielleicht sogar *die* beste gewesen, ungeachtet der Tatsache, daß sie mittlerweile schon über achtzig war.[8]

Beryl fuhr auch weiterhin jeden Sonntag zum Lunch in den Muthaiga Club. Eines Sonntags im August 1982, als sie wie gewöhnlich auf den Haupteingang der Rennbahn zusteuerte, fand sie zu ihrer Verwunderung das Tor verschlossen. Sie erkundigte sich bei dem Askari (Wachtposten), was denn los sei. Der konnte ihr zwar keine Auskunft geben, öffnete ihr jedoch bereitwillig das Tor. Und so fuhr Beryl in ihrem getreuen alten Mercedes auf das Gelände.

Beryl ahnte nicht, daß das Militär gerade an diesem Sonntag einen Putschversuch geplant hatte. Wie immer fuhr sie ins Stadtzentrum und hielt vor dem New Stanley Hotel, wo sie sich oft mit Freunden vor dem Essen zu einem Drink traf. Hier wurde sie von bewaffneten Soldaten aufgehalten, die Geld verlangten. Wie nicht anders zu erwarten, weigerte Beryl sich, ihnen etwas zu geben, und das in einem Ton, der keinen Zweifel daran ließ, daß die Soldaten nur mit Gewalt an ihre Börse kommen würden. Selbst Beryl mußte inzwischen klar geworden sein, daß die Stadt an diesem Tag nicht geheuer war, und so steuerte sie unverzüglich den Muthaiga Club an. Unterwegs mußte sie an einer Straßensperre halten. »Wo wollen Sie hin?« fragten die Posten. »Ich bin Beryl Markham und will zum Lunch in den Muthaiga Club«, antwortete sie. Als die bewaffneten Männer daraufhin Miene machten, ihren Wagen und ihre Handtasche zu durchsuchen, gab sie kurzentschlossen Gas und durchbrach die Sperre. Die Soldaten schossen hinter ihr her, und mehrere Kugeln trafen den Wagen. »Eine davon streifte sie am Kinn, und sie kam blutend im Club an. Es sah ziemlich böse aus, doch Beryl parkte seelenruhig vor dem Haupteingang und marschierte mit ihren Hunden hinein. Hunde hatten natürlich keinen

Zugang zu den Clubräumen, aber in dem Fall machte man eine Ausnahme. An diesem Wochenende hielten sich allerhand Leute im Muthaiga auf, und man lieh Beryl frische Kleider, damit sie ihre blutverschmierten Sachen ausziehen konnte. Sie blieb ein paar Tage mit ihren Hunden im Club, bis Ruhe und Ordnung in der Stadt wiederhergestellt waren«, erinnert sich ein Gast des Muthaiga Clubs, der damals zugegen war.[9]

Beryl war zum Glück nicht ernstlich verletzt und erholte sich rasch von dem Schock, wenngleich Sir Charles Markham meint, daß »sowohl der Einbruch wie auch der Putsch sie tief erschütterten – sie litt schlimmer darunter, als die meisten ahnten«. Eine Woche nach dem Putschversuch berichtete der *East African Standard* über die Wirkung auf die Betroffenen. »Ich fuhr nach Ngong und sah hocherfreut, daß die Pferde, wie gewöhnlich, ihr Morgentraining absolvierten ... und dann kam Beryl auf mich zu, und fragte, als ob gar nichts vorgefallen wäre: ›Na, was gibt's Neues?‹«[10]

Doch obwohl sie nach wie vor ihre kleine Koppel Pferde trainierte, machte sich allmählich bemerkbar, daß die Jahre nicht spurlos an ihr vorübergegangen waren. Zwar hielt sie sich noch immer aufrecht und gerade, aber ihren Bewegungen haftete eine gewisse Altersstarre an.

Mitunter zeigte sie immer noch das Lächeln und den Humor einer jungen Frau, sie konnte (wenn sie es darauf anlegte) betörend charmant sein wie eh und je oder mit ihrem Temperament die Unglücklichen, die es zu spüren bekamen, das Fürchten lehren. Ihr Leben hätte so weitergehen können, bis sie allmählich in Vergessenheit geraten wäre, und es sah in der Tat so aus, als sei dies ihr Schicksal.

Beryl bestand darauf, ihre Pferde zu behalten, obwohl Jack Couldrey ihr davon abriet, da der Unterhalt der Tiere ihre Mittel weit überstieg. Natürlich war das für Beryl kein Argument. Sie kümmerte sich nie darum, wie Jack es anstellte, ihre Rechnungen zu bezahlen und noch ein Taschengeld für sie herauszuwirtschaften – es wäre ihr einfach nie in den Sinn gekommen, danach zu fragen.[11]

Jack schrieb an die Anwaltskanzlei in England, die das 1929 für

Beryl bereitgestellte Treuhandvermögen verwaltete, und erwirkte eine vorübergehende Aufstockung des jährlichen Betrages. Alle Beteiligten stimmen darin überein, daß es sich hierbei nur um einen Akt persönlicher Großmut handelte.

Zu Weihnachten 1982 erhielt Beryl wie üblich Grüße von Freunden aus der ganzen Welt. Unter den Briefen und Karten befand sich ein interessantes Schreiben von einem Mann, der Beryl völlig unbekannt war:

> 20. Dezember 1982
> San Rafael, Kalifornien

Sehr verehrte Beryl Markham,

im Sommer vor zwei Jahren war ich mit Jack Hemingway zum Fischen, und auf dem Heimweg fragte er mich plötzlich: »George, hast du eigentlich die Briefe meines Vaters gelesen?« Ich war zunächst verblüfft, denn obwohl wir seit Jahren befreundet waren, hatten Jack und ich bisher nie über seinen Vater gesprochen. Ich verneinte seine Frage. »Das solltest du nachholen«, meinte er, »sie sind sehr aufschlußreich.« Weiter sprachen wir nicht davon, doch als ich heimkam, las ich Hemingways Briefe.

Nun, es war eine interessante und in der Tat aufschlußreiche Lektüre ... Hemingway schreibt grausam, freundlich, haßerfüllt, liebevoll, engstirnig, hochfliegend, prahlerisch und ohne jede Demut – mit Ausnahme eines einzigen Briefes an seinen Verleger Maxwell Perkins auf Seite 541. Für den Fall, daß er Ihnen noch nicht bekannt sein sollte, erlaube ich mir, den fraglichen Absatz zu zitieren:

»Haben Sie Beryl Markhams Westwärts mit der Nacht gelesen? Ich habe sie seinerzeit in Afrika relativ gut gekannt und hätte nie vermutet, daß sie etwas anderes zu Papier bringen würde oder könnte als die Einträge in ihrem Logbuch. Aber sie schreibt so phantastisch gut, daß ich mich als Autor minderwertig fühle. Gemessen an ihrem Buch kam ich mir vor wie ein Tischler, der mit Worten hantiert, zusammenhämmert, was ihm gerade unter die Finger kommt, und damit manchmal einen ganz passablen Saustall zuwege bringt. Aber dieses Mädchen steckt uns alle, die wir uns als Schriftsteller betrachten, mühelos in die Tasche. Die wenigen

Teile ihres Buches, über die ich persönlich urteilen kann, weil ich damals dort war und die Geschichten auch aus anderer Quelle kenne, sind absolut wahrheitsgetreu wiedergegeben. Sie dürfen also ihre Kindheitserlebnisse vom Anfang des Buches getrost für bare Münze nehmen, und geschildert sind sie einfach fabelhaft ... Ich wünschte, Sie würden sich das Buch beschaffen und lesen, denn es ist wirklich verdammt gut.«

Dieses Lob machte mich ungeheuer neugierig, vor allem, da Hemingway im Vorangegangenen die meisten ihm gleichrangigen und auch einige bessere Autoren aufs Grausamste kritisiert und heruntergemacht hatte. Außerdem war ich verärgert über seine albernen und bombastischen Metaphern aus der Boxersprache, womit er seine Arbeiten mit denen anderer Literaten vergleicht ... z.B.: »Mit Stendhal könnte ich gewiß über die Runden kommen und vielleicht auch mit Flaubert, aber mit dem Comte de Gobineau könnte ich bestimmt nicht in den Ring steigen.« Gütiger Gott, wem außer Shakespeare würde das wohl gelingen! Was für ein unsinniges Geschwafel!

Ich machte mich also auf die Suche, und mit viel Mühe gelang es mir, ein Exemplar von Westwärts mit der Nacht aufzutreiben. Ah, was für ein großartiges und höchst erstaunliches Buch das ist! Ich las es in einem Tag durch und am nächsten Tag gleich noch einmal. Im Geiste segnete ich Hemingway für seinen Hinweis und gab das Buch an Evan Connell weiter, einen Freund, der meines Erachtens einer der zwei oder drei besten Prosaschriftsteller von ganz Amerika ist. (Sein Mrs. Bridge ist ein Klassiker.) Evans war ebenso begeistert von Ihrem Buch wie ich. Und so beschlossen wir, es Jack Schumaker [sic!] und William Turnbull zu schicken, den Verlagsleitern von North Press in Berkeley, beides Männer mit lupenreinem literarischem Gespür, die obendrein einen wahren Löwenmut besitzen. Auch sie verfielen dem Zauber Ihres großartigen Buches und machten sich unverzüglich daran, sich die amerikanischen und britischen Rechte zu sichern. Gewiß wird es Sie freuen zu hören, daß North Point Press Westwärts mit der Nacht im Frühjahr 1983 neu herausbringen will. Phantastisch! Könnte keinem besseren Buch passieren. Ich bin froh, daß ich so

*ein sorgfältiger und gründlicher Leser bin, denn andernfalls hätte
ich Hemingways Lob womöglich übersehen.*
*In Anerkennung eines wunderschönen Buches entbiete ich meine
besten Grüße der Frau, die es erlebt und geschrieben hat.*
George P. Gutekunst

George erwies sich als heldenhafter Charakter, dessen Liebe zu Literatur und Film (»die einzig wahre Kunstform des zwanzigsten
Jahrhunderts«) keine Grenzen kannte. Zweifellos geschah es, um
Beryls Gefühle zu schonen, daß er folgende Passage aus Hemingways Brief über sie nicht zitierte: »... manchmal einen ganz passablen Saustall zuwege bringt. Aber dieses Mädchen, das meines
Wissens eine sehr unangenehme Person ist, ja man könnte sogar
sagen, ein Luder erster Güte, steckt uns alle, die wir uns als
Schriftsteller betrachten, mühelos in die Tasche.« Und an anderer
Stelle: »Sie läßt einige tolle Episoden aus, die den Charakter der
Heldin ziemlich demolieren würden, aber was besagt das schon in
der Literatur?«[12]

Was auch immer Georges Motive gewesen sein mögen, er wurde
die treibende Kraft hinter diesem wichtigen Kapitel in Beryls letzten Lebensjahren. Eine Frage freilich schreit förmlich nach Antwort. Warum bezeichnet Hemingway Beryl als »sehr unangenehme Person«, und was sind die »tollen Episoden«, die, wären sie im
Buch erwähnt, angeblich dem Charakter der Heldin geschadet hätten? Wenn man berücksichtigt, daß Hemingway nur wenige Wochen mit Beryl zusammen war, während er sich in Nairobi von seiner Krankheit erholte, und daß Beryl in dieser Zeit zudem meist
für Blixen als Elefantenfliegerin unterwegs war, dann kann Hemingways Eindruck sich eigentlich auf kaum mehr als die üblichen
Klatschgeschichten stützen. Doch da er selbst nicht gerade ein
Heiliger war, ist sein negatives Urteil gewiß nicht allein auf Beryls
hinlänglich bekannte Promiskuität zurückzuführen. Einem der
vielen Gerüchte zufolge, die über Beryl im Umlauf sind, hat sie
Hemingways Annäherungsversuche seinerzeit zurückgewiesen –
könnte dies vielleicht der Grund für seine gehässigen Bemerkungen zur Person Beryl Markham sein? Wenn ja, dann ist dem gegenüber sein literarisches Lob nur umso höher zu bewerten.

Zwar hatten in der Zwischenzeit auch andere eine Neuauflage von Beryls Buch angeregt, doch es war George Gutekunst, der – ohne einen persönlichen Vorteil dabei im Auge zu haben – die Sache ins Rollen brachte. Nachdem er Hemingways Brief gelesen hatte, ging er schnurstracks zu seiner Bücherei, um sich ein Exemplar von *Westwärts mit der Nacht* auszuleihen. Aber das Buch war inzwischen längst vergriffen.

Der Bibliothekar befragte seinen Computer und stellte fest, daß noch ein einziges Exemplar im Raum von Marin County vorhanden sei, allerdings außerhalb der Stadt. Gutekunst setzte sich sofort ins Auto und fuhr zu der angegebenen Filiale. Dort fand er heraus, daß das Buch seit 1942 nur ganze siebenmal ausgeliehen worden war.

Gutekunst, der im pittoresken Sausalito in der Bucht von San Francisco ein Restaurant betreibt, nahm sich kurzentschlossen einen Tag frei, um Beryls Buch zu lesen. Mittags setzte er sich mit einem Drink nieder und stand nicht eher wieder auf, bis er das Buch ausgelesen hatte. Am nächsten Tag las er es gleich noch einmal, diesmal um sicherzugehen, daß die Begeisterung seine Urteilskraft nicht getrübt habe. Nach dem zweiten Mal wußte er, daß er auf ein literarisches Kleinod gestoßen war.[13]

Als Jack Couldrey von der geplanten Neuauflage des Buches erfuhr, versprach er sich davon zunächst keinen großen Gewinn, aber Beryls Finanzlage war so prekär, daß »jeder noch so kleine Zuschuß eine willkommene Hilfe bot«. Beryl lebte nach wie vor von ihrer Leibrente, den Geschenken barmherziger Freunde und den Schecks, mit denen die Bathurst Normans, die inzwischen nach England zurückgekehrt waren, sie regelmäßig unterstützten. Eigentlich konnte sie sich den Unterhalt für die Pferde und auch für ihren Wagen längst nicht mehr leisten, doch Jack sah ein, daß Beryls Leben ohne sie unglücklich und leer sein würde.[14]

Die Begeisterung, mit der die amerikanischen Kritiker die Wiederveröffentlichung von *Westwärts mit der Nacht* feierten, kam für Beryl und Jack sehr überraschend. Der North-Point-Press-Verlag ging mit der Neuauflage eines schon so lange vergriffenen Buches ein beträchtliches Risiko ein, aber sein Mut wurde durch das Lob der Kritik und den nachfolgenden Umsatz reich belohnt. In einem Interview, das der Journalist Barry Schlachter, damals Associated-Press-Korrespondent in Kenia, 1983 mit Beryl führte, sagte sie: »Für gar so gut hätte ich [mein Buch] nicht gehalten ... aber wenn es den Leuten gefällt, umso besser.«

Der Artikel, den Barry Schlachter über Beryl schrieb, wurde an Zeitungen in aller Welt verkauft, und manche nutzten Schlachters Material als willkommene Hintergrundstory für die Wiederveröffentlichung von *Westwärts mit der Nacht*.

Gleichzeitig wurden freilich auch die alten Zweifel an Beryls alleiniger Autorschaft wieder laut und sorgten bei Presse und Publikum für Spekulationen und Mutmaßungen. Ich wollte dem am häufigsten geäußerten Verdacht, Beryls früherer Ehemann Raoul Schumacher habe ihr als Ghostwriter gedient, ein für allemal auf den Grund gehen und fragte sie geradeheraus: »Hat Raoul Ihr Buch geschrieben?« Beryl verzog das Gesicht und schlug die Augen gen Himmel. »Ach, schon wieder diese alte Leier? Nein, natürlich war er nicht der Autor.« Auf die Frage, wie sie denn den Leuten antworte, die schlankweg behaupteten, sie sei gar nicht fähig gewesen, das Buch selbst zu schreiben, meinte sie nur: »Mit denen gebe ich mich gar nicht erst ab.«[15]

Während der Recherchen für dieses Buch besprach ich die Frage der Autorschaft von *Westwärts mit der Nacht* auch mit Pamela Scott, die in der Nähe von Njoro wohnt und Beryl bereits als Mrs. Jock Purves gekannt hat. Miß Scott fragte mich: »Kommt es denn wirklich so sehr darauf an, ob Beryl das Buch nun selbst geschrieben hat oder nicht? Es erzählt ganz offensichtlich ihre ureigene Geschichte. Niemand anderer hätte sich diese Erlebnisse ausdenken können, und ob sie nun die Worte auch noch selbst zu Papier gebracht hat oder nicht – das ist doch wohl belanglos ...« Mir dagegen scheint es sehr wichtig, daß Beryl auch als Autorin anerkannt wird, denn in ihrem Buch offenbart sich ein weiteres Talent dieser so vielseitig begabten und außergewöhnlichen Frau. Seit meiner persönlichen Begegnung mit Beryl ist es mir unbegreiflich, wie irgend jemand ihre Verfasserschaft anzweifeln konnte. Dieser Meinung sind auch all jene, die sie am besten gekannt haben.

Der rührige Journalist Barry Schlachter setzte sich bald auch mit Gutekunst in Verbindung, der Beryl von diesem neuen Kontakt berichtete.

Liebe Beryl Markham, 22. *Juni 1983*
heute bekam ich einen interessanten Brief von Barry Schlachter, der mir Artikel über Sie und Westwärts mit der Nacht *von verschiedenen Zeitungen beigelegt hat, einen sogar aus Kenia ... der bringt ein hinreißendes Foto von Ihnen und diesem herrlichen Vollblut. Ist das etwa gar ein zweiter Camiscan? Nein, wahrscheinlich nicht, denn es wäre irgendwie unschicklich, wenn die Welt des Pferdesports heute mit einem neuen Camiscan gesegnet würde ...! Barry Schlachters glänzende Story, die nach einem Interview mit Ihnen entstand, ist von sehr vielen Zeitungen aufgegriffen worden – von überregionalen ebenso wie von Lokal- und Provinzblättern. Wirklich verblüffend, wenn man bedenkt, daß Ihr Buch erst etwas über einen Monat wieder auf dem Markt ist.*

Mit den besten Wünschen
Ihr
George P. Gutekunst

Kurze Zeit später bekam George Gutekunst einen Anruf von Barry Schlachter, der durch sein Interview mit Beryl wußte, welche Rolle George bei der Wiederveröffentlichung ihres Buches gespielt hatte, und sich nun erkundigen wollte, ob George auch an weiteren Beryl-Markham-Projekten interessiert sei. Barry hatte vor, fürs Fernsehen einen Dokumentarfilm über Beryls Leben zu drehen, und bat George, sich um die Finanzierung zu kümmern. George versprach, sich umzuhören und nach Sponsoren Ausschau zu halten.

Inzwischen wandte Barry Schlachter sich an seinen Schwager, den britischen Regisseur Andrew Maxwell-Hyslop, der auch gleich lebhaftes Interesse an dem Projekt bekundete. Also setzte Barry sich hin und schrieb das Treatment. Dann verpflichtete er noch Garry Streiker, einen angesehenen Kameramann, der in Kenia für eine Nachrichtenstation arbeitete, und zwei Toningenieure.

Im Frühjahr 1984 waren die Vorarbeiten abgeschlossen, die Verhandlungen mit den Sponsoren verliefen vielversprechend, und George durfte es wagen, Beryl auf das große Ereignis vorzubereiten.

Liebe Beryl, 12. *April 1984*

vielleicht haben Sie schon von Barry Schlachter oder Jack Couldrey erfahren, daß wir uns seit längerem mit dem Gedanken tragen, einen Dokumentarfilm über Sie zu drehen. Nun hat der Plan endlich Gestalt angenommen: Der Film trägt den Arbeitstitel Beryl Markhams Afrika und wird hier in den Staaten von einer privaten Fernsehstation, in England von der BBC ausgestrahlt werden. Nach meiner Wiederentdeckung Ihres großartigen Buches und seiner Neuauflage in den USA bekundet das Publikum hier bei uns lebhaftes Interesse an Ihnen und Ihrem Leben – ja Sie sind hier inzwischen so populär, daß ich die Finanzierung des Films vermutlich ohne Schwierigkeiten bewerkstelligen kann. Bestimmt wissen Sie bereits, daß Westwärts mit der Nacht sich hier von Anfang an phantastisch gut verkauft, und ich bin sicher, wenn das Buch im August in England herauskommt, wird es dort ein ebenso großer Erfolg sein ... Ich hoffe von Herzen, daß Sie bei guter Gesundheit sind und sich kräftig genug fühlen, um in unserem Dokumentarfilm mitzuwirken, wenn es soweit ist. Denn Sie, liebe Beryl, sind schließlich der Star der Show! George

Beryl hatte seit längerem unter Rücken- und Leibschmerzen gelitten und mußte schließlich sogar stationär behandelt werden. Als sie aus dem Krankenhaus entlassen wurde, waren ihre Freunde sehr besorgt um sie, denn die von jeher sehr schlanke Beryl war buchstäblich zum Skelett abgemagert. Viele sahen in diesem dramatischen Gewichtsverlust ein unheilvolles Zeichen, aber Beryl erholte sich wider Erwarten gut und erschien bald wieder auf der Rennbahn. Sie war sich der unvermeidlichen Gebrechen des Alters wohl bewußt, sah darin jedoch einen gräßlichen Fluch, den sie nach Kräften bekämpfte.

Um die gleiche Zeit begannen Reporter und Journalisten bei Beryl ein und aus zu gehen, und dieses rege Interesse der Medien hielt bis zu ihrem Lebensende an. Beryls Rolle im Leben von Karen Blixen und Denys Finch Hatton war inzwischen allgemein bekannt. Über dieses große Liebespaar wurde nach Motiven von Tania Blixens *Afrika, dunkel lockende Welt* ein aufwendiger Spielfilm gedreht. Beryl erscheint in diesem Film als eine Nebenfigur mit Namen Felicity. Unter den ersten Journalisten, die Beryl im Januar 1983 interviewten, war die Engländerin Lesley Ann Jones, die einen Artikel über sie in der Frauenzeitschrift *Ladies' Home Journal* veröffentlichte. Lesley war vor ihrem Besuch gewarnt worden, daß Beryl schwierig sein könne und »verdammt vage« Angaben machen würde. Diese Befürchtung erwies sich als grundlos. Beryl empfing ihren Gast hocherfreut und beantwortete bereitwillig alle Fragen. Sie trug an diesem Tag ausgestellte Jeans, eine weite Bluse und einen pinkfarbenen Schal. Natürlich ging sie barfuß. Mit ihrem blonden Haar wirkte sie zwanzig Jahre jünger als sie war. Beryl beendete das Interview mit dem Geständnis, wenngleich Kenia für den größten Teil ihres Lebens ihre Heimat gewesen sei, fühle sie sich jetzt einsam dort und würde gern nach Amerika zurückkehren.

Ein anderer Besucher, der Reporter James Fox, verfaßte ein anschauliches Porträt über Beryl, das in England vom *Observer* und in den USA von *Vanity Fair* gedruckt wurde. Beryl war allerdings recht unglücklich über diesen Artikel und einige der darin versteckten Andeutungen. »Ich kann mir nicht vorstellen, wo er diese Geschichten her hat«, sagte sie zu mir. »Ansonsten fand ich ihn ganz charmant. Er kam her, um über Joss Errolls Ermordung zu schreiben, und ich half ihm dabei – ich glaube, er erwähnt mich auch in seinem Buch.«[16]

Unterdessen hatte George Gutekunst eine kleine Gesellschaft, die SHG Productions Inc., gegründet, die den Dokumentarfilm über Beryls Leben finanzieren sollte. Mit einer Summe von $ 115 000 und dem mündlichen Versprechen der kalifornischen Fernsehanstalt KQED, sich ebenfalls an den Produktionskosten zu beteiligen, hatte das Team sein Startkapital beisammen, das George noch durch $ 20 000 aus eigener Tasche aufstockte. Schlachter hatte inzwischen viele Freunde und Weggefährten aus Beryls früheren Jahren aufgespürt, darunter den Jockey Sonny Bumpus, der 1926 mit Wise Child das Kenia St. Leger gewann, und Bunny Allen, einen der Jäger, die an den königlichen Safaris der Jahre 1928 und 1929 teilgenommen hatten. Die Dreharbeiten konnten beginnen.

Leider erwies Beryl sich vor der Kamera als schlechte Schauspielerin. Von den Interviews mit ihr mußten viele Stunden Filmmaterial aussortiert werden, weil sie vor laufender Kamera einfach nicht präsent wirkte. Das lag zum Teil daran, daß die Interviewer Beryl aufforderten, ihre Erlebnisse »vor einem Haufen von Leuten«, wie sie mir später klagte, nachzuerzählen. Beryl hat sich ihrer Leistungen zeitlebens nie gerühmt, und auch über ihre zahlreichen Affären und Freundschaften sprach sie niemals, außer gelegentlich zu ganz engen Freunden, denen sie vertraute und vor denen sie keine Geheimnisse hatte. Wann immer die Interviewer die Grenzen der Diskretion überschritten, reagierte Beryl spürbar verärgert. »Oh, mir reicht's, ich gehe!« Ihre Antworten auf die Fragen wirkten oft unzusammenhängend, doch dahinter verbarg sich möglicherweise die Absicht, allzu großer Neugier auszuweichen. Beryl war durchaus bereit, an dem Film mitzuwirken, und sie genoß die ihr geschenkte Aufmerksamkeit und die Sitzungen in der Maske oder beim Friseur. Aber sie weigerte sich standhaft, intime Details aus ihrem Privatleben preiszugeben.

Am Ende konnten nur wenige der Szenen mit ihr in dem Dokumentarfilm Verwendung finden. So sieht man Beryl einmal während des morgendlichen Trainings auf der Rennbahn. Hier war sie ganz in ihrem Element und fühlte sich sicher. Man hört sie mit leiser Stimme die Grooms begrüßen: »Jambo, jambo, jambo ...« Die hochgewachsene, blonde Gestalt bewegt sich langsam, und ihr einst so aufrechter Gang scheint jetzt ein wenig gebeugt. Sie trägt eine hellblaue Bluse und Jeans, und der leuchtend bunte Schal um ihre Schultern sorgt für den ihr eigenen, unnachahmlichen Schick. Während sie zusieht, wie die Pferde über die Bahn galoppieren, vergißt sie die Kameras, und ihr Gesicht spiegelt die ungekünstelte Konzentration des Profis.

Eine andere Einstellung zeigt sie auf der Veranda vor ihrem Cottage sitzend, wo sie anhand ihrer alten Karten ihre ersten Navi-

gationskurse erläutert. »Nairobi, Kilimandscharo, Naivasha, Nairobi«, liest sie die Route eines Fluges aus dem Logbuch neben sich
vor. Am Schluß des Films sieht man sie noch einmal, eben im Begriff, ein modernes Flugzeug zu besteigen, das sie nach Nairobi
bringen soll. Als Beryl Platz genommen und sich angeschnallt hat,
winkt sie lächelnd aus dem Fenster. Hier hat die Kamera einen er-
greifenden Moment eingefangen, denn in diesem Lächeln spiegelt
sich der Abglanz jenes schüchternen und zugleich burschikosen
Lachens, mit dem Beryl vor fünfzig Jahren ihre Vega Gull bestiegen hatte.

George war von der Organisation der Filmarbeiten so in Anspruch
genommen, daß er und Beryl privat nur einen Tag zusammen verbringen konnten. Eines Abends war er nach den Dreharbeiten zum
Essen und anschließend in einen Nachtklub gegangen und erst in
den frühen Morgenstunden in sein Hotel zurückgekehrt. Er hatte
sich kaum schlafen gelegt, oder zumindest kam es ihm so vor, als
das Telefon neben seinem Bett schrillte und ihn unsanft aus dem
Schlaf riß. »George! Sind Sie dran?« fragte Beryls unverkennbare,
kultivierte Stimme. Noch ganz schlaftrunken bejahte George un-
wirsch. »Wo sind Sie denn?« – »Im Bett natürlich«, antwortete er
und vergewisserte sich mit einem Blick auf seine Uhr, daß es erst
kurz nach sieben war. »Allein?« wollte Beryl wissen. »Ja«, sagte
George und grinste in den Hörer. »Oh, das ist ja wahnsinnig traurig für Sie, mein Lieber. Kommen Sie gleich her und trinken Sie
einen Wodka mit mir!« Einige Stunden später erschien George in
Beryls Cottage, und die beiden verbrachten den Tag mit Plaudern
und Trinken.[17]

»Ich war regelrecht verliebt in sie«, gestand mir George und setzte
eilig hinzu, daß diese Verehrung seiner Liebe zu Berta, mit der
er seit über vierzig Jahren verheiratet sei, keinen Abbruch getan
habe.

Insgesamt trug das Team in der dreiwöchigen Drehzeit Filmmaterial für vierundzwanzig Stunden zusammen, doch der geplante
Dokumentarstreifen sollte nur eine Laufzeit von einer Stunde haben. George, Barry Schlachter und ihren Helfern stand im Schnei-
deraum also noch eine gewaltige Aufgabe bevor.

Der geschnittene und bearbeitete Film, angereichert mit informativen Wochenschauausschnitten, wurde Steve Talbot vom Fernsehsender KQED übergeben. Der schrieb, gestützt auf Barry Schlachters Treatment, ein Script dazu, das sich getreulich an Beryls Lebensgeschichte orientierte. In der endgültigen Fassung liest die englische Schauspielerin Diana Quick Beryls Erläuterungen in einem Off-Kommentar. Unter dem Titel *Welt ohne Mauern* wurde der Dokumentarfilm im Januar 1986 erstmals im Großraum San Francisco ausgestrahlt.

Beryls Buch war zwar (wie schon die erste Ausgabe) von der Kritik überschwenglich gelobt worden, hatte sich aber vor der Sendung des Dokumentarfilms nicht sonderlich gut verkauft. Die erste Auflage von 5000 Stück schien durchaus angemessen für ein Buch mit solch spezieller Thematik. Nach einem Jahr und einer zweiten Auflage waren 9100 Exemplare verkauft, Ende 1985 hatte der Verlag 15000 Stück abgesetzt. Aber nach der Ausstrahlung des Films war *Westwärts mit der Nacht* in den Buchhandlungen im Empfangsbereich des Senders KQED über Nacht vergriffen. North Point Press startete umgehend eine Neuauflage, und binnen weniger Monate waren 100000 Exemplare verkauft.[18] Doch anfangs, im Jahre 1984, waren es mehr die Publicity, die die Dreharbeiten begleitete, und das Interesse der Journalisten als die spärlichen ersten Tantiemen ihres Buches, was Beryl neuen Auftrieb gab, nachdem sie noch kurz zuvor vielen geklagt hatte, ihr Leben sei »recht eintönig« geworden.

Ihr alter Mercedes hatte schließlich den Dienst versagt. Zum Teil war daran Beryls Fahrstil schuld. Sie pflegte zwei- oder dreimal die Woche ins Shopping Center nach Ngong zu fahren. »Meistens stieg sie in den Wagen, legte den ersten Gang ein und fuhr die ganze Strecke durch, ohne höher zu schalten«, erzählte mir Jack Couldrey. Am Ende waren die Reparaturkosten so hoch, daß Couldrey Beryl sagen mußte, weitere Reparaturen rentierten sich nicht – sie seien einfach zu kostspielig.[19] Beryl versuchte es mit einem kleineren Modell, konnte sich jedoch nicht an diesen Ersatz gewöhnen. »Ein widerliches kleines Ding«, sagte sie, »ich bin nie damit klar gekommen.«

Trotz des regen Interesses an ihr und ihrer Lebensgeschichte floß das Geld immer noch spärlich auf Beryls Konto. Verlage haben feste Termine, an denen die fälligen Honorare für ihre in den vergangenen sechs Monaten verkauften Bücher abgerechnet werden. Doch nach diesem Stichtag kann es noch Wochen oder gar Monate dauern, bis der Autor seinen Scheck erhält. So kam es, daß Beryl, ungeachtet des großen Erfolges, den ihr Buch in den Vereinigten Staaten hatte, nur wenig besser gestellt war als früher, und manchmal sah Jack Couldrey sich gezwungen, Freunde wie die Bathurst Normans um finanzielle Unterstützung zu bitten, um Beryls Auslagen decken zu können.

Ein Studio meldete sein Interesse an, *Westwärts mit der Nacht* zu verfilmen, doch bei Beryls Tod hatten diese Pläne noch keine konkrete Form angenommen. Das Alter machte Beryl vergeßlich, und eines Tages mußte Couldrey ihr raten, sich von den ihr noch verbliebenen Pferden zu trennen. Es waren mittlerweile nur noch drei: Supercharger, der Hengst mit der Sehnenschwäche, der David Sugden gehörte, und zwei von Charles Ferrar, dem Golfprofi. Nach einer Weile blieb Beryl nur noch Supercharger. David Sugden war nach England zurückgekehrt und hatte den Hengst in Beryls Obhut gelassen. »Ich tat das in der Hauptsache, um ihr eine Aufgabe zu geben«, sagte er. »Beryl hat mir oft beteuert: ›Eines Tages mache ich noch was aus dem Gaul, Sie werden schon sehen!‹ Sie war überzeugt, daß in dem Hengst eine enorme Leistungsfähigkeit stecke, wenn es ihr nur gelänge, ihn zu stabilisieren.«[20] Aber als Beryls Gesundheitszustand sich verschlechterte, mußte sie sich schließlich auch von Supercharger trennen. »Sie gab das Training erst auf, als einige von uns mit einem Trick ihre letzten Pferde fortschafften, deren Unterhalt sie ein Vermögen gekostet hatte«, erinnert sich Jack Couldrey.[21]

Am 2. August 1985 ernannte der Jockey Club von Kenia Beryl zu seinem Ehrenmitglied.

Bis zum Herbst 1985 steuerte Beryl ihren Wagen immer noch selbst, obwohl ihre Freunde wegen ihres »gefährlichen« Fahrstils in steter Sorge um sie waren. Doch am Kenyatta-Tag, dem 20. Oktober, der in Kenia Staatsfeiertag ist, bekam Paddy Migdoll einen alarmierenden Telefonanruf von Beryls Diener Odero. »Bitte kommen Sie schnell«, sagte er. »Die Memsahib ist sehr krank.« Paddy wußte sofort, daß es ernst war, denn Odero rief nur in Notfällen bei ihr an. Im Eiltempo legte sie die sechzehn Meilen bis zur Rennbahn zurück und fand Beryl bewußtlos auf dem Fußboden in ihrem Wohnzimmer liegen. »Sie hatte eine schwere Thrombose, und wir dachten, es ginge mit ihr zu Ende«, sagte Paddy.[22]

Beryl starb nicht, doch sie war lange Zeit sehr krank. Daß sie durchkam, verdankte sie nur ihrem unbändigen Lebenswillen. Anfangs war sie kaum fähig zu sprechen, doch Paddy konnte den Willen zum Leben in ihren Augen lesen. Ihre Beine waren furchtbar geschwollen, und auch als sie sich erholt hatte, konnte sie zunächst nicht laufen. Sie litt besonders darunter, daß ihre langen schlanken Beine und ihre zierlichen Füße durch die Krankheit gerötet und aufgedunsen waren. »Gräßlich!« erinnerte sie sich später voller Abscheu. Den Winter und das Frühjahr über machte ihre Genesung nur langsam Fortschritte. Sie war an ihren Stuhl gefesselt und völlig auf die Hilfe ihrer beiden Diener angewiesen.

Gelegentlich kamen Freunde, um sie aufzuheitern, und als ihr Buch allmählich in der ganzen Welt bekannt wurde, machten Keniareisende bei ihrem Cottage Halt, nur um sie zu sehen und um ein Autogramm zu bitten. Beryl hatte immer gern neue Menschen kennengelernt, aber jetzt war sie manchmal geistesabwesend, und Besucher, die sie in einem solch unglücklichen Moment erlebten, berichteten, sie sei senil geworden. Das war zwar nicht der Fall, doch die Anzeichen deuteten darauf hin, daß sie einem solchen Schicksal entgegenging.

Gott sei Dank war Beryl sich dieser kleinen Ausfallserscheinungen nicht bewußt, obwohl sie sich verständlicherweise ärgerte und »ein Ausdruck der Verzweiflung in ihre Augen trat«,[23] wenn sie versuchte, sich an ein Erlebnis aus ihrer Vergangenheit zu erinnern, es sich aber nicht ins Gedächtnis rufen konnte. Paddy Migdoll und Daphne Bowden kümmerten sich rührend um sie, doch selbst ihre Besuche verkürzten Beryl die langen, unendlich langen Tage nur wenig. »Ich langweile mich so, ich bin fast immer allein«, klagte sie.

Zu ihren beiden Dienern unterhielt sie eine geradezu groteske Beziehung. War sie eben noch ruhig und gelassen gewesen – ganz die würdevolle englische Lady, die nach dem Tee läutet –, konnte sie die beiden im nächsten Augenblick schon mit einem Schwall von Beschimpfungen auf Suaheli geißeln. Für gewöhnlich nahmen sie das gelassen hin, doch einmal, als die beiden einen schlimmen Kater hatten, nachdem sie am Abend zuvor eine Flasche Brandy aus Beryls Vorrat stibitzt und ausgetrunken hatten, verwandelte Beryls Zorn Adiambo und Odero in zwei schluchzende Nervenbündel. Nun kam mehrmals die Woche eine Pflegerin ins Haus, von deren Besuchen Beryl freilich ganz und gar nicht erbaut war. »Warum behandeln mich alle wie ein Baby?« fragte sie aufgebracht.

Als ich sie im März und April 1986 aufsuchte, begrüßte Beryl mich täglich mit schmeichelhaftem Enthusiasmus. »Sind Sie sicher, daß ich Sie nicht zu sehr anstrenge?« fragte ich immer wieder. »Nein, nein! Ich habe doch so gerne Gesellschaft, meine Liebe. Worüber wollen wir uns heute unterhalten?« antwortete sie jedesmal.

Anfang April konnte Beryl, dank ihrer unbeugsamen Willenskraft, wieder selbständig ein paar Schritte gehen. Als sie sich das erste Mal ohne fremde Hilfe aufrichtete, weinte sie vor Freude, und die hochgewachsene, schlanke Frau, die so triumphierend auf ihrer Veranda stand, wirkte alterslos. Am 6. April fand in Nairobi das Derby statt, und ganz plötzlich, wenige Stunden vor dem Rennen, äußerte Beryl den Wunsch, daran teilzunehmen. Sie machte für diesen Ausflug sorgfältig Toilette – zu hellblauen frischgebügelten Jeans trug sie eine gleichfarbige Seidenbluse und um den Hals einen Schal in leuchtendem Pink und Kirschrot. Ein blauer Lederblouson vervollständigte das Ensemble. Ihr von Silberfäden durchzogenes, aschblondes Haar war untadelig frisiert, Finger- und Zehennägel hatte sie rot lackieren lassen. Ihr Teint leuchtete immer noch frisch und rosig; die langen Jahre im heißen Klima hatten ihm nichts anhaben können.

Zusammen mit George Gutekunst fuhr ich Beryl zum Rennen. Sie konnte zwar mit einiger Mühe ein paar Schritte gehen, doch der Platz, den der Jockey Club mit bewundernswerter Schnelligkeit

für sie freigemacht hatte, war hoch oben auf der Tribüne, mit Blick
auf den Zielpfosten, und Beryl mußte die steile Steintreppe hinauf-
getragen werden. Mit großem Vergnügen verfolgte sie das Rennen
und flirtete mit ihren Verehrern. »Wie schön, daß Sie wieder bei
uns sind, Darling!« tönte es von allen Seiten. Es war der Beginn der
Regenzeit, und obwohl es den Nachmittag über trocken blieb,
kam ein kühler Wind auf, und Beryl borgte sich ein Kopftuch, damit ihre Frisur nicht zerzaust wurde.

Aber dieser glückliche und triumphale Tag, gekrönt durch das
Wiedersehen mit zahlreichen Freunden, die zu Beryls Platz kamen, um sie zu begrüßen, sollte ein böses Ende nehmen. Als Beryl
heim wollte, erbot sich ein junger Mann, sie hinunterzutragen. Er
war stark und kräftig und an dergleichen Aufgaben gewöhnt, da er
regelmäßig eine gehbehinderte Frau begleitete. Beryl lächelte
strahlend, als er sie auf seine Arme hob. Aber auf der steilen Trep-
pe glitt der junge Mann auf einer schlüpfrigen Stufe aus, und beide
stürzten. Es war ein entsetzlicher Moment, und obgleich man rasch
feststellte, daß Beryl sich nichts gebrochen hatte, litt sie doch arge
Schmerzen von den Prellungen, die sie sich bei dem Sturz zuge-
zogen hatte. Ihr galanter Träger hatte zwar den Hauptaufprall ab-
gefangen, aber es war eine verängstigte kleine Schar, die Beryl zu
ihrem Cottage zurückbrachte und dort auf das Eintreffen des Arz-
tes wartete. Beryl bekam ein Beruhigungsmittel und schlief gut,
vermutlich – so urteilten ihre Freunde – besser als seit langer Zeit.
Obwohl keine ernsthaften Verletzungen festzustellen waren, hielt
ihr Arzt es für das Beste, Beryl zum Röntgen ins Krankenhaus zu
bringen. Da sie dort bessere Pflege hatte als daheim, behielt man
sie bis zur völligen Genesung in der Klinik. Trotz ihrer Abneigung
gegen Krankenhäuser ergab sich Beryl diesmal ohne Sträuben in
ihr Schicksal. Die Nachricht von ihrem Unfall brachte viele Freunde an ihr Krankenbett. Ihre Diener besuchten sie täglich mit ihren
beiden Hunden, und Beryl durfte jeden Nachmittag ihr gewohntes
Glas Wodka mit Orangensaft trinken. Wie sich herausstellte, litt
sie an Unterernährung, und das Krankenhaus nutzte die Gelegenheit, ihren geschwächten Körper durch eine gehaltvolle Diät zu
kräftigen. Die schlug auch rasch an, Beryl nahm zu, schien guter

Dinge und war gesprächig. Bald konnte sie sogar schon wieder kleine Spaziergänge machen. Sowohl die körperliche Pflege als auch die geistige Anregung durch die vielen Besucher im Krankenhaus waren Beryl sehr zuträglich, sie schöpfte neue Energie, und nach ihrer Entlassung verbrachte sie einen recht angenehmen Sommer. Paddy Migdoll, die mich regelmäßig auf dem laufenden hielt, versicherte mir in ihren Briefen, Beryls Gesundheitszustand sei schon seit langem nicht mehr so gut gewesen.

Als der fünfzigste Jahrestag ihrer Atlantiküberquerung sich näherte, rüstete die Royal Air Force zu einem großen Fest. Beryl war eine der letzten aus der Ära großer Flugpioniere wie Charles Lindbergh, Amelia Earhart, Wiley Post, Amy Johnson und Jim Mollison. In Abingdon, wo Beryl 1936 gestartet war, hoffte man sie an ihrem Ehrentag persönlich begrüßen zu dürfen. Die Royal Air Force hatte, unterstützt von Beryls damaligen Sponsoren, ein Bronzemodell der Vega Gull in Auftrag gegeben, das man Beryl am 4. September überreichen wollte. Zwar ließ Beryls Gesundheitszustand nicht hoffen, daß sie so bald schon reisefähig sein würde, aber sie sprach voller Vorfreude von dem Besuch in England. Auch erwähnte sie immer wieder eine Einladung von George Gutekunst nach Kalifornien. »Ich würde gern noch einmal hinfahren und mein hübsches Haus wiedersehen«, sagte sie.

Ende Juli hantierte sie eines Tages in ihrem Cottage herum und stolperte dabei über ihren Hund Tookie, zu dem sie sich eben heruntergebeugt hatte, um ihn zu streicheln. Bei dem Sturz brach sie sich eine Hüfte. Wieder brachte man sie in aller Eile ins Krankenhaus, wo Paddy Migdoll sie am 29. Juli besuchte. Beryl saß hochaufgerichtet in ihren Kissen und wollte nicht wahrhaben, daß sie sich wirklich etwas gebrochen habe. Wie es nach einem Bruch häufig vorkommt, waren ihre Glieder noch taub, und außerdem hatte man ihr schmerzstillende Mittel verabreicht. Sie und Paddy unterhielten sich hauptsächlich über die geplante Englandreise im September. Beryl war immer noch entschlossen, die Einladung der Royal Air Force anzunehmen, und falls Paddy Bedenken hatte, so war dies nicht der Zeitpunkt, sie zu äußern.

Die Röntgenaufnahmen ergaben ein düsteres Bild. Beryls Hüftgelenk wies nicht, wie die Ärzte gehofft hatten, eine glatte Bruchstelle auf, sondern es handelte sich um eine komplizierte Fraktur; das Gelenk war völlig zersplittert. »Der zuständige Arzt erklärte mir, ohne Operation würde sie mit Sicherheit sterben. Falls man sie operiere, stünden die Chancen fünfzig zu fünfzig«, berichtet Jack Couldrey. »Mir blieb also keine Wahl.«[24] Beryl überstand die langwierige Operation relativ gut, und im Krankenhaus war man mit ihren Fortschritten zufrieden. Bei ihrem ersten Besuch fand Paddy die Freundin erstaunlich wohl und geistig rege, und daher war sie überrascht, als sie zwei Tage nach der Operation erfuhr, daß man Beryl auf die Intensivstation verlegt habe. Die Ursache war eine Lungenentzündung.

Selbst Beryl konnte diese todbringende Krankheit des Alters nicht besiegen, und in den frühen Morgenstunden des 3. August schied sie friedlich aus dem Leben. Während des letzten Tages war sie die meiste Zeit über bewußtlos gewesen und hatte mit niemandem mehr gesprochen.

Am 4. September 1986, dem fünfzigsten Jahrestag ihres Fluges über den Atlantik, wurde in der St. Clement Dane's Church in London ein Gedenkgottesdienst für Beryl gehalten. Während sie fünfzig Jahre zuvor mit ihrer kleinen Vega Gull bei Regenschauern und düsterem Wolkentreiben aufgestiegen war, wölbte der Himmel sich diesmal strahlend blau über einem goldenen Septembertag mit warmleuchtenden Herbstfarben. Helles Sonnenlicht flutete durch die Buntglasfenster der schönen Christopher-Wren-Kirche und fiel auf die üppigen weißen Chrysanthemensträuße, die mit Schleifen in Beryls Turnierfarben geschmückt waren.

Weggefährten aus allen Lebensbereichen, in denen Beryl sich hervorgetan hatte – Pferdesport, Luftfahrt und Literatur, Freunde aus Kenia, Amerika und aus allen Winkeln der britischen Inseln –, drängten sich Kopf an Kopf und lauschten George Bathurst Normans bewegendem Nachruf auf die Frau, deren Einzigartigkeit er schon als kleiner Junge erkannt hatte, damals, als sie ihm in ihrem Haus in Naro Moru das Kartenspielen beibrachte.

»Zusammen mit Beryl«, sagte er, »war das Leben nie langweilig. Sie war wie ein Komet, der am Firmament kreist und allen um sich her Licht und Glanz verleiht. Jeder, der mit ihr in Berührung kam, mußte in ihr ganz einfach den Genius eines wahrhaft außergewöhnlichen Menschen erkennen. Ich suche Trost in dem Gedanken, daß der Ort, an den sie nun heimgekehrt ist, dank ihrer Gegenwart an Glück und Liebreiz gewonnen hat ... Kwaheri, Beryl. Gott schütze dich und allzeit guten Flug.«

Anmerkungen

Kapitel 1

[1] Vgl. Charles Miller: The Lunatic Express. An Entertainment in Imperialism.
[2] Winston S. Churchill: My African Journey.
[3] Elspeth Huxley: White Man's Country. Lord Delamere and the Making of Kenya.
[4] Dies.: White Man's Country.
[5] Charles Miller: The Lunatic Express.
[6] Vgl. z.B. Elspeth Huxley: No Easy Way. Nairobi, 1957. Dieses Buch entstand als Auftragsarbeit zur Dokumentation der Geschichte der Kenya Farmers' Association.
[7] Charles Miller: The Lunatic Express.
[8] *East African Standard* (Kenianische Zeitung), 30. Juli 1927.
[9] Elspeth Huxley: Die Grashütte, S. 45 f.
[10] Richard Meinertzhagen: Kenya Diary 1902–1906.
[11] Ebd.
[12] *East African Standard*, 4. August 1906.
[13] *The Times of East Africa*, 4. August 1906.
[14] Interview der Autorin mit Langley Morris, Herefordshire 1986.
[15] Sir Charles Eliot, Edward Arnold: The East African Protectorate.
[16] Winston S. Churchill: My African Journey.
[17] Lord Cranworth: Kenya Chronicles.

Kapitel 2

[1] Beryl Markham: »Rivalen der Wüste«, Titelgeschichte der gleichnamigen Erzählsammlung, S. 42 f.
[2] Winston S. Churchill: My African Journey.
[3] Judith Thurman: Isak Dinesen, The Life of a Storyteller.
[4] Beryl Markham: »Ein Funke der Erinnerung«, in Rivalen der Wüste, S. 23.
[5] Winston S. Churchill: My African Journey.

[6] Beryl Markham: »Ein Funke der Erinnerung«, in Rivalen der Wüste, S. 20f.

[7] Interview mit Langley Morris, Herefordshire, April 1986.

[8] Vgl. Beryl Markham: Westwärts mit der Nacht, S. 70ff.

[9] Interview mit Nigel N. Clutterbuck, Salisbury 1986.

[10] Beryl Markham: »Wir sind Brüder«, in Rivalen der Wüste, S. 105ff.

[11] Llewelyn Powys: Black Laughter.

[12] Elspeth Huxley: White Man's Country.

[13] Interview mit Ryan »Buster« Parnell, Kopenhagen, Juni 1986.

[14] Carlos Baker: Ernest Hemingway, Selected Letters.

[15] Interview mit Doreen Bathurst Norman, Jersey, Mai 1986.

[16] Interview mit Ryan »Buster« Parnell, Kopenhagen, Juni 1986.

[17] Elspeth Huxley: White Man's Country.

[18] Brief von Hilda Furse an die Autorin, Mai 1986.

[19] Interview mit Beryl Markham, Nairobi, April 1986.

[20] Brief an die Autorin von Hilda Furse, Mai 1986.

[21] Interview mit Ryan »Buster« Parnell, Kopenhagen, Juni 1986.

[22] Brief an die Autorin von Hilda Furse, Mai 1986.

[23] Interview des Filmteams der TV-Dokumentation Welt ohne Mauern mit dem verstorbenen Sonny Bumpus, Kenia 1984.

[24] Unveröffentlichter Entwurf zu einer Short Story aus dem Jahre 1943.

[25] Beryl Markham: »Rivalen der Wüste«, Titelgeschichte der gleichnamigen Erzählsammlung, S. 40ff.

[26] Interview mit Doreen Bathurst Norman, Jersey, Mai 1986.

Kapitel 3

[1] Interview des Filmteams der TV-Dokumentation Welt ohne Mauern mit Evanston Muwangi, Kenia 1984.

[2] East African Standard, Samstag, 18. Oktober 1919.

[3] East African Standard, 8. Januar 1921.

[4] Interview mit Rose Cartwright, Nairobi, März 1986.

[5] Eigentl. Baronin Karen Christence Blixen-Finecke; dänische Schriftstellerin (1885–1962); weitere Pseudonyme Isak Dinesen, Pierre Andrézel u. a. Ihren größten Erfolg hatte sie mit »Afrika, dunkel lockende Welt« (dt. 1938), poetisch gefärbte Impressionen, denen ihre Erlebnisse in Kenia zugrunde liegen, wo sie zusammen mit ihrem Mann mehrere Jahre eine Kaffeefarm bewirtschaftete.

[6] Aus einem Brief von Tania Blixen an ihre Mutter, 29. April 1923.

[7] Ebd., 6. Mai 1923.

[8] Tania Blixen an ihre Mutter, 21. Mai 1923.

[9] Ebd., 15. Juli 1923.

[10] Interview mit Sir Charles Markham, Nairobi, März 1986.

[11] Tania Blixen an ihre Mutter, 29. Dezember 1923.

[12] Interview mit Rose Cartwright, Nairobi, April 1986.

[13] Interview mit Hugh Barclay, Rose Cartwright und Molly Hodge, Nairobi, März und April 1986.

[14] Artikel über die Gerichtsverhandlung im *East African Standard*.

[15] Nachruf, *The Times*, April 1945.

[16] Tania Blixen an ihre Mutter, 29. Juli 1924.

[17] Geborene Jaqueline Alexander. In erster Ehe mit Ben Birkbeck verheiratet, dann mit Baron Bror von Blixen und schließlich mit Jan Hoogterp.

[18] Interview mit Cockie Hoogterp, Newbury, Mai 1986.

[19] Tania Blixen an ihre Mutter, 29. Juli 1924.

[20] Brief an die Autorin von Hilda Furse, Juni 1986.

[21] Interview des Filmteams von *Welt ohne Mauern* mit dem verstorbenen Sonny Bumpus, Kenia 1984.

[22] Interview mit Doreen Bathurst Norman, Jersey, Mai 1986.

[23] Hjalmar Frisell, Lars Hokerbergs: Sju Ar I Talt – Bland vita och Svarta.

[24] Tania Blixen an ihre Mutter, 27. April 1926.

[25] Vgl. Nicholas Best: Happy Valley.

[26] Interview des Filmteams von *Welt ohne Mauern* mit dem verstorbenen Sonny Bumpus, Kenia 1984.

[27] Interview mit Ryan »Buster« Parnell, Kopenhagen, Juni 1986.

[28] Interview mit Pamela Scott, Deloraine, Kenia, März 1986. – Beryl ließ sich ihr Haar später um mehrere Schattierungen heller tönen.

[29] Tania Blixen an ihre Mutter, 10. Juli 1927.

[30] Ebd., 21. August 1927.

[31] Ebd., 28. August 1927.

[32] Ebd., 9. September 1927.

Kapitel 4

[1] Vgl. die bisher unveröffentlichten Memoiren *Yesterday, Today and Tomorrow* von Sir Charles Markham, der sein Manuskript freundlicherweise für die Recherchen der Autorin zur Verfügung stellte.

[2] Der ehemalige US-Präsident Theodore Roosevelt. Seine Safari im Herbst 1909 bedeutete einen Rekord an Aufwand und Organisation.

Allein 500 Träger waren engagiert, von denen jeder an die dreißig Kilo zu schleppen hatte.

[3] Briefwechsel der Autorin mit Bunny Allen, Juni 1986.

[4] Interviews mit Rose Cartwright, Nairobi, März 1986, und Doreen Bathurst Norman, Jersey, Mai 1986.

[5] Tania Blixen an ihre Mutter, 1. November 1927.

[6] Tania Blixen an ihre Mutter, 9. September 1927.

[7] Interview mit Sir Charles Markham, Nairobi, März 1986.

[8] Tania Blixen an ihre Mutter, 18. März 1928.

[9] Beryl Markham: »Der Triumph des Verfemten«, in Rivalen der Wüste, S. 73 ff.

[10] Interview mir Sir Charles Markham, Nairobi, März 1986.

[11] Interview mit Doreen Bathurst Norman, Jersey, Mai 1986.

[12] Beryl hatte bereits eine Abtreibung vornehmen lassen, und zwar im Frühjahr 1924 in England. Dies berichtete Cockie Hoogterp (die Beryl damals bei der Suche nach einem Arzt behilflich war) im Juni 1986 Elspeth Huxley.

[13] Interview mit Viviane Markham, Witwe von Gervase Markham und Beryls Schwiegertochter, London, Juni 1986.

[14] Gervase klagte seiner Frau, Mansfield habe sich ihm gegenüber nie »wie ein Vater« verhalten. Bis auf die letzten Wochen vor dem Tod schenkte er seinem Sohn keinerlei sichtbare Zeichen seiner Zuneigung.

[15] Tania Blixen an ihre Mutter, 22. Juli 1928.

[16] Sport and Travel in East Africa, nach den Tagebüchern des Prinzen von Wales hg. von Patrick R. Chalmers.

[17] Interview mit Sir Charles Markham, Nairobi, April 1986.

[18] Interview des Filmteams von Welt ohne Mauern mit Bunny Allen, Kenia 1984, sowie Briefwechsel der Autorin mit Bunny Allen, Juli 1986.

[19] Noble Frankland: Prince Henry: Duke of Gloucester, London 1980.

[20] Judith Thurman: Isak Dinesen. The Life of a Storyteller, S. 233 f.

[21] Lord Dawson of Penn, der Leibarzt des Königs.

[22] Elspeth Huxley: Out in the Midday Sun.

[23] Patrick R. Chalmers (Hrg.): Sport and Travel in East Africa.

[24] Komödie von Ludvig Baron von Holberg (1684–1754), dänischer Dichter und Historiker. In seinen derb-realistischen Komödien ging es Holberg vor allem um moralische Belehrung durch satirisches Bloßstellen zeitüblicher Torheiten und Schwächen.

[25] Tania Blixen an ihre Mutter, 17. März 1929.

[26] James Fox: »Who is Beryl Markham?« Observer Magazine, 30. September 1984.

[27] Prinz Henry gab diese Zigarettendose später an Beryl zurück, die sie

bis zu ihrem Tode aufbewahrte. (Heute ist sie im Besitz von George Bathurst Norman.)

²⁸ Interview mit Doreen Bathurst Norman, Jersey, Mai 1986.

²⁹ James Fox: »Who is Beryl Markham?«, *Observer Magazine,* 30. September 1984.

³⁰ Sir James Ulick Alexander war 1928–36 Rechnungsprüfer des Herzogs von Kent, 1936–52 Intendant der Zivilliste und Schatzmeister des Königs.

³¹ Interview mit Sir Charles Markham und Cockie Hoogterp. Der besondere Dank der Autorin gilt Sir Charles, der zusätzlich seine Tante, die Witwe Mansfield Markhams, befragte und mir ihre Angaben übermittelte.

³² Interview mit Cockie Hoogterp, Mai 1986.

³³ Interview mit Mrs. F. Migdoll, März 1986.

³⁴ Unter der »Zivilliste« werden die zur Bestreitung des königlichen Haushalts bewilligten Beträge zusammengefaßt.

³⁵ Interview mit Cockie Hoogterp, Mai 1986. – Meine Recherchen ergaben, daß Prinz Henry zumindest in Hofkreisen tatsächlich keine glänzende Figur machte. Seine wahre Liebe galt dem Landleben, Reiten, Jagen usw., und die ländlichen Zirkel waren es denn auch, in denen seine Persönlichkeit zur Geltung kam und er brillieren konnte. Vermutlich wäre er weitaus glücklicher geworden, wenn er statt als königlicher Prinz als einfacher Landadliger zur Welt gekommen wäre.

³⁶ Vgl. Guy Paget: Bad 'Uns to Beat.

³⁷ Tania Blixen an ihre Mutter, 2. Mai 1930.

Kapitel 5

¹ Der Honourable Denys George Finch Hatton (1887–1930) war der zweite Sohn des 13. Earl of Winchelsea und 8. Earl of Nottingham.

² Telefon-Interview mit Doreen Bathurst Norman, Oktober 1986.

³ Vgl. Judith Thurman: Isak Dinesen.

⁴ Interview mit Beryl Markham, Nairobi, April 1986. – Beryl wies mich außerdem, wenngleich nur andeutungsweise, auf ein Phänomen hin, das u.a. auch Sir Charles Markham zur Sprache brachte. »Denys war ... nun, es würde Ihnen nicht gefallen«, sagte Beryl zu mir. »Meinen Sie, daß er Männer ebenso mochte wie Frauen?« fragte ich. »Oh, Sie wußten es also schon?« Mir schien dies nur mit Denys' von allen Informanten hervorgehobener Sensibilität übereinzustimmen, aber ich spürte, daß Beryl enttäuscht war, weil ich mich nicht schockiert zeigte.

⁵ Judith Thurman: Isak Dinesen, S. 235.

[6] Vgl. Judith Thurman: Isak Dinesen.

[7] Bror von Blixen-Finecke: African Hunter.

[8] Interview mit Beryl Markham, Nairobi, April 1986. Als ich sie nach ihrer Meinung zu der Theorie, Bror habe Tania angesteckt, fragte, antwortete Beryl mir mit einer Gegenfrage: »Es stimmt schon, er hatte viele Liebschaften, aber hat ihn jemals ein Mädchen beschuldigt, sie hätte sich bei ihm die Syphilis geholt?« – Auch mir gelang es nicht, neben Tania noch andere Klägerinnen ausfindig zu machen, was freilich Tanias Anschuldigung nicht unbedingt entkräftet, denn welche Frau hätte sich damals schon mit einem solch heiklen Problem an die Öffentlichkeit getraut?

[9] Vgl. Judith Thurman: Isak Dinesen.

[10] Interview des Filmteams von *Welt ohne Mauern* mit Bunny Allen, Kenia 1984.

[11] Vgl. Dennis Holman: Insight Safari Hunting.

[12] Llewelyn Powys: Black Laughter.

[13] Tania Blixen: Afrika, dunkel lockende Welt. – Das Original: Out of Africa, erschien 1937 in New York unter dem Pseudonym Isak Dinesen (dt. 1938, Deutsche Verlagsanstalt, Stuttgart; Zitat neu übersetzt).

[14] James Fox: »Who is Beryl Markham?«, *Observer Magazine*, 30. September 1984.

[15] Vgl. Judith Thurman: Isak Dinesen.

[16] Errol Trzebinski: Silence Will Speak.

[17] Die Maschine, die Finch Hatton erwarb, war eine Gipsy Moth, ein zweisitziger Doppeldecker der De Havilland Aircraft Company Ltd., einer 1920 von Sir G. de Havilland gegründeten Flugzeugfirma, die sich besonders mit ihren ab 1925 gebauten Sport- und Reisemaschinen der »Moth«-Serie einen Namen machte.

[18] Errol Trzebinski: Silence Will Speak. Erst nach Denys' Tod wurde Tania von seiner Familie akzeptiert. Sie war oft Gast in ihrem Hause und wurde zur Lieblingstante der Finch-Hatton-Kinder.

[19] Tania Blixen: Afrika, dunkel lockende Welt (Zitat neu übersetzt).

[20] Judith Thurman: Isak Dinesen.

[21] Interview mit Doreen Bathurst Norman, Jersey, Mai 1986.

[22] Tania Blixen: Afrika, dunkel lockende Welt (Zitat neu übersetzt).

[23] Vgl. Judith Thurman: Isak Dinesen.

[24] Tania Blixen: Afrika, dunkel lockende Welt.

[25] Interview mit Beryl Markham, Nairobi, April 1986; Aufzeichnung der Interviews mit Beryl Markham durch das Filmteam des Dokumentarstreifens *Welt ohne Mauern*, Kenia 1984.

[26] Ebd.

[27] Artikel über Tom Campbell Black in *The Times*, 21. September 1936.

[28] J. A. Hunter: Hunters' Tracks: Great Men – Great Hunters.

[29] Ebd.

[30] *The Times*, 17. Mai 1931.

[31] J. A. Hunter: Hunters' Tracks: Great Men – Great Hunters.

[32] Errol Trzebinski: Silence Will Speak.

[33] Ebd.: Silence Will Speak. Vgl. auch Judith Thurman: Isak Dinesen.

[34] Tania Blixen: Afrika, dunkel lockende Welt.

[35] Vgl. Judith Thurman: Isak Dinesen.

[36] Man munkelte, Beryl sei von Denys schwanger gewesen, als er starb, und sie habe das Kind abtreiben lassen. Mehrfach stieß ich gegen eine unüberwindliche Schranke, wenn Beryls Affäre mit Denys zur Sprache kam. Interviewpartner, die mir bis dahin bereitwillig Auskunft gegeben hatten, gebrauchten plötzlich fadenscheinige Ausflüchte, andere erklärten rundheraus, über dieses Thema wollten sie nicht sprechen. Das erscheint um so merkwürdiger, wenn man bedenkt, daß inzwischen über fünfzig Jahre vergangen sind und sich die Moralvorstellungen in der Zwischenzeit erheblich gewandelt haben. Bei Abschluß meiner Recherchen hatte ich ganz deutlich den Eindruck, daß noch immer nicht die volle Wahrheit über Beryls Affäre mit Denys ans Licht gekommen ist.

Kapitel 6

[1] In G. D. Flemings Artikel »Popular Flying«, Juli 1936, heißt es: »Einmal schoß ich gleich neben unserem Hangar eine mächtige Löwin. Trotz des ein Meter achtzig breiten Grabens und der Stacheldrahtumzäunung verirrten sich oft wilde Tiere aufs Rollfeld, und mehrmals verfolgten Löwen ihre Beute bis auf den Flugplatz.«

[2] *The Times*, 21. September 1936.

[3] Patrick R. Chalmers (Hrg.): Sport and Travel in East Africa.

[4] Florence Desmond: Florence Desmond.

[5] Interview mit Beryl Markham, Nairobi, 1986.

[6] Beryl Markhams erstes Logbuch; die Einträge gehen vom 11. Juni 1931 bis zum 10. Oktober 1934.

[7] Interview mit Beryl Markham, Nairobi, März und April 1986; Aufzeichnung des Interviews mit Beryl Markham durch das Filmteam der TV-Dokumentation *Welt ohne Mauern*, Kenia 1984.

[8] Artikel von Beryl Markham im *Daily Express*, September 1936.

⁹ Maschinen der zivilen Luftfahrt sind durch eine Zulassungsnummer gekennzeichnet, die zum Beispiel für britische Flugzeuge ursprünglich aus dem Länderkürzel GE, gefolgt von einer dreistelligen Buchstabenkombination, bestand. Später wurde das britische Kennzeichen in GA umgewandelt. Das Kürzel für Kenia lautete VP.

¹⁰ Interview mit Cockie Hoogterp, Berkshire 1986. – Als Abwind bezeichnet man im Flugwesen den induzierten Widerstand, der im Bereich eines Tragflügels hervorgerufen wird. Abwinde treten besonders häufig im Lee von Gebirgen auf, vor allem bei merklicher Temperaturerhöhung.

¹¹ Tom Campbell Black flog die Route Kenia–England und zurück zwischen 1929 und 1934 dreizehnmal.

¹² Paddy Migdoll, Buster Parnell und Sir Charles Markham bezeugen, daß Beryl ihnen den Eindruck vermittelte, Tom sei »die Liebe ihres Lebens« gewesen. Doreen Bathurst Norman ist dagegen der Ansicht, Denys Finch Hatton habe ihr mehr bedeutet. Beryl selbst äußerte sich während meiner Interviews mit ihr recht freimütig: »Als mein Geliebter nach England ging, bin ich ihm gefolgt ...«
Frage: »Ihr Geliebter – meinen Sie damit Tom Black?«
»Ja, genau – wen sollte ich wohl sonst meinen?«
Und als wir über ihren Transatlantikflug sprachen: »Dann kam mein Geliebter ums Leben, und ich reiste Hals über Kopf nach Hause zurück.«

¹³ Barbara Goldsmith: Little Gloria, Happy at Last.

¹⁴ Ebd.

¹⁵ Brief von Tom Campbell Black an Beryl Markham, Juli 1934.

¹⁶ Die Waco gehörte den East African Airways, zu deren Gesellschaftern auch John Carberry zählte.

¹⁷ *East African Standard*, Mai 1932.

¹⁸ *Daily Express*, 13. August 1932.

¹⁹ John Duke of Bedford: The Flying Duchess.

²⁰ Interview mit Beryl Markham, April 1986.

²¹ Artikel von Beryl Markham im *Daily Express*, September 1936.

²² Ebd.

²³ Elspeth Huxley: Out in the Midday Sun.

²⁴ G. D. Fleming: »Flying Luck« in: *Popular Flying*, Juli 1936.

²⁵ Interview des Filmteams von *Welt ohne Mauern* mit Jack Trench, Kenia 1984.

²⁶ G. D. Fleming: Blue is the Sky.

Kapitel 7

[1] Interview mit Beryl Markham, Nairobi, März 1986.

[2] *London Evening Standard*, 9. Dezember 1933.

[3] Interview des Filmteams von *Welt ohne Mauern* mit Bunny Allen, Kenia 1984. Noch 1986 bewahrte Beryl Markham einen dieser Nachrichtenbeutel als Andenken auf.

[4] Interview des Filmteams von *Welt ohne Mauern* mit Bunny Allen, Kenia 1984.

[5] Ernest Hemingway: »Das kurze und glückliche Leben des Francis Macomber«, erschienen 1938. Eine der Hauptfiguren dieser Erzählung ist der englische Berufsjäger Robert Wilson, eine Hemingwaysche Idealfigur mit männlich-rauher Schale und einem sorgsam verborgenen sensiblen Kern.

[6] Carlos Baker: Ernest Hemingway.

[7] Ders.: Ernest Hemingway – Selected Letters.

[8] *East African Standard*, 28. August 1934.

[9] Florence Desmond beteuert, als 1935 die ersten Berichte über Hitlers Ausschreitungen durchsickerten, habe Tom seine Meinung über den Diktator geändert. Zuvor aber hielt er, genau wie viele andere, Hitler für einen starken Führer, der dem deutschen Volk nur Gutes bringen würde.

[10] Beryl hatte diesen Brief bearbeitet und abgetippt; die Kopie trug den Vermerk: »Auszug eines Briefes von Tom«. Wahrscheinlich hatte Beryl die Absicht, Teile daraus in *Westwärts mit der Nacht* zu verwenden. Da mir nur ihre Abschrift vorlag, kann ich nicht beurteilen, ob Beryl absichtlich etwaige intime Passagen des Originals gestrichen hat.

[11] Brief an die Autorin von Gustaf »Romulus« Kleen, September 1980.

[12] Beryl Markham: »Die Verwandlung«, in Rivalen der Wüste, S. 196.

[13] Florence Desmond: Florence Desmond; sowie Interviews mit Miß Desmond, Surrey, März und Juni 1986.

[14] C. W. A. Scott, Luftfahrtkorrespondent des *News Chronicle* und Pilot im Ersten Weltkrieg. Der erfahrene Flieger brach dreimal den England-Australien-Rekord und wurde ein berühmter Langstreckenpilot.

[15] Florence Desmond: Florence Desmond.

[16] Ebd.; und Interview mit Miß Desmond, Surrey, März und Juni 1986.

[17] Florence Desmond: Florence Desmond.

[18] *East African Standard*, 27. Oktober 1934.

[19] Ebd.

[20] Interview mit Florence Desmond, Surrey, März und Juni 1936.

[21] Interview mit Beryl Markham, Nairobi, April 1986.
[22] Interview mit Buster Parnell, Kopenhagen, Juni 1986.
[23] Interview mit Mrs. P. Barclay, Nairobi, April 1986.
[24] Florence Desmond: Florence Desmond; sowie Interviews mit Miß Desmond, Surrey, März und Juni 1986.
[25] Vgl. Beryl Markhams Logbucheinträge für das Jahr 1934.
[25] Interviews mit Beryl Markham, Nairobi, April 1986.
[27] Interview mit Cockie Hoogterp, Juni 1986.
[28] Elspeth Huxley: Out in the Midday Sun.
[29] Ebd.
[30] Ebd.
[31] Bror Blixen: Brev Fran Afrika.
[32] Ebd.
[33] Mervin F. Hill: Beryl Markham.
[34] *East African Standard*, 27. November und 4. Dezember 1936.

Kapitel 8

[1] Bror Blixen: Brev Fran Afrika.
[2] Ebd. und Interview mit Beryl Markham, Nairobi, April 1986.
[3] Bror Blixen: Brev Fran Afrika.
[4] Ebd.
[5] Interview mit Florence Desmond, Surrey 1986.
[6] Florence Desmond: Florence Desmond, und persönliche Interviews mit Miß Desmond, Surrey, März und Juni 1986.
[7] Ebd.
[8] Interview mit Viviane Markham, Juni 1986.
[9] Beryl mit Sir Charles Markham Baronet, Nairobi, März 1986.
[10] Jim Mollison: Playboy of the Air.
[11] *News of the World*, 9. August 1936.
[12] *Daily Express*, 19. August 1936.
[13] Interview mit Rose Cartwright, Nairobi, März 1986.
[14] *East African Standard*, 18. September 1936.
[15] *Daily Express*, 2. September 1936.
[16] Vgl. *Daily Express, Daily Mirror* sowie andere englische Tageszeitungen vom 5. September 1936.
[17] Interview mit Ryan »Buster« Parnell, Kopenhagen, Juni 1986.
[18] Vgl. *Daily Express, Daily Mirror* sowie andere englische Tageszeitungen vom 5. September 1936.
[19] *Sunday Dispatch*, 6. September 1936.
[20] Interviews mit Florence Desmond, Surrey, März und Juni 1986.

Kapitel 9

[1] *Sunday Dispatch*, 6. September 1936.
[2] *New York Times*, 6. September 1936.
[3] Pressemitteilung der Nachrichtenagentur *Reuter* an zahlreiche Zeitungen, 5. September 1936.
[4] *New York Times*, 6. September 1936.
[5] Vgl. z.B. Jean Batten: Alone in the Sky.
[6] *Daily Express*, 7. September 1936.
[7] Interview mit Beryl Markham, Nairobi, April 1986.
[8] *East African Standard*, 18. September 1936.
[9] *Sunday Dispatch*, 6. September 1936.
[10] *Daily Express*, 7. September 1936.
[11] Ebd.
[12] *Sunday Dispatch*, 6. September 1936.
[13] Ebd.
[14] Ebd.
[15] *New York Times*, 7. September 1936.
[16] *New York Times*, 6. September 1936.
[17] Ebd.
[18] *East African Standard*, 18. September 1936.
[19] *New York Times*, 6. September 1936.
[20] *Daily Mail*, 8. September 1936 und *New York Times*, 9. September 1936.
[21] *Daily Telegraph*, 8. September 1936.
[22] *New York Times*, 10. September 1936.
[23] Ebd.
[24] *The Times, Liverpool Echo* sowie andere namhafte britische Tageszeitungen vom 19. September 1936.
[25] Interview mit Florence Desmond, Surrey, März 1986.
[26] Interview mit Beryl Markham, Nairobi, März 1986.
[27] *New York Times*, 23. September 1936.
[28] *Cape Times*, 17. November 1936.
[29] Interview mit Florence Desmond, Surrey, März 1986.
[30] *New York Times*, 4. Oktober 1936.
[31] Ebd.

Kapitel 10

[1] Beryl Markham: »Frag nur dein Herz«, in Rivalen der Wüste, S. 159f.
[2] *Daily Express*, 28. September 1936.

[3] Florence Desmond: Florence Desmond, ferner Interviews mit Miß Desmond, Surrey, März und Juni 1986.

[4] Florence Desmond: Florence Desmond.

[5] *East African Standard*, 9. Oktober 1936.

[6] *East African Standard*, 16. Oktober 1936.

[7] Ebd.; *Theatre World*, September 1936.

[8] *Daily Telegraph*, 16. Oktober 1936.

[9] *East African Standard*, 16. Oktober 1936.

[10] *New York Times*, 4. Oktober 1936.

[11] *East African Standard*, 9. Oktober 1936.

[12] Interview des Filmteams von *Welt ohne Mauern* mit Jack Trench, Kenia 1984.

[13] Interview mit Beryl Markham, Nairobi, April 1986.

[14] Interviews mit Florence Desmond, Surrey, März und Juni 1986.

[15] Ebd.

[16] Ebd., ferner Florence Desmond: Florence Desmond.

[17] Interviews mit Florence Desmond, Surrey, März und Juni 1986.

[18] *Daily Express*, 21. Februar 1937.

[19] A. E. Clouston: The Dangerous Skies.

[20] *Truth* (australische Zeitschrift), 2. Januar 1938.

[21] Ebd.

[22] Telefoninterview mit Scott O'Dell, Februar 1987.

Kapitel 11

[1] Der Briefwechsel zwischen dem Verlagshaus Houghton Mifflin und seinen Autoren, aus dem in Kapitel 11 und 12 zitiert wird, befindet sich in der Houghton Library der Harvard-Universität, dank deren freundlicher Genehmigung hier einige wichtige Dokumente zur Wiedergabe gelangen.

[2] *Truth* (australische Zeitschrift), 2. Januar 1938.

[3] *New York Times*, 23. Juni 1939.

[4] *East African Standard*, 20. Mai 1939.

[5] *East African Standard*, März 1939.

[6] *New York Times*, 23. Juni 1939.

[7] Vgl. das für die Premiere von *Safari* herausgegebene Programm der Paramount sowie verschiedene Kritiken über den Film.

[8] Ebd.

[9] Ebd.

[10] *Daily Mirror*, 16. Januar 1940.

[11] David Niven: The Moon's a Balloon.

[12] Unter Beryls persönlichen Papieren fand ich ein Foto mit der Widmung: »Für Beryl, in Liebe ... Harry Richman (ich biete Dir meine Kapitulation an, Toots)«.

[13] Curtis Cate: Antoine de Saint-Exupéry. Sein Leben und seine Zeit.

[14] Brief von Tiny Cloete, Südafrika, an die Autorin, September 1986.

[15] Antoine de Saint-Exupéry: Wind, Sand und Sterne.

[16] Beryl Markham: Westwärts mit der Nacht, S. 278

[17] Interview mit Beryl Markham, Nairobi, April 1986.

[18] Ebd.; bestätigt durch Interviews mit Dr. Warren Austin, Oktober 1986.

[19] Brief von Jørgen Thrane, Kenia, an die Autorin, September 1986.

Kapitel 12

[1] Telefoninterview mit Scott O'Dell, Februar 1987.

[2] Brief an die Autorin von E. D. Baring-Gould, September 1986.

[3] Obwohl Beryls erste Fluglizenz korrekt ausgestellt ist, tragen spätere Erneuerungen sowie zwei Pässe das Geburtsdatum 26. Oktober 1904. Ebenso gab sie in mehreren Interviews ein falsches Alter an und machte sich zwei bis vier Jahre jünger.

[4] *Santa Barbara News Press*, 21. September 1962.

[5] *Collier's Weekly Magazine*, 30. Juni 1945.

[6] Telefoninterview mit Scott O'Dell, Februar 1987.

[7] Brief an die Autorin von Doreen Bathurst Norman, Juni 1986.

[8] Das Ehepaar Osa und Martin Johnson gehörte zu den Wegbereitern eines Filmgenres, das seine Spannung aus dem Topos »afrikanischer Dschungel« bezog. Beryl stand ihrer Arbeit äußerst kritisch gegenüber und fand besonders ihr zebragestreiftes Flugzeug vulgär.

[9] Brief aus Beryls Privatkorrespondenz.

[10] Telefoninterview mit Bertrand Rhine, Los Angeles, Juli 1986.

[11] Brief an die Autorin von Doreen Bathurst Norman, Juli 1986.

[12] Scott O'Dell erzählte mir, daß von der Erstauflage von *Westwärts mit der Nacht* 30000 Exemplare verkauft worden seien, eine Ziffer, die der Verlag Houghton Mifflin aufgrund seiner noch existierenden Unterlagen freilich nicht bestätigen konnte. Der Ladenpreis des Buches betrug drei Dollar; O'Dells Angaben zufolge hätte Beryl also (nach Abzug der Provisionsgebühren für ihre Agentin) etwas $ 10000 an Tantiemen verdient.

[13] *New York Times*, 6. und 10. Oktober 1942.

[14] Brief von Stuart Cloete an Dale Warren, 28. November 1942.

[15] Stuart Cloete an Dale Warren, 12. November 1942.

[16] Brief von und Interviews mit Sir Charles Markham, 1986.

[17] Stuart Cloete an Dale Warren, Januar 1943.

[18] Stuart Cloete an Dale Warren, 16. Februar 1943.

[19] Brief an die Autorin von Doreen Bathurst Norman, Juni 1986.

[20] Interview mit Doreen Bathurst Norman, Juni 1986.

[21] Interview mit Beryl Markham, Nairobi 1986, sowie Beryls Auskünfte für die TV-Dokumentation *Welt ohne Mauern*, Kenia 1984.

[22] Telefoninterview mit Scott O'Dell, Februar 1987.

[23] Vgl. Stuart Cloete: »Kreuzritter« in *Collier's, The National Weekly*, 1943; die Geschichte handelt von einem temperamentvollen Pferd, das von einem jungen Mädchen gezähmt wird.

[24] Telefoninterview mit John F. Potter (Frankreich), Dezember 1986.

[25] Viele, die Raoul Schumacher gut kannten, waren der Meinung, daß er unter Pseudonym schreibe. Allerdings wußte niemand, einschließlich zweier sehr guter Freunde und seines Stiefsohns, welches Pseudonym er benutzt haben könnte, doch Scott O'Dell mutmaßt, daß es sich um den Namen einer Frau handelte. Die meisten Leute waren überrascht, als sie erfuhren, daß er überhaupt jemals etwas unter seinem eigenen Namen veröffentlicht hat.

[26] *Collier's Weekly*, 29. Januar 1941.

[27] *Vanity Fair*, März 1987.

[28] Telefoninterview mit Scott O'Dell, Februar 1987.

[29] Aus den Verträgen des Verlagshauses Houghton Mifflin geht hervor, daß Beryl und Raoul am 9. Januar 1944 einen Vorschuß in Höhe von 2500 Dollar für einen »Afrikaroman« erhielten. Raoul hatte jedoch Scott O'Dell gegenüber behauptet, Beryl sei ein Vorschuß von 15 000 Dollar ausbezahlt worden. Houghton Mifflin bestätigte mir, daß eine solche Summe zur damaligen Zeit ungewöhnlich hoch gewesen wäre. Es ist sehr unwahrscheinlich, daß ein Autor von Beryls (oder Raouls) Format für einen bloßen Romanentwurf eine derartige Forderung hätte stellen können.

Kapitel 13

[1] Information von C. M. Schrader, US-Wehrdienstzentrale, Missouri.

[2] Telefoninterview mit Dr. Warren R. Austin (Washington-Kalifornien), Juli 1986.

[3] Interview mit Dr. Warren Austin, Hampshire, Oktober 1986.

[4] Ebd.

[5] Telefoninterview mit John F. Potter, Frankreich, Dezember 1986.

[6] Interview des Filmteams von *Welt ohne Mauern* mit Maddie de Mott, Kenia 1984.

[7] Telefoninterview mit Dr. Warren Austin (Washington-Kalifornien), Juli 1986.

[8] Ebd.

[9] Interview mit Viviane Markham, London, Juni 1986.

[10] Gespräche mit Fleur und Valery Markham, Beryls Enkelinnen.

[11] Gespräch mit Dr. Austin, Hampshire, Oktober 1986.

[12] Telefoninterview mit John F. Potter, Frankreich, Dezember 1986.

[13] Telefoninterview mit Scott O'Dell, 9. Februar 1987.

[14] Telefoninterview mit Scott O'Dell, 10. Februar 1987.

[15] Gespräch mit Warren Austin, Hampshire, 23. Oktober 1986.

[16] Beryl Markham: »Der Drückeberger«, in Rivalen der Wüste, S. 216f. Als ich Beryls Erzählsammlung vorbereitete, war mir diese Geschichte zunächst entgangen. Erst eine zufällige Bemerkung zu Juanita Carberry veranlaßte diese, sich zu erinnern: »Ich habe da noch eine Story in meinem Exemplar von *Westwärts mit der Nacht*!«

[17] *Cosmopolitan*, Juni 1946.

[18] Interview mit Barry Schlachter, Boston, Juli 1986; vgl. auch Scott O'Dells Unterredung mit Raoul in Pasadena, bei der Raoul davon sprach, daß er »an einem Roman über Afrika schreibe« (s. o., Seite 285).

[19] *Mombasa Times*, Januar 1946.

[20] Gespräch mit Mrs. Warren »Bunny« Austin, Wiltshire, November 1986.

[21] Interview mit Buster Parnell, dem Beryl von dieser heimlichen Affäre erzählt hat; Kopenhagen, Juni 1986.

[22] Telefoninterview mit John F. Potter, Frankreich, Dezember 1986.

[23] Ebd.

[24] *Santa Barbara News Press*, 28. April 1953.

[25] Telefoninterview mit Scott O'Dell, 10. Februar 1986.

[26] Interview mit John B. Greene Jr., Santa Barbara, Juli 1986.

[27] Interview mit Mrs. J. Whiting, Santa Barbara, Juli 1986.

[28] Interviews mit John Yabsley, Santa Barbara, Juli und August 1986.

[29] *Santa Barbara News Press*, 21. September 1962.

Kapitel 14

1 Ein Großteil der Informationen für dieses Kapitel stützt sich auf Interviews, Telefongespräche und Briefe zwischen der Autorin und Doreen Bathurst Norman, die eine Fülle von Material beisteuerte. Sofern ihre Beiträge aus dem Text ersichtlich sind, habe ich ausnahmsweise auf individuelle Anmerkungen verzichtet.

2 Interview mit Sir Charles Markham, Nairobi, März 1986.

3 Brief an die Autorin von Tiny Cloete, 1986.

4 Interview mit Doreen Bathurst Norman, Juni 1986.

5 Brief an die Autorin von Tiny Cloete, 1986.

6 Nach reiflicher Überlegung habe ich mich entschlossen, die Politik Afrikas auszusparen, da ich es nicht als Aufgabe dieses Buches sehe, die politische Lage Kenias, gleichgültig auf welcher Stufe ihrer Entwicklung, zu dokumentieren oder gar zu beurteilen. Dem interessierten Leser stehen hierfür zahlreiche Veröffentlichungen von Experten zur Verfügung, mit deren Kompetenz und Sachverstand ich mich nicht messen kann. Der kurze Exkurs an dieser Stelle dient lediglich dazu, die Ängste der europäischen Siedler vor den Terroranschlägen des Mau-Mau-Bundes zu veranschaulichen, da hiervon auch Beryls Leben nachhaltig beeinflußt wurde.

7 Vgl. »Ehrung für Beryl Markham«, Ansprache von George Bathurst Norman im Rahmen eines Gedenkgottesdienstes, gehalten am 4. September 1986.

8 Zu Rundgrens interessanter Lebensgeschichte vgl. Dennis Holman: Inside Safari Hunting.

9 Shilling (frühere Münzeinheit in Großbritannien; 20 Shilling = 1 Pfund Sterling; dies entsprach zur damaligen Zeit etwa 5 DM).

10 Interview mit Viviane Markham, London, Mai 1986, sowie anschließender Briefwechsel zwischen ihr und der Autorin; ferner Interviews mit Beryls Enkelinnen, Fleur und Valery Markham.

11 Interview mit Ryan »Buster« Parnell, Kopenhagen, Juni 1986.

12 Vgl. »Ehrung für Beryl Markham«, Ansprache von George Bathurst Norman im Rahmen eines Gedenkgottesdienstes, gehalten am 4. September 1986.

13 Mervyn F. Hill: »Beryl Markham«, *Kenya Weekly News*, 1964.

14 Ebd.

15 Brief an die Autorin von Gustaf »Romulus« Kleen, Schweden.

16 Interview mit Ryan »Buster« Parnell, Kopenhagen, Juni 1986.

Kapitel 15

1 Ein Großteil der Informationen für dieses Kapitel verdanke ich einer Reihe von Interviews mit Ryan »Buster« Parnell; um endlose Wiederholungen zu vermeiden, habe ich darauf verzichtet, ihn in jedem Einzelfall als Quelle anzugeben. Sofern jedoch andere Informanten Hintergrundmaterial beigesteuert haben, werden sie wie gewohnt in den Anmerkungen genannt.

2 Brief an die Autorin von E. R. »Tubby« Block.

3 *East African Standard*, Juli 1960; sowie Ryan »Buster« Parnell, Juni 1986.

4 Vgl. Elspeth Huxley: Flame Trees of Thika.

5 Kenia erhielt am 12. Dezember 1963 die volle Unabhängigkeit und blieb, zunächst als Monarchie, seit 12. Dezember 1964 als Republik mit Jomo Kenyatta als Staatspräsident, im Commonwealth of Nations.

6 Brief an die Autorin von E. R. »Tubby« Block.

7 Ein bekanntes Freiluft-Café, in dessen Mitte ein Weißdorn steht. Den ersten Siedlern diente er zum Nachrichtenaustausch mit auswärtigen Freunden: sie nagelten Botschaften an seinen Stamm.

8 Telefoninterview mit Anna Parnell, 1986.

9 Brief an die Autorin von Gustaf »Romulus« Kleen, Schweden, September 1986.

10 Mervyn F. Hill: »Beryl Markham«, Kenia 1964.

11 Brief von Doreen Bathurst Norman, Jersey, September 1986.

Kapitel 16

1 Telefongespräch mit Patricia O'Neill.

2 Ebd.

3 Interview mit Doris Smart, Sussex, Mai 1986.

4 Interview mit Doreen Bathurst Norman, Jersey, Juni 1986.

5 Ebd.

6 Interview mit Patricia O'Neill.

7 Ebd.

8 Ebd.

9 *Cape Times*, 3. August 1965.

10 Ebd.

11 Interview mit Patricia O'Neill.

12 Ebd.

[13] Interview mit Anna Parnell, September 1986.
[14] Interview mit Ryan »Buster« Parnell, Malmö, Schweden, Juni 1986.
[15] Ebd.
[16] Interview mit Anna Parnell, September 1986.
[17] Interview mit Beryl Markham, Nairobi, April 1986.
[18] Interview mit Anna Parnell, September 1986.
[19] *Sunday Mail* (Rhodesien), 23. Juni 1968.
[20] Briefe von Peter Leth, Cornwall, 1986.
[21] Interview mit Viviane Markham, London, Juni 1986.
[22] Interview mit Charles Markham, Nairobi, März 1986.
[23] Interview mit Ulf Aschan, Nairobi, März 1986.
[24] Telefongespräch mit Robin Higgin, 30. Mai 1986.
[25] Brief von Doreen Bathurst Norman, Juni 1986.
[26] Vorwort zu: Westwärts mit der Nacht, S. 8.
[27] Ebd., 8 f.
[28] Interview mit Dennis Leatherby durch das Filmteam der TV-Dokumentation *Welt ohne Mauern*, 1984.
[29] *East African Standard*, 7. Januar 1976.
[30] Während meiner Interviews mit Beryl Markham im April 1986 in Nairobi zeigte sie mir eine Kopie des Briefes, den ihr Anwalt damals an den Vorstand des Jockey Clubs geschrieben hatte. Als ich ihr das Schreiben laut vorgelesen hatte, sagte sie: »Merken Sie jetzt, wie die mit mir umspringen wollten? Und sowas mußte ich mir bieten lassen ...«
[31] Interview mit Ryan »Buster« Parnell, Kopenhagen, Juni 1986.
[32] Brief von Gwyneth, Herzogin von Portland, 1986.

Kapitel 17

[1] Interviews mit Jack Couldrey, Nairobi, März und April 1986.
[2] Ulf Aschan ist der Patensohn von Bror Blixen, über den er auch eine Biographie geschrieben hat (erschienen in Schweden 1986).
[3] Gespräche mit V. J. Varma, Nairobi, April 1986; sowie Interviewaufzeichnungen des Filmteams von *Welt ohne Mauern*, 1984.
[4] Interview mit Paddy Migdoll, Nairobi, März und April 1986; sowie Interviewaufzeichnungen des Filmteams von *Welt ohne Mauern*, 1984.
[5] Interview mit Beryl Markham, Nairobi, April 1986.
[6] Interview mit Sir Charles Markham, Nairobi, März 1986.
[7] Telefonat mit David Sugden, September 1986; sowie Interviewaufzeichnungen des Filmteams von *Welt ohne Mauern*, 1984.
[8] Ebd.

9 Brief von Bill Purdy, August 1986; sowie Interviewaufzeichnungen des Filmteams von *Welt ohne Mauern*, 1984.

10 *East African Standard*, August 1982.

11 Auszug aus der Grabrede, die Jack Couldrey bei Beryls Beerdigung hielt; Nairobi, August 1986.

12 Die Wendung »... ja man könnte sogar sagen ein Luder erster Güte« findet sich im Original des Briefes, wurde aber in der gedruckten Fassung gestrichen, um eventuellen rechtlichen Problemen vorzubeugen. Diese Information verdanke ich dem Herausgeber der Hemingway-Briefe, Carlos Baker.

13 Vgl. Interviews und Briefwechsel der Autorin mit George Gutekunst.

14 Interviews mit Jack Couldrey, Nairobi, März und April 1986.

15 Interview mit Beryl Markham, Nairobi, April 1986.

16 Ebd., April 1986.

17 Interviews mit George Gutekunst, Nairobi, London, San Francisco, 1986.

18 Telefonate mit George Gutekunst, Oktober 1986. (Im Oktober 1986 war der Verkauf auf 202000 Exemplare gestiegen, und *Westwärts mit der Nacht* hatte Platz 2 der Taschenbuch-Bestsellerliste der *New York Times* erreicht. Im Dezember 1986 eroberte es den ersten Platz und hielt sich dort mehrere Wochen. Inzwischen waren über 300000 Exemplare verkauft.)

19 Interview mit Jack Couldrey, Nairobi, April 1986.

20 Telefongespräch mit David Sugden, September 1986.

21 Interview mit Jack Couldrey, Nairobi, April 1986.

22 Interview mit Paddy Migdoll, Nairobi, März 1986.

23 Aus Jack Couldreys Grabrede, gehalten bei Beryls Beerdigung, Nairobi, August 1986.

24 Telefongespräch mit Jack Couldrey, August 1986.

Literaturverzeichnis

Baker, Carlos: Ernest Hemingway. New York 1969
– (Hrg.): Ernest Hemingway – Selected Letters. New York 1981
Batten, Jean: Alone in the Sky. London 1938
Bedford, John Duke of: The Flying Duchess. London 1982
Best, Nicholas: Happy Valley. London 1979
Blixen, Tania: Afrika, dunkel lockende Welt. New York 1937/
dt. Stuttgart 1938
Blixen-Finecke, Bror von: African Hunter. London 1937
–: Brev Fran Afrika. (Ins Englische übertragen von Gustaf Kleen.)
Schweden 1942
Cate, Curtis: Antoine de Saint-Exupéry. Sein Leben und seine
Zeit. Zug 1973
Chalmers, Patrick R. (Hrg.): Sport and Travel in East Africa.
Nach den Tagebüchern des Prinzen von Wales, London 1934
Churchill, Winston S.: My African Journey. London 1908
Clouston, A. E.: The Dangerous Skies. London 1954
Cranworth, Lord: Kenya Chronicles. London 1938
Desmond, Florence: Florence Desmond. London 1953
Eliot, Sir Charles – Arnold, Edward: The East African Protec-
torate. London 1905
Fleming, G. D.: Blue is the Sky. London 1945
Frankland, Noble: Prince Henry, Duke of Gloucester. London
1980
Frisell, Hjalmar – Hokerbergs, Lars: Sju Ar I Talt – Bland vita
och Svarta. Stockholm 1938
Goldsmith, Barbara: Little Gloria, Happy at Last. London 1980
Hill, Mervin F.: Beryl Markham. Kenia 1964

Holman, Dennis: Insight Safari Hunting. London 1969

Hunter, J. A.: Hunters' Tracks. Great Men – Great Hunters. London 1959

Huxley, Elspeth: Flame Trees of Thika. London 1984

–: Die Grashütte. Roman aus Erinnerungen. Stuttgart 1961

–: Out in the Midday Sun. London 1985

–: No Easy Way. Nairobi 1957

–: White Man's Country. Lord Delamere and the Making of Kenya. 2 Bde. London 1935

Markham, Beryl: Rivalen der Wüste. München 1988

–: Westwärts mit der Nacht. München 1987

Meinertzhagen, Richard: Kenya Diary 1902–1906. Edinburgh – London 1957

Miller, Charles: The Lunatic Express. An Entertainment in Imperialism. New York – Toronto 1971

Mollison, Jim: Playboy of the Air. London 1937

Niven, David: The Moon's a Balloon. New York o. J.

Paget, Guy: Bad 'Uns to Beat. London 1936

Powys, Llewelyn: Black Laughter. London 1953

Saint-Exupéry, Antoine de: Wind, Sand und Sterne. Düsseldorf 1956

Thurman, Judith: Isak Dinesen. The Life of a Storyteller. New York 1982

Trzebinski, Errol: Silence Will Speak. London 1977

GOLDMANN

Bestseller

*Tom Clancy und Sidney Sheldon, Utta Danella
und Danielle Steel, Heinz G. Konsalik und
Marie Louise Fischer, Colleen McCullough und Gillian Bradshaw,
Charlotte Link und Irina Korschunow –
internationale Weltbestseller garantieren Spannung und
Unterhaltung auf höchstem Niveau.*

Tanja Kinkel, Die Löwin
von Aquitanien   41158

Susanne Scheibler,
Der weiße Gott   41514

Régine Colliot, Die
Geliebte des Sultans   41521

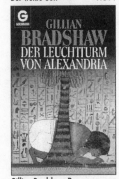

Gillian Bradshaw, Der
Leuchtturm von Alexandria 9873

Goldmann · Der Bestseller-Verlag

GOLDMANN

Bestseller

*Tom Clancy und Sidney Sheldon, Utta Danella
und Danielle Steel, Heinz G. Konsalik und
Marie Louise Fischer, Colleen McCullough und Gillian Bradshaw,
Charlotte Link und Irina Korschunow –
internationale Weltbestseller garantieren Spannung und
Unterhaltung auf höchstem Niveau.*

Joy Fielding,
Lauf, Jane, lauf!   41333

Anne Perry,
Das Gesicht des Fremden 41392

Mary McGarry Morris,
Eine gefährliche Frau   41237

Ruth Rendell,
Stirb glücklich   41294

Goldmann · Der Bestseller-Verlag

GOLDMANN

FrauenLeben

*»Sie war eine jener mutigen Frauen, die sich
ins offene Wasser hinauswagen... Sie hatte das Zeug
zu einer Königin.«*

Frankfurter Allgemeine Zeitung

Anne Delbée, Der Kuß   8983

Rauda Jamis, Frida Kahlo   9689

Françoise Giroud,
Alma Mahler   9736

Hilda Doolittle,
HERmione   9295

Goldmann · Der Taschenbuch-Verlag

GOLDMANN

Frauen heute

*Autorinnen von heute definieren den Begriff
Weiblichkeit jenseits gängiger Klischees neu und
schreiben mit Witz und Selbstironie über Liebe und
Leben, Erotik und Romantik. Ein zeitgemäßer Typ
Frauenliteratur: emanzipiert, poetisch, provokant,
unterhaltsam und anspruchsvoll zugleich.*

Sandra Cisneros, Das Haus
in der Mango Street   41418

Mona Simpson,
Überall, nur nicht hier   42081

Margaret Diehl,
Hexenherz   9838

Brigitte Riebe,
Mann im Fleisch   41420

Goldmann · Der Taschenbuch-Verlag

GOLDMANN

Frauen heute

Autorinnen von heute definieren den Begriff
Weiblichkeit jenseits gängiger Klischees neu und
schreiben mit Witz und Selbstironie über Liebe und
Leben, Erotik und Romantik. Ein zeitgemäßer Typ
Frauenliteratur: emanzipiert, poetisch, provokant,
unterhaltsam und anspruchsvoll zugleich.

Amy Tan,
Töchter des Himmels   9648

Almudena Grandes,
Lulú   41101

Margaret Diehl,
Die Männer   9435

Blanche McCrary Boyd,
Wilde Unschuld   42010

Goldmann · Der Taschenbuch-Verlag

GOLDMANN

Alice Walker

Mit ihren Romanen <u>Die Farbe Lila</u> und <u>Meridian</u> sowie mit
ihren Erzählungen wurde Alice Walker weltberühmt. Was an
ihren literarischen Werken fasziniert, ist die Warmherzigkeit und
Sensibilität, die leidenschaftliche Unbeirrbarkeit und Ent-
schiedenheit, mit der sie für Schicksal schwarzer Frauen und für
ihre gesellschaftliche Emanzipation kämpft.

Meridian   8855

Roselily   9186

Freu dich nicht zu früh   9640

Auf der Suche nach den
Gärten unserer Mütter   9442

Goldmann · Der Taschenbuch-Verlag

GOLDMANN

Bestseller

*Tom Clancy und Sidney Sheldon, Utta Danella
und Danielle Steel, Heinz G. Konsalik und
Marie Louise Fischer, Colleen McCullough und Gillian Bradshaw,
Charlotte Link und Irina Korschunow –
internationale Weltbestseller garantieren Spannung und
Unterhaltung auf höchstem Niveau.*

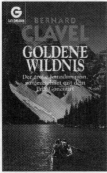

Bernard Clavel,
Goldene Wildnis   41008

Clive Cussler,
Das Alexandria-Komplott 41059

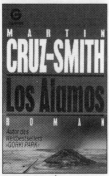

Martin Cruz-Smith,
Los Alamos   9606

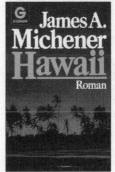

James A. Michener,
Hawaii   6821

Goldmann · Der Bestseller-Verlag